historia

UNA EXPLOSIÓN EN AMÉRICA: EL CANAL DE PANAMÁ

selección, prólogo y notas de
ENRIQUE JARAMILLO LEVI

siglo
veintiuno
editores

méxico
españa
argentina

siglo veintiuno editores, sa
CERRO DEL AGUA 248. MÉXICO 20. D.F.

siglo veintiuno de españa editores, sa
EMILIO RUBÍN 7. MADRID 33 .ESPAÑA

siglo veintiuno argentina editores, sa
Av PERÚ 952. BS.AS..ARGENTINA

edición al cuidado de carmen valcarce
portada de ricardo harte

primera edición en español, 1976
© siglo xxi editores, s. a.

ÍNDICE

Los norteamericanos quieren absorbernos... vendrán aquí con el mensaje de su lengua y de su folklore, son de una condición que no respeta más hegemonía cultural que la suya; vendrán a colonizarnos, no sólo como se explota una comarca, con propósitos comerciales —o políticos— sino por medio de su cultura, sinceramente incompatible con la nuestra. ¡A dónde está nuestro valor civil, a dónde nuestra dignidad, a dónde nuestro concepto de la nacionalidad, y de la cultura hispánica, de nuestros derechos y de nuestra personalidad definida...!

No olvidemos que la Historia está frente a nosotros, y que somos responsables ante nuestras generaciones venideras de lo que decidamos hoy; recuérdese que la demasiada confianza en los norteamericanos sólo nos traerá remordimientos tardíos. Pensemos que, antes que todas nuestras ilusiones, está un deber para la patria y para con nuestros hijos: el de conservar íntegro el patrimonio nacional que nos legaron nuestros padres.

Belisario Porras, "Reflexiones canaleras o la venta del Istmo", periódico *Constitucional*, San Salvador, 18 de julio de 1903.

Se puede formar una copiosa lista de expresiones... de autores latinoamericanos divergentes en ideología, pero todos convencidos de que la República de Panamá surgió como una ficción política, urdida por el State Department para el exclusivo servicio de los intereses estadinenses. Y fácil sería demostrar que semejantes manifestaciones, aparentemente impregnadas de antimperialismo, vienen a rendir pleitesía al ex abrupto proferido por Teodoro Roosevelt cuando alardeaba de haberse tomado el istmo de Panamá para asegurarle a su país la construcción y dominación de la vía acuática intermarina. Tales asertos se apoyan en una representación unilateral y parcial, si no en el desconocimiento total de la evolución histórica del nacionalismo panameño... Ninguna nación americana puede dar cuenta de su presencia con títulos más valederos que los de Panamá...

Diógenes de la Rosa, "Panamá, problema americano", *Ensayos varios*, Panamá, 1968.

La República de Panamá debe tomar una decisión clara y terminante con relación a las actuales negociaciones y el nuevo canal y debe dejar clara y definitivamente establecido que se reserva el derecho a construir el nuevo canal con los auxilios financieros y tecnológicos que en su oportunidad considere oportunos, bien sean de naturaleza privada o de naturaleza pública y bien sean norteamericanos o de otra nacionalidad. En esto no se trata de sentimientos antinorteamericanos. De lo que se trata es de que la República de Panamá sea el usufructuario de un bien propio como es su posición geográfica; de que cese el monopolio que hoy día ejerce Estados Unidos de América en el aprovechamiento de un bien que no le pertenece como lo es nuestra posición geográfica; y de que la República de Panamá se decida a explotar en su propio provecho su privilegiada posición geográfica...

Carlos Bolívar Pedreschi, *Canal propio* vs. *Canal ajeno —elementos para una nueva política canalera*, Panamá, 1973.

PRÓLOGO

Una visión integral del conflicto

En medio del territorio panameño, partiendo en dos al país, se encuentra una faja denominada "Zona del Canal" que supuestamente regula el uso, mantenimiento, administración y defensa del Canal de Panamá. Regida por jurisdicción norteamericana, esta faja de 533 millas cuadradas cumple además otras funciones no previstas en el Tratado Hay-Bunau-Varilla de 1903 que todos los panameños repudiamos por habernos sido mañosamente impuesto, como lo son, por ejemplo, el entrenamiento de tropas, el acecho constante y la reiterada agresión que, desde 14 bases militares no autorizadas que operan en dicha zona, se realiza contra los movimientos de liberación nacional que a menudo se gestan en los pueblos oprimidos de América Latina. Y hay otras muchas causas de conflicto presentes no sólo en la estructura antijurídica de aquel oneroso tratado y sus posteriores enmiendas, sino también en su interpretación unilateral y arbitraria que, a través de 72 años de vida republicana panameña, ha venido realizando esa nación que se propone como modelo de sistemas democráticos susceptibles de ser imitados por todos los países del orbe: los Estados Unidos de América.

Panamá, pequeña y débil nación de apenas millón y medio de habitantes, explotada siempre por imperios avariciosos, posee como principal recurso natural su posición geográfica privilegiada. Teniendo en sus entrañas la faja más angosta del continente y a uno y otro lado los océanos Atlántico y Pacífico, el istmo panameño accedió a que sus tierras y aguas fueran modificadas por el esfuerzo humano para que un canal interoceánico beneficiara al comercio del mundo. Los Estados Unidos, en cambio, han usufructuado en beneficio propio gran parte del caudal ofrecido por la posición geográfica panameña, han ignorado el esencial concepto de la neutralidad del canal y han convertido la Zona del Canal en un militarizado enclave colonial.*

Los reclamos y demandas panameñas, por vía de negociación, han sido constantes desde antes, incluso, de que se terminara de construir el canal en 1914. Circunstancias internacionales adversas y el feroz predominio de la voluntad norteamericana tanto en la diplomacia como en el expansionismo en que se empeñaban a fines del siglo pasado y principios de éste los grandes imperios

---

* Véase mi reportaje, publicado en dos partes, "Panamá: epicentro de tormentas", en la revista *Él*, números 74 y 75, noviembre y diciembre de 1975.

hegemónicos, condicionaron durante un tiempo el carácter exclusivamente revisionista de las aspiraciones panameñas en lo referente al Tratado de 1903. Sin embargo, muchas han sido las manifestaciones de inconformidad patriótica externadas por el pueblo
panameño durante el trascurso de su desafortunada historia.
En 1959 y en 1964 el mundo tuvo conocimiento del ataque armado que las tropas norteamericanas acantonadas en la Zona
del Canal opusieron a los justos reclamos de soberanía que, para
todo su territorio, realizaron los panameños. Pero sólo en enero
de 1964, cuando Panamá rompió relaciones diplomáticas con
Estados Unidos y lo acusaron ante la OEA y en la ONU de injustificada agresión contra el pueblo panameño, comprendió el mundo la magnitud de la saña yanqui y el grado de inquebrantable
decisión que animaba a los hombres y mujeres del pequeño istmo centroamericano en su empeño por ser realmente un país
libre.

Desde entonces, hace once años ya, Panamá negocia un nuevo
tratado del Canal con los Estados Unidos. En 1973, el Consejo
de Seguridad de la ONU se reunió en Panamá para escuchar, de
viva voz, las demandas panameñas y para medir, en el lugar
de los hechos, la verdadera dimensión de la presencia colonial
yanqui. Y las negociaciones, de carácter bilateral, continúan. La
Declaración Tack-Kissinger de 1974 propone, a grandes rasgos,
ciertos acuerdos conceptuales desde los cuales ambos países
buscan conciliar sus diferencias.

Aunque en algunos puntos se satisfacen aspiraciones panameñas largamente esperadas —como lo son la abrogación del Tratado de 1903, la pronta restitución a Panamá de su jurisdicción
sobre la Zona del Canal y la reversión del actual Canal cuando
expire el plazo fijo del nuevo tratado—, dicha Declaración entraña la posibilidad de acuerdos que continuarían lesionando grave-
mente la soberanía panameña. En lo que toca al asunto de la
"defensa" del Canal, por ejemplo, los Estados Unidos siguen
empeñados en mantener su presencia militar no sólo en éste sino
en cualquier futuro canal que se les permita construir por territorio panameño; y, efectivamente, aspiran a ser ellos, al margen
de los intereses panameños en cuanto a la construcción y usufructo de un posible canal a nivel del mar cuando el presente sea
obsoleto, los únicos que lo construyan y defiendan. También
existen aún serias diferencias en muchos otros puntos que se
negocian, entre ellos el del tiempo de duración del nuevo tratado
y la forma de creciente participación panameña en la administración, manejo y defensa del actual Canal.

Todo esto, sin desestimar la insistente actitud neocolonial
y paternalista que se adjudican todavía los dirigentes norteamericanos en sus relaciones con América Latina en general y con
Panamá en particular, propicia un clima de tensa intranquilidad

entre importantes círculos de opinión nacional, sobre todo entre
los estudiantes.[1] Justo es reconocer, sin embargo, que son múltiples las presiones que se ejercen sobre el gobierno panameño
para que transija en aspectos fundamentales del problema canalero a cambio de algunas concesiones de parte de la potencia del
Norte, que sólo tienden a mediatizar el proceso de las negociaciones actuales.

En la encrucijada vital en que hoy se encuentra la nación
panameña habrá de resolverse, de una manera o de otra, el destino del istmo. En este sentido, no somos pocos los panameños
que pensamos que más conviene al país esperar que los acelera-
dos cambios que se están dando desde hace algunos años en
favor de la liquidación de situaciones coloniales en el mundo
coloquen a los Estados Unidos en una situación desventajosa y
favorable, en cambio, a las justas aspiraciones panameñas, que
ceder ahora ante las presiones firmando un tratado que sólo propone ventajas parciales y que sin embargo hipoteca de nuevas
maneras el futuro de la nación.[2]

Son muchos y altamente complejos los problemas que entraña la actual situación canalera, así como los que cualquier
nuevo tratado tendrá que implicar. Los aspectos económicos,
políticos, sociales y de orden técnico únicamente representan
algunos aspectos de la cuestión, los más obvios. Existen, sin
embargo, otros elementos de juicio que se deben considerar si
han de plantearse todas las causas de conflicto.

Los antecedentes históricos, lógicamente, constituyen las piedras angulares; sin una comprensión cabal de sus circunstancias
y motivaciones, resulta imposible tener una visión coherente del
actual problema. Entender la organización política, económica
y militar de la llamada *Zona del Canal* ayuda enormemente a
cualquier lego en la materia para que compruebe la realidad
colonial que representa el enclave norteamericano en territorio

[1] En septiembre de 1975, varios cientos de estudiantes panameños ape-
drearon la embajada norteamericana en señal de protesta por las insolentes
declaraciones hechas a principios de ese mes por el secretario de Estado
Kissinger, en el sentido de que su país debía "reservarse el derecho de
defender en forma unilateral el Canal de Panamá por un tiempo indefinido";
indudablemente protestaban también por la lenta marcha de las negociaciones, a las que muchos consideran ya como una farsa o táctica dilatoria
yanqui. Posteriormente, el precandidato republicano Ronald Reagan ha
declarado que se opone a cualquier tratado con Panamá que le ceda las
actuales ventajas políticas, económicas y militares que tienen los Estados
Unidos. Más recientemente, el 14 de marzo de 1976, el periódico *Excélsior*
publica unas declaraciones del presidente Ford, fechadas en Greensboro
(agencia Reuter), según las cuales dice: "Les aseguro que los Estados
Unidos, mientras yo sea mandatario, no harán nada por ceder el dominio
de la Zona del Canal ni renunciarán a la defensa militar del mismo." Todo
parece indicar que en Panamá no se dio a conocer dicha noticia.
[2] Véase mi carta abierta al periódico mexicano *Excélsior*, publicada en
la sección "Foro" el 9 de abril de 1976.

panameño. Sabiendo lo que el concepto de neutralidad significa jurídica e internacionalmente, se puede tener una idea certera de la estafa que es realmente la existencia de catorce bases militares que, más que defender el Canal contra una posible agresión externa, amenazan constantemente no sólo a Panamá sino a todas las naciones del continente. En rigor, habría que pasar revista también al Convenio Taft, al Tratado de 1926 (que no llegó a ratificarse), al Tratado General de 1936, al Convenio de Bases Filós-Hines (que gracias a la intervención del pueblo panameño tampoco se ratificó), al Tratado Remón-Eisenhower de 1955, y a los tres Proyectos de Tratados de 1967 (que también repudió la opinión popular), para poder comprender claramente el proceso revisionista del que era objeto el Tratado de 1903 hasta que en 1964 se produce la última de las agresiones norteamericanas contra el pueblo de Panamá por motivo del problema canalero.[3] Por otra parte, la posibilidad de que Panamá, mediante financiamiento y tecnología internacional, construya y usufructe su propio Canal a nivel del mar en un futuro próximo no es, realmente, una idea tan quimérica como tradicionalmente han venido pensando algunos estudiosos; hacer frente a esta posibilidad y entender por qué convendría a los intereses panameños que así fuera, resulta igualmente importante para tener una amplia visión del porqué de los difíciles forcejeos al respecto en las negociaciones que llevan a cabo ambos países.

Y, finalmente, es fundamental la apreciación exacta de los puntos más importantes que implica el actual proceso negociador, con sus avances y retrocesos de parte y parte; en este sentido, es básico entender lo que podría significar para el futuro de Panamá la *Declaración de Principios* Tack-Kissinger de 1974, cuya naturaleza controvertida ha suscitado agudas polémicas entre diversos sectores de opinión panameños.

EL CANAL DE PANAMÁ, ENCLAVE COLONIAL
—UNA INTRODUCCIÓN A LA SITUACIÓN ACTUAL

Un geógrafo diría probablemente de Panamá que este diminuto istmo es el eslabón de América Central por donde ésta se en-

[3] Por limitaciones de espacio no ha sido posible incluir en este libro ciertos textos que analizan las diversas enmiendas y rechazos de tratados realizados entre ambos países a lo largo de la historia panameña. En la sección de *Anexos* se presentan, no obstante, el Tratado de 1903, el de 1936 y el de 1955, así como un documento de la Cancillería panameña que alude a los tres proyectos de tratados de 1967 y algunos otros documentos importantes. Para complementar la visión integral que procura dar este libro, véase además Enrique Jaramillo Levi (recopilación, prólogo y notas de), *El Canal de Panamá: origen, trauma y destino*, México, Grijalbo, 1976; *El Canal de Panamá*, México, FCE, 1976.

garza y amarra al bloque macizo sudamericano. Efectivamente, el istmo de Panamá contiene angosturas mínimas donde las aguas del mundo oceánico del Atlántico se acercan, por el mar Caribe, a las vastísimas del Pacífico; es una tierra por cuya parte central, de bajos relieves, serpentea un río vital, el Chagres. Por ello, estas circunstancias conexas (angostura mínima, débil relieve, existencia de un río viable) constituyen los rasgos esenciales (más que la posición geográfica misma) que hicieron del istmo, desde el siglo XVI, la zona de más fácil tránsito terrestre para enlazar las grandes rutas marítimas del Atlántico con las del Pacífico.

El historiador Waldo Frank ha señalado que "Bolívar fue quien concibió la América como un cuerpo orgánico, libre y entero..., fue quien primero vio los dos cuerpos como una sola integración... Pensó inevitablemente en el canal. Sabía que cuando el agua subiese a través de los montes de Panamá, el istmo sería el corazón por donde la vida brotase a las Américas..."[4] Aunque podrían objetarse detalles de orden técnico a la última frase, no cabe duda de que Bolívar, y en realidad varios aventureros e ingenieros españoles desde poco después del descubrimiento del Nuevo Mundo, tuvieron una acertada visión del istmo como sitio provechoso para el comercio mundial, las comunicaciones e incluso la estrategia militar y política.

Es clásico ya comparar la configuración horizontal del istmo de Panamá con una letra ese (S) mayúscula "tendida en sentido de los paralelos, que presenta sucesivamente arqueos y adelgazamientos, se ensancha en su parte central prolongando hacia el sur una península —la de Azuero— y luego se recorta y encurva hacia el nordeste para presentar sus mínimas angosturas y volver a torcer, siempre grácil, y abrirse un poco más hasta empotrarse en tierra colombiana",[5] nos describe el geógrafo e historiador panameño Ángel Rubio. A lo cual es preciso añadir que las serranías desaparecen en el centro del istmo, "salpicado de suaves colinas por entre las cuales serpentea el pequeño río Chagres".[6] Todo esto explica casi por sí solo la inapreciable función histórica desempeñada por la posición que ocupa este país de un millón y medio de habitantes en el continente americano, incluso desde antes de su descubrimiento por Rodrigo de Bastidas en el año 1500.[7]

Los estudiosos del problema canalero coinciden al señalar que las diferencias entre los intereses panameños y norteamericanos por razón del Canal tienen su raíz en el propio tratado que

[4] Ángel Rubio, "El país natural", *Panamá, 50 años de República*, ed. de la Junta Nac. del Cincuentenario, Panamá, 1953, pp. 7-8.
[5] *Loc. cit.*
[6] *Loc. cit.*
[7] *Loc. cit.*

dio origen a dicho Canal, y en las prácticas colonialistas que, al
margen del tratado, ha impuesto la prepotencia norteamericana
en la llamada Zona del Canal, y pretende continuar imponiendo
bajo el disfraz de una nueva retórica.[8]

Es preciso entender que los intereses de una nación pobre,
con ideales libertarios y un verdadero deseo de tomar en sus
manos el usufructo de su principal recurso natural (su posición
y ventajas geográficas, atestiguadas por la historia pero también
por la avaricia de las grandes potencias imperiales), no parecen
ser reconciliables, pese a declaraciones contrarias de ambas partes negociadoras, con los intereses del imperio yanqui. Tanto en
Panamá como en los Estados Unidos se mueven corrientes de
opinión dispuestas a velar por lo que cada cual considera las
justas metas a lograr para sus respectivos países. Mientras en
el istmo algunos sectores comienzan a inquietarse y a criticar,
según su mejor ver y parecer, los primeros acuerdos conceptuales a los que han arribado los equipos negociadores —lo cual
resulta, indudablemente, natural y deseable—, en los Estados
Unidos surgen posiciones conservadoras (tanto en el Congreso
como entre la opinión pública desinformada) que vociferan en
contra de una supuesta entrega, por parte de su gobierno, de
los derechos que tradicionalmente ellos han identificado como
plenamente norteamericanos en la Zona del Canal, aunque allá
también se están expresando, en favor de la causa panameña,
prestigiosos medios de opinión, como lo son ciertos diarios entre
los que figuran, por ejemplo, el *New York Times* y el *Washington Post*.

En Panamá destacan varios grupos estudiantiles, no alineados
con la política negociadora oficialista (tales como la Asociación
Federada del Instituto Nacional, el Frente Estudiantil Revolucionario, el Movimiento de Unidad Estudiantil, y algunos más), que
han expresado su disconformidad en cuanto a determinados puntos claves de las actuales negociaciones, en los que creen ver
una traición a los más sagrados anhelos del pueblo panameño.
Por otra parte, el núcleo intelectual, de innegable prestigio y
probada responsabilidad patriótica, formado por *los cinco abogados* (Pedreschi, Galindo, Moreno Jr., Zúñiga, Linares)[9] que de-
nunciaron (el 29 de abril de 1974) como defectuosa y representa-
tiva de un grave retroceso en la posición nacionalista panameña
la Declaración de Principios Tack-Kissinger o Declaración de los
Ocho Puntos (fechada 7 de febrero de 1974), ha merecido la
incorporación a su estilo de crítica constructiva de considerables
nuevas zonas de opinión, no sólo en Panamá sino también en

---

[8] Carlos Bolívar Pedreschi, Mario J. Galindo H., y otros, *Las negociaciones sobre el Canal de Panamá y la Declaración de los Ocho Puntos*, Panamá, 1974, pp. 9-10.

[9] Véase el texto de los 5 abogados en este libro.

Las esclusas del canal en plena construcción (1911).

El S. S. Ancón, primer barco en cruzar el canal (15 de agosto de 1914).

Una de las esclusas, la de Miraflores, se abre para dar paso a un barco, mientras limpian la otra compuerta.

→

A bayoneta calada, las tropas norteamericanas contienen a los panameños que intentan en 1959 pasear la bandera nacional por la Zona del Canal. Esto ocurre en la hoy llamada "Avenida de los Mártires", que separa la ciudad de Panamá de la Zona del Canal.

Preludio de la agresión norteamericana del 9, 10 y 11 de enero de 1964, que costó al pueblo panameño 21 muertos y varios cientos de heridos. Estudiantes del Instituto Nacional forcejean con estudiantes norteamericanos y policías de la Zona del Canal frente a la Escuela Superior de Balboa, después de que se les impidió izar la bandera panameña, como se había acordado.

Preludio de la agresión norteamericana del 9, 10 y 11 de enero de 1964, que costó al pueblo panameño 21 muertos y varios cientos de heridos. Estudiantes del Instituto Nacional forcejean con estudiantes norteamericanos y policías de la Zona del Canal frente a la Escuela Superior de Balboa, después de que se les impidió izar la bandera panameña, como se había acordado.

Panorámica de una de la maravillas de ingeniería de principios de este siglo.

Un portaviones pasa por debajo del Puente de las Américas, que une a la ciudad de Panamá con el interior de la República.

otros países latinoamericanos a donde llegaron sus comentarios
impresos. También importa la línea crítica seguida por los editores de la revista *Diálogo Social*, de filiación cristiana-marxista,
cuyos más recientes números recogen nuevas gamas y matices de
opinión que, casi siempre, resultan ser más ambiciosos que las
del gobierno. Y la posición declarada en los últimos tiempos por
el Consejo Nacional de la Empresa Privada (CONEP), órgano de
expresión de más de una decena de entidades representativas
de todas las actividades del sector privado, aunque a menudo
manifiesta su adhesión a los esfuerzos que realiza el gobierno
nacional, a veces suscribe —paradógicamente— puntos de vista
que en lo concerniente a determinados puntos fundamentales
parecen ser también más radicales que los del actual grupo negociador. Finalmente, se hace imprescindible mencionar la posición radical, pero incuestionablemente patriótica, del autodeno-
minado Movimiento de Liberación Nacional 29 de Noviembre[10]
(grupo marxista exiliado en México debido a tempranas diferencias con la primera etapa del régimen militar que jefatura el
general Omar Torrijos Herrera), que sostiene actitudes y enjui-
ciamientos de tipo estructural con respecto al sistema social
imperante en Panamá, y cuestiona la sensatez de importantes
aspectos acordados en la Declaración de los Ocho Puntos.[11] He
aquí, a grandes rasgos, los grupos o sectores a los cuales deberá
responder el actual gobierno si, tras de someter a un plebiscito
(prometido por el general Torrijos en numerosas ocasiones)
los acuerdos a los que lleguen finalmente los negociadores, dichos
acuerdos no coincidieran fundamentalmente con los criterios expresados ya públicamente por tan importantes voceros del sentir
nacional, notablemente heterogéneos entre sí pero coincidentes
casi siempre en aspectos básicos de lo que consideran debe ser
la posición de un país digno y cansado de esperar justicia.

Por otro lado, resulta innegable que el gobierno de Omar Torrijos Herrera cuenta con un respaldo mayoritario, que incluye
sectores obreros, campesinos, estudiantiles (Federación de Estudiantes de Panamá), profesionales y de la burocracia estatal.
Habiendo evolucionado de una actitud pro-oligárquica y represiva
(admitida por Torrijos en discursos que después se publicaron y
en entrevistas concedidas local e internacionalmente) a una madurez progresista y antimperialista, la Guardia Nacional de Panamá
—de unos 6 500 hombres— ha logrado no sólo una considerable
cantidad de apoyo popular sino el respeto y la admiración crecientes de los pueblos del Tercer Mundo. Algunos de los hechos
que los grupos que apoyan al actual régimen consideran como sus
éxitos han sido: el lograr, contra innumerables presiones y ame-

---

[10] Véase el texto del Movimiento de Liberación Nacional 29 de Noviembre en este libro.
[11] Véase la defensa de esta Declaración por J. Yau, en este libro.

nazas, que el Consejo de Seguridad de la ONU se reuniera en Panamá en marzo de 1973 para deliberar sobre las demandas panameñas con respecto al problema canalero; la lucha contra las empresas bananeras norteamericanas en el sentido de hacerlas cotizar más alto el impuesto de exportación del banano nacional; la elección de una Asamblea Nacional de Representantes de Corregimientos que funciona como órgano legislativo, en donde son elementos verdaderamente populares los que debaten la problemática nacional (organismo con el cual, por diversas razones, no están de acuerdo algunos de los grupos arriba mencionados como disidentes en materia canalera); el establecimiento de una nueva Constitución Política de la República, en 1972; el rechazo de los tres Proyectos de Tratados elaborados con Estados Unidos por el equipo negociador de una administración anterior, y que se consideró —mayoritariamente— contrario a los mejores intereses panameños; el logro de algunas reformas agrícolas; la relativa mejor distribución del producto nacional en beneficio de los estratos más pobres; y la reiterada promesa del general Torrijos de recuperar, para la dignidad panameña y el perfeccionamiento de su independencia, la jurisdicción real de la llamada Zona del Canal y el retiro gradual pero efectivo de las tropas norteamericanas que supuestamente, y sin la autorización contractual panameña, defienden el Canal.

Y sin embargo, existen corrientes de opinión que a veces discrepan de la actual posición negociadora del gobierno. Sin que esto signifique una falta de unidad nacional en torno a las aspiraciones históricas de Panamá con respecto al problema canalero —si algo une al panameño es su "religión" (así llamada por Torrijos) en materia de nacionalismo en torno al Canal y la soberanía—, lo cierto es que se trata de negociaciones difíciles, harto complicadas, susceptibles de grandes presiones por parte de los Estados Unidos por razón de la abrumadora presencia militar "de facto" y debido a su enorme *dependencia económica* que en el fondo asfixia al país. También existen, indudablemente, presiones internas de carácter político que obligan al actual régimen a ceder ocasionalmente en aspectos que se ligan indirectamente con las presiones externas que ejerce el imperio norteamericano; podría hablarse, en ciertos casos, de confabulaciones de la CIA con los grupos más reaccionarios dentro del país y fuera de él (algunos grupos de exiliados panameños radicados en Miami, por ejemplo). Todo lo cual quiere decir que, aunque no pueda justificarse, se comprenden los altibajos y las ocasionales contradicciones en que incurre el régimen, tanto en lo relativo a las posiciones sustentadas de manera radical en la primera fase negociadora (después del rechazo de los Proyectos de Tratados de 1967) y debilitadas últimamente (esto resulta evidente en la Declaración de los Ocho Puntos), como en algunos aspectos estructurales de la sociedad nueva que se pretende estar forjando (el incremento de la dependencia mediante los préstamos solicitados a organismos que están bajo el control norteamericano; el estímulo a las trasnacionales y al afianzamiento del *emporio financiero internacional* establecido recientemente en Panamá).

ANTECEDENTES HISTÓRICOS

Como se dijo al principio, la idea de encontrar o de crear una vía que, abriendo por su centro el continente americano, acortase el paso a las Indias Orientales, surge desde el descubrimiento del Nuevo Mundo. En 1524, Hernán Cortés ya había escrito a Carlos V que la unión del Atlántico con el Mar del Sur "valía más que la conquista de Méjico" por él realizada. Y el audaz portugués Antonio Galvao le aseguraba, cuatro años más tarde, que era posible abrir un canal por los istmos de México, Nicaragua, Panamá o el Darién Meridional. Y no fueron vanas palabras las de los peninsulares, pues "Fernando el Católico mandó a Balboa construir, y se construyó a costa de grandes sacrificios, un camino al través del istmo, que fue la base del florecimiento de la Vieja Panamá y de las exploraciones que vinieron después", según nos cuenta el doctor Octavio Méndez Pereira en un texto grabado en piedra en un monumento al Canal.[12] Después, en 1529, Álvaro Saavedra cumplía órdenes de Carlos V al levantar los primeros planos de un canal por Panamá, mientras Pedrarias y Antonelli hacían lo propio para otro por Nicaragua, y el Adelantado Andagoya formulaba un presupuesto de la obra y tomaba medidas del río Chagres, que habrían de utilizar, siglos después, franceses y norteamericanos. Fueron, no obstante, los ingenieros flamencos que envió Felipe II, los primeros que, basados en un estudio serio, juzgaron practicable un canal por el istmo del Darién; pero este monarca —nos dice Méndez Pereira— desechó luego el grandioso proyecto por razones de política internacional, cohonestadas con la frase bíblica: "El hombre no separará lo que Dios unió".[13]

Durante los siglos XVI, XVII y XVIII se repitieron las recomendaciones que aventureros y exploradores presentaban a sus respectivos gobiernos. Guillermo Patterson, colonizador escocés del Darién, muy interesado en la obra, indicaba a Inglaterra en 1694 que el canal "aseguraría las llaves del Universo, capacitando a sus poseedores para dar leyes a ambos mares y para ser árbi-

---

[12] Octavio Méndez Pereira, *Antología del Canal 1914-1939*, The Star & Herald, Panamá, 1939, p. 20.
[13] *Loc. cit.*

tros del comercio mundial",[14] en lo cual no andaba muy despistado, como habría de verse en épocas posteriores cuando las grandes potencias marítimas se disputaban el dominio del mundo. Y nuevamente, en los albores mismos de la independencia sudamericana —nos recuerda Méndez Pereira—, se volvió a pensar en la obra: el visionario Bolívar "comisionó al ingeniero inglés Lloyd y al sueco Falmark para que explorasen el istmo y propusieran la vía más practicable",[15] Lloyd presentó sus informes en la Sociedad Real de Londres, "pero no tuvo el apoyo necesario para realizar la obra soñada por el Libertador".[16]

En 1821, el istmo de Panamá, por esfuerzo propio, se declara independiente de España, y espontáneamente se incorpora a la República de Colombia. Ésta se desintegra en 1830, y asumen personería internacional separada Nueva Granada, Venezuela y Ecuador; Panamá queda formando parte de la Nueva Granada. En septiembre de 1830 surge el primer intento secesionista, de corta duración. La segunda separación, también efímera, se produce en julio de 1831, pero fracasa por haber entronizado una dictadura el jefe militar que lo apoyó.[17] Algún tiempo después, en 1835, el Congreso colombiano concedía al Barón de Thierry privilegio exclusivo para abrir un canal interoceánico por Panamá. Posteriormente hubo nuevas concesiones y proyectos, todos más o menos infructuosos, enviadas por Francia, Inglaterra o los Estados Unidos.[18] En noviembre de 1840, por tercera vez, Panamá se separa de la Nueva Granada, asume ahora el nombre de Estado Federal del Istmo y se mantiene independiente hasta 1842, bajo la dirección del insigne militar panameño Tomás Herrera. Más adelante, en 1852, el doctor Justo Arosemena presenta al Congreso colombiano un proyecto de reformas a la Constitución con el fin de convertir al istmo en un Estado Federal, que se implantó de 1855 a 1886; [19] aunque esto no significara la liberación respecto a Colombia, es otra prueba del sentimiento independentista panameño.

Mientras tanto, el resultado de las últimas exploraciones realizadas para valorar la vía acuática fue sometido a un congreso internacional reunido en París en 1879; ahí estaban los

---

[14] *Ibid.*, p. 21.
[15] *Loc. cit.*
[16] *Loc. cit.*
[17] *Loc. cit.*
[18] Ricardo J. Alfaro, "Cronología de sucesos fundamentales de la vida internacional de Panamá y de sus relaciones con los Estados Unidos de América", *Panamá y los Estados Unidos de América ante el problema del Canal*, introd. de Dulio Arroyo C., Fac. de Derecho y Ciencias Políticas, Universidad de Panamá, Panamá, 1966, p. 1.
[19] Armando Muñoz Pinzón, "Grandeza y desventura del 3 de noviembre de 1903", p. 9 (escrito a máquina, es un ensayo corregido y aumentado, inédito, del cual apareció una primera versión en la revista *Lotería*, núm. 218, Panamá, abril de 1974).

más eminentes ingenieros del mundo, como Fernando De Lesseps, ya famoso por su intervención en el Canal de Suez, y otros. Al clausurarse dicho congreso, se le había confiado a De Lesseps la empresa de la construcción a nivel de un canal por Panamá; a los 74 años de edad, se pone a trabajar, consigue la concesión de Bonaparte Wyse y le compra ésta junto con sus estudios y planos y los acuerdos convenidos con los dirigentes de la Panama Rail Road, por 10 000 000 de francos. Cuando lanza su primera emisión de acciones, confiado en el solo prestigio de su nombre, resulta un rotundo fracaso. En 1880 se inauguran los trabajos de la Compañía Francesa para la apertura del Canal Interoceánico, y comienza para Panamá una época de gran prosperidad, que dura hasta la quiebra de la compañía en 1889; todos los esfuerzos, empréstitos, dispendios, organizaciones, maquinarias, se estrellan contra tres grandes obstáculos: el clima mortífero, las crecidas y corrientes del río Chagres y el aparentemente inexpugnable sitio conocido como Corte de Culebra, aparte de la bancarrota financiera. El 5 de febrero de 1889 el Tribunal del Sena pronuncia la disolución de la Compañía Universal del Canal Interoceánico.[20]

Una "Compañía Nueva del Canal" emprende en 1894 los trabajos una vez más, con nuevos estudios y bajo un severo plan de economías; pero carentes de recursos y ante el fantasma de un canal norteamericano por Nicaragua, se dan por vencidos definitivamente y acaban entregando a los Estados Unidos la concesión. Quedaba una gran brecha en el paso de Culebra, poderosas máquinas, más de 2 000 edificios, planos, y una larga y mortífera experiencia.[21]

El istmo había quedado convertido en Departamento de Panamá en 1886, conforme a la Constitución centralista adoptada aquel año, y la nación cambia de nombre por el de República de Colombia. Con la suspensión de los trabajos del Canal y la guerra civil de 1899 a 1902, sobreviene en Panamá una grave postración económica acompañada de nuevas agitaciones separatistas. En enero de 1903, los Estados Unidos y Colombia firman un tratado (Herrán-Hay) para la construcción del canal ístmico, pero en agosto de ese año el Congreso colombiano se niega a ratificarlo, alegando desproporcionadas ventajas para el país del Norte, con lo cual se destruye la esperanza panameña de su redención económica.[22]

Es finalmente el 3 de noviembre de 1903 cuando el pueblo de Panamá se declara nación independiente. Los anhelos, sentimientos y frustraciones panameñas fueron canalizadas por la Junta Revolucionaria, encabezada por el doctor Manuel Amador

[20] Méndez Pereira, op. cit., pp. 23, 26.
[21] Ibid., p. 24.
[22] Alfaro, op. cit., p. 2.

Guerrero —que habría de ser el primer presidente de Panamá—
y otros prominentes miembros de la burguesía de la época, quienes vieron la salvación y el incremento de la economía panameña
y también la liberación política en el apoyo de los Estados Unidos a su causa a cambio del Tratado para la construcción del
Canal. Esta Junta Revolucionaria aprovechó, pues, la coyuntura
histórica e impuso su criterio sin confrontar oposición interna
organizada, consumándose así la separación de Colombia que, de
todos modos —es justo reconocerlo— hacía realidad la aspiración máxima de los panameños durante el siglo XIX. Aunque no
fueron capaces de prever el futuro que tan oprobioso convenio
deparaba a la nación, pese a la marcada intervención extranjera
y las indudables intrigas, prevalece el *hecho histórico* del nacimiento de la República, desenlace de un largo proceso iniciado
en 1830 sin intromisión extranjera y con las características propias de una idiosincrasia auténtica y una verdadera conforma-
ción territorial.[23] La gran mayoría de los investigadores modernos
panameños coinciden, en lo fundamental, con la tesis del licenciado Armando Muñoz Pinzón en el sentido de que "en realidad,
lo que ocurrió en 1903 fue la coincidencia de los propósitos de la
Junta Revolucionaria que gestionaba la secesión, con el interés
imperialista de los Estados Unidos de construir el canal por
Panamá, en virtud de su expansionismo hacia el Caribe y el
Pacífico, y con la necesidad apremiante de los dirigentes de
la compañía francesa del Canal de evitar la catástrofe que se ave-
cinaba por el rechazo del Tratado Herrán-Hay, reflejada en la
actuación de Bunau-Varilla".[24]

Ese mago de los negocios y causante material del descrédito
histórico panameño que fue Philippe Bunau-Varilla, logró que
se le nombrase embajador plenipotenciario de Panamá ante el
gobierno de los Estados Unidos, probablemente gracias a su
reconocida habilidad como diplomático y tomando en cuenta
que tenía intereses personales en la antigua obra francesa. Lo
cierto es que quebrantó la fe en él depositada por la Junta Provisional y propuso a los Estados Unidos un tratado muy distinto, pactado "a perpetuidad" y mucho más desventajoso para
Panamá, al denominado Herrán-Hay, rechazado por el Congreso
colombiano y que era el que los dirigentes panameños tenían en
mente celebrar.

Días antes, el 6 de noviembre de 1903, los Estados Unidos
reconocían la independencia de Panamá, y lo mismo hacían poco
después las principales naciones de Europa y Asia. Y es el 18
de noviembre, en la residencia privada del secretario norteamericano Hay, cuando éste y Bunau-Varilla resuelven convertir en
tratado el proyecto presentado por el segundo, sin esperar la

[23] Muñoz Pinzón, *op. cit.*, p. 10.
[24] *Ibid.*, pp. 10-11.

llegada de la comisión panameña que habría de discutir con el representante yanqui el supuesto tratado Herrán-Hay que ni siquiera fue consultado. Las gravísimas circunstancias que confrontaba la naciente República la determinan a ratificar el escandaloso convenio, redactado sólo en inglés y por un ciudadano francés, el 2 de diciembre de 1903. Los Estados Unidos habrían de ratificarlo el 24 de febrero de 1904, año en que entra en vigencia.[25]

La Zona del Canal de Panamá se declara abierta al comercio del mundo por los Estados Unidos en junio de 1904, se pone en vigor en dicha zona el arancel proteccionista llamado "Tarifa Dingley", se declaran puertos terminales de la Zona a Ancón y Cristóbal y se establece en ellos aduanas y oficinas postales. Amenazada así de muerte la nueva República en su vida económica y su estatus internacional, se produce gran alarma y agitación en Panamá, surge con caracteres agudos la primera controversia y durante ella el secretario Hay formula una interpretación del tratado más dura y opresiva que el mismo tratado,[26] en el cual, por cierto, se declaraba en su artículo I que los Estados Unidos se comprometía "a garantizar y a mantener la independencia" de Panamá.

En ese sentido, lo primero que hizo aquel país fue expulsar de la Zona del Canal a la población nativa, y así desaparecieron pueblos enteros que se fueron estableciendo en otros lugares del país, como Chagres y Nueva Gorgona.[27]

El presidente norteamericano Teodoro Roosevelt ordena a su secretario de Guerra, William H. Taft, trasladarse a Panamá a buscar una solución al conflicto surgido. El 4 de diciembre de 1904 ambos gobiernos celebran los acuerdos conocidos como el Convenio Taft, que eliminan en lo sustancial las medidas que amenazaban la vida de Panamá. Taft declara al Senado en 1905 que conforme al tratado de 1903 Panamá retuvo su soberanía sobre la Zona del Canal.[28]

Cuando en 1917 el país del Norte declara la guerra contra los imperios centrales, Panamá se declara en estado de guerra como aliado de los Estados Unidos 24 horas después. Pero dicha nación, unilateralmente y contra el consentimiento y la protesta de Panamá, declara abrogado el Convenio Taft en 1924. Ambos

[25] Alfaro, op. cit., p. 2.
[26] Ibid., p. 3.
[27] Ernesto Castillero Pimentel, Panamá y los Estados Unidos, 4ª impresión, Litho-impresora Panamá, Panamá, 1974. (Sobre el tema de la independencia de Panamá de Colombia, véase también Ricaurte Soler, "La independencia de Panamá de Colombia", en Panamá, dependencia y liberación, EDUCA, Costa Rica, 1974; Diógenes de la Rosa Ensayos Varios, Panamá, 1968; y Armando Muñoz Pinzón, "Grandeza y desventura del 3 de noviembre de 1903", en Lotería, núm. 218, Panamá, abril de 1974.)
[28] Alfaro, op. cit., p. 3.

países firman un tratado en 1926, que la Asamblea Nacional de
Panamá se niega, por voto unánime, a ratificar, hasta tanto puedan obtenerse condiciones más satisfactorias. Entonces, en 1934,
los Estados Unidos intenta pagar en dólares desvalorizados la
anualidad de $ 250 000.00 *en moneda de oro* de este país pactada
en el tratado de 1903. Panamá rechaza el cheque presentado y
exige el pago en moneda de oro o su equivalente.[29]

Y es en marzo de 1936, después de largas y laboriosas negociaciones, cuando ambos países firman un Tratado General que
contiene cláusulas reclamadas por Panamá. Es decir: se declara
cumplida la obligación indefinida de Panamá de suministrar las
tierras y aguas auxiliares para la construcción del Canal, cuya
vía se había abierto al tránsito marítimo del mundo el 15 de
agosto de 1914 cuando el S. S. Ancón se convirtió en el primer
barco en atravesarla. También se eliminaron, en dicho tratado,
las garantías de la independencia y la cláusula relativa a la intervención. Se fija el pago de la anualidad en la cantidad de
430 000 balboas panameñas, de peso y ley iguales a las del dólar
desvalorizado, como equivalente de la suma de 250 000 dólares en
moneda de oro pactada en 1903. Panamá ratifica sin demora este
tratado. Después de *tres* años el Senado norteamericano hace
lo propio.[30]

Al entrar los Estados Unidos en la segunda guerra mundial
como resultado del ataque a Pearl Harbor en 1941, Panamá se
declara beligerante como su aliada. En 1942 se celebra el llamado
Acuerdo de los 12 Puntos, por medio del cual se arreglan cuestiones de defensa en más de cien bases militares que los Estados
Unidos primero establecieron y después legalizaron; también se
convino en la construcción de un puente o túnel a través del
Canal que uniera nuevamente el interior del país con la capital,
y en la reversión a Panamá de las tierras usufructuadas por la
Compañía del Ferrocarril en las ciudades de Colón y Panamá.[31]

Ambas naciones celebran en 1955 *un nuevo tratado* con el
propósito de dar solución a problemas subsistentes en las relaciones creadas por el funcionamiento del Canal, principalmente
el de hacer efectiva la norma de la igualdad de oportunidades
y de trato entre los ciudadanos norteamericanos y panameños
que trabajan en la Zona del Canal. El presidente Eisenhower,
actuando en armonía con la opinión expresada por Taft, reconoce
en 1959 la soberanía titular de Panamá sobre la Zona del Canal
y dispone que la bandera panameña sea izada en ese territorio
en señal de soberanía.[32]

En 1962, el presidente Kennedy dispone que la bandera de

[29] *Ibid.*, p. 4.
[30] *Loc. cit.*
[31] *Ibid.*, p. 5.
[32] *Loc. cit.*

Panamá sea enarbolada al lado de la de los Estados Unidos en los edificios públicos de la Zona del Canal. Pero en 1963 los residentes y estudiantes zoneítas todavía se oponen a que la insignia panameña sea izada al lado de la norteamericana en las escuelas de la Zona. Es entonces cuando el Gobernador dispone que no se enarbole frente a las escuelas ninguna de las dos banderas. Los estudiantes zoneítas, contraviniendo esta orden, izan en enero de 1964 la bandera de los Estados Unidos frente a la Escuela Secundaria de Balboa.[33]

Los dramáticos sucesos de aquel fatídico mes se inician cuando un grupo de estudiantes panameños se dirigen a la Zona del Canal con el fin de izar la bandera nacional y cantar el himno frente a la Escuela Secundaria de Balboa. Cinco de ellos reciben permiso de un capitán de la policía zoneíta que, con sus hombres, había interceptado al grupo original. Los estudiantes zoneítas y gran cantidad de adultos les impiden realizar sus propósitos. Se inicia una trifulca desigual en la cual la bandera panameña es rasgada por manos extranjeras. Los policías toman partido con sus compatriotas iracundos y golpean a los cinco estudiantes panameños, obligándolos a retroceder hasta donde los esperaba el grupo de compañeros. Perseguidos, todos regresan a la ciudad de Panamá, cuya señal limítrofe es sólo una calle (la que después habría de ser bautizada por el pueblo panameño, Avenida de los Mártires), tumbando basureros a su paso y contestando con piedras a la agresión de sus perseguidores. La noticia se riega bien pronto en Panamá y enardecidas multitudes avanzan sobre la Zona del Canal. Son repelidos por las balas de la policía, pero cuando ésta se siente impotente contra el avance del pueblo enfurecido que tira piedras y hace ocasionales disparos, entran en acción las tropas del ejército norteamericano. Después de tres días de sangre y muerte, el gobierno del presidente Chiari rompe relaciones diplomáticas con el de los Estados Unidos. Estos incidentes habían costado a Panamá 20 vidas y cientos de heridos, además de gran cantidad de destrozos y daños materiales causados por incendios y vandalismo irresponsable.

El 4 de abril de 1964, después de arduas e intensas negociaciones llevadas a cabo con la mediación de la OEA, ambos países deciden reanudar relaciones y concertar un nuevo convenio que elimine para siempre todas "las causas de conflicto" relativas a la existencia del Canal y de la llamada Zona del Canal, área de 533 millas cuadradas de extensión.

Desde entonces han trascurrido once largos años. En 1967 se presentaron en Panamá tres proyectos de tratados —uno concerniente al actual Canal, otro relativo a "la defensa del Canal y su neutralidad", y otro sobre un nuevo "Canal a nivel del mar"—,

[33] *Ibid.*, p. 6.

los cuales fueron ampliamente discutidos y criticados en organismos profesionales, universitarios y populares. Finalmente fueron rechazados como insatisfactorios para las aspiraciones panameñas, por el gobierno del general Omar Torrijos Herrera que heredó su problemática. Las negociaciones no se reiniciarían hasta 1972, y es el 7 de febrero de 1974 (un año después de la reunión en Panamá del Consejo de Seguridad de la ONU, en marzo de 1973), cuando el secretario de Estado norteamericano, Henry Kissinger, se traslada a Panamá y se da a conocer en este país la ya célebre Declaración de Principios Tack-Kissinger o Declaración de los Ocho Puntos.

SITUACIÓN ACTUAL DE LAS NEGOCIACIONES

A partir del viaje relámpago que hizo a Panamá el secretario de Estado Kissinger, y de la subsiguiente Declaración de los Ocho Puntos, el proceso negociador pareció acelerarse. Los órganos de información panameña hablaban a menudo de la posibilidad de tener a mediados de 1975 un nuevo tratado. El propio general Torrijos declaró en varias entrevistas que la firma del convenio "era cuestión de meses" (*El Sol de México*, agosto de 1975), pese a serias diferencias manifestadas entre el Pentágono y el Departamento de Estado norteamericano y que, junto con la Enmienda Snyder, habrían de paralizar después dichas negociaciones. Esta enmienda, aprobada por 246 votos contra 164 en la Cámara de Representantes del gobierno de los Estados Unidos, constituyó el primer caso en su género en el campo de las relaciones internacionales en que una facción importante del órgano legislativo de un país intenta obstaculizar la negociación de un tratado al señalar que las asignaciones de fondos destinados normalmente a ese propósito para las secretarías de Estado, de Justicia y de Comercio, no debían ser empleadas para "negociar la rendición o la entrega de los derechos de los Estados Unidos en el Canal de Panamá".[34]

En Panamá protestaron los principales organismos estatales, profesionales, sindicales y estudiantiles. El tono de dichas protestas, siendo siempre muy emocional y patriótico, pocas veces examinaba la falta de legalidad que dicha Enmienda Snyder tenía dentro de los propios Estados Unidos. Una declaración emitida por el Consejo Nacional de la Empresa Privada (CONEP), entre otras pocas, puso el asunto en sus términos exactos en este sentido: "...es, en esencia, un desliz de la Cámara de Representantes enderezado en contra del libre ejercicio de las facultades

[34] Durante varias semanas del mes de julio de 1975 aparecieron en la prensa panameña alusiones a la Enmienda Snyder, sobre todo protestas de numerosos organismos y grupos de opinión panameños.

que, por disponerlo así implícitamente la Carta Fundamental
norteamericana, recaen en el Poder Ejecutivo". Señalan que como
"la rama ejecutiva del gobierno norteamericano está investida
con lo que los sajones denominan *treaty making power*, no parece claro que pueda serle regateada la facultad de que está
premunida para adoptar la iniciativa y, en última instancia, lograr la concertación de un acuerdo internacional".[35]

Otra causa, menos declarada, del estancamiento de las negociaciones parecía estar relacionada con las serias dificultades
que tiene el presidente Ford para convencer al ala derecha del
Partido Republicano, e incluso a la del Partido Demócrata, de la
necesidad de crear un nuevo tratado canalero con Panamá.[36]
Aunque las negociaciones se reactivaron hace algunas semanas,
según anuncio oficial hecho en Panamá, todo parece indicar que
el problema de Ford sigue más vigente que nunca, sobre todo
debido a su interés por reelegirse en 1976. Habiendo padecido
fuertes derrotas internacionales recientes (Vietnam, Camboya,
Portugal), ceder ante las aspiraciones soberanas de una pequeña
y débil nación como lo es Panamá no resultaría muy del agrado
de importantes sectores del electorado de los Estados Unidos,
convencidos como están de que la Zona del Canal pertenece al
imperio norteamericano y de que los intereses estratégicos de
aquel país deben privar sobre los derechos de otras naciones si
ha de prevalecer la paz en el mundo.

Lo cierto es que todo parece indicar que en 1976 no habrá nuevo tratado. El pueblo panameño, cuyos ojos, oídos y sentido
de la justicia a menudo están en los estudiantes e intelectuales
del país, agota cada día más su paciencia. Aunque por lo menos
uno de los miembros del actual equipo negociador ha aceptado
privadamente que el asunto todavía va para largo, el gobierno
mismo parece querer que se mantenga vigente para este año la
esperanza de un justo arreglo. De todas maneras, cualquier tratado que convinieran ambos países tendría que ser ratificado por

[35] "Corte colonialista tiene la Enmienda Snyder", CONEP, *La Estrella
de Panamá*, Panamá, 25 de julio de 1975.

[36] Todavía en octubre de 1975 el archiconservador diputado demócrata
Daniel J. Flood, que junto al senador demócrata Storm Thurmond encabeza
en el Congreso a quienes se oponen a la revisión del Tratado de 1903 y
sus enmiendas como parte de su tradicional enemistad hacia Panamá, declaraba que "la cuestión del Canal no es un problema local sino parte de
una disputa mundial con la potencia roja (URSS) sobre el dominio de todos los estrechos marítimos estratégicos". Según Flood, el territorio de
la Zona del Canal de Panamá fue adquirido a un precio, según el valor
del dólar de 1974, de 166.3 millones de dólares, y su pérdida por los Estados
Unidos "trasformaría a Panamá en otra Cuba, dará el control sobre el
canal a nuestro más poderoso rival en los mares, y con Cuba bajo el control soviético y la agitación que ha empezado para la 'liberación' de Puerto
Rico, hará del Caribe un lago rojo, completándose el anillamiento de Estados Unidos, además de perderse un elemento crucial del poderío naval
estadunidense".

los pueblos respectivos; en los Estados Unidos sería el Senado
el que se encargaría de debatir ampliamente lo pactado, mientras que en Panamá Omar Torrijos ha prometido un plebiscito con amplias garantías para el libre juego y discusión de las
ideas.

Tanto el propio Torrijos como Kissinger han hablado del
peligro de que, ante la impaciencia o la frustración popular, en
la Zona del Canal germinen las guerrillas, el sabotaje y el terro-
rismo. Acciones de este tipo podrían muy bien paralizar el funcionamiento efectivo del Canal. Y cuando al líder de la Revolución panameña —como ha sido llamado el proceso iniciado por
los militares en 1968— se le pregunta cuál habrá de ser su reacción en caso de que estallara un brote de ira popular, suele
responder: "Si no hay otra solución, esta generación está dispuesta a sacrificarse para legar a quienes vengan una patria
libre." También ha dicho varias veces Torrijos: "Dos cursos de
acción estarían abiertos para mí —en caso de una explosión
nacionalista—, aplastarla o conducirla, y yo no voy a aplastarla." [37]

Ya van siendo numerosos los periódicos norteamericanos que,
en sus editoriales, se hacen eco del clamor panameño por un
tratado justo. Todos ellos coinciden en su desaprobación de la
lentitud y torpeza con que se desenvuelven los responsables del
lado estadounidense, y señalan los peligros que implica una demora injustificada. También enumeran, según su ver y entender, las
causas del problema emanadas del convenio leonino impuesto a
Panamá en 1903 y las razones que asisten a este país para liberarse de la presencia militar norteamericana; una y otra vez se
afanan, pues, en concientizar al pueblo norteamericano en lo
pertinente al problema canalero. En una entrevista concedida
por Torrijos al *New York Times* (25 de julio de 1975), éste manifiesta que está tratando de preservar la calma sosteniendo reuniones públicas con estudiantes y dirigentes provinciales. Pero
al mismo tiempo advierte que prolongadas demoras pueden conducir a hostilidades entre los 1.5 millones de panameños y los
15 000 norteamericanos, comúnmente denominados "zonians" de
modo despectivo, en la Zona del Canal. [38]

Y, efectivamente, desde hace ya algunos meses, las negociaciones han roto su envoltura secreta y sus aspectos más importantes han sido informados y discutidos públicamente. Negociar
"de cara al pueblo" [39] se ha vuelto un lema que a muchos satis-

[37] Entrevista concedida por el general Torrijos a David Bender, del
New York Times, aparecida en dicho periódico de Nueva York el 25 de julio de 1975.

[38] *Ibid.*

[39] Véase Rómulo Escobar Bethancourt, *Negociaciones de cara al pueblo*,
Panamá, 1975.

face pero que a otros tantos convence muy poco. Esto se debe, probablemente, a que ya resulta algo tardío el esfuerzo oficialista por democratizar un proceso que hasta hace poco se consideró como esencialmente confidencial. Además, se dice, resultaría harto complicado enderezar aspectos clave de la actual posición panameña consagrados en la Declaración de los Ocho Puntos, dado el tiempo trascurrido desde su formulación y debido a que las negociaciones se fueron encauzando decididamente hacia los tortuosos rumbos allí establecidos. Sin embargo, según parece, ya no existen secretos, al menos *grandes* secretos.

He aquí la situación actual de las negociaciones, de acuerdo a los documentos que, en forma resumida, entregó recientemente el Ministerio de Relaciones Exteriores de Panamá en varios actos públicos:

I. Los Estados Unidos exigen mantener su control unilateral sobre la operación (y administración) del Canal y sobre la defensa del Canal, en cualquier tratado que se llegase a firmar (a esto se suma la posición del Senado de que no ratificará un tratado que no contenga esas garantías). Panamá, en cambio, exige un nuevo tratado que elimine el de 1903 y su perpetuidad, que reintegre plenamente la Zona del Canal a la soberanía y jurisdicción panameña; que establezca un término de duración aceptable para que el Canal mismo pase totalmente al control exclusivo de Panamá y un programa de eliminación progresiva de las bases militares de los Estados Unidos.

II. Los Estados Unidos pide una duración de 50 años para un tratado relativo al Canal de esclusas, más 30 adicionales si se construye un nuevo canal. Panamá quiere que este tratado no pase de fines del presente siglo en su duración.

En lo referente a la jurisdicción, los Estados Unidos, en principio, está de acuerdo en que la Zona del Canal se reintegre a Panamá en 3 años, eliminándose así el concepto de "Zona del Canal"; pero contradicen esta posición con la que presentan en materia de "tierras y aguas", ya que en la práctica quieren mantener bajo su control casi la misma extensión de tierras y aguas de la actual Zona para operación y defensa del Canal. Panamá, estando de acuerdo con el período de transición de tres años, quiere que la reintegración sea real y efectiva ejerciendo el gobierno panameño su total soberanía sobre todo lo que es la actual Zona del Canal; accedería, como soberano, a conceder derechos *de uso* (no jurisdiccionales) sobre tierras y aguas estrictamente necesarias para la operación y defensa del Canal y sólo por la duración del tratado.

Los Estados Unidos están de acuerdo en que se elimine la actual Compañía del Canal de Panamá y se cree una entidad nueva, con participación panameña, pero manteniendo ellos un mecanismo de control administrativo. Panamá plantea una participación creciente en la administración del Canal y decreciente de los Estados Unidos durante la duración del tratado, hasta asumir ella el control exclusivo. Esto significa mayoría substancial de panameños en todos los niveles y categorías.

Por lo que toca a la protección y defensa del Canal, los Estados Unidos exigen mantener las mismas bases e instalaciones que tienen actualmente y desean, además, una especie de defensa residual después de terminado el tratado, aunque aceptan una participación de Panamá en la protección y defensa. También desean cierto tipo de control sobre el espacio aéreo panameño. Panamá, en cambio, aceptaría sólo la existencia de tres bases, que gradualmente serían eliminadas, y una participación creciente en la defensa, asumiendo total responsabilidad al final del tratado; quiere la prohibición expresa de las armas nucleares y del uso de las tres bases para intervenir en Panamá o en otras áreas del continente.

Los Estados Unidos están de acuerdo, en teoría, en el asunto de la neutralidad, pero desean controles unilaterales en caso de guerra. Panamá insiste en que el Canal debe ser neutral en tiempos de paz y de guerra, y libre al paso de todas las banderas al estar garantizada por todas las naciones.

En cuanto al tema de la expansión del actual Canal, los Estados Unidos quieren una opción abierta, sin compromisos de su parte, por 25 años, para decidir *unilateralmente* si: *a*) construyen un canal a nivel por el Canal actual, *b*) lo construyen a nivel por la Ruta 10 (Chorrera-Palmas Bellas) y *c*) construyen un tercer juego de esclusas. En ese caso, desean continuar su control de defensa hasta el año 2065. Panamá acepta sólo 5 años a partir de la vigencia del nuevo tratado para tratar de ver si es posible un acuerdo aceptable sobre un nuevo canal, con términos de duración corta y sin bases militares. Además, es Panamá, como dueño del territorio, quien debe decidir lo que más le conviene para su desarrollo.

Ambos países están básicamente de acuerdo en establecer una cláusula de arbitraje en el nuevo tratado, aunque no se han puesto de acuerdo con respecto a su implicación final.

Finalmente, los Estados Unidos están de acuerdo en aumentarle a Panamá la anualidad por el Canal, aunque todavía en forma irrisoria; plantean un mecanismo, a base de peajes, que comenzaría con 33 millones de dólares al año hasta llegar a un máximo de 44 millones. Panamá, hasta ahora, no ha planteado cifras concretas, pero rechaza la posición de los Estados Unidos; señala que es el último tema que debe abordarse, pues no cambia su soberanía por beneficios económicos. En todo caso, plantea que tiene derecho a explotar su principal recurso natural

—su posición geográfica— y por ende derivar de él ganancias directas e indirectas apropiadas.[40]

Aunque existen muchísimos otros detalles de las actuales negociaciones que han sido debatidos ampliamente en recientes asambleas celebradas entre voceros del gobierno, negociadores y grupos de líderes estudiantiles, sindicales, profesionales e intelectuales, en términos generales puede concluirse que los puntos arriba resumidos por el documento oficial expresan claramente la situación en que ahora están las negociaciones. No es de extrañar, entonces, que gran cantidad de panameños y norteamericanos piensen que, contrario a lo declarado no hace mucho por Omar Torrijos, este año no habrá nuevo tratado entre Panamá y los Estados Unidos.

FUNCIONAMIENTO DE LAS BASES MILITARES

Las causas de conflicto son muchas y muy antiguas ya, pero no está de más explicar algunas de ellas para que quede clara la presente encrucijada en que se encuentra el destino mismo de la nación panameña. Habiendo sido la vía interoceánica el germen inicial de las diferencias que la Historia iría señalándole a ambos países, tal como están hoy en día las cosas podría afirmarse que tanto el funcionamiento institucional y *de facto* de ese enclave colonial que es la llamada Zona del Canal de Panamá,[41] como el de las 14 bases militares que en dicha área operan, constituyen la principal razón de ser del justificado resentimiento panameño.

Durante la construcción del Canal se convirtió al istmo, de un foco de infección (malaria, fiebre amarilla) en uno de los lugares más salubres de la Tierra. Esto es innegable; pero pocos panameños dudan que si los norteamericanos no hubieran estado pensando en vivir ellos cómodamente en Panamá y realizar las portentosas obras de ingeniería del Canal en su propio beneficio, estratégico antes que nada, no se habrían empeñado en el cabal saneamiento del país.

Aunque los reclamos panameños se pueden seguir haciendo desde el soporte jurídico de las legítimas aspiraciones de soberanía e integración territorial, cuya justicia consigna la Carta de las Naciones Unidas, hay otros aspectos que es necesario plantear también. Uno de ellos sería, por ejemplo, considerar la posibili-

[40] Los datos se han tomado de un documento mimeografiado que ha hecho circular en ciertos sectores de opinión panameños el Ministerio de Relaciones Exteriores de Panamá.

[41] Rubén D. Carles Jr., "Algunos aspectos de la organización y del funcionamiento de la Compañía del Canal", *Panamá y los Estados Unidos ante el problema del Canal*, p. 252. (Se incluye este texto en el presente libro.)

dad de hacer uso de la "denuncia" del Convenio de 1903 ante
un foro de justicia internacional,[42] por incumplimiento de varias
importantes cláusulas de aquel, de por sí, oneroso tratado de
parte de los Estados Unidos. Un grave factor del incumplimiento
norteamericano en la Zona del Canal es su militarización absoluta
e inconsulta de un canal que, de acuerdo a tratados anteriores
pero vigentes en 1903, debía ser absolutamente *neutral*.

Para que se tenga una idea de los beneficios que, en términos
militares, ofrece la Zona del Canal a los Estados Unidos, baste
señalar que —según datos de la CEPAL— este país se ahorra
aproximadamente unos 600 millones de dólares anuales en costos
militares.[43]

En cuanto a la distribución de las bases militares en la Zona
del Canal y sus funciones, podría sintetizarse así: En Fort Gulik
se hallan destacadas las denominadas "Fuerzas Especiales" (cuerpo creado en 1962, conocido como "boinas verdes": Special
Action Force), que brinda "entrenamiento y asesoramiento en
contrainsurgencia". Albrook Air Field Base (base de la fuerza
aérea) es la sede de la Academia Interamericana de la Fuerza
Aérea, establecida en 1943, Quarry Hights es la sede del Comando
Sur del Ejército de los Estados Unidos (United States Southern
Command). Tiene a su cargo la supervisión de la mayor parte
de las actividades de las misiones militares de los Estados Unidos en América Latina, incluyendo su entrenamiento y el área
en la cual es responsable por la protección y acrecentamien-
to de los intereses de los Estados Unidos en las áreas terrestres de Sudamérica y América Central. Fort Sherman, en
donde se imparten cursos sobre guerra en la selva (U. S. Army
Jungle Warfare School). Fort Clayton, fundada en 1952, prepara
especialistas en cartografía útiles para la contrainsurgencia. También están la base aérea de Coco Colo; Fort Kobbe; Fort Amador; Galeta Island; Summit Gardens, y varias bases más.

Indudablemente que el organismo militar más célebre de la
Zona del Canal es el Comando Sur; tiene tres misiones básicas:
1) Es directamente responsable por la defensa del Canal de Panamá; 2) es responsable de planes para eventuales situaciones
críticas en países de América Latina, las cuales podrían requerir
una respuesta militar de los Estados Unidos; 3) supervisa la
asistencia militar a las naciones de la región, incluyendo aseso-
res, equipos de entrenamiento y sistema de escuelas militares
en la Zona del Canal. Esta información la proporciona un informe del Subcomité de Política Nacional de Seguridad del Comité
de Asuntos Extranjeros de la Cámara de Representantes de los

[42] Véase Diógenes Arosemena G. y otros, *La denuncia como medio de
liberación nacional*, CONEP, Panamá, 1975.
[43] Véase Boris Blanco, "El Canal de Panamá: su operación y defensa
durante la segunda guerra mundial", en este libro.

Estados Unidos. En otra parte del informe aludido se manifiesta: "El jefe del Comando Sur y su Estado Mayor proclaman que ellos están en la posición desde la que pueden ejercer *la máxima influencia constructiva* sobre las fuerzas armadas de América Latina, no solamente en materia militar sino también en apoyo de *la modernización política, social y económica.*" [44]

La misión del Pentágono en América Latina es clara, y todo esto desde territorio panameño, contra la voluntad del pueblo y violando incluso el oprobioso Tratado de 1903.

El caso de Panamá, aunque las actuales circunstancias parecieran seguir retrasando su liberación, amerita plantearse no sólo ante los más altos organismos de justicia internacional sino ante el tribunal de justicia que representa la conciencia de toda persona imparcial y honesta. Las causas del conflicto que la existencia del enclave colonial de una potencia imperialista en territorio panameño implican, son múltiples debido a la gran complejidad que la historia misma del Canal entraña. Pero también lo son porque la creciente conciencia nacionalista de los pueblos obliga a las naciones dominantes a crear nuevas y complejas estrategias, originándose así nuevas dificultades de todo orden. Sin embargo, tanto la persistencia como los refinamientos de la explotación de parte de los Estados Unidos, representan hoy en día los verdaderos motivos de la injusticia hacia Panamá y otros países subdesarrollados.

Tristemente paradógico resulta recordar los orígenes admirables de la Independencia norteamericana, las bondades de su Carta Magna, creadas por hombres que jamás visualizaron que una pequeña nación emergería de un largo yugo colonial para convertirse con el tiempo en una gran nación que habría de saquear la dignidad y las riquezas de otras débiles naciones en nombre de la libertad.

ALGUNAS CONSIDERACIONES EN TORNO AL LIBRO

Una rápida mención anecdótica de las primeras inquietudes que me hicieron pensar en la posibilidad de armar un libro amplio en torno al viejo conflicto creado entre Panamá y los Estados Unidos por la construcción y actual funcionamiento del Canal, me inducirían a señalar que esta idea tuvo su origen en dos hechos subsecuentes: la esporádica aparición de noticias y comentarios editoriales relativos al problema canalero en la prensa

[44] La mayor parte de los datos sobre aspectos militares de la Zona del Canal han sido tomados de un texto mecanografiado de Alberto Quirós Guardia, "El porqué no a las bases militares". Este texto apareció corregido y aumentado en la revista panameña *Diálogo Social*, agosto de 1975.

de México —país en el que actualmente resido—, y el viaje que
hice a Panamá en agosto de este año con el fin de realizar un
reportaje sobre dicho asunto para una conocida revista mexica-
na; lo segundo reafirma, obviamente, lo primero, en el sentido
del gran interés que sienten por este problema los diversos medios de información de la nación azteca. En Panamá habría de
encontrar una inmensa cantidad de materiales pertinentes, los
cuales adquirí o fotocopié; la inquietud y fervor populares que,
tras varios años de ausencia, volví a sentir, dieron un sentido
real a lo estudiado en los textos. En México, a mi regreso, la
idea de hacer este libro fue recibida con entusiasmo por la Editorial Siglo XXI.

Ante la ineludible perspectiva de ofrecer solamente noticias
parciales acerca de algunos de los autores que integran este libro
y no poder dar información alguna sobre otros (por problemas
de índole bibliográfica surgidos debido a la distancia y al poco
tiempo disponible), tuve que optar, finalmente, por no incluir
los datos de ninguno; considero que es más importante conocer
lo que piensan los estudiosos acerca de un problema, que tener
ante la vista un cúmulo de fechas, estudios realizados, cargos
ejercidos y publicaciones, de los que, a veces, sólo se acaba
haciendo abstracción. Asimismo me disculpo por haber tenido
que suprimir, en ocasiones, algunos párrafos de textos excesivamente largos o que tuvieron, originalmente, carácter verbal al
ser concebidos como conferencias y no como textos a imprimir-
se; también porque debido a limitaciones de espacio fue necesario prescindir, a última hora, de valiosos trabajos cedidos por
autores que en un principio se habían programado en el libro.

Habré de empeñarme en otros proyectos que, al igual que
éste, arrojen nuevas luces sobre el problema canalero en un
futuro próximo, pues todo parece indicar, desafortunadamente,
que "las causas del conflicto" continuarán vigentes debido a la
obstinada intransigencia norteamericana. A esto habría que añadir que si la frustración del pueblo panameño rebasara súbitamente los muros de contención eregidos por el actual gobierno
mediante promesas de un nuevo y aceptable tratado del Canal
—cosa que todavía no puede descartarse—, las consecuencias
dramáticas serían imprevisibles.

Mientras tanto, queriendo haber cumplido con una necesaria
tarea de divulgación y debate en torno a la causa panameña en
lo referente a sus anhelos de soberanía, integración territorial
y usufructo de su principal recurso, dejo este libro en manos del
lector consciente. Qué duda cabe de que la solidaridad latinoamericana y mundial para con nuestra lucha es requisito indispensable para la consecución de las justas metas que se ha for-
jado el pueblo panameño.

Si estos textos consiguen suplir vacíos de información o hacer que germinen nuevas dudas e inquietudes, habré cumplido con los fines que originalmente me propuse; si además logra el libro concientizar a un número mayor de personas en cuanto a la índole real del problema canalero, doblemente me doy por satisfecho.

Pero quiero agregar una última necesidad que aspira llenar el libro: la de llegar a ser un instrumento de consulta adecuado para los miles de estudiantes panameños y latinoamericanos que, no sólo hoy sino en los años venideros, tendrán que enfrentarse a complejas encrucijadas a la hora de liquidar definitivamente los afanes neocolonialistas que obstaculizan el logro de una verdadera dignidad nacional. Para ellos, vanguardia promisoria de los pueblos, es fundamentalmente este libro.

Habiendo sido mi trabajo el de un simple compilador de textos antes dispersos en revistas y libros de circulación local, confieso que este repaso histórico y de ideas sobre el principal problema de mi país me ha significado, más que un reencuentro con las raíces, un aliciente insospechado para aliarme totalmente a las luchas reivindicadoras que deberá librar próximamente Panamá.

Agradezco a los autores seleccionados la autorización que me concedieron para reproducir sus textos; sé que los pocos que no pudieron ser consultados no objetarán su inclusión, ya que, si escribieron sobre el Canal en un medio cultural tan reducido como el panameño, resulta evidente que buscaban difundir hacia mayor cantidad de personas posible el aspecto particular del problema que escogieron. En especial agradezco, por otra parte, a los distinguidos profesionales panameños Diógenes Arosemena G., Carlos Bolívar Pedreschi, César Quintero, Humberto E. Ricord, Carlos Alfredo López Guevara, Julio Yau, Dulio Arroyo C., Osman Leonel Ferguson, Diógenes de la Rosa, Armando Muñoz Pinzón, Miguel Antonio Bernal V., Rodrigo Miró, Ricaurte Soler y Jorge Turner, su valiosa ayuda y consejos que me fueron brindados desde los inicios del proyecto que hoy cristaliza.

Al final del libro inserto una variada bibliografía sobre el Canal de Panamá y sus problemas, que de ninguna manera pretende ser total; sólo incluyo libros y algunos folletos monográficos, pues las revistas en las que aparecen textos pertinentes fueron debidamente citadas en las notas al pie de página mediante las cuales se describen las fuentes originales de cada texto seleccionado. Hay, además, otro tipo de nota al pie de página con la que quise aclarar puntos dudosos, contradictorios o que simplemente parecían requerir de una explicación.

La segunda parte del título del libro está tomada de innumerables alusiones en documentos, cartas y notas periodísticas en que se hace referencia al problema canalero; pero, sobre todo, está tomada de la ya célebre Declaración Conjunta que en abril de 1964 —poco después de los fatídicos sucesos ocurridos en enero de ese mismo año y que obligaron a Panamá a romper sus relaciones diplomáticas con los Estados Unidos— suscribieron ambas partes. Este documento, cuyo espíritu conciliador aún no se realiza, sostiene, en una de sus partes más citadas, que se propone lograr "la pronta eliminación de *las causas de conflicto* entre los dos países, sin limitaciones ni precondiciones de ninguna clase".

ENRIQUE JARAMILLO LEVI

México, noviembre de 1975-abril de 1976

PRIMERA PARTE

ANTECEDENTES HISTÓRICOS

1. LA INDEPENDENCIA DE PANAMÁ DE COLOMBIA *

RICAURTE SOLER

Sobre el problema nacional hispanoamericano

INTRODUCCIÓN

Iniciamos esta exposición con el propósito definido de formar un concepto en torno a la Independencia de 1903. Ese propósito debe entonces aclarar, desde ahora, que la narrativa de los acontecimientos tiene un lugar subordinado en la presente exposición. La cronología, y aun la anécdota de los hechos de la independencia, encuentran en la obra de Oscar Terán, desde el punto de vista de un antimperialismo de derecha, una relación bastante esclarecedora. Lo que no es esclarecedor son los conceptos utilizados en la apropiación racional de los acontecimientos. Se ignoran, en efecto, las especificidades de nuestra historia. De hecho se considera que no hay una historia que nos sea propia. El retraso en la formación del Estado-nación panameño ha conducido con frecuencia a ver en las tres de la tarde del 3 de noviembre de 1903, la hora cero en que se inventó a Panamá. Conviene, por tanto, que reflexionemos, en primer término, sobre las causas y consecuencias de ese retraso en la formación de nuestra entidad estatal.

LA COLONIA Y EL RETRASO EN LA FORMACIÓN DEL ESTADO PANAMEÑO

Durante el siglo XVIII, la historia panameña reproduce, en sentido inverso, la historia de Hispanoamérica. He ahí la razón por la cual Panamá no acompañó al Ecuador y Venezuela en el momento de desagregación de la Gran Colombia en 1830. Y de ahí la razón panameña por la cual Panamá continuó su proceso de especificación durante el siglo XIX hasta culminar en el Estado de 1903. También hay otras razones, no panameñas. A ellas nos referiremos oportunamente.

El registro de especificidades de la historia panameña de los

* Tomado de *Panamá, dependencia y liberación*, selección y prólogo de Ricaurte Soler, EDUCA, San José de Costa Rica, 1974.

Este ensayo también aparece en *Relaciones entre Panamá y los Estados Unidos*, 2ª ed., Ministerio de Educación, Panamá, 1974 (Biblioteca Nueva Panamá).

siglos XVI y XVII dice relación directa con la posición geográfica, ese "margen constante de la historia", de tan especial significación en nuestro caso. El esfuerzo del Estado español por asumir directamente el proceso de descubrimiento y conquista del istmo en 1514, aunque no vinculado al descubrimiento de la vía transístmica, tuvo efectos claramente diferenciadores. Pedrarias no es un conquistador-encomendero que se hará pagar con mayorazgos sus servicios, sino un conquistador-funcionario que directamente representa la Corona. Consecuentemente, los capitanes de Pedrarias, que recorrieron el istmo, no firmaron capitulaciones con la Corona que sancionaran privilegios feudales. Tempranamente, por otra parte, desaparece en el istmo la eficacia económica y social de repartimientos y encomiendas. Y la vía transístmica determina una amplia circulación mercantil de efectos endógenos al definir un marco geoeconómico en torno a la zona de tránsito. En una palabra, y en comparación con las otras regiones de Hispanoamérica, Panamá, durante los siglos XVI y XVII define una realidad específica donde es relevante la ausencia de acentuadas relaciones económicas y sociales señoriales, feudales.

Todo ello es, en gran parte, efecto interno de la política mercantilista de la metrópoli durante el proceso de conquista y colonización.

Pero esa dependencia de la metrópoli no podía dejar de crear contradicciones y antagonismos. La conformidad panameña con la política metropolitana se expresó claramente cuando a mediados del siglo XVI la poderosa rebelión de los conquistadores-encomenderos centro y sudamericanos no encontró en Panamá más que un eco informe, difuminado reflejo que revela la ausencia de propia sustancia. Nada podía satisfacer más a la población del istmo que la política metropolitana que obligaba a todo el comercio sudamericano a utilizar la vía transístmica del eje Panamá-Portobelo. Pero los peligros de la dependencia metropolitana también se hicieron presentes en este período. Las protestas panameñas por el comercio Manila-Acapulco, que escapaba al transitismo istmeño, no encontraron eco en la metrópoli. Todo dependía de su política. Y en el caso particular del istmo esa política se reveló catastrófica durante el siglo XVIII.

La liberalización del comercio entre las regiones hispanoamericanas, la apertura de nuevos puertos en la metrópoli y en sus colonias para el comercio recíproco, el cambio de ruta de Panamá al Estrecho de Magallanes para el comercio con el Pacífico: todas estas medidas del despotismo ilustrado contribuían, a nivel hispanoamericano, a acrecentar la circulación mercantil y a abrirle nuevas posibilidades al ya intenso contrabando en barcos ingleses y holandeses. A nivel panameño aquella política tenía efectos diametralmente opuestos. Es un tópico la decadencia económica istmeña durante el siglo XVIII. Recientes investigaciones comprueban el estancamiento demográfico en las ciudades y en el campo.[1] Panamá se convirtió en "situado", es decir, en región dependiente fiscalmente de otra hispanoamericana más favorecida. Más que nunca hubo, durante este período, una "fuga de cerebros", como diríamos hoy. El currículum de la efímera Universidad sólo revela atraso o tradicionalismo. En una palabra, como dijimos, durante el siglo XVIII la historia de Panamá reproduce en sentido inverso la historia de Hispanoamérica.

Era el efecto de una determinada política de la metrópoli. Los peligros de la dependencia, apenas vislumbrados anteriormente por la realidad del "galeón de Manila", alcanzaban ahora consecuencias terribles. Veracruz, Guayaquil, Buenos Aires, La Guaira-Caracas, y demás ciudades y puertos hispanoamericanos, ofrecían realidades y posibilidades muy diferentes a las de Panamá y Portobelo. Esta última se convirtió en villorrio, en tanto que la población de La Habana, por ejemplo, crecía el 117 % en 19 años (1791-1810).[2] Es indudable que la acrecentada circulación mercantil, dentro del mercado mundial en formación, creaba nuevas fuerzas económico-sociales que estarán en la base de la formación estatal-nacional de los diversos estados hispanoamericanos. Aquellas fuerzas no fueron suficientes para estructurar en una sola la unidad estatal-nacional hispanoamericana. Su ausencia en el istmo, durante el siglo XVIII, explica la imposibilidad en que se encontró para realizar el Estado nacional panameño a principios del siglo XIX.

EL LIBERALISMO HISPANOAMERICANO Y LAS NACIONES HISPANOAMERICANAS

Desde finales del siglo XVIII hasta el segundo tercio del XIX correspondió al liberalismo la tarea de dar dirección y sentido a la formación de los diferentes estados nacionales hispanoamericanos. Conviene, por ello, examinar algunas corrientes sociológicas actuales que intentan un enfoque sobre el liberalismo hispanoamericano, sin discriminar períodos, que lo responsabilizan de nuestro subdesarrollo; de nuestra pasada y actual supeditación al imperialismo. Al negar la existencia de relaciones econó-

[1] Cf. Omar Jaén Suárez, *El hombre y la tierra en Natá de 1700 a 1850*, Panamá, Editorial Universitaria, 1971. Sobre la decadencia económica y estancamiento demográfico durante el siglo XVIII, cf. también Alfredo Castillero C.: "Fundamentos económicos y sociales de la Independencia de 1821". *Tareas* núm. 1, Panamá, octubre, 1960.

[2] La despoblación acrecentaba, seguramente, las condiciones de insalubridad. Desde la época colonial era verdad que "ir a Panamá es ir a la muerte", motivo por el cual, como recuerda Pierre Chaunu, los galeones reducían al mínimo su permanencia en las ciudades del Atlántico. Véase de este autor su *Historia de América Latina*. Editorial Universitaria de Buenos Aires, 1964, p. 45.

micas y sociales de carácter feudal durante la Colonia, aquellas corrientes rechazan, consecuentemente, el carácter progresivo de la etapa heroica del liberalismo, interpretando sus empeños como simples reflejos anglófilos de los intereses expansionistas del capital británico.

Precisemos esquemática y, diríamos, programáticamente, algunos puntos.

a) *En la Colonia hispanoamericana sí predominaron relaciones de producción de carácter feudal*

1. No hay un *modo de producción* capitalista hasta el siglo XVIII. Los siglos XV y XVI señalan una expansión aún no capitalista. Recientes investigaciones localizan en la crisis general del siglo XVII el punto de inmediata *transición* hacia la producción capitalista.[3]

2. La aristocracia feudal, en el caso de España, presenta un carácter específico, en razón de los muchos Cid Campeador que afirmaron su poder en los triunfos y guerras de Reconquista.

3. La burguesía naciente de España quedó aplastada en la batalla de Villalar, que liquidó la rebelión de los comuneros: primera y prematura revolución burguesa del mundo moderno. La evolución posterior de la burguesía y del capitalismo español llevará el signo de aquel fracaso político de 1521 (tesis de Aníbal Ponce desarrollando a Marx).[4]

4. La monarquía española no presenta un carácter moderno sino más bien "asiático". Al revés que en el resto de Europa no es la unificadora de la sociedad civil (tesis de Marx).[5] En el marco de estas condiciones específicas, económicas, sociales y políticas, España inicia el proceso de conquista y colonización de América.

5. Las capitulaciones entre la Corona y los conquistadores legitimaban repartos de tierras, y encomiendas de indios para que las trabajaran. No existía una fuerza de trabajo libre; los indígenas trabajaban servilmente la tierra.

6. Después del trauma de las leyes nuevas y de las consiguientes sublevaciones de conquistadores-encomenderos a mediados del siglo XVI, los repartimientos y encomiendas adquirieron for-

[3] Interesantes diálogos y controversias sobre este particular pueden consultarse en: P. M. Sweezy; M. Dobb; K. T. Takahashi; R. M. Milton; C. Hill; G. Lefebvre: *La transición del feudalismo al capitalismo*, Madrid, Editorial Ciencia Nueva S. L. (1967). Cf. también de Ernesto Laclau: "Feudalismo y capitalismo en América Latina", en el volumen colectivo de Rodolfo Puiggrós; André Gunder Frank; Ernesto Laclau: *América Latina: ¿Feudalismo o capitalismo?*, Bogotá, Editorial la Oveja Negra, 1972. Véase especialmente pp. 137 ss.

[4] Aníbal Ponce: "Examen de España", en *Humanismo y revolución*, Siglo XXI Editores, S. A., México, Argentina, España, 1970, pp. 145 ss.

[5] Cf. Marx, C., Engels, F., *La Revolución española. Artículos y crónicas. 1854-1873*, Caracas-Barcelona, Ediciones Ariel (1960). Cf. pp. 82 ss.

mas distintas pero con el mismo contenido servil. El paternalismo monárquico se explica por la pugna con los criollos en cuanto a la repartición del excedente producido por los indígenas. En el caso de Centroamérica el indio pagaba, además del tributo al rey, un tributo feudal al encomendero, terrateniente o no, en trabajo o especie (tesis de Severo Martínez Peláez).[6] El "cuatequil" mexicano, o la "mita" peruana, presentan "también una forma de trabajo obligatorio de tipo feudal". Sobre las condiciones de trabajo del indio es decidor el hecho, observado por Humboldt, de que cuando Juan de Reinaga quiso introducir camellos que remplazaran a los indios como bestias de carga los encomenderos se opusieron. El mismo Humboldt, observando simpatías y diferencias entre feudos y encomiendas afirmaba, sin embargo, que "todos los defectos del sistema feudal se han trasplantado de un hemisferio al otro".[7]

7. La falta de correspondencia, que se habría mantenido durante casi tres siglos, entre una infraestructura no feudal y una superestructura ideológica feudal, es un fenómeno que jamás podrán explicar los actuales campeones de la tesis del capitalismo colonial hispanoamericano como satélite del capitalismo metropolitano español. El currículum medieval de las universidades hispanoamericanas, la física enseñada sobre los textos de Aristóteles, la metafísica explicada a base de Duns Scoto o de Suárez, la vigencia del derecho canónico, ¿constituyen expresiones ideológicas del capitalismo hispanoamericano?; ¿del capitalismo español?; ¿del capitalismo inglés?

El carácter puramente circulacionista de la tesis que comentamos, que nada tiene que ver con el valor cognoscitivo del concepto de modo de producción, encuentra una impugnación particularmente clara, entre otros textos, en los *Fundamentos de la crítica de la economía política*, de Marx: "Cuando una nación industrial, que produce sobre la base del capital, como Inglaterra por ejemplo, procede a intercambios con la China (o los Estados Unidos del siglo pasado), absorbiendo el valor bajo la forma de dinero y de mercancía *a partir de la producción de ese país*, o más bien involucrándolo en la esfera de circulación de su capital, salta a la vista que los chinos no deben por ello producir ellos mismos a título de capitalistas..."[8]

---

[6] Cf. Severo Martínez Peláez, *La patria del criollo. Ensayo de interpretación de la realidad colonial guatemalteca*, Guatemala, Editorial Universitaria, pp. 92 *ss.*

[7] Cf. Charles Minguet, *Alexander de Humboldt. Historien et géographe d'Amérique Espagnole, 1799-1804*, París, François Maspero, 1969, pp. 131-220.

[8] Citado por Roger Dangeville en: Karl Marx; Friedrich Engels, *La guerre civile aux Stats-Unis (1861-1865)*, 10/18; París, 1970, p. 12 (nota).

b) *El empeño del liberalismo en destruir las relaciones de producción feudales define un período heroico, nacional y progresivo en la historia hispanoamericana*

"La nación no es simplemente una categoría histórica, sino una categoría histórica de una época determinada, la época del capitalismo ascendente. El proceso de liquidación del feudalismo y de desarrollo del capitalismo es, al mismo tiempo, un proceso de constitución de los hombres en naciones."[9] La cita es de Stalin. De su mejor obra teórica: *El marxismo y la cuestión nacional* (1913), estudio inspirado por Lenin.

De la cita trascrita y de ese estudio en su conjunto se desprenden las siguientes conclusiones:

1. No existen naciones milenarias. Quienes desde el punto de vista marxista afirman la existencia de naciones milenarias, Egipto por ejemplo, afrontan el problema de tener que afirmar la existencia de características nacionales que sobreviven incólumes a la sucesión de diferentes modos de producción.[10]

2. Las naciones preexisten a la formación de una burguesía industrial y a la consolidación del modo de producción capitalista. Es así que en el texto citado se nos habla, entre otros casos, de la nación americana de fines del siglo XVIII, de la nación georgiana de la segunda mitad del siglo XIX, etc.; es decir, de la existencia de naciones en un período en que la burguesía industrial y el capitalismo industrial están ausentes.[11] Es pues, claro, que la formación nacional es inseparable de un determinado período de *transición*: el que define el proceso de liquidación del feudalismo y de desarrollo del capitalismo. Esa transición corresponde en Europa a diferentes cronologías, según las particularidades históricas nacionales. En Hispanoamérica esa transición se extiende desde finales del siglo XVIII hasta el segundo tercio del siglo XIX.

Y aquí se inscribe, precisamente, el período heroico, nacional y progresivo del liberalismo hispanoamericano.

Pues sí es heroico. Lo es en la medida en que prohijando el pensamiento político de la burguesía revolucionaria europea se empeñó en asimilarlo a las condiciones del proceso independentista. Ha de ser objeto de investigación el dilucidar hasta dónde aquel empeño implicaba una ideologización eficaz o una generosidad utópica. Heroico lo es, igualmente, en la medida en que

[9] J. Stalin, *Principaux ecrits. Avant la Révolution d'octobre*, Bruselas, Editions La Taupe, 1970, pp. 210-211.

[10] El punto de vista de la existencia de naciones milenarias ha sido desarrollado recientemente por Anouar Abdel Malek. Cf. su tipología de las formaciones nacionales en su obra *La dialéctica social*, México, Siglo XXI Editores, S. A., y su opúsculo, *Marxisme et sociologie des civilisations*, Extrait de Diogéne, núm. 64, octubre-diciembre de 1968.

[11] J. Stalin, *op. cit.*, pp. 201; 207-208.

las reformas liberales del siglo XIX sólo pudieron triunfar después de sumergir en enorme caudal de sangre el poder social conservador. Heroico, dijimos. Y también nacional. Al liquidar mayorazgos feudales, aduanas internas, alcabalas y bienes de manos muertas: fuerzas todas que negaban la unidad económica nacional y mediatizaban el poder fiscal del Estado. Nacional, al eliminar el fuero de eclesiásticos y militares —estados dentro del Estado. Nacional, en fin, al liquidar las ideologías feudales, el monopolio cultural de la Iglesia, y al afirmar la hegemonía de la "sociedad civil" a través de una codificación inspirada en la Revolución francesa.

También dijimos que el liberalismo, en este período, fue progresivo. Se desprende de lo anteriormente apuntado. De esas comprobaciones también se deriva que el concepto de "oligarquías liberal-conservadoras", utilizado sin discriminación cronológica, conduce a aberraciones antinacionales y reaccionarias. Es la abstracción sin contenido que, por ejemplo, identifica al Juárez liberal en lucha armada contra la intervención extranjera, con el Miramón y el Zuloaga conservadores, en lucha armada a favor de la intervención extranjera. Desde las metropólicas perspectivas del economismo circulacionista de Gunder Frank, estas distinciones son insignificantes. Pero que intelectuales progresistas hispanoamericanos suscriban sus puntos de vista hace pensar que las modas "marxistas" extranjeras también engendran sus colonizados culturales.

LA INDEPENDENCIA DE ESTADOS UNIDOS Y LA DEPENDENCIA DE HISPANOAMÉRICA

"Cuando estalló la guerra de secesión los capitales ingleses colocados en los Estados Unidos eran considerables, particularmente en los ferrocarriles de Nueva York y Eric, de Baltimore y de Ohio, de Filadelfia y de Reading y del Illinois Central; en sociedades de seguros tales como la New York Time y la American Life; en sociedades mineras tales como la Pennsylvania Bituminous Coal, Land and Timber, y Leigh Coal and Mining; en empresas tales como la Boring Holding en Maine, y la American Land Company Holding en Virginia Occidental."[12] Marx, en *El capital*, estimaba que a los Estados Unidos, desde el punto de vista económico, podía considerársele *todavía* como una colonia europea. Pero no cabe duda de que a partir de la guerra civil comienza el proceso de efectiva liberación y afirmación del capital norteamericano frente al capital inglés. El proceso exactamente contrario fue el seguido por la sociedad latinoamericana durante el último tercio del siglo XIX. Los ferrocarriles argentinos,

[12] Roger Dangeville, *op. cit.*, pp. 279-280.

chilenos, mexicanos, incluso aquellos que en primera instancia
eran propiedad de hispanoamericanos, rápidamente fueron enajenados al capital inglés. Igual con la riqueza minera. Y con la
actividad bancaria. Es un tópico la absorción de la economía
latinoamericana por el capitalismo inglés desde el último tercio
del siglo XIX hasta 1914. Después, el capitalismo norteamericano
tomó el relevo.

¿Cómo pudo suceder que en el período histórico exacto en
que el capital norteamericano se libera y afirma frente al inglés,
el capital hispanoamericano se convertía en su desnacionalizado
apéndice? El proyecto liberal-burgués hispanoamericano, en su
período progresivo, en los momentos históricos de lucha antifeudal, llegó a contar con teóricos brillantes que cumplidamente
expresaban la magnitud de la contienda, la profundidad teórica
de su análisis, la terrible potencia de su proyecto nacionalista.
Alberdi, en Argentina, profundizaba en el análisis económico y
social para extraer la teoría de la efectiva independencia. Exigía
la descolonización cultural; la formación de una filosofía nacional, popular: "El pueblo será el grande ente, cuyas impresiones,
cuyas leyes de vida y de movimiento, de pensamiento y progreso
trataremos de estudiar y de determinar... De aquí es que la
filosofía americana debe ser esencialmente política y social en
su objeto, ardiente y profética en sus instintos, sintética y orgánica en su método, positiva y realista en sus procederes, republicana en su espíritu y destinos." [13]

Por su parte, Lastarria, en Chile, ajustaba una filosofía de la
historia de propia elaboración al imperativo de la construcción
nacional chilena. Y sobre todo, Mariano Otero, en México, estruc-
turaba los pródromos de un materialismo histórico, de propia
inspiración, adaptado al proyecto de la hegemonía burguesa para
la cohesión nacional de México, y para su reconstrucción después
de la derrota frente a los Estados Unidos. ¿Cómo pudo, pues,
suceder que el albor de algunas prácticas económicas nacionalistas, estimuladas por el ardiente profetismo de la teoría hispanoamericana, se convirtiera en la humillante caricatura del proceso
efectivamente realizado por los Estados Unidos?

Creemos haber planteado correctamente algunos términos del
problema. Lejos estamos de la pretensión de resolverlo. Consideremos, sin embargo, algunas variables.

La inmensa mayoría de la población norteamericana, al momento de la independencia, era campesina. Pero en el norte, por
una primera inmigración, se había asentado una población puri-
tana portadora de la protesta burguesa contra el absolutismo.

[13] Juan Bautista Alberdi, "Ideas para presidir a la confección del curso
de filosofía contemporánea. En el Colegio de Humanidades, Montevideo,
1842", en José Gaos, *Antología del pensamiento de lengua española en la
Edad Contemporánea*, México, Editorial Séneca, 1945, pp. 306-308.

En un ámbito geográfico económicamente homogéneo inició, a través de la pequeña producción mercantil, una larga marcha hacia la producción industrial. En el sur, después de la revolución inglesa, se asentó una población señorial despojada de sus privilegios, con práctica y mentalidad precapitalista.[14] Inició su rápida marcha hacia la producción esclavista. La confrontación inevitable, la guerra civil, se saldó por un compromiso. Pero no al nivel del modo de producción, sino al nivel de los prejuicios raciales, de los derechos civiles conculcados, etc. La producción capitalista se encontró, entonces, libre de valladares internos. En Hispanoamérica la situación era radicalmente diversa. Nunca hubo en la colonia hispanoamericana un espacio geográfico económicamente homogéneo donde se desarrollara la pequeña producción mercantil. Por eso nos parecen ilusorias las lamentaciones sobre las potencialidades del artesanado, truncadas por el librecambismo.[15] Verticalmente, si se nos permite la expresión, tampoco hubo homogeneidad. Al modo de producción asiático, no liquidado durante cierto tiempo, de incas y aztecas, se superimpuso el modo de producción feudal. En amplias regiones el esclavismo remplazó formas primitivas de producción o se institucionalizó paralelamente a otros modos de producción. Y de la producción esclava y feudal, esta última predominante, obtuvo beneficios, a través de España, la circulación mercantilista y el posterior capitalismo holandés e inglés. En estas circunstancias los núcleos burgueses-comerciantes, los terratenientes laicos y sin mayorazgos, los burócratas y profesionales que surgieron al amparo de las instituciones estatales, en una palabra los liberales del período progresivo pudieron sí, superar parcialmente la fragmentación feudal, pero al precio de renunciar de hecho a la unidad hispanoamericana. En el período de transición del feudalismo al capitalismo pudieron también adelantar elementos de la superestructura capitalista. En Nicaragua existe el divorcio y en Italia no. Pero en la fundamentalidad del proceso económico Hispanoamérica no alcanzó el objetivo.

Es que también, como en los Estados Unidos, en Hispanoamérica la confrontación del proyecto liberal-burgués con los modos precapitalistas se saldó por un compromiso. Pero con la radical diferencia que éste implicó sólo la trasformación del latifundio "vinculado" y de manos muertas en latifundio laico. Con la diferencia, también, de que la pequeña producción mercantil, geográficamente dispersa y siempre estrangulada por los modos

[14] Una actualizada comparación entre la conquista y colonización de la América hispana y la de la América sajona se encuentra en la última edición del libro de Rodolfo Puiggrós, *De la Colonia a la Revolución*, 5ª ed. (ampliada), Buenos Aires, Carlos Pérez, Editor, 1969, pp. 78 ss.

[15] Según el lugar de procedencia de su materia prima se orientaban los intereses de muchos grupos artesanales. Por ello no todos eran antagonistas del libre comercio exterior. Cf. Severo Martínez Peláez, *op. cit.*, pp. 313 ss.

precapitalistas de producción, podía aprovechar las reformas liberales para pretender a un destino autónomo. En estas condiciones la burguesía liberal sólo aplastó al artesanado para convertirse en apéndice del imperialismo. No fue, pues, la alianza liberal-imperial la que, en primer término, enajenó a Hispanoamérica. Fue la conjunción feudal-imperial la que liquidó el proyecto liberal-nacional trabajosamente delineado desde fines del siglo XVIII hasta el segundo tercio del siglo XIX.

Al nivel de la conciencia el fracaso del liberalismo expresó su frustración y decadencia. En algunos de sus más lúcidos representantes, un Flores Magón, un González Prada, un Ingenieros, se quiso tender un puente a las ideologías de izquierda. Pero la tónica predominante fue el profetismo, el pesimismo, o la ciencia de la patología trasmutada en ciencia social. En Argentina, un racismo agresivo. En Uruguay, el antimperialismo romántico e idealista de Rodó. En México el porfirismo, surgido del glorioso liberalismo de Lerdo, Ocampo, Arriaga y Juárez, se autointituló, y con razón, neoconservatismo.

Y por todas partes el diagnóstico de nuestras enfermedades sociales. Un curioso antecedente de esta sorprendente ciencia médica lo encontramos en el México de 1785-1787, en un informe económico de Hipólito Villarreal, publicado en 1831 con el título de "Enfermedades políticas que padece la capital de Nueva España".[16] A fines del siglo XIX y principios del XX se trata de toda una Facultad de Medicina Política, a nivel continental. El venezolano César Zumeta escribe *El continente enfermo*. Ardiente y jacobino, el argentino Agustín Álvarez nos ofrece su *Manual de patología política*. Francisco Encina analiza el "Chile patológico". Salvador Mendieta diagnostica *La enfermedad de Centroamérica*. Posteriormente, con inspiración fascista y premio Mussolini el boliviano Alcides Arguedas culmina con su dramático *Pueblo enfermo*. Es en este contexto que alcanza resonancia hispanoamericana la Independencia de Panamá de Colombia en 1903.

LA INDEPENDENCIA DE PANAMÁ DE COLOMBIA
EN EL CONTEXTO HISPANOAMERICANO

De las consideraciones anteriores se desprende que no hubo en la base económica y social unidad que sustentara una nación continental hispanoamericana. El proyecto liberal burgués no introdujo, por ello, fragmentación alguna. La fragmentación preexistía a su empeño en los compartimientos estancos ajustados a los

---

16 Cf. Jesús Reyes Heroles, *El liberalismo mexicano*, tomo II. *La sociedad fluctuante*, Universidad Nacional de México, Facultad de Derecho, 1958, p. 96, nota 4.

modos de producción precapitalistas. La circulación mercantilista, y la posterior circulación capitalista mundial, utilizó y aprovechó la producción precapitalista hispanoamericana, pero no trasformó sus modos de producción. De la misma manera que la producción esclavista norteamericana fue condición y no negación de la industria textil del capitalismo inglés. Es lo que no pueden ver los improvisados denegadores de las relaciones de producción feudales en Hispanoamérica.

Dadas las específicas condiciones de Panamá, dijimos, el transitismo istmeño era indisoluble de la política mercantilista de la metrópoli. Durante los siglos XVI y XVII esa política sirvió para definir un cierto espacio geoeconómico alrededor de la zona de tránsito. Pero durante el siglo XVIII esa misma política determinó la decadencia económica, el estancamiento demográfico y la emigración de la cultura en los precisos momentos en que Hispanoamérica afirmaba aceleradamente el proceso inverso. En estas circunstancias la independencia de Panamá de España, en 1821, exhibió formas específicas pero dentro de las condiciones creadas por los ejércitos de Bolívar. De allí la agregación, éste es el término exacto, a la Gran Colombia.

El proyecto liberal-nacional hispanoamericano, en su etapa progresiva, encontró también en el istmo brillantes definiciones. Pero con la particularidad de que en nuestra circunstancia se unía a la tarea de la estructuración de un Estado ya realizada por las otras nacionalidades hispanoamericanas, con la excepción de Cuba y Puerto Rico. El empeño en la realización del Estado, autónomo o independiente, concretó en la acción y pensamiento de auténticos próceres: Mariano Arosemena, Tomás Herrera, Santiago de la Guardia. Y el más importante de todos: Justo Arosemena. Como resultado, la independencia de hecho, o la autonomía efectiva, jalonan diversas coyunturas, suficientemente conocidas, del siglo XIX. La respuesta colombiana a estos esfuerzos se perfila en una diplomacia estúpida que abrió las puertas a la intervención norteamericana. Al Estado del istmo, fundado por Tomás Herrera, Colombia responde con el Tratado Mallarino-Bidlack (1846-1848). En ese Tratado Colombia pide a Estados Unidos que garantice su soberanía sobre el istmo, precisamente en los momentos en que los Estados Unidos despojan de dos millones de kilómetros cuadrados a México. Con posterioridad, intervenciones armadas norteamericanas, solicitadas y no solicitadas, se suceden con frecuencia en el istmo. De esta manera se fueron creando las condiciones para la intervención inevitable e inminente del imperialismo en la formación del Estado de 1903.

Como en el resto de Hispanoamérica, también en Colombia la confrontación liberal-conservadora se saldó por un compromiso, quizás aquí más inestable, pero no por ello menos definitivo. Los inicios de ese compromiso los vemos en el régimen de

Rafael Núñez, apoyado por el conservatismo y un sector del liberalismo. El intento más notable para romper el pacto, que estaba ya inscrito en el fracaso del proyecto liberal-burgués y en la enajenación al imperialismo, lo encontramos en la guerra de los 1 000 días, última confrontación armada importante entre liberales y conservadores, no sólo en Colombia sino en toda Hispanoamérica. Que la degeneración liberal hacía inevitable el compromiso lo ha revelado, en nuestros días, la vergüenza de la llamada "unión nacional", que ha sancionado constitucionalmente el maridaje en la alternancia cíclica del poder político. En Panamá, el liberalismo participó también del fracaso que observamos en Hispanoamérica y Colombia. Pero en nuestro caso la incumplida tarea de la construcción del Estado acuciaba la voluntad prolongando el empeño. Como la lucha contra un conservatismo débil nunca puso verdaderamente en peligro la hegemonía liberal, la dirección de su esfuerzo se centró en el federalismo, es decir, en la lucha por la autonomía económica y política. En el contexto del Estado colombiano centralizado a partir de Núñez, la voluntad de ser se expresó en múltiples modos: En el periodismo, en sociedades patrióticas, en agrupaciones culturales. En su requisitoria contra "la Regeneración" y la centralista constitución de 1886 —"La Reacción en Colombia"—, Justo Arosemena intenta una postrera defensa de la autonomía. Finalmente, donde con mayor vigor se afirmó aquella voluntad de ser fue en la guerra de los 1 000 días. Los interminables conflictos entre el mando militar colombiano y el mando civil panameño constituyen explícitos testimonios. Es que a través del pendón liberal colombiano el liberalismo panameño exigía la autonomía política y económica.[17] Y por única vez en la historia de las contiendas armadas colombianas el pueblo panameño participó realmente en la lucha. El interior nunca fue definitivamente vencido. Brotes de guerrilla urbana se registraron en Santa Ana. Continuando una acción popular de matices propios, que en 1830 inició José Domingo Espinar, Victoriano Lorenzo determina la participación de las masas indígenas en la guerra civil. En estas condiciones sólo la derrota total del liberalismo en el resto de Colombia hizo posible el pacto del Wisconsin.

Es éste el contexto en que se inscribe la Independencia de

[17] El *autonomismo federalista* es prohijado por Belisario Porras, aun un poco después de la guerra de 1 000 días (julio de 1903), en un documento que explícitamente rechaza la total independencia de Panamá de Colombia: "si es verdad que el istmo ha adquirido su propia personalidad a través de toda su historia y que tiene el derecho de exigir, como advertimos con claridad en nuestra Acta de Independencia en el año 1821, LA AUTONOMÍA FEDERAL, para conservar nuestra INDEPENDENCIA INTERNA, no soy, repito, de los que creen que debemos separarnos de Colombia", Belisario Porras, "Reflexiones canaleras o la venta del istmo", en revista *Tareas*, núm. 5, Panamá, agosto-diciembre de 1961, p. 10.

1903. Un liberalismo panameño aplastado en su lucha armada por conquistar la autonomía económica y política. Un liberalismo colombiano que ya había fracasado en su misión nacional de estructurar un Estado económicamente independiente, y que había iniciado las primeras identificaciones en el conservatismo. Un liberalismo hispanoamericano que se negaba a sí mismo después del fracaso continental en hacer la revolución nacional democrático-burguesa. Un capitalismo norteamericano, cada vez más independiente de Inglaterra después de la guerra civil, y que se hacía también cada vez más imperialista desde finales del siglo XIX. Tales son los marcos históricos de 1903. En estas circunstancias los individuos actuaron dentro de las posibilidades que ofrecían estas determinaciones históricas. Con el agravante de que las mejores posibilidades no fueron siempre realizadas.

La tardanza en la realización del Estado, tardanza que tiene sus raíces en la Colonia, conjuró en su contra todas las fuerzas negativas y mediatizadoras que hemos señalado. Es por ello que, y es indudable que, Manuel Amador Guerrero, Federico Boyd y José Agustín Arango proyectan una triste figura en la historia panameña. Sobre todo si se las compara con los próceres del período progresivo del proyecto nacional panameño: Mariano Arosemena, Tomás Herrera, Santiago de la Guardia, Justo Arosemena. En esta afirmación queremos sólo dejar sentado que las actuaciones individuales están también sujetas a la explicación y juicio de la historia. Pero ése no es el objetivo que hoy nos hemos propuesto. Si Teodoro Roosevelt pudo afirmar "Yo me tomé a Panamá porque Bunau-Varilla me la ofreció en bandeja de plata", hoy debemos pensar los panameños que al nivel individual no sólo Bunau-Varilla firmó el famoso Tratado. Y hoy debemos pensar también, los panameños y los hispanoamericanos, que la historia y la sociedad, panameña e hispanoamericana, crearon las condiciones para el ejercicio efectivo del "Destino Manifiesto". Hoy, sólo el conocimiento científico de esa historia y sociedad hace posible su trasformación progresista.

Con los datos históricos destacados y ya en trance de conclusión, hemos de afirmar el carácter progresivo de la independencia de Panamá de Colombia. Y esto a despecho de la vergüenza que pueda producir la actuación individual de cualquier actor de los acontecimientos. Pues ya la vergüenza, dice Marx, es un sentimiento revolucionario.

Las consideraciones esbozadas nos permiten, pues, las siguientes conclusiones:

1. Las naciones surgen en el período de transición del feudalismo al capitalismo. Ellas mismas constituyen una fuerza progresiva, poderosa, en el proceso de liquidación de los modos de producción precapitalistas.

2. El surgimiento de las naciones hispanoamericanas se inscribe en ese mismo proceso de transición. En consecuencia, desde finales del siglo XVIII hasta el segundo tercio del siglo XIX la democracia liberal define un período progresivo de lucha antifeudal y de construcción nacional.

3. El fracaso del proyecto liberal nacional, patente desde finales del siglo XIX, obedece a condiciones internas y fuerzas externas. Como condición interna destacamos la conservatización de la democracia liberal. Esa conservatización expresa, a nivel político, desde la Colonia hasta el siglo XIX, el poder de las relaciones precapitalistas de producción y la debilidad de los fermentos capitalistas. Como fuerzas externas destacamos la expansión imperialista que encontró así el terreno abonado.

4. Con el retraso que explican nuestras específicas realidades coloniales la democracia liberal istmeña delineó el proyecto nacional-estatal durante todo el trascurso del siglo XIX hasta la guerra de los 1 000 días. Ése fue un proyecto progresivo en la medida y en el sentido en que lo fue la estructuración estatal de cada una de las naciones hispanoamericanas.

5. El Estado se realizó en 1903. Desde sus propias perspectivas y posiciones el imperialismo lo hizo posible. Pero al abrir cauce a un proyecto históricamente legitimado; económica, social, política y culturalmente progresivo, el imperialismo conjuró un nuevo fantasma: el nacionalismo panameño. Ese nacionalismo ya ha mostrado su ardor y continuará haciéndolo.

La exposición que precede se ha esforzado en discriminar lo progresivo y lo regresivo en la historia de Panamá y de América. Igualmente las fuerzas históricas que le son internas y las que le son externas. Estas distinciones son necesarias. Algunos intelectuales que quieren inspirarse en Marx han negado la evidencia de la eficacia histórica del feudalismo. Y consecuentemente han negado el valor histórico de las luchas antifeudales del liberalismo hispanoamericano. Es así que con el pretexto de echar cosas en el basurero de la historia han convertido la historia en basurero. Dentro del mismo orden de pensamiento se hace de la historia interna de Hispanoamérica el pálido reflejo del platónico paradigma metropolitano. Metrópolis que engullen submetrópolis, que engullen satélites, que engullen subsatélites, etc. Con lo cual la compleja dialéctica de lo interno y lo externo queda así reducida a la vacua vulgaridad de que el pez más grande se come al más chico.

Esas corrientes son desnacionalizadoras en su fondo. De hecho coinciden con el antimperialismo de derecha, el de Oscar Terán, por ejemplo, para quien Panamá se inventó en la hora cero de las tres de la tarde del 3 de noviembre de 1903.

Estamos urgidos de una visión de la historia que explique y promueva el nacionalismo panameño de hoy, que es el instrumento más eficaz para resistir la absorción imperial. Para ello la inteligencia panameña tiene como tarea ineludible la de comprender el pasado y nacionalizar su historia.

2. CÓMO LLEGARON LOS ESTADOS UNIDOS AL ISTMO DE PANAMÁ

ERNESTO CASTILLERO PIMENTEL

EXTRAÑAS CIRCUNSTANCIAS EN QUE LOS ESTADOS UNIDOS ADQUIRIERON LA ZONA DEL CANAL *

Aparentemente correspondería, dentro de la naturaleza de la presente obra, que trata de las relaciones entre Panamá y los Estados Unidos, hacer la exposición de los antecedentes de los sucesos que tuvieron verificativo en las ciudades de Panamá y Colón, simultáneamente con otros que ocurrieron en Washington, Nueva York, París y Bogotá durante los días llamados de la independencia de Panamá, o sea, la primera quincena de noviembre de 1903. Sin embargo, la extensión e importancia que a tal examen es necesario atribuir actuaría en sentido contrario al carácter sintético de los episodios seleccionados aquí y en tales circunstancias se hace preciso prometer, para una fecha posterior, un estudio crítico del 3 de noviembre. Eso sí, hay que adelantar, como común denominador de los capítulos subsiguientes, que el Tratado Hay-Bunau-Varilla era la lógica e inescapable consecuencia de los errores, flaquezas, e imprudencia de los prohombres panameños de 1903.

El nombramiento de Philippe Bunau-Varilla como primer enviado extraordinario y ministro plenipotenciario de la nueva República de Panamá en Washington se presenta como una de las más graves pruebas de la imprevisión de los próceres.[1] A no ser que el ingeniero francés hubiera hecho tales méritos que la más importante función a realizar por la Junta separatista, a saber, la concertación del tratado con los Estados Unidos, motivo básico de la revolución y la meta anhelada, tuvo que serle encomendada, prefiriéndolo a cualquier conjurado más representativo del medio y de los intereses panameños. ¿Y qué servicios fueron ésos, que lo hicieron acreedor a tan extraordinaria recompensa?

---

* Tomado de los capítulos II y III del libro del autor *Panamá y los Estados Unidos*, 4ª ed., Litho-Impresora Panamá, Panamá, 1974. Existen puntos de vista más conciliadores en cuanto al papel que jugaron los próceres panameños en su momento histórico; véase Diógenes de la Rosa, *Ensayos varios*, Panamá, 1968; Armando Muñoz Pinzón, "Grandeza y desventura del 3 de noviembre de 1903", en *Lotería*, núm. 218, Panamá abril de 1974; y algunos textos de Julio E. Linares.

[1] Véase: Diógenes de la Rosa, *El 3 de noviembre* (Premisas para un bosquejo histórico), Panamá, 1930, p. 372.

Tal vez fueran presuntuosas sus palabras cuando, refiriéndose al éxito del 3 de noviembre, escribía: "Era la solución largamente deseada. Al fin el istmo estaba liberado. La República estaba extendiendo su autoridad sobre los dos mares y sobre todo el territorio habitado que hay entre ellos... Todo aquello había sido ejecutado sin conflictos. No había habido derramamiento de sangre. Las tropas americanas no habían tenido que interferir. Ellas, desde ese momento, habían quedado encargadas de proteger a la República de cualquier ataque de los colombianos... La situación militar y diplomática que yo había concebido y soñado realizar cuando regresé de Washington el 9 de octubre anterior, había quedado completamente establecida, 26 días después".[2] Al menos se sabe que Bunau-Varilla, director de la Compañía francesa del Canal, fue desde Francia a los Estados Unidos varios meses antes del 3 de noviembre y siguió de cerca todos los incidentes de las negociaciones entre Colombia y Norteamérica. Allá tomó parte activísima en la labor de propaganda y persuasión a favor de la ruta por Panamá, o sea, a favor de la Compañía que representaba, interesada, por causa de su quiebra, en venderle sus derechos a los Estados Unidos.[3] El rechazo por el Senado de Colombia del Tratado Herrán-Hay le hace concebir, al igual que a Roosevelt, a los accionistas franceses y a otros, la idea de que el Canal sí era posible después de todo: bastaba con crear una República en el istmo panameño y luego hacer que ésta otorgara los derechos jurisdiccionales que se necesitaban para acallar la opinión pública mundial.[4] De esa conjunción de pareceres emanó su fácil asociación con los expansionistas yanquis y con los conspiradores que surgen repentinamente en Panamá.

Pero la ascendencia de Bunau-Varilla sobre los próceres se debía directamente al éxito de los arreglos que él realizó en Washington para que el movimiento separatista contara, si no *de jure*, en la práctica, con la protección del poderío norteamericano, la que fue puesta de manifiesto con la presencia de los acorazados y destructores que en cantidad de 11 se presentaron en el istmo a testificar el nacimiento del nuevo Estado, y con el desembarco de la infantería de marina que obligó la retirada de las tropas colombianas de Colón. Y se debe también a la promesa que le hizo al doctor Manuel Amador Guerrero de financiar la revolución. "Cuando salió el doctor Amador para el istmo el 20 de octubre había convenido con él que buscaría yo recursos financieros para poner a la disposición del gobierno desde su funda-

---

[2] Philippe Bunau-Varilla, *Panamá, the creation, destruction and resurrection*, Nueva York, 1920, p. 347.
[3] Sobre los notables incidentes de las estampillas nicaragüenses del volcán Momotombo y de la erupción del Monte Peleé, *ibidem*, cap. XXII.
[4] *Ibidem*, pp. 302-303.

ción, por una suma de cien mil pesos oro, y que si no podía obtenerlos me comprometía a asegurarlos sobre mi fortuna personal. Después que salió mandé por cable a mis banqueros de Europa poner a mi disposición esos cien mil dólares para que estuvieran prontos a toda eventualidad. Pero al mismo tiempo vine a pensar que si se iba a sacar ese dinero de una casa de banco, no podía ser sino de una de segundo orden porque ninguna de primera clase aceptaría estar asociada a una revolución centroamericana. Pensé, además, que no me convenía fijar condiciones que hubieran de ser duras por el riesgo que se corría. Por otra parte, haciendo eso me condenaba a entrar en especulaciones sobre los fondos de la Compañía del Canal y sobre los fondos colombianos en París y Londres y esas especulaciones podían servir de guía al gobierno colombiano y atraer sospecha sobre la honorabilidad de los hombres asociados al movimiento de liberación.

"Por todas estas razones asumí el riesgo yo solo y no hablé a nadie de adelantar dinero alguno. Eso me permitió, una vez el movimiento realizado, ir a la primera casa de banco de los Estados Unidos, J. P. Morgan y Co., y ofrecerle un negocio abierto, honorable, de aceptar la representación financiera de la República. Aunque antes no tenía relaciones personales con Mr. Pierpont Morgan, él me conoce muy bien y tenía la seguridad de que cualquier cosa que yo le ofreciera debía tomarla en consideración seria. Para obtener lo que era mi deseo esencial, el apoyo moral resultante de la conexión con la célebre casa, he presentado el asunto en la primera entrevista, el martes 10 de noviembre en Nueva York, que le comuniqué el domingo 15 y le confirmé una segunda vez el día 16 por carta." [5]

Así, a pesar de que, mediante la anterior operación o maniobra no llegó a exponer ni un centavo de su dinero, su prestigio ante la Junta quedó ya sólidamente fincado. No es, pues, de extrañar que exigiera ser nombrado como primer ministro en Washington a cambio del préstamo por la cantidad indicada de dinero, y que, a pesar de que el mismo doctor Amador aspiraba a ocupar esa posición, la Junta lo prefiriese a él.[6]

En cuanto a las autorizaciones que le fueron otorgadas, el texto del mismo telegrama de nombramiento es explícito dentro de su laconismo:

Panamá, noviembre 6 de 1903 (6:45 p. m.)
Hotel Waldorf Astoria, Nueva York.

La Junta de Gobierno Provisional nombra a usted enviado extraor-

[5] Ernesto J. Castillero Reyes, *El profeta de Panamá y su gran traición*. El Tratado del Canal y la intervención de Bunau-Varilla en su confección, Panamá, 1936, p. 14.
[6] Bunau-Varilla, *op. cit.*, pp. 320-322.

dinario y ministro plenipotenciario ante el gobierno de los Estados Unidos, con plenos poderes para ajustar negociaciones de carácter político y fiscal. J. A. Arango, Federico Boyd, Tomás Arias. Francisco de la Espriella, ministro de Relaciones Exteriores.[7]

Lo cual llevó al audaz aventurero a registrar en sus memorias: "El 6 de noviembre, a las 6:45 p. m. terminó, pues, la revolución de conformidad con el programa preciso que yo le había dado a Amador y que él se había llevado del cuarto 1162 del Waldorf Astoria a las 9:30 de la mañana del 20 de octubre. Diecisiete días y algunas horas habían sido necesarias..."[8]

Ese mismo día el gobierno de los Estados Unidos extendió su reconocimiento *de facto* al gobierno de la República de Panamá y le comunicó el paso dado al gobierno de Bogotá, encareciendo, en tono protector, "de la manera más viva a los gobiernos de Colombia y de Panamá el arreglo pacífico y equitativo de todas las cuestiones pendientes entre ellos. El gobierno de los Estados Unidos sostiene que está obligado, no sólo por las estipulaciones del tratado —de 1846—, sino por los intereses de la civilización, a velar porque el tráfico del mundo a través del istmo de Panamá no se vuelva a perturbar como hasta el presente, por una sucesión constante de guerras civiles".[9]

Al día siguiente notificó Bunau-Varilla al secretario de Estado Hay su nombramiento, no sin emitir manifestaciones tan sospechosas y comprometedoras como éstas: "...Yo me congratulo, señor, de que mi primera obligación oficial sea requerir respetuosamente de usted que lleve a Su Excelencia el presidente de los Estados Unidos, en nombre del pueblo de Panamá, la expresión de su agradecimiento hacia su gobierno, a quien se siente muy obligado.

"Al extender tan espontáneamente su mano generosa hacia su última recién-nacida, la Madre de las Naciones Americanas prosigue en su noble misión como la libertadora y educadora de pueblos.

"Al extender sus alas protectoras sobre el territorio de nuestra República, el Águila Americana lo ha santificado. Y lo ha rescatado de la barbarie de las guerras civiles, innecesarias y ruinosas, para consagrarlo al destino que le asignó la Providencia: el servicio de la Humanidad y el progreso de la Civilización."[10]

Inmediatamente se encaminó a Washington. Allí fue invitado por el secretario de Estado a almorzar en su casa el lunes 9 de noviembre. Sucedía que la República de Panamá no había sido reconocida *de jure* y, por lo tanto, conforme al protocolo, el

---

[7] *Ibidem*, p. 349.
[8] *Ibidem*, p. 349.
[9] *Ibidem*, p. 350.
[10] *Ibidem*, p. 352.

Departamento de Estado no podía recibir al Ministro en forma oficial.

No se había puesto en claro todavía si la secesión afectaba sólo la estrecha región ístmica entre Panamá y Colón donde estaba emplazado el canal francés, como querían algunos próceres, o si comprendía la totalidad del departamento de Panamá. "Era urgente —dice Bunau-Varilla— que la protección de los Estados Unidos no estuviera, como antes, confinada al istmo propiamente, sino que se extendiera, mediante tratado, a todo el departamento de Panamá. Había la posibilidad de obtener eso como una compensación a cambio de la concesión que les haríamos del Canal. Mientras no se firmara el Tratado, sólo la zona entre Panamá y Colón, la zona ístmica, estaba protegida en virtud del Tratado de 1846. Pero el contagio de la independencia se estaba extendiendo por el resto del departamento y era necesario avanzar con la misma rapidez. *La firma inmediata del Tratado era el precio de esa protección.*" [11]

Mientras tanto, en Panamá, por razones todavía no aclaradas, la Junta cambió de criterio con relación a las funciones encomendadas al peligroso extranjero y resolvió enviar una comisión compuesta por el doctor Manuel Amador Guerrero y don Federico Boyd, quienes partieron para Nueva York el 10 de noviembre. El doctor Pablo Arosemena tomó pasaje en el siguiente vapor. La delegación llevaba las cartas credenciales que debía presentar Bunau-Varilla y un pliego de instrucciones sobre las modificaciones que se sugerían al Tratado Herrán-Hay, así:

Número 28. República de Panamá. Ministerio de Relaciones Exteriores. Instrucciones para Su Excelencia el enviado extraordinario y ministro plenipotenciario de la República ante el gobierno de los Estados Unidos de América, acordadas por la Junta de Gobierno Provisional de la República, relativas a la Convención sobre Canal.

1ª Deberá tratarse de alcanzar modificación al artículo I de la Convención Herrán-Hay en la parte que dice: "...Exceptuando las propiedades de Panamá y Colón, o en los puertos terminales de estas poblaciones, que pertenezcan a dichas compañías o que se hallen actualmente en su poder..." de este modo:

...exceptuando los terrenos en Panamá y Colón que pertenezcan a dichas compañías, o en los cuales tengan derecho de usufructo, que estén dados en arrendamiento, y los no ocupados en Panamá, los cuales serán propiedad de la República de Panamá.

2ª También debe asegurarse en ese artículo de modo claro, la entrega a la República de Panamá por parte de la Compañía nueva del Canal, de la suma que a esta República corresponde recibir en el traspaso, pues es menester no quedar expuestos a lo que dicha Compañía quiera hacer después de que haya recibido el pago que le hará el gobierno de los Estados Unidos de Norteamérica.

3ª Asegurar también de modo eficaz que en virtud de la concesión

11 *Ibidem*, p. 357. Subrayado por el autor.

a la Compañía nueva del Canal para hacer el traspaso al gobierno de los Estados Unidos de Norteamérica, la renuncia de parte de dicha Compañía a todo reclamo, de cualquier género que sea, contra la República de Panamá.

4ª En el artículo III se hará la modificación cónsona con la modificación del artículo I.

5ª En el mismo artículo III se tratará de alcanzar la modificación de que el derecho de tránsito de los propietarios se extiende al Canal, sus obras adyacentes y vías férreas, inclusive la del ferrocarril de Panamá. Esto último en caso de expropiación de una parte del terreno. Es menester dejar paso y salida a las heredades pues de no hacerlo así quedarán encerradas.

6ª Tratar de alcanzar que la concesión a los panameños respecto de las vías acuáticas de que trata el artículo VII se extienda al mismo Canal siempre que lo usen en embarcaciones y que no se embarace con ellas el tráfico universal. La razón de esto es que quienes se hallen obligados para salir o entrar a sus heredades tropezando en su camino con el Canal, si no pudieren navegar por él en embarcaciones menores serían grandemente perjudicados.

7ª Tratar de alcanzar en el artículo VIII, el XII y en los demás que traten de la materia franquicias, que la República sí podrá cobrar impuestos sobre el tabaco en todas sus formas, las bebidas espirituosas y el opio. Esto se justifica por la naturaleza de esas especies destinadas a vicios y porque el impuesto al tabaco y cigarrillos y al opio son rentas vendidas por varios años a particulares a quienes no puede privarse de derechos adquiridos.

8ª Tratar de alcanzar que los asuntos a que se refiere el artículo XII, número II sean decididos por el Tribunal Mixto que se expresa en el número III.

9ª *Tratar de alcanzar en el artículo XXIII o en un nuevo artículo, el Protectorado de los Estados Unidos, salvo que ese gobierno quiera que se pacte una convención especial.*

10ª *El artículo XXIII se redactará en términos que se conformen con la idea del Protectorado de parte de los Estados Unidos a la República de Panamá.*

11ª El artículo XXV se modificará en el sentido de que la República de Panamá reciba, una vez ratificada por ambas partes la convención, dos millones de pesos oro ($ 2 000 000), quedando los ocho millones ($ 8 000 000) restantes en poder del gobierno de los Estados Unidos, el cual pagará por ellos una renta anual de doscientos cuarenta mil pesos oro ($ 240 000) que equivale al tres por ciento (3 %) anual, y además los doscientos cincuenta mil pesos oro ($ 250 000) que se menciona en el referido artículo XXV.

12ª Procurar alcanzar, si fuere posible, todo cuanto redunde en beneficio de la República de Panamá.

En la nota para Bunau-Varilla se le decía:

"Usted tendrá que negociar un Tratado para la construcción del Canal por los Estados Unidos. *Pero todas las cláusulas de dicho Tratado* habrán de ser precisamente discutidas con los de-

legados de la Junta, M. Amador y Boyd. Y usted deberá proceder
en todo estrictamente de acuerdo con ellos..."[12]

En Washington, el 9 de noviembre, durante el almuerzo, "el
secretario de Estado me preguntó —cuenta Bunau-Varilla— cuál
era esa comisión que anunciaban los periódicos saldría del istmo
para ir a negociar el Tratado". "Mientras yo permanezca aquí —le
contesté— puede usted tener la seguridad de que no tendrá que
tratar sino conmigo."

"En efecto, yo había leído esa misma mañana en la prensa
local el envío de una comisión. Aunque creí que el telegrama
era incorrecto, sin embargo, la preocupación del señor Hay me
convenció de que el hecho debería ser exacto. Me supuse en seguida que ello no era más que una maniobra que se practicaba
en contra mía. Lo comprendí claramente, cuando el gobierno de
Panamá no me quiso dar al principio sino el ridículo título
de agente confidencial y no fue sino obedeciendo a mi mandato
que me elevaron después a la categoría de ministro plenipotenciario. No había duda alguna de que la comisión venía a rempla-
zarme. Amador formaba parte de ella. Ya yo conocía su orgullo
infantil de ambicionar firmar el Tratado. Por eso fue que no
aceptó el puesto de presidente del gobierno provisional que por
derecho le pertenecía. Todo esto indicaba que era el comienzo
de una confabulación contra mí. Esta intriga naciente la maté en
su cuna, enviando el siguiente despacho al ministro de Relaciones Exteriores, a las 4 y 30 de la tarde, después que salí de donde
Mr. Hay: 'He formalmente desmentido el rumor que corría de
una comisión especial que venía para discutir el Tratado y firmarlo, lo que produciría aquí un malísimo efecto, estando en
contradicción con mi misión. Yo he asegurado que nada, del lado
nuestro, impedirá la rápida redacción del Tratado. Someteré a
la aprobación de V. E. sus artículos, uno por uno, a medida que
se vayan aceptando... (debo agregar que tuve que olvidar esta
formalidad a pesar de haberle prometido al ministro de Relaciones de Panamá lo contrario y que firmé el Tratado bajo mi responsabilidad personal).' "[13]

No debe, pues, sorprender que durante el cordial ágape entre Hay y Bunau-Varilla se acordara que el Departamento de
Estado —que por extraña excepción optaba por ignorar las ri-
gurosas formalidades del protocolo al que es tan apegado—
reconocería inmediatamente al nuevo ministro de Panamá y que
el presidente de los Estados Unidos, señor Theodore Roosevetl, lo
recibiría solemnemente en la Casa Blanca el viernes siguiente,
11 de noviembre. "Esto significa que en ese momento nuestra
querida República entrará en la familia de las naciones y su

---

[12] *Ibidem*, p. 360. Las instrucciones, en el Archivo del Ministerio de Relaciones Exteriores de Panamá.
[13] *Ibidem*, p. 358.

gobierno cesará de ser *de facto* para convertirse en *de jure"*, telegrafiaba Bunau-Varilla al ministro de Relaciones Exteriores de Panamá, F. de la Espriella.[14]

Al siguiente día, 10 de noviembre, Bunau-Varilla tuvo la satisfacción de recibir de la Junta de Gobierno el siguiente mensaje:

"Damos nuestra aprobación a su negación de que los comisionados van a discutir o a firmar el Tratado del Canal, ya que ambas cosas conciernen a Vuestra Excelencia. Amador y Boyd no tienen otra misión ante el gobierno americano que la misión comunicada a V. E. en el cablegrama de ayer" (darle consejos en asuntos urgentes y llevarle sus cartas credenciales).[15] Todo salía, pues, conforme a los deseos del grupo de Washington. Según presume Bunau-Varilla, la influencia de Amador se había desvanecido con su partida del istmo y el súbito cambio de la Junta a su favor se debía a José Agustín Arango, presidente de la misma, "cuya mentalidad rectilínea y acertado juicio ya eran conocidos por mí".[16]

Sin embargo, una sorpresa esperaba a Bunau-Varilla: los comisionados sí traían poderes para oponerse a sus maquinaciones.

"...La prueba de esta pequeña intriga la tuve cuando llegaron los comisionados el 18 de noviembre y me comunicaron al siguiente día los documentos escritos que me traían... las instrucciones que ellos me traían estaban firmadas el 9 de noviembre y contradecían por completo el telegrama que me envió el gobierno el 10, de conformidad con el cual los delegados no venían sino para el caso de que yo tuviese necesidad de consultar con ellos. Era, pues, todo lo contrario. Ya en adelante no iba a ser yo más que un simple órgano intermediario entre ellos y el Departamento de Estado. Esas instrucciones decían así:

'Usted tendrá que someterse a un tratado para la construcción del Canal por los Estados Unidos. *Pero todas las cláusulas de dicho tratado serán discutidas previamente con los delegados de la Junta, señores Amador y Boyd y usted procederá en un todo estrictamente de acuerdo con ellos.'"*

"Amador y Boyd me conocían muy bien para imaginarse que yo continuaría ni cinco minutos más en esa humillante situación de simple intermediario entre Mr. Hay por un lado y los señores Amador y Boyd por el otro.

"...Estaban ellos en posesión de un decreto *que los autorizaba plenamente para negociar directamente con el gobierno de los Estados Unidos.*

"La conspiración estaba demostrada. Y se encaminaba hacia

---

14 *Ibidem*, p. 361.
15 *Ibidem*, p. 359.
16 *Ibidem*, pp. 359-360.

la sustitución de mi nombre por los de Amador y Boyd para
firmar el Tratado.

"Yo había presentido todo esto a la distancia, desde la primera noticia que tuve de que Amador venía como delegado. Por
medio de mi insistente exigencia al gobierno de que me diese
una aclaración de inmediato, le mostré a éste cuál era su deber
y así me abrí el camino. Yo les desvié completamente su sutil
intriga y forcé el paso apresurándome a firmar el Tratado
unas pocas horas antes de que me llegasen estas pérfidas instrucciones.

"Pero al mismo tiempo que aguardaba la comprobación de
lo que sospechaba, quise hacerle ver claramente al gobierno
provisional que yo había descifrado los móviles secretos y egoís-
tas que había abrigado, así como también ponerle al corriente
del peligro que había en deshacer el orden de cosas que se des-
arrollaba en Washington de manera admirable." [17]

El día 13 de noviembre tuvo lugar la presentación de las cartas credenciales del ministro de la República de Panamá al presidente de los Estados Unidos. El Departamento de Estado puso
en vigor todo su estricto ceremonial. Lo único que se omitió
fue la nimiedad de la entrega de las cartas credenciales, que,
como sabemos, no habían tenido tiempo de llegar para el importante acto de la entrada de la República de Panamá en la vida
internacional.

No bien terminaron los discursos, Theodore Roosevelt le preguntó a Bunau-Varilla: "—¿Y qué piensa usted, señor Ministro,
de toda esa gente que anda publicando que usted y yo hemos
hecho la revolución de Panamá?" A lo que contestó el Ministro:
"—Yo pienso, señor Presidente, que la calumnia nunca pierde
oportunidades, inclusive en el Nuevo Mundo. Es necesario esperar pacientemente hasta que se seque la fuente de la imaginación en los perversos y hasta que la verdad disipe la niebla de
la mendacidad." [18]

A la salida de la Casa Blanca, quedó convenido entre Bunau-
Varilla y Hay que el Tratado del Canal debía firmarse antes de
que llegaran a los Estados Unidos la misión colombiana encabezada por el general Reyes y la delegación panameña. La opinión
pública mundial no se había recuperado de la sorpresa provocada
por el nacimiento de la República de Panamá y ya la prensa
norteamericana había empezado a lanzar tremendos ataques a la
administración de Roosevelt.[19]

La cuestión de quién fue el autor del Tratado del Canal de
1903 no se ha logrado dilucidar. Se le atribuye a Bunau-Varilla, al
secretario Hay, al presidente Roosevelt, a los señores Root, Knox

[17] *Ibidem*, pp. 358-362.
[18] *Ibidem*, p. 366.
[19] *Ibidem*, pp. 357-367.

y Shaw, al almirante Walker y al abogado consultor de Bunau-Varilla, Frank Pavey.[20]

El domingo 15 de noviembre el Secretario le envió a Bunau-Varilla, con un mensaje, un proyecto de Tratado, basado en el de Herrán-Hay, con modificaciones. Éste lo arregló a su gusto y redactó dos proyectos que remitió a Hay, el día 16, manifestándole que estaría dispuesto a firmar el que escogiera el Secretario.

Según refiere Bunau-Varilla, el criterio que lo guió en la confección de esos instrumentos fue: Primero: era necesario que el Tratado llenara las exigencias del Senado norteamericano, en donde el Partido Republicano, entonces en el poder, sólo contaba seguros para el Tratado, con 57 votos de los 60 requeridos por la Constitución; había que evitar toda crítica al mismo en la alta cámara. Segundo: las únicas cosas que valía la pena defender en un Tratado que celebraba la República de Panamá con los Estados Unidos, eran: 1º) el principio de la neutralidad de la vía interoceánica; 2º) la rigurosa igualdad y perfecta justicia en el tratamiento de todas las banderas, sean éstas norteamericanas o no; 3º) una indemnización para Panamá igual a la de Colombia; 4º) la protección de Panamá.

Y como pensó que Panamá salía ganando todavía demasiado con semejante trato, *en vía de compensación, decidí extender ampliamente la porción de soberanía que se le atribuía a los Estados Unidos en la Zona del Canal por el Tratado Herrán-Hay...* Así, pues, para evitar en el Senado cualquier posible debate, decidí dar una concesión de soberanía *en bloc.* La fórmula que me pareció mejor fue otorgar a los Estados Unidos en la Zona del Canal "todos los derechos, poderes y autoridad, los cuales ejercerán y poseerán los Estados Unidos como si fueran los soberanos del territorio; con la entera exclusión del ejercicio por la República de Panamá de dichos derechos soberanos, poderes y autoridad".[21]

Ese mismo día 17 arribó a Nueva York la misión panameña. Allá recibieron un mensaje de William Nelson Cromwell, abogado de la Compañía del Canal francés, quien deseaba entrevistarlos a su llegada de Francia, hecho que tendría lugar horas más tarde. Así, pues, en lugar de proseguir hacia la capital se quedaron un día allá, acontecimiento fortuito o no, que sirvió admirablemente a los planes del Grupo de Washington.

El 17 de noviembre por la noche Bunau-Varilla se entrevistó largamente con Hay para ultimar los detalles del Tratado. Hay le expresó que muchos senadores influyentes exigían que los 10 millones de dólares se dividieran por mitad entre Panamá y Colombia, fórmula que él mismo favorecía. Al día siguiente por la mañana el genial francés se permitió darle al Departamento de

20 Castillero R., *El profeta...*, *op. cit.*, pp. 21, 48, 51.
21 Bunau-Varilla, *op. cit.*, pp .368-369.

Estado una lección completa de prudencia y tacto político en
la siguiente carta:

Legación de la República de Panamá, 18 de noviembre de 1903.

Señor Secretario: ¿Me permitirá usted condensar las ideas sueltas
que le manifesté ayer respecto a la cuestión de reservar para Colombia parte de los $ 10 000 000 que deberán ser pagados a la República
de Panamá por los Estados Unidos?
    En mi opinión, ello crearía dos impresiones distintas.
    Primero: *Impresión en el mundo en general.*
    Cualquier persona que paga algo por una cosa que no debe, inmedia-
mente se piensa que está pagando bajo la presión del chantaje.
    Cualquier persona que paga bajo la presión del chantaje, in-
mediatamente se piensa que está pagando por causa de algún crimen
oculto.
    Ésta sería la inmediata opinión del mundo si los Estados Unidos
se ponen a declarar que no han metido la mano en la Revolución
istmeña y, por lo tanto, no tienen ninguna obligación de indemnizar
a Colombia por el daño ocasionado, mientras que, simultáneamente,
pagan una fuerte suma para librarse de las reclamaciones de Colombia.
    La única interpretación posible sería: esto es una confesión públi-
ca de que se ha violentado la buena fe internacional.
    L'Enfer est pavé de bonnes intentions; el que inventó esa solución,
aunque con los mejores deseos, sólo está "pavimentando las regiones
infernales".
    Segundo: *Impresión sobre los hispanoamericanos.*
    A la prueba que resultaría de semejante acción, o sea, de la admi-
sión por los Estados Unidos de haberle jugado un pase maquiavélico
a Colombia, se añadiría, en los corazones hispanoamericanos, el in-
curable y amargo resentimiento del insultante ofrecimiento de un
puñado de monedas en compensación por un mal hecho a la patria.
    En un caso como éste, las reglas aplicables a los tratados de paz
que siguen a las guerras no se justifican. En un tratado de paz las
cuestiones monetarias vienen en un orden natural junto con las otras
condiciones. Pero en este caso, cuando los Estados Unidos mantienen,
con perfecta justicia y absoluta propiedad, que no han hecho más
que lo que era su obligación rigurosa de acuerdo con sus deberes contractuales y el derecho internacional; y cuando inmediatamente después aparecen confesando en los hechos lo que niegan en la teoría y
ofrecen una crecida suma de dinero para cicatrizar la herida y enmen-
dar el entuerto, estarían adoptando una actitud que sería una ofensa
directa al sentido de dignidad y al natural orgullo de todos los hispanoamericanos. Eso equivaldría a una debilidad cuyos efectos se
sentirían desde la frontera de Arizona hasta el Estrecho de Magallanes.
    ¡No! Realmente no me pudo imaginar nada más peligroso ni más
impolítico que esto.
    Palas Atenea vendría a ser remplazada por un mercachifle de
dudosos negocios...[22]

----

[22] *Ibidem*, pp. 374-375. Sin embargo, tan sensato consejo al fin fue des-

Esta misiva surtió los efectos deseados y allanó cualesquier escrúpulos que pudieran haber preocupado a los dirigentes del gobierno norteamericano, de manera que, por la tarde del mismo día 18, le llegó a Bunau-Varilla la ansiada llamada en un mensaje de la más estrecha intimidad:

"Querido Ministro: ¿Tendría usted la bondad de venir a mi casa a las seis del día de hoy?

Suyo, sinceramente, John Hay."

Bunau-Varilla se presentó puntualmente a la hora indicada. Pero no perdamos el diálogo frívolo y casual que se desarrolló entre ambos farsantes, consignado minuciosamente en sus memorias por el ministro de Panamá:

"Mr. Hay me recibió con inusitada solemnidad y empleó repetidamente la palabra 'Excelencia' al hablarme, cosa que nunca había hecho antes.

"—Lo he llamado —dijo— para que firme, si place a Vuestra Excelencia, el Tratado que permitirá la construcción del Canal interoceánico.

"Yo le contesté en el mismo tono:

"—Estoy a las órdenes de Su Excelencia para firmar cualquiera de los dos proyectos que, a juicio de Su Excelencia, parezca mejor adaptado a la realización de esa gran obra.

"—El que parece mejor adaptado a ese fin —contestó Mr. Hay—, no sólo a mí, sino a los senadores, quienes tendrán que defenderlo en el Senado, es el que Vuestra Excelencia ha preparado. En su texto no hemos encontrado ser necesaria la menor modificación a no ser por una insignificante cuestión de terminología en un solo punto: en el artículo II, en lugar de las palabras *concede a perpetuidad*, hemos preferido que diga *concede a los Estados Unidos a perpetuidad el uso, ocupación y control*. Usted sabe que desde un punto de vista práctico, son absolutamente sinónimos. No se ha sugerido ningún otro cambio. En cuanto a la cuestión de igualdad de todas las banderas, incluyendo la bandera americana, lo más sencillo es establecer que el Canal será operado de acuerdo con las estipulaciones del Tratado Hay-Pauncefote, lo que significa que estará regido por los principios de la Convención de Constantinopla.

"Si Su Excelencia está de acuerdo con el Tratado, éste será leído y entonces nosotros lo firmaremos.

"Se dio entonces lectura al Tratado, aunque ello no era más que una mera formalidad.

"—¿Trajo usted su sello para ponerlo en el documento? —me preguntó Mr. Hay.

"—Yo no esperaba este acontecimiento —contesté sonriéndole—. Me ha tomado por sorpresa.

oído y en 1921 a Colombia se le pagaron 25 millones de dólares y se le dieron excusas oficiales por la separación de Panamá.

"—Bueno, esto es muy curioso —replicó Mr. Hay—. Es lo que le sucedió exactamente a lord Pauncefote hace dos años, porque hoy hace dos años que firmamos el Tratado Hay-Pauncefote, el 18 de noviembre de 1901. Yo le propuse en aquella ocasión que usáramos el sello de la sortija que llevaba lord Byron cuando murió en Missolonghi, o sea la sortija que llevo puesta, y él aceptó. Yo ahora le ofrezco a usted que escoja el mismo sello u otro con el escudo de armas de mi familia. ¿Cuál prefiere usted.

"La escogencia era difícil y yo no tenía tiempo para pensarlo.

"—La participación que Vuestra Excelencia ha tenido en el cumplimiento de este acto determina mi selección. Sería muy feliz si el Tratado, que se debe a vuestra generosa política, lleve, al mismo tiempo, su sello personal y familiar.

"Eran las 6:40. Mr. Hay tomó entonces la pluma que, en pocos segundos había fijado el destino, tanto tiempo en el péndulo, de la gran concepción francesa, y ofreciéndomela dijo:

"—Es justo que Vuestra Excelencia guarde, en recuerdo de este Tratado que usted ha ideado, la pluma que usamos para firmarlo." [23]

Así se forjaron las cadenas que habrían de aherrojar al pueblo panameño. Fue un acto sin emoción, entre la indiferencia de nuestro Ministro, pendiente sólo de banalidades que halagaban su vanidad enfermiza y el frío cálculo de los yanquis, atentos siempre a sus intereses imperiales.

A todo esto, la delegación panameña viajaba plácidamente en tren desde las 4:30, procedente de Nueva York, sin saber lo acontecido.

En la estación los esperaba el flamante Ministro, quien los saludó con las siguientes palabras:

"—¡La República de Panamá desde hoy está bajo la protección de los Estados Unidos. Acabo de firmar el Tratado del Canal! [24]

Bunau-Varilla no oculta, en sus memorias, cuánto le divertía la preocupación que el lamentable suceso ocasionó a los señores Amador y Boyd. Para él la suerte de Panamá y de los panameños nunca tuvo ninguna importancia y este sentimiento de superioridad y profundo desprecio se trasluce en todas sus referencias a los istmeños. Es increíble que los próceres de 1903 hubieran soportado con tanta mansedumbre las insolencias y los altaneros cablegramas del vil aventurero y que le hubieran servido con tanta cabalidad para sus nefastos propósitos.

Y lo más extraordinario es que los señores Amador y Boyd quienes habían sido engañados e insultados por Bunau-Varilla,[25]

23 *Ibidem*, pp. 376-377.
24 *Ibidem*, p. 378.
25 Léase la reprimenda que les dio Bunau-Varilla, *op. cit.*, pp. 378-379.

se prestaron para el más grave y censurable de los actos de la revolución, cual fue la ratificación del Tratado.

Bunau-Varilla sabía que todo lo hecho carecía de validez si el Tratado no se ratificaba por Panamá. Al conseguir este propósito enderezó todos sus esfuerzos, para lo cual contó con la ayuda del secretario de Estado.

Sospechando los delegados Amador y Boyd que el Tratado no consultaba las legítimas aspiraciones de Panamá, resolvieron hacerle llegar al secretario de Estado Hay sus objeciones a lo actuado.

El Secretario los recibió, acompañados por el Ministro, el día 9 de noviembre. Expresáronle los panameños, según refirieron ellos luego, con toda franqueza, la contrariedad profunda que sentían al enterarse de lo ocurrido y le adelantaron el temor de que el pueblo panameño, al conocer el texto de la Convención del Canal, se resistiría a aprobarlo.

El secretario Hay, interesado en llegar siempre al grano, les preguntó entonces si ellos tenían facultad para impartirle la ratificación a lo que ellos contestaron que no tenían esa autorización y que era necesario enviar el Tratado a Panamá.

El Secretario, aunque disgustado, manifestó su simpatía con la situación de los delegados "y trató de calmarlos haciéndoles observar *lo peligroso* que sería *y las graves consecuencias* que traería el hecho de no aprobarse definitivamente el Tratado después de firmado con toda formalidad por el ministro Bunau-Varilla y él, pues se demoraría el reconocimiento de la República por las otras naciones del orbe y las dificultades para la aprobación del Congreso norteamericano a los actos del Ejecutivo se aumentarían, particularmente de parte de los miembros de la oposición. Que les prometía que se haría un nuevo Tratado adicional buscando cualquier formalidad, como la de una estación carbonera en la bahía de Panamá, etc., y que entonces se incluiría en dicho pacto aquellas cosas que no fueran extraordinarias y que ellos deseaban..." [26]

Al salir del Departamento de Estado Bunau-Varilla les pidió que solicitaran poderes especiales a Panamá para ratificarlo, pero ellos se negaron. Entonces resolvió dirigirse directamente al gobierno provisional para conseguir de él la ratificación. El viernes 20 se trasladó a Nueva York donde redactó el siguiente mensaje:

Nueva York, noviembre 21 de 1903

De la Espriella, ministro de Relaciones Exteriores. Panamá.

[26] Jorge E. Boyd, *Refutación al libro de Bunau-Varilla "Panamá: la creación, la destrucción, la resurrección"*, Panamá, 27 de noviembre de 1913. Publicada en Ernesto J. Castillero Reyes, *Documentos históricos sobre la independencia del Istmo de Panamá*, Panamá, 1930, p. 317. Subrayado por el autor.

Estoy en el Hotel Waldorf Astoria hasta el martes. La comisión quedó en Washington para pasar el domingo en Baltimore y llegar el lunes al Hotel de la Quinta Avenida. Recibimiento Comisión por secretario Hay y después por presidente Roosevelt, fue sumamente cordial. Todo estaría bien a no ser ratificación Tratado que pensé estaría en las facultades de la Comisión hacerlo, y que se efectuaría inmediatamente. Como no es así, y la Comisión por delicada susceptibilidad niégase pedir gobierno tales poderes, notifiqué a Mr. Hay que Tratado será enviado por un vapor-correo el martes próximo para que llegue a Colón el primero de diciembre *y que la Comisión recomendaría con toda su influencia la inmediata ratificación por gobierno*, lo que me sería avisado telegráficamente para notificarlo al gobierno. Tal procedimiento, inspirado en las mejores intenciones, ha causado mala impresión porque al gobierno de Washington lo acusan sus enemigos y los del Canal de apresuramiento indigno en el reconocimiento de la República de Panamá y que, en cambio, la nueva República muestra menos precipitación y se atiene a todas las formalidades. Los resultados de esta pequeña herida moral se han puesto de manifiesto en la decisión tomada por el Consejo de Ministros de no enviar al Senado el Tratado hasta que sea aprobado por el gobierno de Panamá. Fuera de las consideraciones anteriores, los informes cablegráficos de la ratificación del Tratado no podrán ser recibidas sino el 2 o 3 de diciembre si se espera la llegada de ésa del original por el vapor-correo, y como el mensaje del presidente al Congreso debe estar listo para ser presentado el 1 de diciembre, será imposible tratar en él la cuestión de Panamá. Esto es de lamentarse porque es poner al gobierno de los Estados Unidos en una posición falsa ante el público por haber procedido con tanta precipitación cuando la parte contraria ha sido más mesurada. Por estas razones, y sin previa consulta de la Comisión, me tomo la libertad de proponer a Vuecencia que envíe por cable amplios poderes a dicha Comisión para que en nombre de ese gobierno y con su autoridad proceda a ratificar inmediatamente el Tratado.

Si el gobierno acoge esta solución, conviene que Vuecencia la comunique al cónsul norteamericano allí, y aunque sea contrario a los usos diplomáticos, pero que será tenido como un gesto de cordialidad, conviene que Vuecencia telegrafíe directamente al secretario Hay, sin la mediación de la legación, expresándole el deseo del gobierno panameño de facilitar la ratificación, y justificando su procedimiento de no atenerse a la intervención de la legación en la necesidad de hacerle conocer este deseo sin las demoras protocolarias.

Para ayudar al gobierno a un inmediata decisión en este asunto, voy a hacer un resumen sobre el espíritu exacto de los artículos convenidos bajo mi responsabilidad personal.

Artículo 1º Estados Unidos garantizan y mantendrán la independencia de Panamá.

Artículo 2º Panamá concede a los Estados Unidos a perpetuidad, uso, ocupación y control de zona de diez millas de ancho, de mar a mar, sin comprender ciudades de Panamá y Colón, ni puertos adyacentes. Fuera de esta zona concede también terrenos necesarios para construcción o explotación, Canal e islas bahía de Panamá a entrada éste.

Artículo 3º Panamá concede a Estados Unidos derechos, poder y autoridad sobre dicha zona, terrenos e islas, como si fuesen soberanos, con exclusión ejercicio tales poderes por Panamá en los mismos.

Artículo 4º Concede igualmente derecho a usar aguas República Panamá para navegación y alimentar poder mecánico y alimentación Canal, si tales usos son necesarios construcción y explotación del mismo.

Artículo 5º Panamá concede a Estados Unidos monopolio absoluto establecimiento canales y ferrocarriles para unir a través de su territorio Atlántico con Pacífico.

Artículo 6º Para este artículo lea Vuecencia parágrafo 2 del artículo 3 Tratado Hay-Herrán.

Artículo 7º Panamá concede derechos expropiación en ciudades Panamá y Colón para instalación cañerías acueducto. Costo ésta será cargo Estados Unidos, amortizable término 50 años, cuando cañerías pasarán propiedad Panamá. Prevé además, si Panamá no hace cumplir leyes sanitarias y no mantiene orden público, según criterio Estados Unidos, éstos resérvanse derecho y autoridad intervenir. Vuecencia comprenderá que carga saneamiento es opcional República Panamá y que si no la desea, recaerá sobre los Estados Unidos.

Los artículos 8 al 26 corresponden textualmente Tratado Hay-Herrán, salvo el 20 donde se sustituyeron las palabras "Third power" por "Government or the citizens and subjects of third power", lo que es puramente formal porque no hay semejantes personajes fuera de la Compañía del Canal cuyos intereses se han salvaguardado por mención especial como fueron el Tratado Hay-Herrán. No necesito añadir que entre las cláusulas copiadas Tratado Hay-Herrán están las que conceden a la República de Panamá diez millones de dólares oro y renta anual doscientos cincuenta mil dólares, empezando dentro de nueve años. Si gobierno admite proposición acabo someter Vuecencia, obtendré en casa J. P. Morgan aumento de cincuenta mil a cien mil pesos crédito, siguiendo ratificación que se haría martes próximo. Pero si gobierno prefiere esperar llegada allá original Tratado, a pesar de los graves inconvenientes que tendría esa demora no sería político pedir cien mil dólares inmediatamente, y entonces, si no puede gobierno esperar hasta 3 de diciembre, habría que apelar a la operación financiera a que se refiere su anterior cable bajo el entendimiento de que se limita a empréstito rembolsable sin concesiones que pudieran interferir la representación financiera de la célebre Casa de Pierpont Morgan, que le he concedido por un año en virtud de mis poderes. Ruégole contestar al Waldorf Astoria hasta lunes 8.

Bunau-Varilla [27]

Ese mismo día llegó la respuesta del ministro de la Espriella negando lo pedido. Bunau-Varilla deja traslucir en sus airados comentarios a esta negativa la presencia del gran chantaje que se teje para atrapar a los panameños. Chantaje que tuvo el más completo resultado porque fue dirigido contra unos conspirado-

[27] Bunau-Varilla, *op. cit.*, pp. 380-1; Castillero Reyes, *El profeta, op. cit.*, p. 33. Subrayado por el autor.

res que, ante todo, descartaban el *derramamiento de sangre* y otros riesgos semejantes en la ejecución de su papel revolucionario.

"El conflicto había empezado. He aquí que el Tratado, que era indispensable en la forma que yo le había dado; este Tratado... que le imponía a los Estados Unidos la obligación de declararle la guerra a Colombia para mantener la autoridad de la nueva República hasta en territorios lejos del Canal —se refiere al interior del país— y por lo tanto independientes del trabajo a ejecutarse; este Tratado, en fin, era recibido fríamente en Panamá.

.."*Al día siguiente ese país sería declarado en peligro*; y dos días después el *gobierno se suicidaría*... La secuencia era *lógica e inevitable.*"

"El momento era crítico... De un lado estaba el *disgusto de Mr. Hay*, confrontado con la ingratitud y la sospecha puestas de manifiesto por Panamá al igual que antes habían sido puestas de manifiesto por Bogotá.

"De otro lado estaban las intrigas y las ambiciones personales de varios individuos en Nueva York y en Panamá"...[28]

Los delegados panameños regresaron a Nueva York desde Washington el lunes 23 de noviembre. Pero no sin antes haber cambiado de opinión sobre el pacto. En efecto, ya se habían decidido en su favor y enviado el siguiente cablegrama:

Washington, D. C., 21 de noviembre de 1903

Junta de Gobierno. Panamá.

Consideramos Tratado bueno. Aprobámoslo. Irá martes. Ratificación inmediatamente ustedes.

Amador/Boyd

Lo cual confirmaron a su llegada a Nueva York con la siguiente carta:

Nueva York, noviembre 23 de 1903

Señores miembros de la Junta de Gobierno Provisional, Panamá.

Señores: Tuvimos el honor de informar a ustedes, por cable del 19, que había sido firmado el nuevo Tratado entre el señor ministro de Estado de los Estados Unidos, John Hay y el señor P. Bunau-Varilla, nuestro Ministro, para la excavación del Canal interoceánico.

Ahora tenemos la honra de participar a ustedes el envío del Tratado original, en una cajita cerrada y sellada y con las formalidades del caso.

[28] Bunau-Varilla, *op. cit.*, pp. 381-2. Subrayado por el autor.

Después de detenido estudio del Tratado y encontrado que con MUY LIGERAS MODIFICACIONES ERA IGUAL AL ANTERIOR HERRÁN-HAY, y que se conformaba con las instrucciones que ustedes se sirvieron darnos, convinimos en aceptarlo tal como estaba. En carta particular comunicamos a ustedes detalles sobre este asunto.

De acuerdo con el señor ministro Hay, y con los senadores Hanna, Fairbanks, etc., manifestamos a ustedes que el Tratado, después de revisado por ustedes, debe ser ratificado por los miembros de la Junta de Gobierno y comunicado, por medio del cónsul americano allí y por el ministro Bunau-Varilla aquí, por cable, haber sido aprobado y ratificado: luego después harán que las municipalidades de Panamá y Colón declaren su aprobación al referido Tratado. Esto creen estos señores que es todo lo que se necesita para la completa validez del Tratado.

Nos permitimos recordar a ustedes el nombramiento del doctor Pablo Arosemena como ministro extraordinario y enviado especial cerca del gobierno de Washington para efectuar otros tratados de comercio, navegación, etc., y permitir el uso de lugares convenientes en el Pacífico y en el Atlántico para depósito de carbón de la escuadra americana.

En estos tratados —en lo cual el ministro Hay nos dio a entender que asentiría—, se pueden incluir las concesiones que nos habíamos propuesto obtener al confeccionarse el Tratado sobre el Canal y que por circunstancias explicadas en carta particular no fue posible añadir después de haberlo firmado el señor Bunau-Varilla.

Con sentimientos de consideración nos es grato suscribirnos sus obsecuentes servidores.

M. Amador Guerrero/Federico Boyd.[29]

Como se ve, los comisionados Amador y Boyd habían caído en la capital federal en otro lazo tendido a su escasa malicia por los hombres del Grupo de Washington: la falsa y vaga promesa de nuevos tratados donde se pudieran incluir las concesiones que "por circunstancias explicadas" no se consiguieron en el convenio cuya aprobación recomendaban.

Mientras tanto, Bunau-Varilla llevaba adelantados los preparativos para la ceremonia —que él consideraba imprescindible— del envío del texto del Tratado. Para ello ya había conseguido la cajita de hierro y una bandera de Panamá.

El día 24, a requerimiento del Ministro se reunieron todos en el cuarto número 1162 del Hotel Waldorf Astoria, a las 9 a. m. Allí tuvo lugar el acto, presidido por el francés. El Tratado, que, contrario a la práctica internacional, no estaba escrito en idioma español, que es el de los panameños, sino en inglés, fue introducido en un sobre, el cual fue firmado por Philippe Bunau-Varilla, Federico Boyd y M. Amador Guerrero y luego de ser envuelto en la bandera, fue depositado en la caja. Una vez sellada ésta fue

29 Archivo del Ministerio de Relaciones Exteriores de Panamá. Subrayado por el autor

llevada por los presentes a bordo del barco-correo City of Washington, que salía a la 1:30 p. m. para Colón.

Ese mismo día regresó Bunau-Varilla a su puesto en Washington, "dispuesto a enseñarle al gobierno de Panamá *el mal que se estaba haciendo* y a demandarle una actitud leal y la ratificación inmediata".[30] Para conseguir estos fines le envió, en la noche del día 25, el siguiente cablegrama, modelo de impertinencia y desfachatez:

Washington, D. C., 25 de noviembre, 1903

De la Espriella. Ministro de Relaciones Exteriores. Panamá.

Aunque por disciplina me inclino ante decisión gobierno sobre ratificación inmediata pedida por mí largo telegrama del sábado, sentimiento del más alto deber de vigilancia me obligó señalar Vuecencia peligro, cada hora aumentando, resultado de frialdad demostrada por gobierno Panamá para ratificar Tratado *que realiza los sueños del istmo.* Los tres *objetos esenciales de la revolución,* están contenidos en él: 1º) protección República por Estados Unidos; 2º) construcción canal; 3º) obtención mismas condiciones financieras que Colombia. Esta frialdad por parte Panamá después de firmar Tratado que Estados Unidos consideran justo y como *sumamente generoso para Panamá,* ha causado extrañeza en altas esferas que cada momento degenera en indignación. Conozco el terreno sumamente difícil de Washington. El peligro no es aparente, y aseguro que es muy grande y en cualquier momento puede transformar una victoria magnífica en derrota *sangrienta.* Reitero mi telegrama del sábado. Si gobierno mantiene su decisión, suplico Vuecencia, en nombre de los más esenciales y vitales intereses República, que al menos me telegrafíe inmediatamente en la forma siguiente: "En vista de que el Tratado ha sido aceptado por Amador y Boyd y dado que el extracto comunicado revela que es eminentemente satisfactorio para los intereses vitales de la República de Panamá, el gobierno lo autoriza para comunicar oficialmente al gobierno de Estados Unidos que el Tratado será firmado y ratificado por el gobierno de la República de Panamá al llegar el documento a Colón."

Si gobierno no piensa adoptar esta pequeña resolución, yo no quiero aparecer responsable de las calamidades que se seguirán. Lo más probable será *la suspensión inmediata de la protección acordada y la firma de un Tratado definitivo con Bogotá* de acuerdo con la Constitución de Colombia en caso de guerra. En este evento pido a Vuecencia presentar mi renuncia al gobierno.

Bunau-Varilla [31]

Ya el doctor Amador Guerrero se había dirigido al gobierno panameño en la siguiente forma:

[30] Bunau-Varilla, *op. cit.,* p. 383. Subrayado por el autor.
[31] *Ibidem,* pp. 383-4. Subrayado por el autor.

Señores de la Junta de Gobierno Provisorio de la República de Panamá.

Excelentísimos señores: El Tratado Hay-Bunau-Varilla del 17 del actual [32] en que concede derechos e impone deberes a los Estados Unidos de América para la apertura del Canal interoceánico por la vía de Panamá, sigue por el vapor que saldrá de Nueva York el 4 del actual.

No he querido poner mi firma aprobando el Tratado porque no veo que se me haya autorizado al efecto, pero no porque rehúya la responsabilidad que me queda en su aprobación, pues estoy enteramente de acuerdo.

De Uds. Atto. S. S.,

M. Amador Guerrero, Delegado

Aquello fue suficiente para que la Junta accediera definitivamente a las protervas intrigas de los hombres de Washington. Así, el 26 de noviembre se le envió al ministro Bunau-Varilla las seguridades exigidas:

Panamá, 26 de noviembre de 1903

Bunau-Varilla, ministro plenipotenciario, República Panamá.
New Willard Hotel. Washington.

Vista aprobación dada por delegados Amador, Boyd, al Tratado del Canal, se autoriza Vuecencia notificar oficialmente al gobierno Estados Unidos que será ratificado y firmado al recibir la Junta de Gobierno Provisional el documento que lo contiene.

J. A. Arango, Tomás Arias, Manuel Espinosa

Espriella, ministro de Relaciones Exteriores [33]

Bunau-Varilla, Hay y los expansionistas estaban ya satisfechos. El ministro de Panamá registra su convicción de que, como la otra vez, el presidente Arango había sugerido este curso de acción. "El gobierno de Panamá había tornado a mí, como a su guía natural, y ya nunca más tuve razones para dudar de su lealtad."

"...A menos de ocho días después de su nacimiento, el debut de la República de Panamá, tanto en el mundo diplomático como en el financiero, estaban asegurados. Yo fui quien los coloqué, a

[32] Con esta fecha en el original. El Tratado, como es sabido, se firmó el 18. V. Castillero Reyes, *El profeta...*, *op. cit.*, p. 47.
[33] Archivo del Ministerio de Relaciones Exteriores de Panamá.

los panameños, bajo esa doble protección de la más grande República del mundo y del más formidable organismo financiero." [34]

Philippe Bunau-Varilla es, sin duda, el más extraordinario y espectacular personaje del 3 de noviembre de 1903. Su acción al concertar y firmar el Tratado, cometida en evidente connivencia con el secretario de Estado Hay, ha pesado fatídicamente sobre los acontecimientos posteriores que se relatarán y puso sobre el nombre de Panamá un baldón injustificado, humillante y absurdo, además de que comprometió torpemente el porvenir y la prosperidad de la nación panameña, como se verá.

El análisis de los motivos que llevaron a Bunau-Varilla a firmar apresuradamente, dos horas antes de la llegada de los plenipotenciarios panameños el Tratado del Canal no es necesario hacerlo aquí; ya sabemos que él representó en todo el drama de la secesión los intereses franceses. Baste señalar que este señor, dotado de una gran imaginación, una audacia increíble y una enorme capacidad para la intriga, fue públicamente acusado, tanto en Panamá como en los Estados Unidos y Francia, de haberse vuelto millonario con la especulación que hizo de los títulos de la Compañía Nueva del Canal, los que compró depreciados antes de la revolución y vendió luego al gobierno norteamericano con ganancia fabulosa. El daño incalculable que le ha ocasionado —si bien en conjunción con otros personajes— a Panamá, fue señalado oficialmente por la Asamblea Nacional que aprobó el 25 de enero de 1927 una resolución por la cual, tras varios enérgicos considerandos, entregaba "el nombre de este sujeto al escarnio de los panameños y a la execración de la posteridad".[35]

Una comparación somera de las estipulaciones del Tratado del Canal Hay-Bunau-Varilla y el Tratado celebrado con Colombia que fue rechazado por el Senado colombiano ¡por considerar que no satisfacía las aspiraciones nacionales! [36] da el siguiente saldo:

34 Bunau-Varilla, op. cit., pp. 384, 385; ibidem, p. 361. Véase también Juan Rivera Reyes y Manuel A. Díaz E., Historia auténtica de la escandalosa negociación del Tratado del Canal de Panamá, Panamá, 1930, pp. 43 y 47.

35 Gaceta Oficial, Panamá, 16-I-27. Bunau-Varilla renunció a su salario como Ministro y sólo reclamó B/4 674.00 que gastó en cablegramas. Pero la Compañía Francesa del Canal lo gratificó con 102 000.00 dólares, al siguiente día en que recibió del gobierno norteamericano lo que deseaba en todo esto, o sean, sus 40 millones por la concesión del Canal, el 4 de mayo de 1904.

36 V. Informe de la Comisión del Tratado al Senado de Colombia en Víctor F. Goytia, La función geográfica del istmo, estudio jurídico-político, Panamá, 1947, pp. 60-61.

Tratado Herrán-Hay	Tratado Hay-Bunau-Varilla
1. Concesión por períodos renovables de 100 años.	1. Concesión a perpetuidad.
2. Zona de 10 kilómetros, o sean 6 millas de ancho más o menos.	2. Zona de 10 millas de ancho.
3. Se ceden, sin estar incluidas en la Zona, el uso y la ocupación de las estratégicas islas Naos, Perico, Flamenco y Culebra.	3. Se ceden, como parte de la Zona, a perpetuidad, el uso, ocupación y control de las islas Naos, Perico, Flamenco y Culebra.
4. Expropiación de tierras y de propiedades para el Canal, sin limitación en lo que respecta al avalúo de los valores, de acuerdo con las reglas generales de la ley colombiana para su aplicación.	4. Expropiación de tierras y de propiedades para el Canal, avaluadas con base de sus valores en 1903.
5. Jurisdicción sanitaria y de policía en la Zona a ser ejercida por una comisión mixta de ambas naciones.	5. Jurisdicción sanitaria ejercida exclusivamente por los Estados Unidos.
6. Jurisdicción judicial en la Zona del Canal ejercida por tribunales mixtos colombo-americanos.	6. Jurisdicción policiva y judicial ejercida exclusivamente por los Estados Unidos.
7. Acueducto gratuito al cabo de 50 años, sin otra condición que el pago de una renta de agua razonable durante ese período.	7. Acueducto cedido al cabo de 50 años mediante pago en ese período de su costo, más un 2 % de interés.
8. Concesión de aguas fuera de la Zona pero dentro del límite de 15 millas del Canal.	8. Concesión ilimitada de tierras y aguas auxiliares dentro de la jurisdicción de la República.
9. Los derechos y privilegios concedidos no afectan la soberanía nacional de Colombia.	9. Los derechos y privilegios concedidos limitan la soberanía de la República de Panamá.

1º) *La ratificación del Tratado del Canal de Panamá*

Como hemos visto, había en el grupo de hombres que en Washington movían los hilos de la intriga contra el pueblo panameño la mayor ansiedad por terminar cuanto antes, con los aspectos formales y legales de su obra. Hacía falta la ratificación por el nuevo gobierno de Panamá del Tratado. Veamos la intervención que confiesa uno de los más conspicuos actores del drama de la secesión, William Nelson Cromwell, abogado de la Compañía francesa:

"Antes de ausentarse de Panamá estos personajes —Amador, Boyd y P. Arosemena— habían celebrado acuerdo por cable para encontrarse y conferenciar conmigo en Nueva York adonde me dirigía yo al mismo tiempo desde París. Llegaron antes que yo, pero esperaron en Nueva York a que yo lo hiciera, pocas horas después (el 17 de noviembre). *Todo un día* duró la importante conferencia que celebré con los comisionados, en el curso de la cual *les arranqué la promesa* de que tanto las concesiones como las propiedades de la Compañía Nueva del Canal en el istmo serían plenamente reconocidas y amparadas. A su solicitud estuve con ellos en Washington ayudándolos en la consideración de ciertas cuestiones pendientes."

"El Tratado había sido firmado unas horas antes de la llegada de los comisionados a Washington. *Faltaba la ratificación* y para asegurarla, puse en frecuente contacto a los comisionados con los senadores Hanna, Fairbanks, Kittredge, Platt, y otros miembros del Congreso..." [87]

Días después, el 19, ante la conminación del secretario de Estado Hay y en presencia de Bunau-Varilla, los comisionados se negaron a ratificar el Tratado, aduciendo el argumento de que no tenían poder para hacerlo, negativa que indujo al ministro de Panamá a dirigirse al gobierno en los términos ya trascritos.

Igualmente ha quedado relatada la súbita e infortunada adhesión de los comisionados Amador y Boyd al punto de vista de los hombres de Washington, y, finalmente, la aceptación del mismo gobierno provisional a confirmar así, a ciegas, sin haberlo leído siquiera, el trascendental acuerdo.

Sin embargo, era preciso cumplir, además de la ratificación, con el requisito, aunque tradicional, ineludible entre las naciones civilizadas, de canjear las ratificaciones. Los hombres de Washington consideraban insufribles estas minucias —tanta era la prisa que tenían—, pero ante la parsimonia de Panamá y la reticencia de los comisionados, no les quedó otro remedio que allanarse a la enojosa diligencia.

El día 1 de diciembre de 1903 llegó a Colón el barco. Trasladada inmediatamente la caja contentiva del Tratado, a la ciudad de Panamá, se procedió a su apertura, como lo describe el acta siguiente:

En el Palacio Nacional de la ciudad de Panamá, capital de la

---

[87] *The story of Panama*, U. S. House of Representatives (Washington, 1913). Testimonio de Cromwell, p. 284. Subrayado por el autor.

República del mismo nombre, a las cuatro de la tarde del día 1 de diciembre de 1903, se reunieron en el salón de recepciones los señores José Agustín Arango, Tomás Arias y Manuel Espinosa B., miembros de la Junta de Gobierno Provisional; Francisco V. de la Espriella, ministro de Relaciones Exteriores y el infrascrito subsecretario del mismo ramo, que actuó como secretario, con el objeto de hacer la apertura de la caja de hierro que contenía el texto del Tratado firmado en Washington entre el excelentísimo señor Philippe Bunau-Varilla, enviado extraordinario y ministro plenipotenciario de la República ante el gobierno de los Estados Unidos de Norteamérica y el excelentísimo señor John Hay, secretario de Estado en el Despacho de Relaciones Exteriores de ese gobierno, el día diez y ocho del próximo pasado mes de noviembre. El señor ministro de Relaciones Exteriores puso de manifiesto la mencionada caja, que recibió en la mañana de hoy a bordo del vapor "City of Washington" en el puerto de Colón, la cual está provista en su tapa de un resorte automático, de níquel, que cubre la cerradura, de tres argollas de hierro, una en cada una de sus extremidades y otra en la tapa; en la parte superior de ésta de un broche, con sus partes prominentes perforadas y atravesadas por un cordón cuyas extremidades unidas terminaban en un sello de lacre rojo, que estaba intacto adherido a una etiqueta de papel amarillo manuscrita así: "A los señores miembros de la Junta de Gobierno Provisional de la República de Panamá. — P. Bunau-Varilla. — New York, 24 de noviembre de 1903"; y dos estuches pequeños, también de hierro, ceñidos, por separado, en cruz por un cordón, cuyos extremos unidos terminaban, en cada uno de los estuches, en un sello de lacre rojo, intacto cada uno de ellos, y adheridos también por separado, a respectivas etiquetas de papel amarillo, manuscrita cada una así: "A los señores miembros de la Junta de Gobierno Provisional de la República de Panamá. — P. Bunau-Varilla — New York, 24 de noviembre de 1903"; estos dos estuches estaban provistos de sus llaves correspondientes, sujetas a los cordones que las ceñían. En seguida el señor Ministro procedió a abrir uno de estos estuches, encontrándose dentro de él un paquetito, bajo cubierta de papel amarillo cuidadosamente doblado en forma rectangular, sellado con un sello de lacre rojo, que se encontró intacto, y rotulado así: "Llave de la caja donde está el Tratado"; abierto este paquetito, se encontró en él una llave de hierro galvanizado, marcada con el número 1946; el estuche restante contenía un paquetito de idénticas condiciones al anterior, pero sin rótulo alguno; dentro de él se encontró también una llave de hierro galvanizado, marcada con el número 1946. Con una de estas llaves se procedió a abrir la caja hallándose dentro de ella, envuelta por una capa de algodón, una bandera de la República, cuidadosamente doblada, y, entre sus pliegues, un portafolio amarillo rotulado así: "Tratado del Canal. — Original. — Señores miembros de la Junta de Gobierno Provisional de la República de Panamá. — P. Bunau-Varilla. — 24 de noviembre de 1903. — FEDERICO BOYD, M. AMADOR GUERRERO." Dentro de ese papel portafolio se encontró un legajo de papel blanco, con este rótulo, hecho a máquina y con tinta negra, subrayado con tinta roja: "Isthmian Canal Convention. —Signed at Washington, noviembre 18th 1903"; constante de treinta y una fojas, escritas únicamente en la primera página de cada una con caracteres hechos a máquina, con tinta negra y en idioma inglés, separados sus períodos entre sí por ángulos trazados con tinta roja; al principio de cada período se hallaba, excepto los tres primeros, un guarismo romano precedido de la palabra "Article", escritos también a máquina con tinta y subrayado con tinta roja, siendo este guarismo "I" el primero y éste "xxvI" el último, al fin de cuyo período había estas dos firmas, autógrafas escritas con tinta negra: "P. Bunau-Varilla", "John Hay", dispuestas paralelamente la segunda bajo de la primera. Las treinta y una fojas del legajo se hallaban unidas con una cinta de seda de color rojo, que lo ataba por dos perforaciones, que atravesaban todo el legajo, practicadas en el extremo superior de él, apuntada sobre la última página; los extremos de esta cinta terminaban en la penúltima página, separados, el uno arriba del otro, en línea perpendicular al extremo inferior de la mencionada página y adheridos a ella, por sendos sellos de lacre rojo que estaban intactos, el uno a la altura y al pie la firma, "P. Bunau-Varilla", con dos figuras heráldicas en relieve, y el segundo a la altura y al pie la firma "John Hay", con las letras J y H entrelazadas formando un monograma en relieve. Practicado todo lo dicho y tomadas las anotaciones que preceden, el señor Ministro tomó el legajo y lo entregó a los señores José Agustín Arango, Tomás Arias y Manuel Espinosa B. En fe de todo lo expuesto se extienden dos ejemplares de la presente Acta que firman todos los concurrentes al acto que la motiva.

J. A. ARANGO; TOMÁS ARIAS; MANUEL ESPINOSA B.

El ministro de Relaciones Exteriores, F. V. de la Espriella.

El subsecretario, H. González Guill.[38]

Pero las tribulaciones de los hombres de Washington todavía no habían terminado. Es cierto que tenían la formal promesa del gobierno provisional de Panamá de ratificar el Tratado tan pronto arribara al istmo el documento que lo contenía, según los términos del telegrama de Bunau-Varilla del 26 de noviembre. Pero en la capital norteamericana se temía la desaparición misma de ese gobierno en cualquier momento, "*bajo la presión de la opinión pública*, que es tan variable en las repúblicas latinoamericanas".[39] O bien podría suceder que surgieran "astutos y pérfidos oradores que lograran excitar los sentimientos del pueblo panameño persuadiéndolo de que un extranjero ha infligido un insulto al honor nacional al sacrificar la soberanía de la nueva República. Podrían aseverar, además, que cualquier ciudadano de Panamá hubiera redactado un convenio mucho mejor para ese país, con lo cual se podría provocar el rechazo del Tratado".[40]

[38] Acta de recibo de la caja que trajo el Tratado sobre apertura de un canal interoceánico, Castillero R., en *El profeta...*, *op. cit.*, pp. 25-27.
[39] Bunau-Varilla, *op. cit.*, p. 401.
[40] *Ibidem.*

El problema consistía, entonces, en impedir que el Tratado del Canal fuera discutido siquiera por el gobierno provisional, el cual debería ser compelido a mantenerse en su anterior promesa, *demostrativa "de sus buenas intenciones*. Para asegurar este resultado, sólo había un método, el método que siempre es el mismo: la acción resuelta y decisiva".[41]

Ocurría que el barco City of Washington que era del servicio regular de correos entre Nueva York y el istmo, debería llegar a Colón el martes 1 de diciembre por la mañana. Ese mismo día, a las doce meridiano, debería partir de ese puerto el otro barco-correo, llamado Yucatán. El próximo correo saldría una semana después, lo cual significaba que, lógicamente, el Tratado tendría que quedarse en Panamá, por lo menos, siete días, pensamiento que llenó de aprehensiones a los imperialistas de Washington y París. Según el criterio de ellos, y tomando en cuenta la reciente experiencia de lo ocurrido en Colombia con el Tratado del Canal, que por no satisfacer las aspiraciones nacionales había sido derrotado, así como la precaria posición política de la Junta de Gobierno Provisional de Panamá, se podía esperar, de un momento a otro, que ésta no se atreviera a cumplir su palabra empeñada. O bien que, para salvar su responsabilidad histórica, se le ocurriera, antes de ratificarlo, consultar con una junta de notables, cosa que indudablemente significaría la muerte del convenio. Siete días era concederle demasiado tiempo a los revolucionarios panameños; era preciso buscar la manera de cortar toda reflexión sobre lo que se estaba haciendo, impedir que al Tratado Hay-Bunau-Varilla le sucediera lo que al Herrán-Hay, que, en opinión de Washington, llegó a ser analizado "por la ignorancia y la ceguera en plazas y mercados".[42]

Un intento hecho por Bunau-Varilla para hacer que la Compañía del Ferrocarril de Panamá, propietaria del Yucatán detuviera este barco en Colón un día más a fin de forzar la inmediata ratificación del Tratado, por alguna razón que se desconoce, no dio resultado.

Bunau-Varilla, sin embargo, encontró, como siempre, en el Departamento de Estado sus mejores consejeros y aliados. Luego de obtener la debida autorización de éste, cablegrafió al señor de la Espriella, ministro de Relaciones Exteriores de Panamá en estos términos casi insultantes:

Mientras el Tratado, aunque sea ratificado, permanezca en posesión del gobierno provisional, en Washington no se le considerará asegurado contra una posible reconsideración por ustedes. Es, pues, necesario que ustedes lo envíen tan pronto lo hayan ratificado. Lo mejor es utilizar la valija diplomática del Departamento de Estado, así es

41 *Ibidem*. Subrayado por el autor.
42 *Ibidem*.

que ustedes deben entregarle el Tratado, tan pronto sea ratificado, al cónsul americano...[43]

La treta surtió efecto. La Junta de Gobierno dictó al día siguiente de la llegada al istmo del Tratado, el fatídico decreto de ratificación que dice así:

DECRETO NÚMERO 24 DE 1903
(de 2 de diciembre)

por el cual se aprueba un Tratado con los Estados Unidos de Norteamérica.

LA JUNTA DE GOBIERNO PROVISIONAL DE LA REPÚBLICA

Por cuanto se ha celebrado entre el enviado extraordinario y ministro plenipotenciario de la República acreditado ante el gobierno de los Estados Unidos de América y el señor secretario de Estado de aquella nación un Tratado que copiado a la letra dice así:

CONSIDERANDO:

1) Que en ese Tratado se ha obtenido para la República la garantía de su independencia;
2) Que por razones de *seguridad* exterior es indispensable proceder con la mayor *celeridad* a la consideración del Tratado a efecto de que esa obligación principal por parte de los Estados Unidos principie a ser cumplida con eficacia;
3) Que con el Tratado *se realiza la aspiración de los pueblos del istmo, cual es la apertura del Canal* y su servicio en favor del comercio de todas las naciones; y
4) Que la Junta de Gobierno Provisional, formada por voluntad unánime de los pueblos de la República, posee todos los poderes del soberano en el territorio;

DECRETA:

Artículo único: Apruébase el Tratado celebrado en Washington, Distrito capital de la República de los Estados Unidos de América el día 18 de noviembre del presente año.
Publíquese,
Dado en Panamá, a 2 de diciembre de 1903.
J. A. Arango — Tomás Arias — Manuel Espinosa B. — El ministro de Gobierno: Eusebio A. Morales — El ministro de Relaciones Exteriores: F. V. de la Espriella — El ministro de Justicia: Carlos A. Mendoza — El ministro de Hacienda: Manuel E. Amador — El ministro de Guerra y Marina: Nicanor A. de Obarrio.

43 *Ibidem*, p. 403.

Por el ministro de Instrucción Pública, el subsecretario: Francisco Antonio Facio.[44]

Sorprende que los próceres, que sólo tenían ante sí *un ejemplar* y en idioma *inglés* del Tratado, hubieran procedido a aprobarlo con tanto apresuramiento. Se puede presumir fácilmente que no llegaron siquiera a leerlo, por la imposibilidad física de traducirlo y copiarlo en término tan perentorio. Obsérvese, además, que la palabra *seguridad* es la que da el tono del decreto.

Y, entre las muchas contradicciones que rodean la obra entera de los próceres, se destacan sus conceptos absurdos sobre lo que hacían: ahí están, para demostrarlo, los hoy incomprensibles "considerandos" del fatal decreto. ¿O es que esas cosas son tabú, o no han de tener importancia cuando se trata de juzgar hoy la levadura cívica de esos hombres?

En cambio, el doctor Jorge E. Boyd —hijo del triunviro, don Federico Boyd— en su *Refutación* al libro de Bunau-Varilla, del 27 de noviembre de 1913, califica acertadamente el Tratado tan encomiado por la Junta de Gobierno, al llamarlo: *"humillante y desventajoso, venta infame, terrible pacto, sacrificio y concesión adicional a los estipulados con Colombia, la SENTENCIA DE MUERTE DE ESTA INFELIZ NACIÓN".*

No tardó mucho el gobierno provisional en avisar a Washington que había dado cabal y exacto cumplimiento a todo lo prometido. No uno, sino dos mensajes portaron la ominosa noticia:

En este momento, las once y treinta, la Junta de Gobierno Provisional acaba de aprobar y firmar el Tratado.

                                                                Espriella

El otro fue despachado a las seis de la tarde:

Bunau-Varilla, ministro plenipotenciario de Panamá.
Washington.
Nos es sumamente placentero informar a Vuestra Excelencia que, unánimemente y sin modificaciones, hemos ratificado el Tratado del Canal. Este acto del gobierno ha obtenido la aprobación general.

                        J. A. Arango, Tomás Arias, M. Espinosa [45]

A lo cual replicó el ministro Bunau-Varilla, siempre atento a los detalles prácticos de la operación:

                                    Washington, 2 de diciembre de 1903

De la Espriella. Ministro de Relaciones Exteriores, Panamá.

[44] *Gaceta Oficial*, núm. 6, 15-XII-1903. Subrayado por el autor.
[45] *Ibidem*, pp. 403-404.

El acontecimiento histórico de la ratificación del Tratado acaba misión Reyes antes de su recepción mañana por secretario Hay... He pedido secretario Hay, y consintió, que Tratado regrese por valija diplomática americana. Me permito aconsejar remitir lo más pronto posible pliegos conteniendo Tratado en su original, ya ratificado, al cónsul general americano para que me lo envíe por vía diplomática. Además de ser vía segura, el hecho de ser remitido Tratado en manos de funcionario Departamento de Estado, será considerado aquí como ratificación material. Ratificación equivalente notificación por remesa documento aquí y eso permitirá gobierno tomar medidas para ratificación Senado en seguida, en vez esperar llegada documento.

Bunau-Varilla [46]

Evidentemente no existía ninguna razón para no complacer en todo al ministro en Washington. Así, pues, el día 4 de diciembre tuvo lugar, en el Palacio Nacional, la última ceremonia en relación con estos acontecimientos: la entrega formal al cónsul de los Estados Unidos, señor H. G. Hudger, de la caja de hierro que contenía el mismo texto del Tratado llegado tres días antes —de esta suerte no quedó ningún original en Panamá, pues los dos originales, que están en idioma inglés, permanecieron en Washington hasta 1932 en que el doctor Ricardo J. Alfaro rescató e hizo venir uno—, acto que contó con la presencia de las más altas autoridades de la República.[47]

[46] Archivo del Ministerio de Relaciones Exteriores de Panamá.
[47] Archivo del Ministerio de Relaciones Exteriores de Panamá. Acta de entrega de la caja que contiene el Tratado:
"En el Palacio Nacional de la ciudad de Panamá, capital de la República del mismo nombre, a las tres y treinta minutos p. m. del día cuatro de diciembre de mil novecientos tres, se reunieron en el salón de recepciones los señores José Agustín Arango, Tomás Arias y Manuel Espinosa D., miembros de la Junta de Gobierno Provisional; Eusebio A. Morales, ministro de Gobierno; Carlos A. Mendoza, ministro de Justicia; Manuel E. Amador, ministro de Hacienda; Nicanor A. de Obarrio, ministro de Guerra y Marina; Francisco Antonio Facio, subsecretario de Instrucción Pública, en representación del ministro del Ramo; Francisco V. de la Espriella, ministro de Relaciones Exteriores, y el infrascrito, subsecretario del mismo ramo, que actuó como Secretario con objeto de colocar en la caja de hierro, cuya apertura se describe en el Acta anterior, de fecha 1º del mes en curso, el Tratado original para la apertura de un canal interoceánico a través del territorio de esta República, documento ya descrito en el Acta mencionada con exposición de su procedencia, y un ejemplar de su original del Decreto número 24, de 2 de diciembre, de este gobierno, aprobatorio del mencionado Tratado. El documento que contiene dicho Decreto, consta de trece fojas de papel blanco, escritas solamente en la página del frente, a máquina y con tinta morada; lleva al pie, en el orden que se expone y autógrafas, escritas con tinta negra, las firmas siguientes: J. A. Arango, Tomás Arias, Manuel Espinosa B., Eusebio A. Morales, F. V. de la Espriella, Carlos A. Mendoza, Manuel E. Amador, Nicanor A. de Obarrio y Francisco Antonio Facio; los tres primeros miembros de la Junta de Gobierno Provisional, los subsiguientes ministros de Estado en los ramos de Gobierno, Relaciones Exteriores, Justicia, Hacienda, Guerra y Marina y el último subsecretario

2º) *La ratificación del Tratado del Canal en los Estados Unidos*

Por uno de esos sombríos sarcasmos de la historia, el Tratado Hay-Bunau-Varilla, que con tanta facilidad fue aceptado por los estadistas panameños, había de encontrar en los Estados Unidos, el país que se llevaba la parte del león, tremendos obstáculos y objeciones.

Según el profesor doctor Thomas A. Bailey, catedrático de historia de la diplomacia norteamericana en la Universidad de Stanford, la "política de cowboy" de Roosevelt había levantado una ola de críticas en los Estados Unidos, en especial entre los espíritus liberales y entre los miembros del Partido Demócrata. La prensa se refería de manera candente a Panamá como la "República improvisada", con términos tales como: "piratería", "escándalo, desgracia y deshonor" y "prisas indecorosas". El diario *Republican*, de Springfield, calificó la independencia de Panamá como "el incidente más ignominioso de nuestra historia". El *American*, de Nueva York, hubiera "preferido apartar para siempre las ventajas de una vía interoceánica antes que ganarla con medios como los que se habían empleado". "Aun los bucaneros que asolaban a Tierra Firme —se lamentaba el *Nation* de Nueva York— hubieran pensado que era demasiado para ellos." Inclusive en Europa, en donde es cosa corriente el apoderarse de territorios pertenecientes a vecinos más débiles, hubo muchos

de Instrucción Pública en representación del ministro del ramo, como arriba se expresa; las tres fojas de este documento se hallaban unidas con una cinta tricolor: rojo, blanco y azul, colores de la bandera panameña que lo ataban por dos perforaciones que atravesaban todo el legajo, practicadas en el extremo superior de él, anudadas sobre la última página; los extremos de esta cinta terminaban en la penúltima página, unidos y adheridos a ellos por un sello de lacre rojo que estaba intacto y que tenía en relieve esta inscripción: 'R. de P.' Ambos documentos fueron introducidos en la caja por el señor ministro de Relaciones Exteriores en un portafolio de papel amarillo cuyo frontis estaba manuscrito así: 'A Su Excelencia Philippe Bunau-Varilla, enviado extraordinario y ministro plenipotenciario de la República de Panamá ante el gobierno de Estados Unidos de Norteamérica. —New Willard Hotel. — Washington, D. C.' Hecho lo cual se envolvió el portafolio en una bandera de Panamá y luego en una de los Estados Unidos y se introdujo en la caja; con una de las llaves, de las cuales se hace mención en el Acta anterior, se cerró ésta; por el broche de ella se pasaron dos cintas de seda, una roja y otra azul, se unieron los extremos de ella y se adhirieron, sellándolos con el sello de relieve 'R. de P.' sobre una etiqueta de papel blanco que tenía este manuscrito hecho con tinta negra: 'A Su Excelencia Philippe Bunau-Varilla, enviado extraordinario y ministro plenipotenciario de la República ante el gobierno de los Estados Unidos de Norteamérica.' Cada una de las dos llaves se colocó en un paquetito de papel blanco doblado en forma rectangular, rotulado cada uno así: 'Llave de la caja donde está el Tratado': cada uno de estos paquetitos fue introducido en cada uno de los pequeños estuches en que vinieron de los Estados Unidos, los cuales se ciñeron por separado con dos cintas unidas: roja una, azul la otra, se unieron sus extremidades también por separado y se adhirieron sellándolas con lacre con el sello de relieve 'R. de P.' sobre sendas comentarios condenatorios de los actos del gobierno de Roosevelt. Un diario inglés declaró que "los Estados Unidos han estremecido la confianza del mundo civilizado en su honradez". El *Herald*, de Glasgow, encontró que "los métodos expeditivos han sido más fuertes que la moral". El *Saturday Review*, de Londres, remarcó que "se puede admirar tanto a los Estados Unidos como se puede admirar a un tratante de caballos". Y las naciones de la América Latina, llenas de temor por su propio futuro, quedaron profundamente alarmadas por esta repentina disminución en el tamaño de una de sus hermanas.[48]

Sin embargo, no pocos periódicos, especialmente los republicanos, prestaron su apoyo al presidente Roosevelt y a su política en Panamá. Señalaban que, por lo menos, los métodos directos tenían la virtud de obtener resultados. El *Times*, de Hartfort, expresando una opinión muy generalizada, dijo que lo sucedido a Colombia había sido "enteramente por su culpa", mientras que el *Journal* de Atlanta la acusó de estar "innecesariamente obstruyendo el comercio mundial". Un resumen del sentimiento público norteamericano fue dado por *Public Opinion*, del 19 de noviembre de 1903, así:

...Nadie podría negar que la opinión mayoritaria en este país aprueba la conducta de la administración, aun cuando muy poco de esta conducta pueda ser justificada en el terreno moral... La suma de la opinión pública en esta cuestión revela simplemente que nosotros queríamos un canal en el istmo por sobre todas las cosas, y que el gobierno ha tomado las medidas más seguras para obtener este objetivo.[49]

Así, pues, en vista de la tormenta política desatada, el jefe

etiquetas de papel blanco rotuladas a mano y con tinta negra así: 'A Su Excelencia Philippe Bunau-Varilla, enviado extraordinario y ministro plenipotenciario de la República de Panamá ante el gobierno de los Estados Unidos de Norteamérica'. Practicado todo lo dicho, el señor ministro de Relaciones Exteriores hizo entrega de los tres objetos, la caja y los dos estuches de hierro, al señor H. G. Hudger, quien los hizo conducir a su oficina, el Consulado de los Estados Unidos de Norteamérica en esta ciudad. En fe de todo lo expuesto se extienden dos ejemplares de la presente Acta que se firman por todos los concurrentes al acto que la motiva.

"J. A. Arango — Tomás Arias — Manuel Espinosa B. — El ministro de Gobierno, Eusebio A. Morales — El ministro de Relaciones Exteriores, F. V. de la Espriella — El ministro de Justicia, Carlos A. Mendoza — El ministro de Hacienda, Manuel E. Amador — El ministro de Guerra y Marina, Nicanor A. de Obarrio. — Por el ministro de Instrucción Pública, el subsecretario, Francisco Antonio Facio — El cónsul general de los Estados Unidos de América, H. C. Hudger — El vicecónsul Félix Ehrman — El subsecretario del Ministerio de Relaciones Exteriores, H. González Guill."

48 Thomas A. Bailey, *A diplomatic history of the American People* (Nueva York, 1944), p. 542.
49 *Ibidem*, p. 543.

del Ejecutivo norteamericano consideró apropiado hacer una defensa de su gobierno en el mensaje anual que presentó al Congreso el 7 de diciembre de 1903. Luego de dedicar varias páginas a las negociaciones habidas con Colombia y que terminaron infelizmente con el rechazo del Tratado Herrán-Hay el 12 de agosto, pasaba a examinar las interpretaciones que le habían dado al Tratado con la Nueva Granada de 1846 los distintos secretarios de Estado. Describía, después, en dos párrafos, la secesión de Panamá para entrar a enumerar en detalle las revoluciones —53 en 57 años— ocurridas en el turbulento istmo.

Bajo estas circunstancias —proseguía el presidente Roosevelt—, el gobierno de los Estados Unidos hubiera sido culpable de debilidad y locura, que hubieran constituido un crimen contra la nación, si hubiera actuado de diferente manera que como lo hizo cuando la revolución que tuvo lugar en Panamá el 3 de noviembre. Esta gran empresa de construir el canal interoceánico no se puede detener por complacer antojos, o por respeto a la impotencia de cierto gobierno, o, aún más, por causa de las siniestras y perversas peculiaridades de gentes que, aunque viven lejos, contrariaban los deseos de los reales moradores del istmo y asumían una irreal supremacía sobre su territorio. La posesión de un territorio lleno de las peculiares capacidades del istmo en cuestión lleva consigo obligaciones hacia el género humano. El curso de los eventos ha demostrado que este canal no puede ser erigido por la empresa privada, o por ninguna otra nación distinta de la nuestra; por lo tanto, debe ser erigido por los Estados Unidos de Norteamérica.

Todos los esfuerzos fueron hechos por el gobierno de los Estados Unidos para persuadir a Colombia de que siguiera un curso que era, esencialmente, no sólo en interés nuestro y en interés del mundo, sino en interés de la misma Colombia. Esos esfuerzos fallaron; y Colombia, por su insistencia en repeler las proposiciones que se le hicieron, nos forzó, en aras de nuestro propio honor, y del interés y felicidad, no sólo de nuestro propio suelo, sino del pueblo del istmo de Panamá y de los pueblos de los países civilizados del mundo, a tomar pasos decisivos que pusieran fin a una situación que había llegado a ser intolerable. La nueva República de Panamá inmediatamente ofreció negociar un Tratado con nosotros. Adjunto remito este Tratado. Gracias a él nuestros intereses están mejor salvaguardados que en el Tratado con Colombia que fue ratificado por el Senado en sus últimas sesiones. Es mejor en sus términos que los tratados ofrecidos a nosotros por las repúblicas de Nicaragua y Costa Rica. Por fin el derecho de comenzar esta gran realización se ha hecho accesible. Panamá ha aportado su parte. Lo único que falta es que el Congreso americano aporte la suya y desde ese momento esta República entrará en la ejecución de un proyecto colosal en su tamaño y de incalculables posibilidades para el bienestar de este país y de las naciones de la humanidad.[50]

[50] *Mensaje* del presidente Roosevelt a las dos cámaras del Congreso, 7-XII-1903, en *The story of Panama, op. cit.*, pp. 573-579.
Castillero R., *Documentos, op. cit.*, pp. 509-514.

Sin embargo, el mensaje no fue suficiente para aplacar a los
críticos, que exigían una versión exacta de "lo que el Presidente
sabía acerca de la revolución de Panamá con anticipación a ella
y hasta qué punto él había sido el instigador".[51] La dura campaña
de prensa se recrudeció, interviniendo, en favor del gobierno:
Sun, Review of Reviews y *Commercial Advertiser* y en contra,
el *Post* y el *World*, de Nueva York, considerado este último
como el más importante de la ciudad. El primer mandatario
deseaba la reelección en 1904, y la cuestión de Panamá se pres-
taba para una dura campaña política.

El presidente Roosevelt, combativo y tenaz, por primera vez
había sido puesto a la defensiva y compelido a explicar públicamente su conducta oficial. Asistido por el profesor John Bassett
Moore preparó un largo mensaje que remitió a las cámaras el 4
de enero de 1904. Roosevelt insistía en la interpretación que le
había dado al derecho de intervenir en el istmo según el Tratado
de 1846-1848.

Con relación a Colombia manifestaba que en sus tratos con
este país había demostrado, no sólo un espíritu de justicia, sino
un espíritu de generosidad con el pueblo cuyo territorio se usa-
ría para construir el canal.

El Tratado Herrán-Hay —añadía— si acaso erró, erró en el sentido
de que fue demasiado generoso hacia el gobierno colombiano. En
nuestra ansiedad por ser ecuánimes nos llegamos hasta el borde de
someternos a las exigencias de una débil nación que no estaba en posición de obligarnos a otorgárselas contra nuestra voluntad. Las únicas
críticas que se han hecho a mi administración por causa de los términos del Tratado Herrán-Hay fueron por haberle concedido demasiado
a Colombia, no por no haberle dado suficiente. Ni en el Congreso ni
en la prensa, cuando se formuló ese Tratado, hubo quejas por que no
se le hubiera garantizado, de la manera más amplia y completa, todo
lo que ella hubiera podido solicitar a cualquier título.

Analizaba luego la negativa colombiana en los más duros términos y entraba a la cuestión de la secesión. Citaba varios artículos de diarios norteamericanos y los informes del servicio exterior. Con respecto a la presencia de los barcos de guerra en
aguas panameñas durante los actos de la independencia, aceptó
haber dado la orden para que se presentaran en Panamá los
navíos Boston, Dixie, Atlanta y Nashville, etc., "para el caso de
que fueran necesarios" y el desembarco de la infantería de marina en Colón el día 4 de noviembre; proseguía luego dando otros
detalles de los acontecimientos. En su defensa apeló al expediente más socorrido: la simple negativa:

[51] Dwight C. Miner, *The fight for the Panama route*. The story of the
Spooner Act and the Hay-Herrán Treaty (Nueva York, 1940), p. 380.

He dudado antes de referirme a las insinuaciones injuriosas que se han hecho de complicidad de este gobierno con el movimiento revolucionario de Panamá. Ellas son tan carentes de fundamento como de propiedad. La única excusa que tengo para mencionarlas es el temor de que personas irreflexivas puedan tomar como asentimiento un silencio, que no es más que autorrespeto. Creo, pues, apropiado declarar, por lo tanto, que nadie conectado con mi gobierno tuvo parte alguna en la preparación, iniciativa o aliento de la pasada revolución en el istmo de Panamá y que, salvo los informes de nuestros oficiales militares y navales, nadie... tuvo conocimiento previo de la revolución, con excepción del conocimiento que es accesible a cualquier persona de inteligencia corriente que lee los periódicos y se mantiene al día en los asuntos públicos.

Mediante una acción unánime —con una unanimidad escasamente registrada en casos similares— el pueblo de Panamá se declaró en una República independiente. Su reconocimiento por mi gobierno estuvo basado en una situación de hecho que no depende para su justificación en lo que nosotros acostumbramos a hacer en casos ordinarios. Yo no he negado, ni deseo negar tampoco la validez o la propiedad de la regla general de que no se puede reconocer como independiente un Estado hasta que no haya demostrado su capacidad para mantener esa independencia. Esta regla se deriva del principio de no-intervención, y como corolario de tal principio ha sido generalmente observada por los Estados Unidos. Pero, como los principios de los cuales es deducida, la regla está sujeta a excepciones; y hay en mi opinión razones claras e imperativas que justifican un apartamiento de ella y que aún lo requieren en la presente instancia. Esas razones abarcan, primero, nuestros derechos según tratados; segundo, nuestro interés y seguridad nacionales; y tercero, los intereses de la civilización colectiva... Que nuestros sabios y patrióticos antepasados... hubieran concertado un Tratado (en 1846)... solamente o primariamente con el propósito de permitir (a la Nueva Granada)... continuar desde Bogotá gobernando el istmo... es una concepción en sí misma increíble aun si la contraria no parezca clara... El gran designio... fue asegurar la dedicación del istmo al propósito del tránsito libre y sin obstrucciones... la consumación de lo cual se encontraría en un canal interoceánico... Este reconocimiento fue... más adelante justificado... por nuestros intereses nacionales... En nuestra presente situación, el establecimiento de comunicaciones fáciles y rápidas por mar entre el Atlántico y el Pacífico se presenta, no como algo deseable simplemente, sino como un objetivo para ser pronta y positivamente obtenido. Razones de conveniencia han sido suplantadas por razones de necesidad vital, las cuales no admiten demoras indefinidas. A esas demoras nos expuso el rechazo por Colombia del Tratado Herrán-Hay... Si alguna vez un gobierno podría decir que había recibido un mandato de la civilización... los Estados Unidos mantienen esa posición con relación al canal interoceánico.[52]

Al comentar el célebre mensaje dice el arquitecto Gerstle Mack en su libro *The land divided*:

[52] *The story, op. cit.*, pp. 579-594. Mack, *op. cit.*, pp. 470-471. Miner, *op. cit.*, pp. 380-381.

La mayor parte de los argumentos de este curioso mensaje provocan dudas, cuando no carecen completamente de valor. Sólo un sofisma imposible de disfrazar podría trastocar las obligaciones contractuales de los Estados Unidos de mantener la soberanía colombiana sobre el istmo en un derecho para ayudar a derrocar esa misma soberanía. Los intereses de los Estados Unidos y de la "colectividad civilizada" se hubieran visto servidos con la misma efectividad con un canal por Nicaragua. Si la demora (en ratificar el Tratado Herrán-Hay por Colombia) realmente significaba un desastre, un canal por Nicaragua se hubiera construido casi con tanta rapidez como uno por Panamá; el Tratado Herrán-Hay, que no fue ratificado por Colombia, iba a permitir que se gastaran 26 años en la construcción de un canal a esclusas y 36 para la terminación de uno a nivel, así pues, la rapidez no pudo ser la consideración imperativa que pretendía Roosevelt. El llamado "mandato de la civilización" no tiene absolutamente ningún fundamento jurídico, y si bien se podría justificar sobre otras bases más amplias —como tal vez lo fue—, ello no ha debido prevenir la discusión, la conciliación y si era necesario el arbitraje.[53]

A lo cual añade el profesor Thomas A. Bailey:

La determinación desesperada de Roosevelt de "hacer volar las rocas" fue un factor determinante en este asunto. ¿Pero qué necesidad había de esas carreras, aparte de la política y del terco capricho de Roosevelt de no ser contradicho cuando ya había puesto su corazón en Panamá?... Es posible que si Roosevelt hubiera esperado un año, al cabo del cual hubiera expirado la concesión de la Compañía francesa, y Colombia hubiera entonces obtenido los 40 000 000 de dólares, los Estados Unidos hubieran entonces conseguido el Canal. Pero el impetuoso "Rough Rider" no podía tolerar posposiciones... Parece probable que los métodos directos de Roosevelt apresuraron la construcción del Canal sólo por unos pocos meses. Y por esa mínima ganancia en tiempo, él retrasó definitivamente el principio del arreglo pacífico de las controversias internacionales, creó un dañino precedente, ofendió cruelmente a una República hermana y despertó las sospechas y la desconfianza en toda la América Latina.[54]

El reconocimiento tan prontamente otorgado por los Estados Unidos y tan elocuentemente defendido por Roosevelt en su mensaje, no fue obstáculo para que, ante las protestas de la misión colombiana encabezada por el general Rafael Reyes, el Departamento de Estado el 13 de enero de 1904, si bien rechazó la invitación de Colombia para llevar el asunto de la secesión de Panamá al arbitraje del Tribunal de La Haya, propusiera en cam-

[53] Gerstle Mack, *The land divided* (Nueva York, 1944), p. 471.
[54] Thomas A. Bailey, *op. cit.*, pp. 544-545.
El propósito del autor al citar estas obras es de poner de manifiesto la opinión muy adversa, por cierto, que existe en el mundo entero sobre los sucesos del 3 de noviembre de 1903. Los conceptos emitidos por estos distinguidos profesores de universidades norteamericanas envuelven acerbas críticas no sólo a los colombianos que traicionaron a su país, sino que

bio, sin consultar con el gobierno de Panamá que acababa de reconocer y sin mirar las implicaciones morales de semejante acto, y la flagrante contradicción de su conducta, someter la cuestión de si el istmo debía volver o no a la unidad nacional colombiana a un plebiscito de sus habitantes; y las reclamaciones que tenía Colombia por los daños y perjuicios específicos sufridos por motivo de la separación, presentarlos a la decisión de un tribunal especial de arbitraje. Estas contrapropuestas fueron, a su vez, rechazadas por los colombianos, y el general Reyes se dirigió entonces desde Washington a París, donde se gestionaba ante el poder judicial francés, el traspaso de la concesión otorgada a la Compañía Nueva del Canal a los Estados Unidos.[55]

¿Adónde hubiera ido a parar la República de Panamá si Colombia hubiera aceptado la proposición norteamericana?

Pocas veces ha habido en la historia del Congreso de los

abarcan hasta los panameños que, si bien hay que presumir que actuaron inocentemente y animados por la mayor buena fe, sirvieron cumplidamente a los formidables intereses económicos y estratégicos de franceses y norteamericanos, y también a los fines de política partidaria de la administración del presidente Roosevelt.

De nada pues, ha servido el inmenso holocausto de la nación panameña, pues ni el mundo jamás lo ha comprendido —Pro mundi beneficio, ¡qué ironía!— ni la opinión ilustrada de los Estados Unidos ha reconocido, por causa del Canal, ningún mérito a Panamá ni a su pueblo, la verdadera víctima de la Independencia, la nación que fue entregada al sacrificio para que ellos fueran más ricos, más grandes y más poderosos.

Para el que quiera enterarse de lo que piensan en los Estados Unidos de la secesión de Panamá en 1903, aquí va una lista de libros, publicados no por panfletistas ni personas interesadas en defender mezquinos beneficios, ni prestigios familiares, sino por reconocidos historiadores y hombres de letras:

Dennis Al. P., *Adventures in American diplomacy* (Nueva York, 1928).
Thayer, W. R., *The life and letters of John Hay* (Boston, 1915).
Hill, H. C., *Roosevelt and the Caribbean* (Chicago, 1927).
Pringle, H. F., *Theodore Roosevelt* (Nueva York, 1933).
Dennett, Tyler, *John Hay* (Nueva York, 1933).
Parks, E. T., *Colombia and the United States* (Durham, N. C., 1935).
Rippy, J. F., *The capitalists and Colombia* (Nueva York, 1931).
Bishop, J. B., *Theodore Roosevelt and his time* (Nueva York, 1920).
Jessup, P. C., *Elibu Root* (Nueva York, 1938).
Miner, D. C., *The fight for the Panama route* (Nueva York, 1940).
McCain, W. D., *The United States and the Republic of Panama* (Durham, N. C., 1937).
Duval M. P., *Cadiz to Cathay* (Stanford U., 1940).

Con toda razón, "cuando el doctor Juan Demóstenes Arosemena ejercía el cargo de secretario de Relaciones Exteriores prohibió a nuestros representantes en el exterior que entablasen polémicas sobre el 3 de noviembre..."

Catalino Arrocha Graell en la sesión de la Academia Panameña de la Historia del 8-II-51, "Épocas", junio de 1951, p. 13.

55 Gerstle Mack, *op. cit.*, p. 467. *Panamá. Connivencias.* Investigación colombiana, p. 420.

Estados Unidos un debate tan virulento y encendido. "Después de un mes de declamaciones epilépticas en el Senado, ciertos congresos de estados del sur, entre otros los de Louisiana y Mississippi, aprobaron resoluciones ordenando a sus reticentes senadores la ratificación del Tratado", dice Bunau-Varilla,[56] "con lo cual se dio muerte a la obstrucción".

Por fin, el 23 de febrero de 1904, se llegó en la alta cámara de los Estados Unidos a la votación y el Tratado resultó aprobado. "Ese día se profirieron innumerables insultos en el Senado contra el Tratado y sus autores —dice acongojado Bunau-Varilla—, ¡pero nada se dijo que no correspondiera a ficciones malvadas nacidas en la imaginación enfermiza de gentes exasperadas por la ineluctable derrota de sus esperanzas!"[57]

¡También, para la nación panameña, se había consumado la gran derrota de sus esperanzas!

Siete años más tarde, el 23 de marzo de 1911, el ex presidente de los Estados Unidos señor Theodore Roosevelt al pronunciar un discurso en el Teatro Griego de la Universidad de California en Berkeley, reveló escuetamente su punto de vista personal sobre los sucesos del 3 de noviembre de 1903, así: "El Canal de Panamá... nunca se hubiera comenzado si yo no me hubiera encargado de eso, porque si yo hubiera seguido los métodos... tradicionales, hubiera tenido que presentar al Congreso un informe admirable... con todos los detalles y hechos pertinentes... En este caso hubiera habido un buen número de excelentes discursos... en el Congreso; el debate estaría en progreso en los actuales momentos con gran animación y dentro de cincuenta años empezarían los trabajos. Por fortuna, la crisis vino en un período en que podía actuar sin encontrar obstáculos. En consecuencia, *yo tomé el istmo*, empecé el Canal y entonces puse el Congreso, no a discutir el Canal, sino a discutirme a mí. Todavía, en ciertos sectores de la prensa sigue el debate sobre el punto de si yo actué apropiadamente *al tomarme el Canal*. Pero, en tanto que prosigue el debate, el Canal también adelanta, y lo que es a mí, me pueden criticar cuanto gusten, siempre y cuando que continuemos con el Canal."[58]

Pero el revuelo que tan francas declaraciones provocaron en la América Latina, disgustada y atemorizada por los métodos de fuerza y atropello puestos en boga por los expansionistas nor-

[56] Bunau-Varilla, *op. cit.*, p. 413.
[57] *Ibidem.* El presidente Roosevelt firmó el Tratado el 25 de febrero. El 26 fueron cambiadas las ratificaciones y entró en vigencia.
Castillero Reyes, *El profeta...*, *op. cit.*, pp. 30, 35, 37.
[58] Gerstle Mack, *op. cit.*, p. 477, tomado del *Examiner*, San Francisco, California, 24-III-1911.
Ya en 1901, el 2 de septiembre, en un discurso sobre política exterior, el presidente Roosevelt había proclamado su célebre principio "Speak softly and carry a big stick, you will go far".

teamericanos, se aumentó en 1914 cuando el mismo ex presidente Roosevelt publicó su "Autobiografía" e incluyó el Proyecto de Mensaje al Congreso en sus sesiones de diciembre de 1903 sobre el rechazo del Tratado Herrán-Hay por el Senado de Colombia, mensaje que no llegó a presentar por haberlo hecho innecesario la secesión del 3 de noviembre. En el referido proyecto se lee:

...La razón por la cual yo abogo por la acción bosquejada anteriormente en relación con el Canal de Panamá es, en primer lugar, el testimonio irrefutable de los expertos de que esta ruta es la más factible y, en segundo lugar, lo inapropiado que sería, desde un punto de vista internacional, consentir una conducta como a la que parece inclinada Colombia.

El testimonio de los expertos es contundente, no sólo en cuanto a que la ruta de Panamá es factible, sino también en que en la de Nicaragua podemos encontrar sorpresas desagradables, amén de que es mucho más difícil prever el resultado con alguna seguridad de esta última vía.

En relación con la actitud de Colombia, parece incomprensible que no desee ver construido el Canal a base de mutuas ventajas, tanto para los constructores como para Colombia misma.

Todo lo que nosotros deseamos es hacernos cargo del trabajo comenzado por el gobierno francés y terminarlo. Indudablemente Colombia está en el deber de cooperar a tal propósito. Nosotros estamos muy deseosos de llegar a un entendimiento con ella con mira de sus intereses y los nuestros, pero no podemos permitir en ninguna forma que ponga obstáculos a la realización de una obra a la cual están tan vinculados nuestros intereses y que nos importa tanto comenzar inmediatamente y llevar a su terminación.

Theodore Roosevelt [59]

LOS RESPONSABLES

1º) *La responsabilidad por el Tratado del Canal Hay-Bunau-Varilla de 1903*

No existe constancia o prueba de que los próceres de 1903 hubieran intentado seriamente y con la debida energía obtener una inmediata revisión del texto del desigual Tratado, de cuyas onerosas estipulaciones es discutible si se hicieron todos cargo a cabalidad en esos días. Víctimas del colosal engaño, no tuvieron los arrestos necesarios para requerir de Teodoro Roosevelt, quien tanto cariño decía profesar a Panamá y a sus cosas,[60] un pacto

[59] Ernesto J. Castillero Reyes, *La causa inmediata de la emancipación de Panamá*. Historia de los orígenes, la formación y el rechazo por el Senado colombiano del Tratado Herrán-Hay (Panamá, 1933), pp. 176-177.
[60] Véanse en el discurso pronunciado por el presidente Roosevelt desde el atrio de la catedral de Panamá el 15-XI-1904, las siguientes frases:

más permanente y vertebrado. Sólo consiguieron frases amables y, tras muchas dificultades, las provisorias órdenes Ejecutivas de Taft, como se verá. Queda por resolver el interrogante de si hubiera sido posible lograr, de haberse planteado, una rectificación a fondo del instrumento jurídico que entró a regir nuestras relaciones con Norteamérica, aprovechando no sólo la afamada generosidad y largueza de los yanquis, sino la difícil e incómoda posición de la administración republicana, anhelante de retornar al respetable nicho de la moral internacional y congraciarse ante el mundo escandalizado.

Por el contrario, el criterio predominante entre los próceres fue uno de satisfacción y conformismo:

Es condición esencial del convenio —decía la Junta de Gobierno— la obligación perpetua que los Estados Unidos han aceptado de garantizar la independencia de nuestro país. Este acuerdo, en punto de tan vital importancia puesto que se relaciona con la existencia misma de la nación, que a falta de tal garantía se vería expuesta a agresiones externas cuyo temor nos mantendría obligados a permanecer en constante estado de defensa, es evidente prueba de la *buena fe* y del *espíritu de justicia* que anima a aquel pueblo amigo que nos ha tendido mano generosa. El convenio, apreciado con criterio estrecho, *puede parecer desfavorable* para nosotros en *ciertos* aspectos, pero estimándolo como se estiman las obras calculadas para cambiar 'la faz de las naciones, considerándolo siquiera como la *semilla de bienes incalculables* que habrán de favorecer a la posteridad más remota, el Tratado *realiza muy nobles y elevadas aspiraciones.*[61]

Los próceres tenían como mandado a hacer un caso perfecto para declarar la falta de valor jurídico del Tratado, cuyas cláusulas leoninas tanto impresionaron a los comisionados. O para archivarlo y exigir la negociación de otro.

Seré la última persona que trate de aminorar el dolo y la infamia del francés Bunau-Varilla al concertar y firmar el Tratado. Pero, desde el punto de vista estricto de la técnica jurídica internacional, la responsabilidad por el Tratado Hay-Bunau-Varilla y por sus funestas consecuencias para el destino panameño

"Es el único deseo de los Estados Unidos con relación a la República de Panamá, el verla crecer en población, en riqueza y en importancia para que llegue a ser, como yo lo deseo ardientemente, una de las repúblicas cuya historia haga honor a todo el hemisferio occidental... Señor presidente Amador: yo os empeño mi palabra y en nombre de mi patria os protesto a vos y a vuestro pueblo las seguridades de un cordial apoyo y de un tratamiento fundado en las bases de una completa y generosa igualdad entre ambas repúblicas."

[61] Mensaje de la Junta de Gobierno Provisional a la Convención Nacional Constituyente, 1904, firmado por J. A. Arango, Tomás Arias y Federico Boyd (Panamá, 15 de enero_de 1904). Imprenta Star and Herald, p. 5. Subrayado por el autor.

Véase además, Felipe Juan Escobar, *El legado de los próceres* (Panamá, 1930), capítulo III.

no recae en el maldecido aventurero, como se ha querido hacer ver, sino *sobre los próceres de la independencia*, que le impartieron validez y vigencia "a perpetuidad", ratificándolo; con ello eternizaron un sistema de relaciones que ha merecido la constante repulsa del patriotismo istmeño.

Por otro lado, la ratificación del Tratado del Canal por el gobierno provisional no era absolutamente necesaria. Ya había, en 1903, muchísimos precedentes de tratados negociados y firmados en otros países que no fueron ratificados por inconvenientes. Los intereses en juego en el convenio Hay-Bunau-Varilla eran tan importantes, tan vitales para Panamá, que la prudencia, ya que no la ilustración de los nuevos gobernantes, debió aconsejarles la posposición de tan delicado asunto, con miras, por supuesto, a encarpetarlo. "Sólo es ineludible la ratificación de los tratados de paz impuestos por el vencedor en una guerra. Los tratados no ratificados no producen obligaciones internacionales, porque la ratificación no es una formalidad de orden interno, sino una condición *intrínseca* de validez. De manera que un tratado sin ratificación en forma no es más que una *pieza diplomática* de valor técnico o moral." [62]

El Tratado Hay-Bunau-Varilla fue negociado y firmado en condiciones absolutamente anormales, que eran del cabal conocimiento de los gobernantes de 1903, como se ha demostrado. Pero nada se hizo para impedir las fatales consecuencias del mismo.

Se dirá que al plantear la revolución los próceres confiaron en la buena fe de los Estados Unidos; que nunca imaginaron que iban a ser víctimas, del chantaje primero y del engaño grosero después; y que jamás previeron el alto precio que pagaría el pueblo panameño por la protección pasajera que ellos buscaron el 3 de noviembre para fundar la República.

Estos argumentos no se pueden aceptar con ligereza.

¿Estaban acaso tan poco informados de lo que sucedía en el mundo que no conocían la forma sumaria como los Estados Unidos habían recientemente conquistado vastos y ricos territorios de México y España? ¿No estaban al tanto del tumultuoso proceso de expansión [63] que se verificaba en Norteamérica durante sus mismas vidas y ante sus propios ojos? ¿Por qué no temieron a las consecuencias de una alianza de naturaleza tan vital para Panamá, con la dinámica nación del Norte, cuando a lo largo y a lo ancho de la América Latina ocurrían, por esos años, los estremecimientos del pavor por causa de las imperiosas y autoritarias doctrinas proclamadas por los enérgicos gobernantes norteame-

[62] Daniel Antokoletz, *Tratado de Derecho Internacional Público*, 4ª ed. (Buenos Aires, 1945), tomo III, p. 258.
[63] *Supra*, capítulo I, "Interés de los Estados Unidos en una ruta interoceánica", pp. 15-18.

ricanos y cumplidamente ejecutadas con el uso aplastante de su creciente poderío económico y bélico?

¿Qué afinidad o lazo afectivo, qué razón sentimental o moral podían tener en 1903 los Estados Unidos con respecto a Panamá o los panameños para interesarse por su suerte y su destino o para procurarnos ningún bien?

¿Qué otros podían ser los móviles de los Estados Unidos en el asunto de la independencia que los pérfidos de quedarse con la parte del león?

Así fue como se inició bajo tan adversos auspicios para el istmo de Panamá y su pueblo la era republicana durante la cual y hasta nuestros días se habrían de acumular, como se verá, tantos agravios contra los Estados Unidos que los que se tenían contra Colombia han quedado eclipsados.

A Colombia le ha ido mejor. Porque ella se salvó de tener la Zona del Canal —o sea, a los Estados Unidos— metida dentro de sí.

En 1904 se había caído la venda de los ojos de algunos próceres que, como el doctor Eusebio A. Morales, tuvieron entonces el valor civil de señalar los males ocasionados a los verdaderos intereses nacionales para buscar soluciones a tan desesperada situación.

"A juzgar por las apariencias —dijo el doctor Morales en un artículo escrito en octubre de ese año, 1904—, la grandiosa idea de abrir esta vía comercial para beneficio de todos los pueblos y naciones del orbe, se ensombrece más y más cada día, para ser remplazada por una concepción profundamente egoísta y por los métodos más arbitrarios. La idea predominante ahora parece ser la de convertir la Zona del Canal en campo de negocios para empresas privadas desatendiendo por completo los grandes intereses que Panamá sacrificó en la esperanza de mejorar sus condiciones de vida y de establecer con los Estados Unidos relaciones perpetuamente cordiales." [64]

2º) *La oferta colombiana*

Sacudida la República de Colombia por la secesión de Panamá, y juzgando, en vista de las circunstancias, ser lo más apropiado el tratar de restablecer la unidad nacional por los medios diplomáticos, envió dos delegaciones a conseguir la reincorporación. Es interesante, al cabo de tantos años, recordar los términos de las propuestas que hicieron los plenipotenciarios colombianos —generales Rafael Reyes, Jorge Holguín, Pedro Nel Ospina y Lucas Caballero—, a los representantes de la Junta Provisional

[64] Eusebio A. Morales, "El Tratado del Canal", en *Ensayos, documentos y discursos* (Panamá, 1928), I, p. 89.

de Gobierno. En el telegrama de instrucciones del presidente de Colombia, señor J. M. Marroquín al general Reyes, jefe de la segunda delegación que era la oficial del gobierno de esa nación se lee:

...La opinión del Consejo de Ministros es que usted se traslade a la mayor brevedad a ofrecer a los panameños lo siguiente: Completa autonomía, en virtud de la cual pueden constituirse en Estado Federal como en 1855, y disponer de TODAS sus rentas y de los millones que por el Tratado Herrán-Hay correspondían a Colombia. Esta medida será ratificada inmediatamente (o por lo menos el Ejecutivo no omitirá esfuerzo para conseguir este resultado) por el país, representado por un consejo de delegatarios, para constituir el cual se está consultando ya a los consejos municipales de la República.

Usted procurará despertar el sentimiento nacional en Panamá para esta idea, haciéndoles presente la mala situación política en que han quedado los portorriqueños, a quienes no se considera como ciudadanos americanos. Arosemena, Porras, Santodomingo Vila, Aizpuru, Correoso, Obaldía, Zubieta, etc., pueden apoyarlo; se trata tan sólo de salvar la integridad nacional. El gobierno seguirá procurando reconquistar el istmo si los Estados Unidos lo permiten.[65]

Más aún, durante la conferencia que tuvo lugar a bordo del "Canadá", "el general Pedro Nel Ospina —dice *La Estrella de Panamá* del 21 de noviembre de 1903— propuso entonces que Colombia se uniera al istmo con todo género de garantías para éste; que la capital de la República fuera la ciudad de Panamá, idea que él había manifestado en varias ocasiones anteriores a los últimos sucesos; que él siempre había tenido gran aprecio por esta faja de tierra llamada a desempeñar papel importante en la historia del porvenir; que del 3 de noviembre en adelante, para querer al istmo habría de quererlo en inglés y que él no conocía ese idioma..."

Según informó uno de los participantes en la conferencia, los comisionados de la Junta se mostraron "displicentes para todo arreglo... orgullosos y llenos de satisfacción por su independencia y por el apoyo que les ofrecía el gobierno americano, el cual, según dijeron, les había dado más de lo que les había ofrecido".[66]

Y era explicable tal actitud. Porque, por esta vez, habían coincidido los menudos intereses de la pequeña burguesía mercantil de la capital y de Colón con los colosales intereses del Destino Manifiesto. Así se consumó la quiebra del futuro de todo un pueblo. Ni siquiera cabe la cómoda —o cínica— afirmación de que el fin justificó los medios, pues nunca medios discutibles lograron fines tan menguados.

[65] Juan B. Pérez y Soto, *Panamá* (Bogotá, 1912), folleto de entrega núm. 7, p. 53.
[66] *Libro azul* (Bogotá, 1904), p. 383.

Pronto se habrían de palpar los resultados del paso dado el 3 de noviembre. Y una voz, autorizada como ninguna, la del doctor Eusebio A. Morales, vino a formular el diagnóstico: "La facilidad con que el istmo obtuvo, primero su independencia de España en 1821, y después su separación de Colombia en 1903, la hemos pagado con la compensación dolorosa de poseer un organismo nacional anémico, sin espíritu, sin fuerza y sin fe... Panamá, país nacido a la vida independiente sin luchas y sin sangre, sin actos de heroísmo y sin el sacrificio de ningún mártir, se encontró súbitamente disponiendo de un bien que no había conquistado con su esfuerzo y es natural que todavía hoy, trece años después... este bien inestimable no sea apreciado en todo su valor. Aún entre los mismos promotores del movimiento de separación había hombres que no creían en la permanencia de lo que estaban fundando y para quienes lo esencial era resolver un problema económico inmediato y personal, más bien que reconocer el espíritu y consagrar la existencia de una nacionalidad..."

"...A hombres de representación en el país y en sus partidos políticos les he oído exclamaciones como ésta: 'Antes de permitir que fulano llegue a ser presidente de Panamá, prefiero que se acabe el país.' Y por último, en todos los círculos políticos y populares prevalece la creencia de que ningún ciudadano puede elevarse a la presidencia aunque para ello cuente con los votos del pueblo panameño, si antes no tiene la simpatía o la venia de los Estados Unidos."[67]

3º) *Juicio sobre los próceres de 1903*

Los penegiristas del 3 de noviembre de 1903 y de sus actores —muchos lo son por interés personal, familiar o afectivo; otros, la mayoría, lo son por ignorar la verdad de lo acontecido— han venido tratando de justificar: 1) la manera como se efectuó la secesión; 2) el rechazo de la proposición colombiana para la reintegración nacional; 3) la aceptación total de las condiciones impuestas inicialmente a los próceres por los Estados Unidos para el reconocimiento del cuartelazo.[68]

[67] Eusebio A. Morales, *Ensayos, documentos y discursos* (Panamá, 1928), tomo II, p. 209. Véase, además, sobre la desfiguración que el Canal ha impreso en nuestra nacionalidad: Fidedigno Díaz y Caballero, *Ausencia de valores populares*, en *La Hora*, 21-VII-51, p. 7; Juan Alberto Morales, *Una nación postrada*, en *El País*, Panamá, 11-VIII-50; José N. Lasso de la Vega, *El Estado panameño*, en *Frente Patriótico*, Panamá, 2-I-46, p. 10; Manifiesto a la nación del Partido Frente Patriótico, en *La Hora*, 2-X-50; Guillermo Márquez, *El Canal, siempre el Canal*, en *La Hora*, 24-XI-51.
[68] *El libro del doctor Oscar Terán.*
En 1935 apareció en la ciudad de Panamá, en una edición limitada de

Como consecuencia de lo anterior, o sea, de la creación y aceptación irresponsable de una situación lamentable y desventajosa, la República de Panamá, así fundada, iba a ser objeto, como lo ha sido en efecto, de las más duras críticas y del escarnio internacional y su pueblo, el más incomprendido de América, iba a ser mediatizado, humillado y explotado, inocente víctima propiciatoria del bochornoso maridaje efectuado ese día entre nuestra torpe e ignorantona oligarquía citadina y los intereses imperialistas de París y Washington.

Ahora bien: ¿qué camino podían tomar los próceres de 1903? A esta pregunta se le puede contestar:

Primero: ellos podían haberse acogido a las proposiciones formales que por orden del gobierno nacional de Colombia les hicieron los plenipotenciarios colombianos, comisionados generales Reyes, Ospina, Holguín y Caballero a bordo del Canadá, como quedó anotado, las cuales contaban con el asentimiento unánime de todos los departamentos de Colombia. Estas proposiciones satisfacían completamente las más exigentes aspiraciones panameñas; y la ratificación inmediata del Tratado Herrán-Hay sí aseguraba para el istmo una era de riquezas siempre en aumento y de prosperidad incalculables. Pero no; para estos

400 ejemplares para la venta, una obra sensacional, escrita por el panameño de nacimiento doctor Oscar Terán, ciudadano colombiano por causa de no haber reconocido la secesión del Departamento de Panamá, titulada *Del Tratado Herrán-Hay al Tratado Hay-Bunau-Varilla. Historia crítica del atraco yanqui mal llamado en Colombia "la pérdida de Panamá" y en Panamá, "nuestra independencia de Colombia".* Los tres tomos de este documentado trabajo causaron un revuelo extraordinario en este país, mucho más que en Colombia y por la prensa algunas personas manifestaron su violento desacuerdo con el doctor Terán. Pero en medio del airado vocerío que provocó la obra, se destacan dos opiniones, las más sensatas.

Una fue la del licenciado Diógenes de la Rosa, quien en una sesión del Concejo Municipal de Panamá se opuso a una proposición presentada por don Francisco A. Filós por la cual se solicitaba al Poder Ejecutivo la deportación del doctor Terán. Dijo el concejal De la Rosa, según relata *El Panamá América* del 25-I-1936, "que no era posible que el liberalismo, uno de cuyos cánones es la tolerancia del pensamiento hablado y escrito, adopte hoy una posición tan desairada. Las ideas del doctor Terán deben ser rebatidas con argumentos iguales; que es necesario esclarecer las circunstancias que rodearon nuestra independencia de Colombia y recordar antes que nada que la independencia se debe al encuentro de varios hechos notables".

La otra, del doctor Octavio Méndez Pereira, fue expresada en su carácter de presidente de la Academia Panameña de la Historia. Proponía el ilustre educador que el gobierno nacional y el Concejo Municipal de Panamá abrieran "un concurso para premiar con dos mil balboas el mejor trabajo que se presentara como refutación de la obra del doctor Terán y como un ensayo serio de interpretación histórica de nuestra independencia de Colombia, que pueda ser difundido por todo el mundo".

A esa cuerda sugestión no se le hizo caso, ni se abrió el concurso, ni se escribió el ensayo y, desde 1935 hasta el presente, el libro de Oscar Terán, con todo y sus errores de apreciación sobre el Tratado Herrán-Hay, permanece incontrovertido.

señores, "los Estados Unidos les habían dado más de lo que les había ofrecido". ¡Ilusos!

Segundo: Los revolucionarios podían haberse resistido a ratificar el Tratado Hay-Bunau-Varilla observando *antes*, y no *después*, los numerosos vicios formales y sustanciales que contiene y han debido exigir la concertación de un nuevo pacto con la comisión panameña acreditada que estaba en Washington, o con otra nueva comisión. Y en el caso de que los Estados Unidos, en represalia, por no haber podido conseguir lo único que querían al propiciar la fundación de la República —un convenio más favorable que el que tenían con Colombia— hubieran retirado su escuadra quedando ellos solos para hacerle frente a la responsabilidad en que incurrieron, los revolucionarios hubieran tenido la oportunidad de entrar, con auténtica aureola de próceres en el santoral panameño. La posteridad les reconocería sin regateos el haber sacrificado ellos sus vidas y haciendas antes que enajenar el destino de la patria istmeña. ¡Cuántas cosas buenas y nobles no hubieran germinado en esta tierra al contacto de la sangre de sus primeros mártires! Pero no fue así. Porque los hombres que actuaron el 3 de noviembre no corrieron ningún riesgo, ni supieron de un minuto de sacrificio.

Aquí llegamos a una conclusión medular indestructible: la más convincente justificación moral que se podría encontrar para la forma como se desarrollaron los sucesos de noviembre de 1903, sería la de haber obtenido para Panamá un tratado *mejor* que el que negociaron los colombianos. Si, como se asegura, el rechazo por el Senado colombiano del Tratado Herrán-Hay fue el motivo principal de la revolución, lógico era esperar que los responsables de la secesión explicaran, ante el mundo escandalizado y ante la posteridad justiciera, su discutible conducta presentando resultados superiores y más ventajosos que los ya obtenidos por Colombia ante los Estados Unidos. Pero esto tampoco fue así. El precio que se le ha extraído al pueblo panameño por la independencia ha sido colosal. Porque el Canal ha sido la "gran frustración para los panameños".[69]

Cuando se tiene autoridad moral y auténtico valor civil, esos gestos —el de rechazar un tratado leonino— brotan espontáneamente y sin necesidad de tanto apremio; y más adelante se verá que no escasearon en esta tierra del istmo quienes, en este sentido, supieron escribir, con mano firme, inspiradoras y valerosas páginas llenas de gloria y de honor, cuando se inició el proceso de rescate, por el pueblo panameño, de su dignidad y sus derechos.[70]

[69] Gil Blas Tejeira, *Simpatías y diferencias*, en *La Hora*, 26-XI-51.
[70] El reproche que siempre ha merecido a la mayoría de los panameños la actuación y la obra en general de los hombres de 1903 se transparenta, aunque involuntariamente, quizás, en el informe que presentó en 1936 el

Mientras que el terror enturbiaba las mentes y entorpecía el razonamiento, los hilos del chantaje se tejían en una red en la que todos, ellos y nosotros, hemos quedado atrapados. Nadie pensó clara ni patrióticamente en esos días de noviembre, porque la principal preocupación de todos fueron las propias vidas y haciendas y luego la repartición del flamante gobierno republicano. En esta sofocación quedó olvidado el destino de la patria eterna. Rechazaron primero la reconciliación fraterna para luego llenarse de miedo y prevención contra el compatriota amado de ayer y, en alas de este sombrío e imaginario temor —con once barcos de guerra custodiándoles el intranquilo sueño—[71] aceptaron con orgullo el dogal perversamente anudado en los salones del Departamento de Estado destinado a la cerviz de Panamá.

Pudieron más la vanidad personal y la sórdida venalidad de unos hombres intrascendentes que los positivos y perennes intereses del pueblo —al que olvidaron entonces y después— y que la dignidad y el prestigio de la nación que ellos hipotecaron para siempre.

Los defensores de los próceres dicen que para juzgarlos hay que ponerse en lugar de ellos, ver las circunstancias de esos días, etcétera.

Este alegato no tiene validez.

¡Si precisamente la verdadera grandeza no consiste en dejarse anonadar por las circunstancias, como se trasluce del razonamiento anterior, sino en superar las dificultades —especialmente si fueron buscadas—, en demostrar las cualidades morales y la entereza que se poseen en los momentos críticos en que son más necesarias! Lo cual, desdichadamente, no ocurrió en noviembre de 1903.

Sería cansado, por lo obvio, mencionar los ejemplos inmortales de Bolívar, San Martín, Washington, Morelos, Martí, Morazán, Sucre, etc. Si a ellos se les tiene por libertadores de América no es por haberse dejado engañar, despreciar y obligado a la

secretario de Relaciones Exteriores doctor Narciso Garay, a la Asamblea Nacional cuando dice: "Desde que inició sus labores el gobierno que preside el actual mandatario, doctor Harmodio Arias, ha sido preocupación constante del jefe del Estado conseguir la revisión de la Convención del Canal suscrita el 18 de noviembre de 1903, que... contiene estipulaciones *lesivas del honor del país e inconvenientes al bienestar y prosperidad del mismo.*" Memoria de Relaciones Exteriores (Panamá, 1936), p. LII. Subrayado por el autor.

[71] Presentes en las aguas panameñas, con la muda elocuencia de la fuerza estaban, en el puerto de Colón, los barcos Nasbrille, Dixie, Atlanta, Maine, Mayflower y Hamilton mientras que en la bahía de Panamá anclaron el Boston, el Marblehead, el Concord, el Wyoming y el Prairie. Mack, Gerstle, *op. cit.*, p. 468. *The Story of Panama.* Hearings on the Rainey Resolution before the Committee on Foreign Affairs of the House of Representatives (Washington, 1913), pp. 483-485.

aceptación de condiciones adversas a los intereses de sus patrias, sino por todo lo contrario.

En cambio, aquí, a los próceres de 1903 se pretende que los veneremos y les agradezcamos por las cosas que *no hicieron* por Panamá.

En otros países se han entregado al escarnio los nombres de personas que desencadenaron males mucho menores.

Todavía, el 20 de febrero de 1904, el doctor Manuel Amador Guerrero, en su manifiesto al tomar posesión del cargo de primer presidente de la República, consideró apropiado referirse a los Estados Unidos y lo hizo en forma tal que asombran su completo engaño y total desvinculación y desorientación de la verdad panameña:

Creo interpretar fielmente los sentimientos de los istmeños si aprovecho esta oportunidad para manifestar el sentimiento de nuestra gratitud hacia el gobierno de los Estados Unidos de América, por la actitud noble y generosa con que prestó atención a las justas gestiones que después de la proclamación de nuestra independencia hicimos ante la gran República por conducto de nuestro representante allí, en el sentido de que se nos reconociera como país libre y digno de figurar en el rango y con las prerrogativas de nuestras otras hermanas del Sur y Centroamérica.

Aseguradas como lo están la integridad e independencia de la República en virtud del Tratado celebrado con el gobierno de los Estados Unidos de América nada debemos temer por la seguridad de la nación...[72]

Estas inexplicables —y hoy día inadmisibles— expresiones de

[72] Manuel Amador Guerrero, "Manifiesto", 20 de febrero de 1904, en *Documentos históricos relativos a la fundación de la República de Panamá,* recopilados por Rodolfo Aguilera, edición oficial (Panamá, 1904), p. 78.
En cambio el secretario de Estado John Hay, en una carta al senador Spooner, exponía el punto de vista realista, el que debió ser el de nuestros próceres:
"Así como está, al ser aprobado por el Senado, tendremos un tratado, en lo sustancial, muy satisfactorio y si ventajosísimo para los Estados Unidos no tanto para Panamá, según debemos confesarlo con rubor.
"Usted y yo sabemos demasiado bien cuántas cosas contiene este Tratado *que provocarían objeciones por parte de cualquier panameño patriota.*"
Carta de Hay a Spooner en Alfred L. P. Dennis, *Adventures in American Diplomacy,* 1896-1906 (Nueva York, 1928), p. 341.
En cuanto a la mentalidad del presidente de la Junta de Gobierno Provisional, don José Agustín Arango, nos dice un biógrafo suyo muy caracterizado: "Sus ideas, su educación, sus gustos, todo lo predisponía a la admiración sin reservas de la poderosa República del Norte, en la cual miraba el modelo acabado de la civilización y del progreso mundial, y todos los actos importantes de su vida fueron encaminados a acentuar y consolidar la influencia norteamericana en Panamá."
Narciso Garay, "Don José Agustín Arango", en *Épocas,* núm. 141, octubre de 1951, p. 10.

exaltada gratitud hacia Norteamérica eran, lamentablemente, muy frecuentes en los escritos de casi todos los próceres de 1903.[73] A no dudar, debieron en su época causar considerable sorpresa en el ánimo de los funcionarios de la Zona del Canal y del Departamento de Estado de Washington, quienes, presumiblemente, estaban lejos de esperar tan efusivo y cordial reconocimiento por los actos ejecutados por ellos en Panamá.

¡Y cuán distantes estaban los señores próceres de prever lo que el futuro guardaba para Panamá!

El doctor Ramón Valdés aseguraba que al istmo de Panamá lo que le convenía era convertirse en protectorado "bajo la vigilancia de naciones poderosas y civilizadas",[74] aludiendo sin duda a los Estados Unidos, aparentemente la única nación que ocupaba el corazón y el pensamiento de nuestros prohombres de 1903.

A su vez el triunviro de la Junta de Gobierno Provisional, don Federico Boyd, nos ha legado su opinión sobre la intervención norteamericana en la fundación de la República en las siguientes frases: "¿Por qué querer culpar a los Estados Unidos de América, a Theodore Roosevelt y a otros grandes estadistas americanos que al desear hacer la construcción del Canal para beneficio no sólo de su patria sino del mundo entero, aceptaron la propuesta que la nueva República de Panamá —después de su separación de Colombia— les hacía? ¿Por qué culparlos solamente porque se apresuraron a reconocer a ese débil Estado, pues está probado que materialmente no contribuyeron absolutamente en nada al movimiento separatista...? Si alguno es responsable de este hecho, ese responsable sólo es Colombia..."[75]

Estas doctrinas antinacionales, tan opuestas a los ideales bolivarianos de unidad indoamericana eran predicadas desde la alta cátedra de las más egregias funciones públicas del novísimo Estado.

Pero, contrario a lo que era lógico esperar, ellas provocaron una saludable reacción del pueblo panameño, que siempre ha defendido su personalidad de hispanoamericano contra todos, los de afuera y los de adentro.

Un poeta del pueblo, Gaspar Octavio Hernández, supo encontrar las palabras que reflejaran este amargo reproche que los

[73] Véase entre otros, Ramón M. Valdés, *La independencia*, en Castillero, Documentos, *op. cit.*, p. 210, para quien Norteamérica es la "natural y admirable protectora de todos los pueblos oprimidos de este continente" y mira la alianza de Panamá con los Estados Unidos como la garantía que asegurará de modo permanente *la independencia y la prosperidad* a nuestra República.

[74] Ramón Valdés, *ibidem*, p. 206.

[75] Federico Boyd, *Exposición histórica acerca de los motivos que causaron la separación de Panamá de la República de Colombia en 1903* (Panamá, 3-XI-1911), p. 18.

panameños le han hecho siempre a la casta —"infamia y cobardía"— de oligarcas y dirigentes políticos:

A PANAMÁ

¡Cíñete casco de adalid! Entona
no himnos de paz sino canción guerrera
que derrame su música altanera
con estruendo marcial, de zona en zona,
¡oh emperatriz herida y sin corona!
¿No ves cómo se pliega tu bandera
cuando advierte que ríes placentera
al mismo buitre que tu herida encona?
Sé heroica y digna ¡oh! patria... todavía
—aunque ave inicua te rasgó la entraña—
¡no te avergüence infamia y cobardía!
Pues en medio al dolor que te acompaña
puedes gritar con fuerza y gallardía
que aún tienes sangre de tu abuela España.

(1904)

SEGUNDA PARTE

ESTRUCTURA ECONÓMICA Y POLÍTICA DE LA ZONA DEL CANAL

3. ALGUNOS ASPECTOS DE LA ORGANIZACIÓN Y DEL FUNCIONAMIENTO DE LA COMPAÑÍA DEL CANAL *

RUBÉN D. CARLES JR.

La Zona del Canal, y específicamente la Compañía del Canal de Panamá, es, aparte del Estado panameño, el principal patrono que hay en el istmo. De acuerdo con informes oficiales, el año pasado la Compañía tenía 10 398 empleados de los cuales 2 669 eran norteamericanos y 7 719 eran panameños o de otras nacionalidades.[1] En la Zona hay un verdadero organismo administrativo. Hay una empresa que, según la contabilidad que llevan ellos, el año pasado rindió una ganancia neta de 2 983 000 balboas, después de depreciación, intereses pagados al Tesoro de los Estados Unidos y una gran diversidad de otros cargos. Ésta es una empresa que en el año 1959 movió de un océano a otro 9 922 barcos y recaudó en concepto de ingresos B/46 546 000.[2] El Canal de Panamá resulta ser una combinación de entidad gubernamental, una empresa de utilidad pública y una empresa comercial dedicada simultáneamente a las más diversas operaciones. La posición del gobierno de los Estados Unidos en la Zona del Canal es de gran significación en los campos de la economía y de la ciencia política. La condición de socialismo de estado que caracteriza el control de todas las actividades en la Zona del Canal por parte del gobierno de los Estados Unidos, es prueba de las posibilidades prácticas de esta teoría política.

El éxito de las operaciones del Canal de Panamá es evidencia importante en la controversia que surge cuando se considera la participación gubernamental en la operación de empresas comerciales. Lo que ha sido proclamado como una ineficiencia natural de gobierno ha sido puesta a prueba en la Zona del Canal. El resultado de la organización de esa empresa gubernamental, dedicada a actividades económicas, sirvió, como lo dice el profesor Marshall Dimock, "como prototipo de organización gubernamental y fue utilizado en los Estados Unidos para legalizar la

* Conferencia dictada el 20 de octubre de 1960 en la Universidad de Panamá. El texto ha sido tomado del libro *Panamá y los Estados Unidos de América ante el problema del Canal*, introd. de Dulio Arroyo C., Facultad de Derecho y Ciencias Políticas, Universidad de Panamá, Panamá, 1966. Se ha reducido el texto original para darle mayor cohesión al presente libro. (Nota del recopilador.)
[1] *Informe Anual*, The Panama Canal Co., 1960.
[2] *Informe Anual*, The Panama Canal Co., 1960.

participación del gobierno federal en diversas actividades".³ Autoridades en la materia, en los Estados Unidos principalmente, reconocen que las instituciones autónomas gubernamentales encontraron su origen en este tipo de empresa que surgió cuando los norteamericanos vinieron a controlar, a partir de 1903, el Ferrocarril de Panamá. Más adelante, la experiencia recogida por los Estados Unidos en este tipo de operaciones sirvió para constituir este ente tan especial que acá nosotros llamamos institución autónoma u organismo paraestatal.

LA COMISIÓN DEL CANAL ÍSTMICO

En 1903 los Estados Unidos y la República de Panamá firman el Tratado Hay-Bunau-Varilla mediante el cual la República de Panamá concede a los Estados Unidos a perpetuidad el uso, ocupación y control de una zona destinada a la construcción, mantenimiento, operación, sanidad y protección de un canal interoceánico.

En 1904, durante visita que hiciera a nuestro país el presidente Theodore Roosevelt, manifestó lo siguiente:

Nosotros los Estados Unidos no tenemos la menor intención de establecer en Panamá una Colonia independiente en medio del Estado panameño o de ejercer funciones gubernamentales mayores que aquellas necesarias para lograr la construcción conveniente y segura del Canal, y operar la vía interoceánica bajo los derechos que nos concede el Tratado.⁴

A la luz de esa declaración conviene entonces analizar las agencias que el gobierno de los Estados Unidos estableció en Panamá y que son básicas para la organización de esa gran entidad.

Mediante la Ley Spooner, el presidente de los Estados Unidos fue autorizado para acometer la empresa de construir un canal a través del istmo de Panamá. El presidente de los Estados Unidos, de acuerdo con esta legislación, debía utilizar los servicios de una comisión que fue conocida como Comisión del Canal Ístmico, la cual consistía de siete miembros, cuatro de los cuales debían ser ingenieros, uno oficial del ejército y otro oficial de la marina. El presidente debía designar los comisionados con el conocimiento y aprobación del Senado. En marzo de 1904, el presidente nombró y organizó la Comisión del Canal Ístmico y además delegó en dicho organismo la construcción y todos los otros trabajos incidentales, los cuales estarían bajo la directa super-

³ Marshall Dimock, *These corporations, Harper Magazine*, mayo, 1945. p. 572.
⁴ Declaración de Teodoro Roosevelt, 1904.

visión del secretario de Guerra, confiriendo a la Comisión del Canal Ístmico todo el poder gubernamental sobre la Zona del Canal por virtud de la autoridad concedida al secretario de Guerra por la Ley Spooner.

Entre las funciones asignadas a la Comisión estaban las de adoptar todas las reglamentaciones y disposiciones necesarias en la Zona del Canal, la de hacer efectiva la administración militar, la civil y atender los asuntos judiciales. La Comisión también preparó códigos, expidió reglamentaciones y adoptó toda suerte de disposiciones en las más diversas actividades.

Tenemos, de esta manera, que la Comisión, que había surgido con el propósito de desarrollar un trabajo técnico, como era el estudio y la construcción del Canal, vino con el tiempo a desarrollar también poderes gubernamentales, centralizando en ese organismo las principales funciones de gobierno. Actuaba como órgano legislativo, ejecutivo y judicial.

La primera comisión afrontó problemas de gran envergadura. Aun cuando fue constituida por distinguidos ingenieros, surgieron dificultades de organización, de administración y de orden técnico. El personal tuvo que ser reclutado en los Estados Unidos con todas las dificultades que suponía trasladarse al trópico y confrontó las vicisitudes y dificultades de todo aquel individuo que es trasladado de un lugar donde tiene comodidades relativas a una vida donde todo estaba por hacer. Pero también, desde el punto de vista de la organización y operación, encontramos que la Comisión mostró las debilidades y limitaciones que, con mucha frecuencia, muestran los grupos colegiados. Como resultado de ello algunos de sus miembros renunciaron y en varias ocasiones el Presidente se vio obligado a efectuar remplazos.

La Comisión mostró un alto grado de inestabilidad. En su primera época hubo desaciertos, controversias y disgustos; conflictos de personalidades se hicieron evidentes, la obra encontraba trastornos y la ilusión y la ambición norteamericana de tener un Canal cada día parecía fracasada. El presidente Roosevelt había escogido ingenieros de un alto calibre técnico más que a individuos de una demostrada capacidad ejecutiva. Esto fue, sin duda alguna, causa de costosos errores y conflictos. En buena parte los problemas que confrontó la Comisión del Canal Ístmico fueron el resultado del tipo de organización basado en la acción conjunta de un número plural de personas. En 1908 el presidente Roosevelt, disgustado y también desesperado por las demoras y las interrupciones en la obra del Canal, decidió colocar al frente de este portentoso proyecto —según sus propias expresiones— "a hombres que permanecerían en el empleo hasta que él se cansara de tenerlos allí y que no podrían abandonarlo".[5] Por eso recurrió al ejército. Este cambio en el carácter del

[5] J. B. Bishop, *The Panama Gateway*, 1915, p. 176.

personal directivo de la Comisión, se hizo mediante el nombramiento de oficiales del cuerpo de ingenieros, los cuales, según Goethals, "fueron utilizados por dos razones: primero, porque un oficial del ejército no podía renunciar y, segundo, porque estando en manos de militares se aseguraba la continuidad del servicio y no había posibilidad ni de traslado ni de renuncia: el ejército tenía una orden y debía cumplirla".[6] Este cambio en la dirección de lá Comisión, de manos civiles a manos militares, tuvo un gran efecto en la evolución de la organización y dio énfasis a que se siguiera el patrón militar en la organización administrativa del Canal de Panamá.

La Comisión Ístmica durante los ocho años de su funcionamiento desarrolló el tipo de organización que construyó el Canal de Panamá y dio forma al gobierno de la Zona del Canal. La Comisión, tal como la definía la Ley Spooner, actuaba como un comité ejecutivo y administrativo.

Por mucho tiempo operó a base de un comité ejecutivo, pero más tarde evolucionó a un tipo de organización bajo la dirección de una sola persona: su Presidente. Esto resultó, sobre todo, gracias al dinamismo, la energía y el carácter del coronel Goethals, quien fue, al mismo tiempo, jefe de la Comisión e ingeniero en jefe del proyecto.

En 1903, aun cuando la Comisión continuaba en existencia, toda la autoridad estaba investida en el presidente de la Comisión; este arreglo, que permitió la subordinación de toda la actividad de construcción a un tipo de gobierno autocrático, explica en buena medida la eficiencia lograda en su funcionamiento. Comenzando como un tipo de gobierno político terminó como un gobierno de orden ejecutiva controlado por un hombre responsable únicamente al presidente de los Estados Unidos por conducto del secretario de Guerra. Este tipo de organización fue el que presidió el coronel George Goethals, quien le imprimió a la organización del Canal un tipo de línea militar con una estricta y eficiente disciplina.

Como solución a la situación anterior, a medida que avanzaban los trabajos de construcción y se contemplaba que en sus operaciones se necesitaba un tipo distinto de organización, fue aprobado en 1912 el instrumento jurídico conocido como la Ley del Canal de Panamá, ley que señalaba las medidas necesarias para tener a su cargo la apertura, mantenimiento, protección y operación del Canal de Panamá y la sanidad y gobierno de la Zona del Canal. En la sección cuarta de esa ley se establece que el Presidente está autorizado para descontinuar la Comisión del Canal Ístmico "la cual, junto con la presente organización existiría hasta tanto la ley entre en vigencia y el presidente de los Estados Unidos queda autorizado para completar, gobernar y operar el

6 G. W. Goethals, *The Government of the Canal Zone*, 1915.

Canal de Panamá y gobernar la Zona del Canal por conducto de un gobernador, que podría ser cualquier persona que él considere competente para desempeñar las variadas funciones relativas a la terminación, cuidado, mantenimiento, saneamiento, operación, gobierno y protección del Canal y de la Zona del Canal".[7]

EL CANAL DE PANAMÁ

Fue así como se inicia la segunda etapa en la evolución de la forma de gobierno en la Zona del Canal, cuando legalmente se dio forma a la entidad que vino a ser conocida como "el Canal de Panamá". Ésta era en efecto una entidad gubernamental independiente, que incluía tanto la operación y mantenimiento de la vía interoceánica como el gobierno civil de la Zona del Canal. Algunas de sus actividades comerciales fueron conducidas por la Compañía del Ferrocarril de Panamá, empresa adjunta al Canal de Panamá o lo que en inglés se conoció como The Panama Canal.

Los tratados celebrados entre Panamá y los Estados Unidos, y las leyes aprobadas por el Congreso norteamericano se refieren siempre a la operación y control del Canal de Panamá y el gobierno de la Zona del Canal. El hecho de que el presidente de los Estados Unidos actuando bajo la dirección del Congreso pueda dirigir y operar el Canal de Panamá y gobernar la Zona del Canal por conducto de un gobernador ha permitido que en la práctica el conjunto de autoridades que gobierna y administra el Canal de Panamá y la Zona del Canal se les designe como The Panama Canal.

Como consecuencia de la ley de 1912 vinieron a existir en la Zona del Canal tres entidades: la Zona del Canal, como entidad política administrativa, el Canal, como la organización que ejercía el control sobre el mantenimiento y operación de la vía interoceánica ejerciendo funciones de operación, y la Compañía del Ferrocarril de Panamá, una sociedad anónima totalmente controlada por el gobierno de los Estados Unidos, encargada de actividades comerciales, como era el funcionamiento del ferrocarril, la operación de comisariatos y el funcionamiento de una línea de vapores.

LA COMPAÑÍA DEL CANAL DE PANAMÁ

Más adelante, en julio de 1951 se completa una nueva etapa y aparece una nueva modificación en el modo de operación del gobierno de los Estados Unidos en la Zona del Canal de Panamá,

7 *The Panama Canal Act*, Sección 4.

cuando entra en vigencia la Ley 841 que reorganizó completamente el sistema administrativo del Canal. Al efecto, fueron trasferidas a la Compañía del Ferrocarril de Panamá las operaciones del Canal, la cual había sido convertida en 1948 en una corporación pública y fue designada con el nombre de Compañía del Canal de Panamá. Al mismo tiempo, las funciones del gobierno civil del Canal de Panamá fueron trasferidas a lo que se designó como el Gobierno de la Zona del Canal.

La organización actual consiste, pues, de dos unidades con un propósito único: mover barcos de un océano al otro. Estas dos unidades son la Compañía del Canal de Panamá y el Gobierno de la Zona del Canal, las cuales son dirigidas por una sola persona que es a la vez presidente de la Compañía y gobernador de la Zona del Canal.

Poco fue lo que hizo entonces la República de Panamá para evitar el cambio que acabamos de comentar. Mientras el Congreso y el Senado discutían estas leyes, en Panamá, con una manifiesta indiferencia poco se comentó el asunto. Pocos también fueron los panameños que mostraron interés por la evolución que se estaba desarrollando en la Zona. Uno entre estos pocos fue el doctor Narciso Garay, quien en un escrito póstumo titulado *La Novísima Compañía del Canal de Panamá* denunció el asunto y llamó la atención de los panameños de que algo grave había ocurrido en la Zona con la trasferencia de responsabilidades y funciones del gobierno a una compañía organizada como sociedad anónima. Así fue como lo que era una dependencia del gobierno se convirtió en una compañía, introduciendo nuevos elementos en las relaciones de la República de Panamá y la empresa canalera, cambio este que quizás jamás estuvo contemplado en el tratado original de 1903. Sin embargo, nos encontramos hoy frente a una realidad. No podemos volver atrás las páginas de la historia. A esta realidad nos vamos a referir.

En su naturaleza, la organización que los Estados Unidos de América mantiene en la Zona del Canal de Panamá muestra características muy peculiares que ameritan una descripción más detallada.

En su condición de dueño de la Compañía, el gobierno de los Estados Unidos está representado por el secretario del Ejército, el que actúa como *"accionista"* y en su capacidad individual es el representante personal del presidente de los Estados Unidos. Como ustedes ven hay un accionista, una sola persona que es el secretario de Guerra. Las acciones originalmente eran cinco y estaban antes divididas entre varios funcionarios; ahora todas están a nombre del secretario de Guerra —no el individuo, sino el funcionario— y él, en su capacidad de accionista, designa directores. De allí entonces aparece la forma de gobierno de la Compañía del Canal de Panamá. Todas estas facultades las ejerce este funcionario por delegación del presidente de los Estados Unidos. La Compañía tiene a su cargo el mantenimiento y operación del Canal de Panamá y el desarrollo de todas las actividades de tipo comercial relacionadas a dicho mantenimiento y también aquellas que corresponden al gobierno civil de la Zona del Canal. En los organogramas pueden ver cómo marchan paralelas la Compañía y el gobierno civil. El gobierno civil de la Zona del Canal, agencia independiente de los Estados Unidos a cargo del gobierno civil en la zona canalera, y la Compañía, están íntimamente relacionadas en su misión, organización y operación. Las funciones combinadas de estas agencias representan la administración de la empresa del Canal de Panamá en su conjunto. El gobernador de la Zona del Canal, quien es nombrado por el presidente de los Estados Unidos con la confirmación del Senado, tiene a su cargo la dirección de la función gubernamental bajo la supervisión del secretario del Ejército y es director ex oficio y presidente de la Compañía del Canal de Panamá. La tradición y la conveniencia han hecho que sea designado para esa posición un oficial del cuerpo de ingenieros, generalmente con el rango de mayor general.

El gobierno de la Zona del Canal funciona como una agencia independiente del gobierno, similar a su predecesora The Panama Canal, y trabaja con fondos específicamente asignados a la operación del mismo aunque el costo neto de sus operaciones sea rembolsado al Tesoro de los Estados Unidos por la Compañía del Canal de Panamá. Esta empresa desarrolla las funciones normales de una municipalidad, de un condado o un estado, e incluye servicios de policía y protección contra incendios, un sistema de escuelas públicas, aduanas, correos, servicio de inmigración, caminos, calles y carreteras, salud pública, dispensarios, hospitales, sanidad y tribunales de justicia.

AUTOSUFICIENCIA FINANCIERA DE LA EMPRESA CANALERA

La Compañía del Canal de Panamá opera como una sociedad anónima y su ley básica requiere que desde el punto de vista financiero sea autosuficiente. En tal sentido la Compañía debe lograr los siguientes objetivos:

1. Recuperar todos los gastos de operación y mantenimiento de sus instalaciones, inclusive depreciación.
2. Debe pagar interés al Tesoro de los Estados Unidos en relación a la inversión directa neta del gobierno en dicha empresa. Según el último estado financiero, la Compañía tiene un valor neto de 460 000 000 de dólares.
3. Debe rembolsar al Tesoro de los Estados Unidos, por el pago

de la anualidad a la República de Panamá de conformidad
con la Convención de 1903 y modificada por el Tratado de
1936, la suma de B/430 000 y también el costo neto de las
operaciones del gobierno de la Zona del Canal, incluyendo la
depreciación sobre el activo fijo.[8]

El tipo de interés que debe pagar la Compañía del Canal de
Panamá al Tesoro de los Estados Unidos, tal como ha sido establecido por ley, fue fijado en 1959 por el secretario del Tesoro,
Anderson, en la tasa de 2.5 % al año. La junta directiva de la
Compañía tiene la obligación de hacer anualmente un estudio
de los requisitos de capital de trabajo de la empresa, así como
también determinar las inversiones que sean necesarias para remplazar o ampliar los bienes capitales necesarios para la operación del Canal y debe pagar al Tesoro como rembolso de capital
cualquier cantidad de dinero en exceso de tales requisitos.

Todos los dineros que posea la Compañía, con excepción de
los fondos necesarios para los fines de capital de trabajo, deben
ser mantenidos en la Tesorería del gobierno de los Estados
Unidos.

Las actividades de la Compañía quedan clasificadas bajo dos
grandes títulos; a saber:

1. La operación del Canal.
2. Las operaciones accesorias.

La primera categoría comprende aquellas funciones directamente relacionadas con la vía interoceánica y al tránsito de
barcos, lo mismo que los servicios a la navegación, inclusive el
mantenimiento del Canal, mantenimiento y operación de las esclusas, servicios de meteorología, servicios hidrográficos y un
ferry a través del Canal en Balboa. Las operaciones accesorias
incluyen el mantenimiento y reparación de barcos, la operación
de puertos terminales, un ferrocarril a través del istmo, una compañía naviera que opera entre Nueva York y la Zona del Canal,
facilidades de trasporte de motor, almacenes, instalaciones para
la generación de energía eléctrica, un sistema de comunicaciones
y otros servicios que son esenciales a los empleados y la atención de sus necesidades personales, que incluye casas de aparta-
mientos y otro tipo de vivienda, almacenes de venta al por menor,
teatros y otros tipos de diversiones.

Con el propósito de atender sus necesidades financieras y
poder cubrir sus gastos, la ley que reglamenta la operación del
Canal de Panamá establece que los peajes, o sea el precio que
se paga por el tránsito de barcos ha de determinarse de conformidad con una fórmula específica. Esencialmente estas tasas de-

[8] *Informe Anual*, The Panama Canal Co.

ben establecerse de modo que permita recuperar los gastos de operación y mantenimiento del Canal y sus obras auxiliares, cubrir los intereses sobre la inversión del gobierno de los Estados Unidos y cubrir los cargos por depreciación además de contribuir al financiamiento de los costos del gobierno civil.

Los peajes que cobra la Compañía del Canal de Panamá en la actualidad no son más altos que los establecidos en 1917 y permanecen inalterables a pesar de los cambios en el valor del dinero, el aumento de los costos y la devaluación monetaria que ha experimentado la economía de los Estados Unidos y del mundo en general y se basan en el tonelaje neto de cada barco de acuerdo con el siguiente criterio: "los barcos mercantes del ejército y trasportes de la marina, barcos-tanques, hospitales, cargueros, yates, cuando llevan pasajeros o carga, pagan $ 0.90 por cada tonelada neta, tal como se determina de conformidad con las reglas establecidas por el Canal de Panamá. Los barcos que llevan lastre sin pasajeros o carga, pagan $ 0.72 por tonelada neta. Otros barcos pagan $ 0.50 por tonelada neta de desplazamiento".[9]

Tienen los norteamericanos en la Zona del Canal una empresa y una entidad gubernamental que rinden sus informes y que, como cualquier sociedad anónima da cuenta al público de sus operaciones y de sus ganancias. Todos los años la Compañía, o antes, The Panama Canal Co., presenta al Congreso, por conducto del gobernador y del secretario de Guerra, un informe de las actividades que ha realizado el año anterior o de sus operaciones. Se presentan allí toda clase de estadísticas de tráfico naviero y, en detalle, las diversas actividades. Mantienen ellos entonces, como una necesidad y un mandato de la ley, un tipo de operación estrictamente comercial, o sea que deben cubrir sus costos y sus gastos dentro de sus ingresos. Esto, que podría justificarse como una buena práctica de administración, podría ser satisfactorio para los Estados Unidos pero no es conveniente para Panamá, porque resulta que lo que recibe de la Zona del Canal se mide en términos de las necesidades y objetivos de una empresa, mientras que en la realidad no es únicamente el aspecto comercial lo que justifica y justificó la construcción del Canal, sino que existen consideraciones de otro orden, tanto políticas como económicas. Debemos tener en cuenta que no podemos vincular nuestra participación en la obra del Canal a consideraciones de carácter comercial porque el Canal de Panamá tiene una importancia, representa otros valores ajenos a circunstancias económicas. Desde el punto de vista militar y político, lo que el Canal ha significado para el desarrollo económico de los Estados Unidos no podría tener expresión en un balance de situación o en un estado de operaciones. Por ello, aun cuando el Canal operase

9 *Informe Anual*, The Panama Canal Co., 1960.

sin obtener beneficios, expresados éstos en forma de ganancias, su valor político y militar no se alterarían. Baste mencionar que durante la última guerra las operaciones del Canal —comercialmente— disminuyeron, sin que por ello se afectase su importancia. Muy por el contrario, su valor estratégico era inapreciable.

LOS PROBLEMAS DE LA AUTONOMÍA

La idea de mantener el Canal como una empresa encontró las mismas justificaciones que tenemos nosotros para crear entidades autónomas, independientes del órgano legislativo, buscando la eliminación del requisito de ir todos los años a buscar la aprobación de partidas del presupuesto, la eliminación de la política —allá el gobernador tiene un período de cuatro años y nunca lo reeligen, creo que solamente en una emergencia, si no me equivoco reeligieron al gobernador. Pero la razón o las razones esgrimidas coinciden con todas aquellas que se presentan para justificar una entidad independiente, autónoma, que pueda ofrecer mayor eficiencia en su funcionamiento. De esta cuestión que parece accesoria y que para los panameños no tiene, o no ha tenido, mayor importancia, se desprenden problemas difíciles.

¿Por qué no se paga más a los empleados panameños en la Zona del Canal? Porque aumentarían los costos y al aumentar los costos en concepto de salarios a los diez mil panameños que trabajan allí tendrían ellos que aumentar los precios de los artículos que ellos venden aun a sus mismos empleados, o tendrían ellos que aumentar los peajes del Canal. Entonces objetan las compañías navieras, que son excesivamente poderosas, tan poderosas que mantienen congelados los peajes desde 1918; los sindicatos de trabajadores americanos también son poderosos y resienten que le aumenten los precios a la comida, los alquileres, los bienes y servicios que allí les venden. ¿Dónde está el punto de menor resistencia? En la posición del trabajador panameño que no ve aumentado su salario porque la Zona del Canal, la Compañía en este caso, tiene que operar como empresa que ha de cubrir anualmente en una forma de presupuesto, en una forma de contabilidad mercantil, todos sus gastos. Y aún más, tiene que reconocer intereses sobre la inversión del gobierno de los Estados Unidos en la Zona del Canal y la inversión realizada por la construcción del Canal y demás instalaciones. Tiene también que hacer una previsión en concepto de depreciación y cuando se le exige a una empresa que además de cargar intereses, además de reconocer depreciaciones, tiene que pagar la anualidad que los Estados Unidos debe reconocer a la República de Panamá y también contribuir al pago del gobierno civil de la Zona del Canal, nosotros encontramos que todos esos cargos disminuyen las ganancias que podrían mostrar ellos de sus operaciones.

El año pasado la Compañía del Canal de Panamá entregó al gobierno de los Estados Unidos en concepto de intereses $ 8 979 415, pagó en concepto de rembolso por los gastos del gobierno en la Zona del Canal $ 11 646 000 y desembolsó en concepto de anualidad a la República de Panamá $ 430 000, sin contar, lo que no es un desembolso sino un cargo de contabilidad, depreciación por $ 4 787.00. Es decir, a un ingreso bruto de $ 87 000 000, le asignan costo, le cargan depreciación, intereses y gastos de gobierno, entonces solamente muestra una ganancia neta de $ 2 900 000. Eso es consecuencia de la trasformación de una entidad gubernamental en una compañía y de las disposiciones de la ley, que establece cómo debe manejarse esa entidad de acuerdo con los principios de contabilidad y prácticas financieras que prevalecen en las empresas particulares y llega, inclusive, la ley —como lo vimos antes— a definir de una manera categórica qué cosas debían cargarse y qué gastos debían recuperarse.

Por supuesto que esta interpretación y esta forma de operación no conviene a los intereses de la República.

4. LA INVERSIÓN NORTEAMERICANA EN EL CANAL DE PANAMÁ *

> Nuestros préstamos y concesiones a Panamá representan el nivel más alto percápita de la asistencia de los Estados Unidos en cualquier lugar del mundo.
>
> Sr. Scali.
>
> Rempresentante de Estados Unidos.
> Consejo de Seguridad.
> Panamá, 20 de marzo de 1973

> ...Los ingentes beneficios que los Estados Unidos reciben por el usufructo de nuestra posición geográfica por motivos del Canal... representan, posiblemente, el subsidio percápita más grande que país alguno haya otorgado a la vasta economía de los Estados Unidos.
>
> Sr. J. A. Tack.
>
> Representante de Panamá.
> Consejo de Seguridad.
> Panamá, 20 de marzo de 1973

Ante afirmaciones tan opuestas y al parecer contradictorias, la conferencia que dicté en el Paraninfo Universitario el 12 de enero de 1973, podría aclarar algo un aspecto tan crucial en las negociaciones Estados Unidos-Panamá.

Éste es un tema que necesita un estudio mucho más detenido. Por lo tanto, cualquier sugerencia o corrección será muy bien recibida por el autor.

Sin embargo, el fin de este estudio no es sólo "aclarar" el valor de estos pronunciamientos. Se pretende en estas páginas una evaluación de la zcp (Zona del Canal de Panamá) con fines de visualizar una estrategia para el desarrollo panameño. Por ello nos hemos detenido menos en la evaluación cuantitativa de datos pasados, intentando apuntar algunas dificultades y venta-

* Tomado de la revista *Estudios Centroamericanos*, núm. 303-304, año XXIX, Universidad Centroamericana "José Simeón Cañas", San Salvador, enero-febrero, 1974.

jas estructurales, creadas en las relaciones económicas de la ZCP con Panamá.

Una seria dificultad en la evaluación de los beneficios de la ZCP ha sido la "oscuridad" de los datos contenidos en la información proveniente de la ZCP, sobre todo en su "Annual Report". Es casi imposible seguir la pista de las inversiones, costos y beneficios desde 1914 hasta nuestros días, debido a los cambios de nomenclatura y a la falta de especificación del significado de los mismos. Además no hay posibilidad de comprobar y menos de controlar por parte panameña, la autenticidad de esas cifras. Aun basándonos fundamentalmente en información norteamericana, se llega a conclusiones de beneficios muy elevados para Estados Unidos.

El fin principal, sin embargo, no es insistir de nuevo sobre estos aspectos de tipo "contable", sino intentar *apuntar algunas consecuencias estructurales* que condicionan el desarrollo panameño.

Al ser el subdesarrollo económico una *situación estacionaria,* es decir, una situación estructural que no se autosupera ella misma, aunque vaya acompañada de un alto crecimiento económico como el que ha conocido Panamá en la última década, nuestro análisis pretende señalar:

a) Cómo la ZCP ha sido elemento dinámico de nuestro crecimiento económico, aunque muy por debajo de su potencialidad económica absorbida por Estados Unidos.

b) Cómo Estados Unidos constituyó unilateralmente a la ZCP en empresa de utilidad pública para el gobierno y comercio norteamericano, absteniéndose de la obtención de utilidades directas, desconociendo así los intereses de la contraparte panameña;

c) Cómo la ZCP es posiblemente la causal mayor de nuestro subdesarrollo dependiente y dicotómico (dicotomía agrometrópoli), induciendo graves distorsiones estructurales;

d) Cómo se necesitan acciones deliberadas para provocar el cambio de estructuras;

e) Cómo estas acciones deben provenir fundamentalmente del sector público, que debe encontrar una nueva función en el desarrollo panameño.

Situar este análisis en una postura suficientemente objetiva no es tarea fácil, cuando se pretende ayudar a resolver los problemas económicos panameños.

LA INVERSIÓN EXTRANJERA EN PANAMÁ

En estas páginas vamos a apuntar los efectos de la inversión extranjera en la estructura económica de Panamá, analizando el

impacto de la inversión extranjera más importante, la inversión
norteamericana en la Zona del Canal de Panamá.[1] Este trabajo
presupone los estudios realizados por el licenciado Roberto Arosemena sobre el marco de referencia de la inversión extranjera
en Panamá, el trabajo del licenciado Marco Gandasegui sobre la
inversión extranjera en la industria y el trabajo del licenciado
Arosemena sobre las bananeras.

En esta primera parte pretendemos presentar una visión global, muy esquemática, de la inversión directa extranjera en Panamá (IDEP). Sin embargo, los datos estadísticos oficiales nos
presentan una visión muy limitada y parcial de la IDEP, al excluir
las principales inversiones extranjeras, por no encajar éstas en
el concepto de "inversión directa". (Inversiones directas, para
Estadística y Censo, son "aquellas inversiones que tienen por
objeto instituir o acrecentar una participación permanente en
una empresa". Llevan implícitamente un cierto grado de control
sobre el gobierno de la empresa, sea ésta sucursal o subsidiaria.
El límite mínimo del control usado por Estadística y Censo
panameña es 50 % de las acciones comunes de la empresa por
residentes extranjeros.)

Este tipo de medición de la IDEP, al excluir los principales
rubros de inversión extranjera da una visión desenfocada del
problema. La Zona del Canal de Panamá (ZCP) que incluye las
inversiones en el Canal, en el ferrocarril, en las bases militares,
en la administración de la Zona, en los servicios subsidiarios
(agua, luz, reparaciones, trasporte, etc., etc.), la Zona Libre
de Colón (ZLC); el sistema bancario y su centro financiero internacional; la marina mercante bajo bandera panameña y las
compañías con actividades económicas hacia el exterior "Compañías de Abogados"), son excluidas en la medición de la IDEP
en Panamá.

En el cuadro 1 intentamos bosquejar un análisis más amplio
de la IDEP, a pesar de la seria dificultad en encontrar información
pertinente para cada uno de los grupos. Esta tabla no pretende
ser estadística en todos sus componentes, sino únicamente indicar un *orden de magnitud* para tener una visión más global de
lo que la IDEP supone para la economía panameña.

En la segunda parte, una vez presentada esta visión global,
analizaremos los efectos de la inversión norteamericana en la ZCP
(posiblemente la mayor inversión unitaria, es decir, en un solo
complejo, de Estados Unidos en el mundo), utilizando para ello
datos "ortodoxos", es decir, suministrados por fuentes norteamericanas.

---

[1] Ponencia presentada al Seminario sobre Inversiones Extranjeras y su
impacto en Centroamérica y Panamá (tenido en San José de Costa Rica
del 19 al 24 de noviembre pasado), por el doctor Xabier Gorostiaga, profesor de Desarrollo Económico en la Universidad Nacional de Panamá.

En el cuadro 1, en la fila número 1, se presentan los datos oficiales de Estadística y Censo sobre el concepto restringido de IDEP. Aquí se incluyen los sectores primarios, secundarios y terciarios. La inversión extranjera anual en estos sectores se mantiene oscilante en los últimos años, variando de $ 5 millones en 1967 a $ 33.4 millones en 1970, con un promedio de inversión de unos 17 millones anuales en los últimos años. El empleo generado por esa inversión extranjera es de casi 18 000 unidades, que supone un 20 % del empleo generado por las empresas privadas en la República, y un 4 % del total de la población económicamente activa (PEA).

El IDEP acumulado según este análisis es de $ 269.2 millones, que resulta insignificante en el conjunto de la inversión extranjera en Panamá. En la fila segunda presentamos una medición distinta, pero más acorde con la utilizada en los círculos económicos de Panamá. Esta medición es la presentada por el Departamento de Comercio de los Estados Unidos. Según el "Survey of Current Business" (cuadro 2), la inversión total solamente norteamericana fue de $ 1 071 millones en 1969, que representa un 91 % de la inversión extranjera en Panamá. Hemos calculado en unos 43 000 los empleos generados por esta inversión que se aproximaría al 50 % del EEP (empleo empresa privada), alrededor del 10 % de la PEA.

Esto supone que Panamá es el país de más inversión norteamericana por cabeza en toda América Latina (cuadro 3), con más de $ 75, mientras el promedio latinoamericano es de $ 52 por cabeza. Panamá, según el mismo Departamento de Comercio de Estados Unidos, a pesar de su pequeño tamaño y población, ocuparía el 5º lugar en la inversión de Estados Unidos en América Latina.

Según el estudio de la Universidad de La Habana sobre la economía panameña, Estados Unidos posee el 50 % del total del capital invertido en las "empresas nacionales", mientras que el capital panameño sólo alcanza un 48 %. Sin poder comprobar esta afirmación, ella no nos sorprendería, dado que las dos fundamentales restricciones a la inversión extranjera en Panamá *de facto* no se han aplicado al capital de Estados Unidos. La restricción de no poseer tierras cerca de la frontera no fue nunca cumplida por la Compañía Bananera, y la segunda restricción, de que los extranjeros no pueden dedicarse al comercio detallista en el mercado doméstico, no se aplica a los ciudadanos norteamericanos que reciben este privilegio sobre los demás extranjeros (la CONEP ante Rockefeller. Gorostiaga, "Evaluación"... p. 42).

Según el representante de Estados Unidos en la reunión del Consejo de Seguridad en Panamá en marzo de 1973, Panamá sería la primera nación no sólo de América Latina, sino del mundo entero en inversiones norteamericanas por habitante. "Nuestro préstamo y concesiones a Panamá, representa el nivel más alto percápita de la asistencia de los Estados Unidos en cualquier lugar del mundo." Este "nivel más alto percápita de la asistencia de Estados Unidos en cualquier lugar del mundo" que se da en Panamá según el embajador Scali, no incluye la inversión del sistema bancario en Panamá.

Dado el "secretismo" que envuelve todo lo relacionado con el Centro Financiero y el Sistema Bancario en Panamá, no ha sido posible obtener más información que la presentada en el cuadro 5. El método de análisis es simple y rudimentario, pero no hemos encontrado otro mejor para los datos disponibles. La diferencia entre todos los activos productivos invertidos en Panamá del Sistema Bancario, menos los depósitos locales, nos da una diferencia que forzosamente ha debido ser cubierta con depósitos extranjeros. Esta diferencia o exceso, son los fondos extranjeros invertidos en Panamá, que para 1972 fueron de $ 274.7 millones (cuadro 1, línea 3ª).

La inversión anual extranjera del Sistema Bancario la calculamos por tanto como la diferencia de fondos extranjeros entre años consecutivos.

Para 1972 ésta fue de $ 74 millones.

H. Johnson, como indicamos en el cuadro 1, nota 3, calculó en $ 225 millones los fondos extranjeros invertidos en Panamá en 1970, en un estudio que contó con la colaboración del Sistema Bancario.

Según nuestros cálculos, fueron $ 125 millones para el mismo año 1970. Si los datos de Johnson son más exactos, como debieran serlo, la cifra para 1972, dado el crecimiento del sistema bancario, debería andar por el orden de los $ 500 millones de fondos extranjeros invertidos en Panamá.

Lamentablemente este amplio orden de discrepancia entre $ 275 y $ 500 millones sólo nos puede indicar muy vagamente el orden de magnitud de la inversión extranjera bancaria. Lo que sí es cierto es que este "boom" de la inversión bancaria se produce desde 1968 (año del golpe militar del presente gobierno), donde los activos bancarios se sextuplican, los depósitos externos se incrementan en proporción de 10 a 1, y de los 54 bancos con operaciones en Panamá actualmente 34 iniciaron sus operaciones después de la ley bancaria de julio de 1970. Los bancos locales solamente son 15 y casi un 75 % del sistema bancario son bancos extranjeros.

La inversión extranjera en la Zona Libre de Colón (ZLC) (cuadro 1, fila 4), también ofrece peculiaridades no usuales en la inversión extranjera en América Latina. La ZLC fue fundada en 1948, como una institución autónoma del Estado y siguiendo la recomendación hecha por el Departamento de Comercio de los Estados Unidos.

De 14 acres y 10 compañías en 1953, la zlc ha crecido a 100 acres con 650 compañías representadas y 260 establecidas físicamente, con un movimiento anual de mercancías de más de 500 millones en 1972, y un movimiento total de más de 5 billones desde su fundación. Esta expansión se debe a la posición geográfica de Colón, que permite un ahorro de trasporte con el movimiento de grandes cantidades de mercancías cerca de los mercados, y un ahorro de costos al poder ensamblarlas y/o rempacarlas usando mano de obra más barata. Además, esta expansión se debe a los incentivos fiscales panameños, dado que las mercancías vendidas fuera de Panamá no pagan impuestos.

La inversión extranjera en la zlc es también desconocida por las oficinas administrativas del gobierno panameño y por la misma entidad autónoma. Según cálculos personales de los economistas de la institución, hay un *stock* permanente de unos $ 100 millones, pero las compañías extranjeras en su mayoría no invierten en muebles e inmuebles, sino que los alquilan a la institución de la Zona Libre de Colón o a compañías privadas panameñas. (Para 1972 el activo fijo declarado por las empresas de la Zona Libre de Colón fue sólo de $ 2 158 000.)

Lo importante de esta peculiar inversión extranjera es la cantidad de empleo creado para panameños en el área de más desempleo de la República, la ciudad de Colón (14 % desempleo). Casi 3 000 panameños trabajan permanentemente en la Zona Libre de Colón, de los cuales 2 572 en 1971 eran empleados por las empresas privadas con un sueldo de $ 8.9 millones, y el resto eran empleados de la institución autónoma y otras agencias del gobierno. El pib generado por la zlc fue de $ 28 millones en 1971.

La marina mercante bajo bandera panameña es otra de las peculiares inversiones extranjeras en Panamá, que visualiza gráficamente lo que se ha dado por llamar la "economía de tránsito". Panamá posee una de las más grandes flotas del mundo con 2 919 barcos y un tonelaje de 6 589 000 toneladas.

En su casi totalidad estos barcos son de propiedad extranjera y se desconoce el valor del capital invertido.

A pesar de que por la ley 7 de 1950, 10 % de la tripulación debiera ser panameña, el empleo generado y registrado en Panamá es sólo de 2 906 panameños trabajando en la flota comercial y 1 365 en la flota pesquera internacional.

El producto generado por esta actividad mercante, a pesar del número y volumen de barcos, es más bien exigua. En 1972 se recaudó de impuesto de naves $ 2.3 millones y $ 1.2 millones de honorarios a los agentes en Panamá (1971) y $ 118 000 de trasferencias de los marinos a sus familiares; es decir, unos $ 3.5 millones.

Inversión extranjera en las bananeras. Sólo un breve comentario, pues se estudiará por separado este sector por el licenciado Jorge Arosemena. También aquí se desconoce el monto de la inversión extranjera por ser "confidencial". De nuevo, en esta inversión extranjera el aporte más importante es el empleo generado para panameños. 14 868 en 1971, 12 272 en 1972 y se estimaba en unos 10 000 para el año en curso, siendo muy indicativo este descenso del empleo de los problemas recientes del mercado de bananos.

Los ingresos generados por salarios fueron de 25 millones de dólares en 1971 y $ 22 en 1972.

El otro aspecto importante de las bananeras son las exportaciones, $ 63 millones en 1971, que representan el 55 % del total de las exportaciones de productos por Panamá.

Inversiones extranjeras en las "Compañías Brujas".[2] Llamamos "compañías brujas" a aquellas que estando radicadas en Panamá, se desconocen sus activos y actividades y que efectúan sus negocios con el exterior.

Los bufetes de abogados panameños han creado un sinnúmero de estas compañías, aprovechando la amplia legislación panameña. Estas compañías, donde los mismos abogados aparecen repetidas veces como directores de las mismas, no cuentan en su mayoría con más inmuebles que su personería jurídica. Estas compañías fantasmas son utilizadas fundamentalmente por las corporaciones multinacionales para el sutil mecanismo de la *trasferencia de precios* entre países, y la evasión de impuestos. Con una inversión mínima, estas compañías movilizan ingentes sumas de dinero y de bienes, sirviéndose del centro financiero y de que Panamá es considerada como un "tax saving country", al no imponer cargas tributarias a las operaciones realizadas con el exterior.

Estudios recientes muestran cómo Panamá sirve de *triángulo estratégico* para la evasión de impuestos de Perú, Colombia y Estados Unidos, a la vez que la agencia fantasma de Panamá sirve como de intermediaria para las transacciones comerciales entre la casa matriz y las filiales. Esta estrategia triángulo permite colectar los beneficios extra de las multinacionales, que no aparecen declarados ni en Perú ni en Estados Unidos, y por supuesto tampoco en Panamá.

Es fundamental, no sólo para Panamá sino para los países del Tercer Mundo, "descubrir" la realidad encubierta por estas compañías brujas o fantasmas, agazapadas en Panamá en los despachos de los abogados.

Conociendo el sistema de ruptura de la ya escasa competencia del mercado internacional por estos oligopolios integrados

2 En Estadística y Censo se las conoce entre los funcionarios por "Compañías Brujas", y no se tiene sobre ellas ninguna información.

que son las multinacionales, especialmente a través de las tras-
ferencias de precios (sobrevaloración de las importaciones de la
casa matriz y subvaloración de las exportaciones de las filiales
a la matriz), y de la utilización de terceros países como Panamá
para una estrategia triangular de comercio, se podrá mejorar el
poder de negociación de los países del Tercer Mundo.[3]

Por esta necesidad de "descubrir" los mecanismos de control
del mercado se requiere más análisis sobre las inversiones extranjeras, aun de estas compañías brujas, que aparecen como insignificantes oficinas de representación sin ninguna pretensión
económica aparente. Para ello debiéramos implementar en las
instituciones oficiales de nuestros países sistemas que permitan
un mejor conocimiento y comprensión del papel real de la inversión extranjera.

Debido a la carencia de datos fundamentales, ninguno de estos aspectos de la inversión extranjera recién señalados (marina
mercante, bananeras, compañías brujas) aparece reflejado en el
cuadro 1. Habiendo intentado en él presentar una visión más
global que la de Estadística y Censo, también tenemos que reconocer la imposibilidad de cuantificar la inversión extranjera en
Panamá, aunque al menos hemos tratado de señalar sus aspectos
más importantes.

INVERSIÓN NORTEAMERICANA EN LA ZCP

Como se ve en el cuadro 1, la inversión norteamericana en la
zcp, sobre todo la militar, es la que determina el sentido y cua-
lidad de la inversión extranjera en Panamá. Sin embargo, no es
recogida por las estadísticas oficiales más que indirectamente a
través de la balanza de pagos, pues las inversiones y transacciones con la zcp son consideradas *como si* fuesen con un país extranjero.

La inversión bruta total de Estados Unidos en la Zona del
Canal de Panamá, no se había conocido en Panamá hasta muy
recientemente, gracias a los ataques del representante de Pensil-
vania en el Congreso, Mr. Flood, en abril de 1972, tratando de
convencer de la traición a los "tax payers" si el Congreso cedía
en las negociaciones con Panamá.

Mr. Flood presentó los datos suministrados por el secretario
del Ejército sobre el total de la inversión civil y militar. En el
cuadro 6 presentamos un resumen de dicha inversión, y en el cuadro 1, fila 5, intentamos compararla con el resto de la inversión
extranjera en la República.

Los $ 7 billones de inversión acumulada en la Zona del Canal
de Panamá son en valor de libro. El valor actual "would be far

3 Ronald Müller, *The earth manager* (de próxima aparición).

greater, possibly by billions" según Flood, y según el representante de Illinois entre 100 y 200 % superior ($ 14 a 21 billones).

Sea cual fuere su valor actual, lo importante es comprobar:

a) Que los $ 7 billones determinan el sentido y cualidad de la inversión en Panamá;

b) Que $ 4.7 billones son inversiones militares, que más que doblan la inversión civil en la zcp, y cualifican la inversión civil en el resto de la República;

c) Los ingresos estimados, basados en fuentes norteamericanas, en el aspecto militar son más de $ 300 millones de ahorro anual, y en el aspecto civil —según la cepal— la rentabilidad del Canal es "superior" a la que rinden otro tipo de empresas localizadas en el extranjero.[4]

El total de beneficios civiles, según la Compañía del Canal de Panamá, ha sido de $ 1 221 millones y los militares de unos $ 11 000 millones.[5]

d) El empleo generado, aun siendo sustancial, no guarda proporción con el monto de la inversión. Además se da una clara discriminación entre ciudadanos norteamericanos y panameños, debido a la "U. S. rate" y "local rate" en los salarios.

Mientras el salario promedio de norteamericanos es de $ 1 112 al mes, el de panameños es de $ 449. Hasta 1960 esta diferencia fue cuatro veces mayor.

Pero el análisis contable de costos y beneficios no nos presenta la realidad económica detrás de estas cifras. El hecho de que la política económica de la inversión de Estados Unidos en la Zona del Canal de Panamá esté basada en "non profit bases", "to break even", lleva consigo:

a) Una pérdida actual de ingresos para Panamá;

b) Una pérdida potencial cercana a los $ 300 millones anuales;

c) Un subsidio al tráfico de Estados Unidos de $ 700 millones anuales;

d) Un ahorro militar de cerca de $ 300 millones anuales.

Un resumen de la primera parte del artículo sobre la "Evaluación económica de la Zona del Canal de Panamá" podría representarse en los tres cuadros siguientes y en las conclusiones del artículo (pp. 133 ss.).

a) 70 % del tráfico a través del Canal viene o va hacia Estados Unidos. El nivel artificialmente bajo de tarifas, debido a la política de manejar el Canal "on non profit bases", y mantener las tarifas de 1904, la cepal ha calculado que el comercio de Estados Unidos ahorró $ 620 millones en 1971.

b) El ahorro militar durante 1904-1970, según fuentes milita-

[4] cepal, "La Economía de Panamá y la Zona del Canal, 1972" (p. 74).
[5] Gorostiaga, "Evaluación" (pp. 8-16).

res de Estados Unidos, es superior a $ 200 millones anuales por razón del tránsito. A esto se debiera añadir el pago de las bases militares.

c) Diferentes estimados se han realizado para calcular los beneficios indirectos del Canal para Estados Unidos (CEPAL+CIAP). Ambos concuerdan en que el ahorro anual es ± $ 1 000 millones, coincidente con la cifra nuestra.

CUADRO A

Zona del Canal de Panamá

Beneficios

(*Millones de dólares*)

Panamá		E.U.	
Directos		*Directos*	
Ingresos 1904	10	Ingresos	2 033.5
Anualidad	45	Costos	812.3
Total 1904-1972	$ 55 m.	Total	1 221.2
	1971		
Indirectos		*Indirectos*	
X-M	69.8	Exportaciones	6.6
Empleo	78.7	Empleo norte-americano	58
Total	148.5	*a*) Ahorro de comercio	620 (est.)
		b) Ahorro militar	300 (est.)
		c) Total	984.6

Este análisis contable está basado en "datos ortodoxos", es decir, norteamericanos, lo mismo que los cálculos de la CEPAL.

A pesar de la publicidad que se ha dado a estas cifras en Panamá y Estados Unidos de América [6] no ha habido respuesta por

[6] Durante el Consejo de Seguridad se repartió a los representantes el Estudio de la CEPAL, y a través de conferencias, folletos y periódicos en Panamá; estos datos han sido muy divulgados. También en EU, donde un folleto en inglés —tomado de la revista *Diálogo Social*— fue entregado a todos los congresistas, universidades y principales periódicos. En un Semi-

CUADRO B

Beneficios potenciales indirectos

(*Millones de dólares*)

	1970	Potencial
+ Salarios	76	148
+ Ventas	83	147
+ Impuestos indirectos	15	36
+ Anualidad	1.9	107
+ Bases militares	—	30
Total	175.9 m.	468 m.

parte norteamericana, cosa sorprendente, dado que en ocasiones anteriores la embajada ha publicado respuestas inmediatas a cálculos considerados por ellos como exagerados.

CUADRO C

Beneficios de una organización comercial de la ZCP

	1970	Potencial	%
1) PIB	1 046	1 425	36
Ingresos gobierno	160	368	130
Impuestos	129	191	48
Anualidad y bases militares	1.9	137	—

Sin embargo, impactantes como son las consecuencias económicas del sistema actual de administrar la Zona del Canal de Panamá,[7] todavía el principal recurso panameño en términos de PIB considero que el estudio de sus *costos sociales* es más importante por sus implicaciones en la estructura económica y política de Panamá.

Presento a continuación un resumen de los aspectos más im-

nario de estudio en Wisconsin sobre las multinacionales, personalmente presenté el caso del Canal de Panamá ante, incluso, miembros del Departamento de Estado, que no replicaron ni objetaron la exactitud de los cálculos y estimaciones.

[7] Aquí hemos prescindido del Sistema *"peculiar"* de administración y contabilidad de la Compañía del Canal de Panamá. Incluso la GAO (General Accounting Office) del gobierno norteamericano acusa a la Compañía del Canal de Panamá de "unnecesary and costly duplication of various government facilities in the Panama Canal Zone"... "the cost of operation are unduly high". (*New York Times*, octubre 4, 1953.)

portantes de estos costos sociales, que pueden encontrarse con
mayor detalle en el estudio sobre la "Evaluación de la Zona del
Canal de Panamá".

LAS DISTORSIONES ECONÓMICAS O LOS COSTOS SOCIALES PRODUCIDOS POR LA ZONA DEL CANAL DE PANAMÁ

El presupuesto de esta parte del análisis es que la Zona del Canal
de Panamá mantiene una estructura económica, tecnológica, de
organización, de relaciones internacionales, de costos, y sobre
todo unos objetivos e intereses completamente diferentes, y a
veces opuestos, a los del sistema económico doméstico de Panamá.

Este *"enclave económico y militar"* dentro de la economía do-
méstica, lo considero más costoso y perjudicial para la economía
panameña que el hecho de la expropiación del excedente económico actual y potencial señalado anteriormente.

En forma esquemática presentaré los argumentos para probar
esta afirmación y que den pie a la discusión posterior.

1) *La Zona del Canal de Panamá es un sistema monopólico del
gobierno de Estados Unidos*, donde la máxima autoridad es el
mismo presidente Nixon; el "Board of Directors" es señalado
por el secretario del Ejército; y el presidente de la Compañía del
Canal es actualmente el general David S. Parker.

La Zona del Canal de Panamá es una corporación oficial del
gobierno de Estados Unidos integrada vertical y horizontalmente,
controlando el 95 % del PIB generado dentro de la ZCP ($ 327 mi-
llones en 1970).

Las actividades económicas de la Zona del Canal de Panamá
generan un ingreso para Panamá de aproximadamente un 30 %
del PIB panameño. *Es decir, que casi 1/3 del producto generado
dentro \del mercado \doméstico es dependiente y \vulnerable al
monopolio estatal de un gobierno extranjero*, de sus políticas
sobre empleo, compras de bienes y servicios, etcétera.

2) *Ingresos por cabeza.* Un hecho sorpresivo se presenta cuando analizamos el ingreso por cabeza de la Zona del Canal de
Panamá. El ingreso generado en la ZCP, $ 327 millones en 1970
($ 144 millones por la Compañía del Canal de Panamá, $ 33 millones por el gobierno de la Zona, $ 129 por otras agencias oficia-
les de Estados Unidos y $ 17 millones por el sector privado) con
una población residente en la Zona del Canal de Panamá de
44 198 para el mismo año 1970, resulta en el ingreso por cabeza
más alto del mundo con gran diferencia, más de $ 7 600 por
zoneíta.

Dentro de un cálculo más restringido, excluyendo los $ 78 millones pagados a trabajadores panameños en su mayoría residentes en Panamá, el ingreso por cabeza seguiría siendo el más alto del mundo, más de $ 5 600 (ningún país del mundo pasa de los $ 4 000 por cabeza).

Si además tenemos que los subsidios por educación, viajes, servicios, se suman al sorprendente hecho de poseer un nivel de precios 33 % más bajo que en Panamá, y en muchos productos más bajo incluso que en Estados Unidos (los carros, por ejemplo) resulta que el *ingreso real* por cabeza es aún mayor.

La mera yuxtaposición en un mercado tan pequeño de unos ingresos por cabeza de $ 5 600 con uno de $ 700 en 1970, lógicamente debe producir serias distorsiones.

3) *Distorsiones en la distribución del ingreso.* La distribución del ingreso en Panamá, sorpresivamente también para muchos en Centroamérica, es la peor o de las peores de América Latina, junto con México y Colombia.[8] Ambos estudios coinciden en afirmar que un 10 % de la población controla un 48 % del ingreso, mientras que un 33 % de la población se mantiene con un 5 % del ingreso.

En la región metropolitana, según datos de la AID en 1970, el ingreso por cabeza fue de $ 1 500, mientras que en la provincia de Veraguas era de $ 212, y en Darién de $ 112 anuales por cabeza.

Esta *concentración y polarización* del ingreso en el área metropolitana paralela del Canal, se debe a una concentración de casi un 50 % de la población de la República, de un 80 % del comercio y de un 70 % de la industria en esta franja territorial. Los sectores más dinámicos están ligados de una u otra forma al Canal, atraídos por esa fuerte demanda, provocando una dicotomía con el resto del país que queda dependiente del polo activo como suministrador de productos básicos y trabajo barato.

Evidentemente que la Zona del Canal de Panamá no es la causa única de esta mala distribución del ingreso. Lo son también la burguesía nacional, los gobiernos tradicionales de Panamá controlados por esta burguesía; la falta de organizaciones populares, etc. Sin embargo, estas otras razones también han sido influidas grandemente por la presencia norteamericana en la Zona del Canal de Panamá, que se convierte así en la causa más determinante de esta estructura económica, como lo intentaremos probar a continuación.

4) *La Zona del Canal de Panamá causante de la debilidad del sector público panameño.* Históricamente Panamá ha tenido uno

[8] Gian S. Shota, "Public expenditure and Income distribution in Panama", 1972; Charles Mclure, "Income distribution and tax incidence in Panama", 1969.

de los *sectores públicos más débiles de América Latina*, indicado
ya sea por su baja participación en el PIB, en las inversiones, o en
la producción, o en el control de los recursos, etc. (La participación del sector público en el PIB fue de 14 %, el nivel de impuestos 10 % del PIB y la inversión pública 3.6 % del PIB en 1965.)
Hasta 1968 Panamá no alcanzaba el promedio latinoamericano
en estos índices. Sin embargo, Panamá ha tenido en la última
década el mayor índice de inversión en América Latina, pero es
el sector privado el que controla el 76 % de esta inversión, y la
inversión pública es fundamentalmente financiada con recursos
extranjeros.

El sector público panameño ha jugado un papel insignificante
en el desarrollo económico panameño hasta los últimos años.
Pero esta opción no fue libremente elegida ni planeada, sino
determinada fundamentalmente por la Zona del Canal de Panamá.
Esta afirmación categórica la intentamos probar brevemente con
los siguientes hechos:

a) El sector público panameño ha sido excluido en la participación del excedente económico de la Zona del Canal de Panamá
e incluso de los beneficios indirectos. (Sólo se recibe la anualidad y los impuestos indirectos.)

b) Los sectores públicos latinoamericanos se han financiado
grandemente gracias a la tributación de las compañías extranjeras, y a la participación en el excedente generado por ellas. En
Panamá, la gran inversión extranjera y el principal recurso nacional (la posición geográfica) han contribuido muy escasamente
al financiamiento del sector público, por estar bajo el control
del monopolio de una agencia oficial del gobierno norteamericano.

c) Por otra parte, el sector público ha debido financiarse y
financiar los proyectos de desarrollo (que ayudan a redistribuir
el ingreso) a base del endeudamiento externo, mayoritariamente
con Estados Unidos, debiendo dedicar 30 % del gasto público
en pagos a la deuda externa. Este endeudamiento con Estados
Unidos debilita la posición panameña en las negociaciones, crean-
dose un círculo vicioso: Se recibe poco del Canal y se es débil;
esta debilidad lleva al endeudamiento con Estados Unidos, que
impide presionar en las negociaciones con Estados Unidos para
obtener más participación económica y soberanía política de la
Zona del Canal de Panamá.

d) Sin embargo, el sector privado que ha controlado históricamente al sector público, ha ido consiguiendo una participación
creciente de los beneficios indirectos (apertura de los mercados
zoneítas, suministro a los barcos, monto creciente de gastos de
residentes civiles y militares en la Zona del Canal de Panamá,
etcétera), aunque por supuesto no todo el uso potencial que la
Zona del Canal ofrece. El sector privado más bien ha visto con

buenos ojos la debilidad del sector público y su falta de intervención económica, como lo demuestran las tensiones recientes ante posturas más intervencionistas, y ha dominado y lo sigue haciendo todavía la economía panameña sin mayores impedimentos.

En consecuencia, el sector privado capitalista ha dominado la vida económica, política y social de la nación, se ha servido de la debilidad económica y política del sector público, generada por la presencia norteamericana en la Zona del Canal de Panamá, y no ha orientado el alto crecimiento económico de Panamá hacia una concentración extrema. Indudablemente, la Zona del Canal de Panamá no es la causa única, pero sí creemos que es la causa principal de esta situación.

Como indicamos más detenidamente en nuestro trabajo sobre la evaluación de la Zona del Canal de Panamá, una racionalización económica de la Zona del Canal de Panamá produciría 130 % de aumento en los ingresos del gobierno, y de esta forma podría reducir su enorme deuda externa y contar con recursos para reorientar la naturaleza del crecimiento económico panameño hacia los sectores más oprimidos.

5) *Distorsiones en el sistema monetario.* Tema muy controvertido en Panamá, del que sólo apuntaremos aquí su íntima conexión con la inversión norteamericana en la Zona del Canal de Panamá.

El peculiar sistema monetario panameño se crea con la Convención de Washington en 1904, por la que se acepta al dólar como moneda de curso legal. Este convenio es la trascripción textual de los deseos del secretario de Defensa William Taft de crear un acomodamiento financiero para asegurar los medios adecuados de pagar a sus hombres durante la construcción del Canal.[9]

El sistema *automático* del régimen monetario panameño (comparable al patrón oro) ha producido ciertas ventajas históricas (estabilidad, convertibilidad, ha evitado abusos, etc.). Sin embargo, ha agudizado la dependencia de la economía panameña, al eliminar uno de los mecanismos de control como puede ser las políticas monetarias. El aumento o disminución de la oferta monetaria depende de la balanza de pagos, y en los últimos años de las decisiones del sistema bancario. La actividad económica, el empleo y la inflación en Panamá, son más automáticos que en la mayoría de los países del mundo, debido a la apertura de la economía y a la falta de controles.

Lo único que pretendo aquí es mencionar este grave problema estructural, esencial para un desarrollo social, y su íntima co-

⁹ Flavio Velázquez, "Origen del régimen monetario de la República de Panamá", *Lotería*, abril, mayo, 1973.

nexión con la inversión y presencia de Estados Unidos en la Zona del Canal de Panamá.

6) *Distorsiones por la inversión y presencia militar.* A primera vista es patente que una inversión militar de $ 4 794 millones, y de un promedio anual de $ 149 millones en los últimos años en un país tan pequeño como Panamá, debe impactar seriamente su estructura económica, aun reconociendo que buena parte de la inversión haya sido en equipo militar importado.

Los efectos económicos más notables parecen ser la creación de ciclos, el empleo, y la creación del sistema bancario por el lado económico. Por el lado político, las continuas intervenciones militares en la historia panameña, la más visible recientemente la sangrienta del 9 de enero de 1964. Más desconocidas y menos comprobables las intervenciones en otros países, como Santo Domingo y Bolivia en el golpe de Estado de Banzer más sofisticadas, el embargo de barcos con destino a países en conflicto con Estados Unidos de América (el mes pasado a dos barcos cubanos que rehusaron descargar azúcar en Chile después del golpe militar), o en el entrenamiento de fuerzas especiales latinoamericanas en la Zona del Canal de Panamá.

Una breve mención sobre los efectos económicos. Panamá ha tenido *ciclos* muy marcados en este siglo y todos ellos conectados con la inversión cívico-militar en la Zona del Canal de Panamá. (1904-1914, período de construcción del Canal y de las bases; 1930, la crisis internacional; 1946, la segunda guerra mundial y la construcción de las defensas; 1950, gran depresión al pararse la actividad en la Zona del Canal de Panamá; 1964, el conflicto con Estados Unidos.)

Estos "boom" y recesiones se han reflejado primariamente en el empleo, que ha oscilado drásticamente según las necesidades militares o comerciales de Estados Unidos.

En los últimos años la Zona del Canal de Panamá, unilateralmente, ha mantenido una política de sustitución de empleo por equipo, provocando una baja en la elasticidad ingreso-empleo de la Zona del Canal de Panamá. Mientras los salarios han aumentado en un 72 % desde 1960, el empleo sólo lo ha hecho en un 12 %.

Los altos salarios en la Zona del Canal de Panamá han inducido altos salarios relativos al nivel centroamericano (el promedio salarial es 100 % más alto que en Centroamérica) en el resto de las actividades de la República. Ésta es una de las mayores dificultades para que Panamá formase parte del Mercado Común Centroamericano, y causante de tener un comercio deficitario en el Tratado Tripartito con Costa Rica y Nicaragua.

Puede ser discutible, pero en mi opinión personal y de otros economistas que han visitado Panamá, la presencia militar norteamericana en Panamá es uno de los principales "atractivos" del Centro Financiero Internacional. Esta presencia militar crea la *atmósfera de credibilidad y confianza* esencial para los depósitos extranjeros de que en Panamá no habrá nacionalización del Sistema Bancario, ni otro tipo de medidas radicales de cariz socializante, mientras exista esta presencia militar. Como dijo Kurn Martín en la mesa redonda sobre la situación económica de Panamá: "Panamá es el país donde los inversionistas extranjeros invierten con más seguridad que los inversionistas panameños."

Sólo conociendo la historia de la presencia militar de Estados Unidos en Panamá se puede entender su importancia en la estructura económico-política del país. Una autoridad en esta materia, como el ex embajador en Panamá Jack Vaugh y secretario asistente del Departamento de Estado para América Latina, es más indicada para ello. "Desde el inicio, los militares americanos han ayudado a Panamá a ser lo que es hoy"... "Desde entonces la política de Estados Unidos hacia Panamá ha sido formulada y efectuada independientemente por 'The U. S. Army'... ellos han estado inmunes a los preceptos y cambios de la política exterior de los Estados Unidos"... Mientras la política de administración ha guiado a una reducción en todas las misiones militares asignadas a otras naciones latinoamericanas, el Pentágono ha mantenido intacto su *top-heavy command* en la Zona"... "Yo confieso mis fracasados esfuerzos en razonar con el Pentágono en asuntos de la Zona del Canal"... "la *mentalidad vietnamita* del liderazgo militar de Estados Unidos hace imposible las relaciones estrechas y una renegociación del Tratado del Canal".[10]

Considero que estas declaraciones del ex embajador Vaugh sumarizan mejor que nada lo que en este breve espacio hemos querido insinuar del impacto de la presencia de la inversión y bases militares en Panamá. Esperamos analizar en detalle este impacto en un próximo libro.

7) *Distorsiones socioculturales*. Cualquier latinoamericano que visite las ciudades metropolitanas (Panamá y Colón), se percatará del tremendo influjo de pautas de consumo, culturales y sociales norteamericanas en estas ciudades.

En gran parte esto se debe a la naturaleza abierta de la economía panameña por su posición geográfica. Pero, ¿por qué este estilo, esta estrutcura de economía de tránsito semimpuesta y dependiente?

Las *pautas de consumo extranjerizantes y artificiales* para el nivel de ingresos de la gran mayoría de panameños, en gran parte debido al efecto de demostración de los zoneítas y en parte a la

[10] Ex embajador de Estados Unidos en Panamá Jack Hood Vaugh, *The Washington Monthly*, octubre, 1973. En castellano en la *Estrella de Panamá*, 28 de octubre de 1973, y *Crítica*, 14 de noviembre de 1973.

demanda inducida por el capital extranjero, han generado serias distorsiones.

a) *Alta propensión a importar*, ya que la oferta panameña no puede satisfacer esa demanda conspicua de artículos durables y de gran diversidad. Ésta es una de las razones del déficit crónico de la balanza comercial panameña.

b) *Reducción del ya pequeño mercado efectivo panameño*, debido a los pocos "backward linkages" hacia los recursos naturales del país de esta demanda extranjerizante y artificial. Esto reduce el empleo e ingreso agrícola y artesanal, reduciendo el porcentaje de población que puede participar efectivamente en el mercado doméstico (68 % de los productos agrícolas no mercadean $ 200 al año).

La "demanda rica" del área metropolitana, por su fuerte concentración del ingreso, determina el tipo de producción y servicios de la economía, independientemente de las necesidades reales y de la gran mayoría.

c) *Reducción del multiplicador económico*, debido a los fenómenos (*a*) y (*b*). El multiplicador en Panamá no llega a 2 (1.70 lo calcula la CEPAL). Es decir, que aun en términos de eficiencia y crecimiento económico cuantitativo, esta estructura económica no es racional.

d) *Altos costos de urbanización* al impedir la Zona del Canal de Panamá la expansión natural de estas ciudades a los predios valdíos de la Zona del Canal de Panamá. La explosión urbana de la capital, debido a la inmigración rural, a la concentración del comercio e industria, ha provocado una expansión alargada de la ciudad con altos costos de los terrenos, de la infraestructura y del trasporte para las clases populares, y el famoso "boom" de los condominios para la clase pudiente.

CONCLUSIONES

Más que conclusiones, unas reflexiones que permitan una búsqueda común de las consecuencias de un problema tan importante y tan abandonado.

1) A pesar de la atenta colaboración de los organismos oficiales de la República de Panamá, no se llega a conocer el panorama global de la inversión extranjera. De rubros muy importantes de inversión extranjera, se desconoce en absoluto su monto y naturaleza.

2) Considero que la medición parcial presentada, sí demuestra la estructura peculiar de la inversión extranjera en Panamá, y de la misma estructura económica panameña desconocida en el resto de América Latina e incluso en nuestros vecinos centroamericanos. Sería importante quizá discutir aquí la posibilidad

y conveniencia (económico-política y social) de la integración de Panamá en el Mercado Común Centroamericano.

3) La inversión extranjera, junto con otros indicadores socioeconómicos (el coeficiente de importación, la distribución del ingreso, el empleo por sectores, la moneda y banca, etc.) indican claramente la gran apertura y falta de controles de la economía panameña, a la vez que su extrema dependencia de factores exógenos al control panameño.

4) Difíciles de precisar y más de cuantificar, quizá más labor de sociólogos y políticos que de economistas, pero de enorme importancia, son los efectos culturales y políticos del tipo de inversión extranjera que ha tenido Panamá.

5) Es evidente que la inversión en la Zona del Canal de Panamá es la más importante inversión unitaria de Estados Unidos en Panamá, en América Latina, y quizá en el resto del mundo fuera de Estados Unidos. La mezcla de inversiones civiles y militares; o más precisamente, la subordinación del monto global de esta inversión en la Zona del Canal de Panamá a la administración e intereses militares del Pentágono, crea particulares efectos en el país receptor, que no han sido estudiados suficientemente.

6) El análisis económico de la inversión de Estados Unidos en la Zona del Canal de Panamá, demuestra que el *interés auténtico de esta inversión es más político-estratégico que económico.*

7) Considero que las distorsiones sociales producidas por la Zona del Canal de Panamá son más graves y perjudiciales a la economía panameña que la misma expropiación del excedente actual y potencial.

8) Este análisis también ayuda a descubrir la situación colonial de la Zona del Canal de Panamá, no sólo por la discriminación de salarios entre norteamericanos y panameños, los privilegios de altos ingresos dentro de la Zona del Canal de Panamá, los bajos costos de los servicios y productos para los zoneítas, etc. ... Fundamentalmente descubre que se mantiene una forma de relación bilateral anacrónica y colonial. En 1973, no se puede seguir pensando en que el país más fuerte (Estados Unidos) reciba los *beneficios sustanciales,* y el país más débil (Panamá) una *compensación.* En la situación de desarrollo jurídico y social alcanzado por la humanidad, *el país propietario de los recursos, aunque sea débil, debe recibir los beneficios sustanciales,* y el país inversionista, aunque sea fuerte y tenga un tratado ignominiosamente conseguido que lo apoya, reciba la compensación.

En el caso del Canal esta situación es más patente, dado que Estados Unidos ha obtenido en estos 70 años beneficios superiores a la inversión promedio de su capital en el mundo.[11]

9) Sería ingenuo y ciego no ver los *beneficios* que la Zona del Canal de Panamá ha producido en términos de crecimiento

11 CEPAL, *op. cit.,* p. 74.

CUADRO 1

Inversiones extranjeras en Panamá
(Millones de dólares)

	Acumulado	Ingresos	Inversión anual
1) Sectores 1º, 2º, 3º (1971)	269.2	22	17
2) Inversión total USA (1969)	1 071	—	—
3) Inversión sistema bancario (1972)	274.7	—	74 b
4) Zona Libre de Colón (1971)	2.1		
5) Zona del Canal de Panamá (1904-1971)	7 041.7	—	
Inversión militar	4 794.6	(11 000)a	149 e
Inversión civil	2 247.1	(1 221)a	59 e

	% Inversión de EUA	Empleo (miles)	% EEP c
1) Sectores 1º, 2º, 3º (1971)		17.9	20
2) Inversión total USA (1969)	91	43 d	50
3) Inversión sistema bancario (1972)	—	3	3.7
4) Zona Libre de Colón (1971)	—	3	3.7
5) Zona del Canal de Panamá (1904-1971)	—	22.6 f	—
Inversión militar	100	5	—
Inversión civil	100	12.6	—

FUENTES: Estadística Panameña "Inversiones Directas Extranjeras en Panamá (1960-1968)". Annual Report, Panama Canal Company. Congressional Record House, abril, 1972. H. Johnson, "Panama as a Regional Financial Center", 1972.

1) "Inversiones extranjeras en Panamá", 1960-1968. Estadística y Censo Panameña.

2) Según el Departamento de Comercio de Estados Unidos, hasta 1969. Excluye la Zona del Canal de Panamá.

3) Véase cuadro de depósitos extranjeros invertidos en Panamá. H. Johnson, *op. cit.*, p. 16, con la cooperación informativa del sistema bancario, calculó en $ 225 millones los fondos extranjeros invertidos en Panamá en 1970. Con nuestro método rudimentario lo habíamos estimado en $ 125 millones para 1970. Quiere esto decir que nuestros cálculos son extremadamente conservadores respecto a la inversión extranjera del sector bancario.

4) $ 2.1 millones son los activos fijos. Además de los 3 000 empleados permanentes, hay un buen número de temporeros cuando se acumulan mercancías.

a Véanse cuadros sobre la Zona del Canal de Panamá. $ 11 000 millones es la estimación del ahorro militar entre 1904-1970 del ejército norteamericano, generado por las instalaciones militares y el uso del Canal. El cálculo se basa en estimaciones obtenidas de fuentes militares norteamericanas. (Gorostiaga, "Evaluación...".)

b Diferencia entre los fondos extranjeros prestados en Panamá, 1971-1972, por el sistema bancario.

c Porcentaje de empleados en empresas privadas (EEP).

d Aproximación muy gruesa, partiendo del presupuesto de que si Estados Unidos controla el 50 % de capital invertido en la empresa privada (Estudio Universidad de La Habana), un 50 % del empleo de la empresa privada es generado por esa inversión.

e Inversión promedio anual de 1966-1971.

f Se estima en unos 5 000 los panameños empleados por las actividades militares. De los 22 624 empleados en la Zona del Canal de Panamá, 5 466 son ciudadanos norteamericanos y 17 158 panameños. Estas cifras no incluyen los 12 000 militares norteamericanos estacionados en las bases de la Zona del Canal de Panamá.

CUADRO 2

Inversiones directas totales de Estados Unidos en Panamá
(*Millones de dólares*)

	1959	%	1962	1965	1962	1969	%	Tasa media de crecimiento 1959/69
TOTAL	328	100.0	556	704	919	1 071	100.0	12.6
Fundición	16	4.9	18	19	19	19	1.8	1.7
Petróleo	29	8.8	77	122	214	239	22.3	23.0
Manufactura	8	2.4	10	24	58	90	8.4	27.0
Servicio público	21	6.4	25	38	53	56	5.3	10.3
Comercio	117	35.7	247	326	340	345	32.2	11.4
Otros	137	41.8	179	213	235	322	30.0	8.9

FUENTE: Survey of Current Business. Departamento de Comercio de Estados Unidos. Varios números.

económico, empleo, apertura de mercados, introducción de tecnología, etc. Pero estas ventajas exógenas, no generadas por el sistema, tienden a convertirse en rigideces o dependencias si no consiguen "domesticarse", controlarse por los intereses naciona-

CUADRO 3

Relaciones entre las inversiones directas norteamericanas y la población total en los principales países de América Latina y Canadá

Países	(1) Inversiones directas norteamericanas hasta 1969 (Millones de dls.)	(2) Población total en 1969 (Millones de personas)	(1/2) Relación IDN PT Dólares
Argentina	1 244.0	23.98	51.9
Brasil	1 633.0	90.84	1.8
Colombia	684.0	20.46	3.3
Chile	846.0	9.57	8.8
México	1 631.0	48.93	3.3
Panamá	1 071.0	1.42	75.4
Perú	704.0	13.17	5.3
Venezuela	2 688.0	10.04	26.6

FUENTE: International Financial Statistics, junio, 1970, vol. XXIII, p. 156. Survey of Current Business, U. S. Department of Commerce, octubre, 1970.

CUADRO 4

Panamá

(*Millones de dólares*)

	1960	1961	1962	1963	1964	1965	1966	1967	1968
Ganancias remitidas al exterior por las empresas de inversiones directas	11.5	8.2	7.8	6.8	4.3	15.1	18.2	22.8	26.2
Entradas de inversiones directas netas	17.3	30.0	17.8	9.5	2.7	15.2	11.8	3.7	12.7
Relación salida/entrada	0.66	0.27	0.44	0.72	1.60	0.99	1.54	6.16	2.06

FUENTE: Elaborado a base de las cifras del Survey of Current Business.

les para servir a su madurez e independencia. ¿Ha conseguido Panamá restructurar la inversión extranjera y principalmente la Zona del Canal de Panamá al servicio de los intereses nacionales?

10) Finalmente, la economía política o la estrategia de desarrollo panameño se engañaría lamentablemente "pasando toda la culpa" de los fallos estructurales a los factores exteriores (in-

CUADRO 5

Depósitos extranjeros invertidos en Panamá

(*Millones de balboas*)

Años ――― Detalle	1965	1966	1967	1968	1969	1970	1971	1972
Activos productivos (1)	172.8	198.0	238.2	266.1	337.6	429.0	574.0	779.2
Depósitos locales (2)	136.2	161.3	193.8	216.6	239.4	303.7	373.2	504.5
Diferencia (3)	36.6	36.7	44.4	49.5	98.2	125.3	200.8	274.7
Depósitos extranjeros (4)	71.5	107.7	105.1	124.7	234.3	410.9	602.2	1 108.4
Relación (3)/(4)	51.3%	34.5%	42.2%	39.7%	41.9%	30.5%	33.3%	24.8%
	x			xx		xxx		

NOTA: Activos productivos incluye crédito doméstico + valores de gobierno y entidades autónomas.
FUENTES: Comison Bancaria Nacional.

x: Incidentes 9 de enero de 1964.
xx: Golpe militar, octubre, 1968.
xxx: Ley Bancaria.

versión extranjera, colonialismo de Estados Unidos, etc.). Sería ingenuo y poco eficiente no descubrir las causas internas de buena parte de nuestras rigideces y dependencia.

Sectores privilegiados en Panamá se han aprovechado de esta situación. Mas, la han abanderado y acuerpado como el camino natural y democrático del desarrollo panameño. Si este análisis y estos seminarios sobre la inversión extranjera en Centroamérica y en el continente no ayudan a descubrir el mecanismo y a los personeros de dominación interna, habrán realizado un magro servicio a los intereses populares y al auténtico desarrollo de nuestros pueblos.

5. EL CANAL DE PANAMÁ: SU OPERACIÓN Y DEFENSA DURANTE LA SEGUNDA GUERRA MUNDIAL *

BORIS BLANCO

El Canal de Panamá, obra que fue reconstruida por los Estados Unidos de América, con un objetivo dual que concordaba plenamente con sus intereses comerciales y de defensa militar jugó un papel importante y decisivo en las acciones militares de los Estados Unidos en la segunda guerra mundial.

Ya en los años finales de su construcción, el mismo general Goethals, militar norteamericano que dirigió la obra de construcción del Canal, pensaba y expresaba lo siguiente:

Asumiendo que el Canal de Panamá sirve el propósito de defensa de los Estados Unidos, yo naturalmente sostengo el punto de vista militar de que el Canal es para el uso de su flota. Yo siempre he pensado que el costo de la construcción del Canal debe ser cargado a cuenta de la partida de Gastos de Defensa Militar de la Unión Americana.[1]

En otro informe de un gobernador de la Zona del Canal se hace asimismo una referencia específica y clara al valor económico en el aspecto militar del Canal de Panamá y se indica que:

...para los Estados Unidos poder tener adecuada protección nacional sin un canal representaría incrementar las fuerzas navales del país entre 50 a 60 % con un aumento en costos navales de cerca de 40 %. El gasto de la marina de guerra en el año fiscal de 1928 fue de cerca de $ 320 millones y sería honrado evaluar el seguro de defensa que provee el Canal como por lo menos de $ 125 millones de dólares por año.[2]

A su vez otros prominentes norteamericanos han sostenido que el costo del Canal debe ser considerado en un 50 % como un mero gasto de defensa y la otra mitad como una inversión comercial cuyo monto debe ser recuperado.[3]

Estas expresiones de norteamericanos bien enterados de los manejos y operaciones canaleras nos dicen bien a las claras cuál era, pues, el sentir y pensar de los dirigentes norteamericanos sobre lo que debía ser el verdadero objetivo de la operación del Canal de Panamá cuando se llegare el momento crucial de violencia

---

* Texto tomado de *Relaciones entre Panamá y los Estados Unidos*, 2ª ed., Ministerio de Educación, Panamá, 1974 (Biblioteca Nuevo Panamá).
[1] "Informe anual del gobernador de la Zona del Canal", 1911.
[2] "Informe anual del gobernador de la Zona del Canal", 1928.
[3] Subcomité del Congreso sobre Fuerzas Armadas, H. R. 8677 81 St. Congres, 2 session, p. 33 (1950).

armada como la que se suscitó durante la segunda guerra mundial, siempre, claro está, actuando de tal manera para aprovechar al máximo los beneficios comerciales que pudieran obtenerse mientras el Canal se dedicaba a las faenas del trasporte militar.

LOS ALBORES DE LA SEGUNDA GUERRA MUNDIAL

El crecimiento del poderío alemán en Europa, a partir del año de 1933 cuando Hitler toma las riendas del poder e inicia un disimulado pero sostenido ritmo de incremento de su maquinaria de guerra y el avance tenaz de los japoneses en el Lejano Oriente, que con la toma de Manchuria (1931) quedan dueños de vastos recursos minerales que le permiten la creación de una flota militar de primera, que avanza paulatinamente durante esos años en la toma de múltiples islas en el océano Pacífico, crean nerviosismo natural en los norteamericanos. El presidente Franklin Delano Roosevelt y su gobierno deciden asegurar la amistad y cooperación de los pueblos que flanquean a Estados Unidos por el sur. Y así se inicia un período de acercamiento que se da en llamar la "Política del Buen Vecino".

En 1936 se llega a un acuerdo entre los negociantes panameños, doctores Narciso Garay y Ricardo J. Alfaro y los norteamericanos Cordell Hull y Summer Welles y se estipula una nueva relación entre los Estados Unidos y Panamá contenida en el Tratado General de Amistad y Cooperación de ese año.

Con ese Tratado se adjuntan varios canjes de notas accesorias al Tratado que indican el interés estratégico de los Estados Unidos, algunas de las cuales en esos momentos les parecen a los panameños reivindicaciones añoradas desde algún tiempo atrás y ahora fácilmente logradas. Así, se estipula que las autoridades de la Zona del Canal "adoptarán medidas administrativas para que el uso y el servicio de hospitales, dispensarios, restaurantes, merenderos, comedores militares, clubes y cinematógrafos establecidos y explotados en la Zona del Canal sean limitados a los residentes de la Zona del Canal y empleados directos de éste y del gobierno norteamericano", la Convención sobre la Carretera Transístmica y el Convenio sobre Maniobras Militares, en cuyas conversaciones el señor Welles expresa textualmente:

Hay un punto de grandísima importancia sobre el cual el gobierno de los Estados Unidos desea tener un entendimiento con el gobierno de Panamá. Mi gobierno considera que la ejecución de maniobras militares en territorio adyacente a la Zona del Canal es una *medida esencial de preparación para la protección de la neutralidad del Canal de Panamá*.[4]

[4] "Status jurídico de los tratados del Canal de Panamá", p. 164.

O sea que los Estados Unidos iniciaban en ese entonces los preparativos para la lucha que sobrevendría más tarde.

¿Qué sucede al intentarse la ratificación del Tratado? Estados Unidos aprueba el Tratado y sus anexos al nivel ejecutivo pero no se ratifica, sino hasta bien avanzado el año de 1939 cuando las sombras de la guerra mundial se veían más cercanas.[5]

Es importante indicar que ese mismo año, el 11 de agosto se aprueba la ley pública núm. 391 del 76º Congreso que provee para la defensa del Canal de Panamá y para el aumento de su capacidad para las necesidades futuras del tránsito interoceánico una suma total que no excedería los 277 millones de dólares (ya antes el 1 de mayo de ese mismo año se había aprobado legislación autorizando la construcción de obras adicionales, incluyendo un tercer juego de esclusas).[6]

En diciembre de 1938 la división de ingeniería municipal inició la construcción de varias pistas de concreto en el campo aéreo del ejército norteamericano en Balboa, mejor conocido como Albrook Field, y los trabajos básicos de la pista principal norte-sur fueron entregados al cuerpo aéreo el día 11 de abril de 1939.[7]

En el ínterin, sucedíanse diversas acciones políticas en la República de Panamá que crean un estado de cosas que debilitan el gobierno. El 16 de diciembre de 1939 fallecía el presidente constitucional don Juan Demóstenes Arosemena y el 18 de ese mismo mes el primer designado doctor Augusto Samuel Boyd asciende al solio presidencial y desempeña sus funciones hasta el 30 de septiembre de 1940.

La campaña política de 1940 entre el doctor Arnulfo Arias Madrid y el doctor Ricardo J. Alfaro, egregio jurista panameño que se hubiera desempeñado de manera más apropiada en la crisis que sobrevendría con la guerra, fue una campaña de presiones escandalosas de apoyo al doctor Arias y de vejámenes a los partidarios de Alfaro, que terminaron con la renuncia de la candidatura de éste, para evitar mayores males a la paz pública.[8]

Así pues, ocupa la Presidencia de la República, a partir del 1 de octubre de 1940, el doctor Arnulfo Arias Madrid, cuya permanencia en la Italia de Benito Mussolini y sus conexiones con los dirigentes alemanes hitleristas en virtud del puesto diplomático que recientemente había desempeñado habían influido en él en forma determinante.[9]

[5] Ratificado por el Senado de los Estados Unidos de América el 25 de julio de 1939.
[6] "Informe anual del gobernador del Canal de Panamá", 1939.
[7] "Informe anual del gobernador del Canal de Panamá", 1939.
[8] "Cronología de los gobernantes de Panamá", 1510-1967, p. 323.
[9] "Cronología de los gobernantes de Panamá", por Manuel María Alba C., p. 326.

Éste era, pues, el panorama local antes de iniciarse las acciones de la segunda guerra mundial.

LA SITUACIÓN EXISTENTE DENTRO DE LA ZONA DEL CANAL Y LAS OPERACIONES DEL CANAL

En 1939 la situación del Canal era la siguiente: por orden ejecutiva del 5 de septiembre de ese mismo año se habían invocado las provisiones de la sección 13 del llamado Panama Canal Act y como una medida de emergencia que duró hasta el final de la contienda, el general en jefe del ejército de los Estados Unidos para esta área ejercitó autoridad suprema sobre la Zona del Canal de Panamá incluyendo al gobernador civil de ésta bajo su mandato.[10]

Ese año el Canal fue atravesado por 7 481 tránsitos de buques llevando consigo una carga estimada de 27.8 millones de toneladas y que efectuaron pagos de peajes por valor de 23.7 millones de dólares.

Hasta ese año pasaron por el Canal los buques comerciales y otros de Japón y Alemania.

Lo atravesaron en ese lapso 261 buques con bandera japonesa y con 1 710 303 toneladas de carga y 361 naves alemanas con 1 468 996 toneladas de carga.[11] Es importante indicar que sus naves constituyeron 9.4 % de todos los tránsitos que atravesaron el Canal en ese año fiscal.

Es importante hacer notar la pérdida que tuvieron estas dos potencias, de allí en adelante, al no poder utilizar la vía económica que representaba el Canal de Panamá y el beneficio indirecto que ello significó para las economías de guerra de los aliados.

Ese año atravesaron el Canal unos 625 navíos de guerra y de carga pertenecientes al gobierno norteamericano. Todavía no se había iniciado la guerra en el océano Pacífico ni otras acciones importantes en el Atlántico.

En ese año el área de la Zona del Canal destinada a reservaciones militares y navales alcanzaba la cifra de *59.3 millas cuadradas* del territorio de 552.8 millas cuadradas de la Zona del Canal.

La población de la Zona del Canal era de 28 978 personas.[12]

Todo esto cambia a partir de 1940. La población en la Zona del Canal aumentó a 51 827 habitantes fuera de los incrementos del ejército y la marina norteamericana (los hombres enlistados no eran censados).

[10] "Informe anual del gobernador del Canal de Panamá", 1945, p. 2.
[11] "Informe anual del gobernador del Canal de Panamá", 1939.
[12] "Informe anual del gobernador del Canal de Panamá", 1939, sección 4ª, "Gobierno". (Section IV - Government.)

El aumento del territorio de la Zona del Canal dedicado a fines militares fue en franco aumento así: [13]

	Reservas del ejército	Reservas navales	Totales (millas ^{2})
1941	74.26 millas ^{2}	8.72 millas ^{2}	83.48
1942	73.80 millas ^{2}	9.76 millas ^{2}	83.56
1943	87.20 millas ^{2}	11.80 millas ^{2}	99.00
1944	87.23 millas ^{2}	12.02 millas ^{2}	99.25

El 1 de julio de 1940 se inician oficialmente los trabajos de construcción del tercer juego de esclusas.

En los años fiscales de 1941, 1942 y 1943 se crea una partida de 106.8 millones de dólares para ese proyecto, que sufre modificaciones de acuerdo con los consejos de la asesoría militar norteamericana y que determinan, con las modificaciones acordadas a los planes en mayo de 1942, que los fondos destinados al proyecto fueran más que suficientes para llevar a cabo el programa así recortado hasta 1945.

En junio de 1944 se regresaron 30.3 millones de dólares de esos fondos al Tesoro de los Estados Unidos.[14]

A partir de 1941 y por las razones de defensa y de construcción del tercer juego de esclusas, las agencias oficiales de los Estados Unidos se vieron en la necesidad de importar nuevos grupos de trabajadores para los diversos proyectos que se adelantaban en la Zona del Canal.

Entre ellos figuraron colombianos, costarricenses, salvadoreños y jamaiquinos.

De ellos se importaron hasta 22 265 trabajadores, figurando en la lista con el mayor número, los salvadoreños con 12 773 trabajadores. De este gran contingente fueron repatriados unos 19 317 hacia fines de 1946, quedándose en el istmo unos 2 948 trabajadores.[15]

En 1942, llegó a trabajar en la Zona del Canal un número de 65 786 empleados que fue decreciendo paulatinamente hasta llegar a la cifra de 41 829 en 1946, o sea ya finalizada la segunda guerra mundial.[16]

Hubo, pues, una prosperidad sin precedente en el istmo de Panamá aunque con una gama de efectos económicos, socioculturales y políticos de orden negativo que han pasado a ser parte integral de la conciencia y de ciertas tendencias del panameño moderno.

[13] "Informes anuales" de 1941, 1942, 1943, 1944. (Sección 4ª-Gobierno.)
[14] "Informe anual del gobernador del Canal de Panamá", 1944, p. 47.
[15] "La evolución de la política de empleo y salarios en la Zona del Canal y el desarrollo económico de Panamá", Rubén D. Carles Jr., p. 51.
[16] Ibid., p. 53.

Gran cantidad de panameños de todas las regiones del país afluyeron a la Zona del Canal, lo que creó una acelerada presión demográfica y un crecimiento urbano en las ciudades de Panamá y Colón de vastas proporciones.

Se podría decir sin equívoco, que dado que en la construcción del Canal trabajaron relativamente pocos panameños,[17] el verdadero influjo de la presencia norteamericana en Panamá se vino a sentir con toda la fuerza y en todos los ámbitos de la nación con la segunda guerra mundial, dada la cantidad de panameños que trabajaron en las obras desarrolladas durante la época y además por efecto de todos los sitios de defensa que el ejército norteamericano regó por la campiña interiorana en esos años.

Surgieron de allí, los actos más connotados de la discriminación racial, económica y social que endurecen al panameño frente a la situación colonialista de los norteamericanos dentro y fuera de la Zona del Canal y que luego le condicionan mucho más para entender el fenómeno de la presencia norteamericana que hasta ese entonces era menos sentido.

Surgen violaciones tan flagrantes de nuestra soberanía como la de exigirle a los panameños que viajaban en aviones entre David y Panamá y descendían en el aeropuerto de Albrook Field que declararan su equipaje y lo sometieran a la revisión aduanera norteamericana correspondiente a pasajeros en vuelos internacionales.[18]

Estudiando unas citas de 1968 con cifras estadísticas de tráfico por el Canal de Panamá entre 1915 y 1966, y otras cifras que indican también las estadísticas de tránsito de buques de alto calado entre 1915 y 1946 (que posiblemente omiten los tránsitos de buques de guerra y de mercantes fletados por el gobierno o de éste), se llega a la conclusión aproximada de que el número de tránsitos de barcos del gobierno de los Estados Unidos y de los aliados que no aparecen en las estadísticas de 1946 fue el siguiente: [19]

Año	Tránsitos
1940	1 575
1941	1 896
1942	1 955
1943	2 550
1944	3 568
1945	6 927

[17] El "Informe de la Comisión del Canal Istmico" de 1944 en su p. 294 cita que sólo 357 panameños fueron traídos como trabajadores a la Zona del Canal entre 1904 y 1913.

[18] Memoria del Ministerio de Relaciones Exteriores de 1944, p. XLIV.

[19] Comparación establecida entre cifras del cuadro núm. 27 de la p. 127 de "La evolución de la política de empleo y salarios en la Zona del Canal y el desarrollo económico de Panamá" y el "Informe anual del gobernador del Canal de Panamá", 1946, p. 8.

O sea que unos 18 471 buques o más atravesaron el Canal entre 1940 y 1945 sin aparecer en las estadísticas por razones de seguridad (el análisis hecho por el doctor Gustavo Tejada Mora eleva ese número a 21 600 tránsitos entre julio 1 de 1940 y junio 30 de 1946).

El "Informe anual del gobernador de la Zona del Canal" de 1947 expresa categóricamente que:

Basados en el volumen de tráfico militar que pasó por el Canal de Panamá durante los años de la guerra, nuestros militares hicieron un cálculo de los ahorros monetarios de los Estados Unidos originados por el uso del Canal. Estos ahorros se estimaron en 1 500 millones de dólares sólo en costos marítimos y sin incluir las vidas y materiales que fueron salvadas al acortar así el conflicto bélico.

Según los ahorros por peajes de los buques que pasaron sin pagar peajes durante ese conflicto bélico, el Canal dejó de percibir un ingreso adicional calculado en 90.3 millones de dólares.[20]

Para efectos de la contabilidad interna del Canal, que dentro del engranaje burocrático norteamericano temía no demostrar la necesaria eficiencia económica, se dice en el "Informe anual del gobernador" en 1942 que a "la entrada de los Estados Unidos en la guerra y con la interrupción del tránsito mundial de barcos, los peajes comerciales bajaron a una *cuarta parte* de los niveles normales y apenas si se pudo cubrir cerca de *dos tercios* de los gastos de operación y mantenimiento del Canal".

La Compañía del Canal de Panamá informa que ha perdido dinero en sólo siete años después de la apertura del Canal y dice que tres de ellos son de la época de la segunda guerra mundial y enuncia esas pérdidas así: [21]

En 1943	($ 2 352 397)
En 1944	($ 5 537 630)
En 1945	($ 4 974 915)

O sea que los Estados Unidos tienen la ingenuidad de querer presentar una posición de pérdidas económicas cuando utilizó a fondo el Canal como un bien militar durante todos esos años de la segunda guerra mundial.

LA PROTECCIÓN DEL CANAL FUERA DE LAS ÁREAS DE LA ZONA DEL CANAL

Desde 1936 cuando se avizoraba el conflicto bélico, ya los Estados

20 "El Canal de Panamá: Gran negocio para los Estados Unidos", doctor Gustavo Tejada Mora, 1967.
21 "Informe anual de la Compañía del Canal de Panamá", 1969, sección v de política económica, profesor Emilio Clare.

Unidos se plantea la necesidad de un acercamiento con los países latinoamericanos y establece la llamada "Política del Buen Vecino". A petición del presidente Roosevelt se convoca la llamada Conferencia Interamericana de Consolidación de la Paz, llevada a cabo en Buenos Aires, a fines de 1936. Luego surgen la octava Conferencia Internacional Americana en 1938 en la ciudad de Lima y las Reuniones de Consulta entre los Ministros de Relaciones Exteriores Latinoamericanos, en septiembre/octubre en la ciudad de Panamá y en julio de 1940 en La Habana, Cuba.[22]

En 1939, por medio del decreto 132, la República de Panamá se había declarado "neutral" en el conflicto entre las potencias europeas.[23]

Todavía, a pesar del insistente pedido del gobierno norteamericano sobre el particular, el gobierno panameño el 19 de agosto de 1941 le notificó: "que no podía autorizar a barcos panameños a equiparse con armamentos de ninguna clase por oponerse tal medida a la condición de *neutralidad* de Panamá".

Con el cambio de gobierno originado con el derrocamiento del doctor Arnulfo Arias, la situación cambió y por medio del decreto del 20 de octubre de 1941 se revocó la resolución de 19 de agosto de 1941 bajo la premisa de que no se podía seguir siendo neutral si los buques mercantes bajo bandera panameña eran hundidos por barcos de guerra alemanes y japoneses y se les dio permiso para artillarse.[24]

El día 7 de diciembre de 1941, el gobierno panameño fue informado por el gobierno norteamericano del ataque japonés a Pearl Harbor (islas de Hawaii) y de la subsecuente declaración de guerra que hizo Japón.

Por medio de la resolución núm. 1 del 8 de diciembre de 1941 y la ley del 10 de diciembre de 1941 y basándose en la resolución xv de la II Reunión de Cancilleres en La Habana, el 30 de junio de 1940, que hablaba de unidad americana ante actos de agresión contra estados americanos por parte de estados no americanos, Panamá le declaró la guerra al Japón.

Luego por los decretos presidenciales núm. 14 y núm. 15 del 12 de diciembre de 1941 les declara la guerra a Alemania y a Italia, respectivamente.[25]

Es así como queda preparado el camino para una alianza estrecha con los Estados Unidos de América durante la segunda guerra mundial.

El siguiente paso básico se da con el canje de notas constitutivo de un Convenio de Doce Puntos entre la República de Panamá y Estados Unidos de América. La nota núm. D.291 del 18 de

[22] Memoria de Relaciones Exteriores de 1940.
[23] Memoria del Ministerio de Relaciones Exteriores, 1940, p. xxxv.
[24] Memoria del Ministerio de Relaciones Exteriores, 1943.
[25] *Ibid.*, pp. iv y v.

mayo de 1942 con la cual el embajador E. Jaén Guardia acepta el acuerdo... dice "que el gobierno de Panamá está dispuesto en todo momento a prestar una completa y amplia cooperación con el gobierno de los Estados Unidos en la defensa de la ruta interoceánica que ha dividido en dos el istmo panameño".[26]

Ese mismo día se firma en Panamá el Convenio sobre arrendamiento de sitios de defensa en la República de Panamá (18 de mayo de 1942), que luego es aprobado por ley núm. 141 del 11 de mayo de 1943 y se mantiene vigente hasta el 19 de febrero de 1948.[27]

Es importante anotar que ya el 11 de octubre de 1940, el gobierno norteamericano había solicitado la siguiente lista de sitios de defensa: [28]

	Sitios
Campos de aterrizaje y bases auxiliares	12
Defensa de la costa	3
Estaciones aéreas de alarma	7
Sitios para proyectores luminosos (holofotes)	46
Caminos de tránsito a esos sitios	2
Sitios para cañones antiaéreos	1

Por medio de memorándum de la embajada de Estados Unidos en Panamá de 29 de noviembre de 1941 se piden: un campo de tiro de bombas en Chorrera, para tiro de bombas y ametralladoras en Penonomé y un campo de tiro de ametralladoras en Chame.[29]

Ya en 1942 se piden entre otros, sitios en Puerto Armuelles, Punta de San Blas, Isla de Coiba, La Mesa, La Joya de Pacora, Jaqué, Pinogana, Obaldía, Almirante, Isla de las Perlas, Punta Mala y Taboga.[30]

A partir del 18 de mayo de 1942 con la plena vigencia del Convenio sobre arrendamientos de sitios de defensa, éstos proliferan y llegan los norteamericanos a tener arriba de 130 sitios diferentes por todo el país (desde el aeropuerto de David hasta Punta Piña y de San Blas hasta Almirante) concentrándose, sin embargo, en la vertiente del océano Pacífico.

El Convenio delimita que el número de hectáreas utilizadas para estos sitios de defensa no pasaría de 15 000 hectáreas sobre

26 "Status jurídico de los tratados del Canal de Panamá, 1903-1963", Manuel B. Moreno C., p. 185.
27 *Ibid.*
28 "Tierras y aguas concedidas desde 1903 por la República de Panamá a los Estados Unidos de América para los fines del Canal de Panamá", documento de la Cancillería, p. 4.
29 *Ibid.*, pp. 5 y 6.
30 *Ibid.*, pp. 7 y 8.

las cuales se pagaría un canon de arrendamiento de B/.50.00 por hectárea por año en tierras particulares y una balboa por año para propiedades nacionales, excluyéndose el área de Río Hato por la cual se fija un canon de arrendamiento de B/.10 000 anuales [31] (el área de Río Hato comprendía una parcela "A" con 321 hectáreas, una parcela "B" con 7 436 hectáreas, o sea un área total de 7 757 hectáreas con 8 000 metros cuadrados).[32]

El gobierno panameño estimó que como en su gran mayoría las tierras utilizadas serían de particulares, el arrendamiento le dejaría a Panamá unas B/300 000 anuales.[33]

Este período histórico viene a cerrarse el 19 de febrero de 1948, después de que los norteamericanos en su afán de retener la estratégica base de Río Hato inician un nuevo Convenio sobre sitios de defensa que aunque firmado el 10 de diciembre de 1947 por el doctor Francisco Filós y el señor Hines de los Estados Unidos, fue improbado por la Asamblea Nacional el 22 de diciembre de 1947,* después de una acción gloriosa y valiente del estudiantado y el pueblo panameño que abiertamente lo rechaza en las calles de Panamá el día 12 de diciembre de 1947.[34]

Así se cierra el capítulo de nuestras relaciones con los Estados Unidos de América a raíz de la segunda guerra mundial.

[31] Memoria de Relaciones Exteriores, 1943.
[32] "Panamá y los Estados Unidos de América ante el problema del Canal", recopilación de trabajos efectuada por la Facultad de Derecho y Ciencias Políticas, Universidad de Panamá, p. 491.
[33] Memoria del Ministerio de Relaciones Exteriores, 1943.
* Véase Camilo O. Pérez, Anatomía de un rechazo, Panamá, 1974. [Nota del recopilador.]
[34] "Status jurídico de los tratados del Canal de Panamá, 1903-1963", p. 190.

6. LA LLAMADA NEUTRALIDAD DEL CANAL DE PANAMÁ *

CÉSAR QUINTERO

El artículo XXXIV del Proyecto de Tratado sobre el actual Canal de Panamá, en su primera cláusula, dice: "La República de Panamá declara la neutralidad del Canal de Panamá."

Asimismo, el Proyecto de Tratado sobre el Canal a nivel, en la primera cláusula de su artículo XI, dice: "La República de Panamá declara la neutralidad del Canal a nivel del mar."

Y, por su parte, el Proyecto de Tratado sobre bases militares de los Estados Unidos en territorio panameño se denomina "Tratado concerniente a la defensa del Canal de Panamá y de su neutralidad".

Antes de examinar estas y otras cláusulas de los referidos proyectos de tratados sobre la llamada neutralidad del Canal de Panamá, es indicado precisar el concepto de neutralidad y distinguirlo de otros afines que el derecho internacional consagra.

CONCEPTO DE NEUTRALIDAD **

La neutralidad es una clásica institución del derecho internacional. Consiste en el derecho que tiene todo Estado de no participar en una guerra internacional, manteniendo una conducta de imparcialidad hacia los beligerantes.

Del Estado que hace uso de tal derecho se dice que es *neutral* con respecto a una guerra determinada. Por tanto, un Estado sólo puede ser neutral cuando hay guerra. De ahí que al concluir ésta, termina la condición de neutral de cualesquier estados que la hayan adoptado. No puede haber, pues, estados neutrales en tiempo de paz.

Sin embargo, en algunos tratados y en otros instrumentos y textos jurídicos se habla a veces de neutralidad *permanente* e, incluso, *perpetua*.

Tales expresiones, un tanto impropias, aluden a una figura jurídica distinta de la neutralidad *ordinaria*. En realidad, se refiere a otra institución del derecho internacional, o sea, la *neutralización*, que se pasa a examinar.

---

* Tomado del *Anuario de derecho*, núm. 8, año VIII, Facultad de Derecho y Ciencias Políticas, Universidad de Panamá, Panamá, 1968-1969.

** Para otro enfoque sobre el concepto de *neutralidad*, entendido como *neutralización*, véase Ernesto Castillero Pimentel, *Panamá y los Estados Unidos*, Panamá, 1974, pp. 337-342. [Nota del recopilador.]

CONCEPTO DE NEUTRALIZACIÓN

A diferencia de la neutralidad de un Estado, que es una condición pasajera del mismo, pues depende de la duración de una guerra determinada, la neutralización es un status permanente, cuya continuidad no guarda relación con la existencia de una guerra específica. Además, la neutralidad sólo puede ser asumida por estados o entes de derecho internacional, los cuales la asumen libremente y libremente pueden abandonarla. En cambio, la neutralización no tiene que referirse necesariamente a un Estado o ente internacional, ya que también es aplicable a una zona terrestre, acuática, o aérea de uno o más estados e, incluso, a individuos. Más aún, según la mayoría de los autores, la auténtica neutralización —a diferencia de la neutralidad— no puede ser una manifestación unilateral de voluntad de un Estado, sino producto de un acuerdo de voluntades de varios estados, ya se trate de la neutralización de un Estado o de una porción o zona de uno o más estados.

Por consiguiente, una región, un territorio, un río, un estrecho o un canal no pueden, en puridad técnica, ser neutrales, pero sí neutralizados. Porque para declararse neutrales, tendrían que hacerlo por sí mismos al ocurrir una guerra, lo cual les es imposible, toda vez que no son personas de derecho internacional. En cambio, el Estado o los estados donde se hallen una región, un territorio, un río, un estrecho o un canal, pueden acordar con otros la neutralización de cualesquiera de estas cosas.

SENTIDO Y ALCANCE DE LA NEUTRALIZACIÓN

Procede ahora determinar cuál es la situación jurídica de un Estado o de una cosa (región, zona o vía geográfica) neutralizados. Es decir, es preciso puntualizar en qué consiste la neutralización o lo que también ha dado en llamarse neutralidad permanente o perpetua, a fin de distinguirla de la ordinaria, que es circunstancial y transitoria.

Pues bien, la neutralización consiste en lo siguiente:

a) Si se trata de un Estado, en la obligación por parte de éste, de no entrar en ninguna guerra y, por tanto, de no celebrar alianzas ni pactos militares con ningún Estado. Por su parte, los demás estados deben respetar ese status de neutralidad permanente del Estado neutralizado, no atacándolo, ni usando su territorio, ya sea en tiempo de guerra o de paz, para ninguna actividad o finalidad actual o potencialmente bélicas.

b) Si se trata de una zona geográfica (terrestre, acuática, aérea, espacial, etc.) su neutralización significa que esa zona está sustraída de todo acto bélico. Es decir, que no puede ser convertida en teatro de guerra en caso de un conflicto bélico y que, en tiempos de paz, no puede ser tratada por ningún Estado como zona militar, o sea, destinada a la preparación de actos bélicos.

CASOS DE ESTADOS NEUTRALIZADOS

El ejemplo clásico de un Estado neutralizado es Suiza. Su neutralización fue acordada por medio del Tratado de Viena de 1815 y ha sido respetada a través de todas las guerras que se han desencadenado en Europa desde entonces.

Otro caso es el del Estado del Vaticano. Su neutralización fue pactada en el Tratado de Letrán, concertado en 1921 entre la Santa Sede e Italia.

Un caso mucho más reciente es el de Austria. Este Estado proclamó su "neutralidad perpetua" por ley constitucional de octubre de 1955, "a fin de mantener su independencia externa y la inviolabilidad de su territorio y de defenderlas por todos los medios a su alcance". Para ello —según dicha declaración— Austria "no participará en ninguna alianza militar ni permitirá *bases militares extranjeras*". Esta declaración unilateral fue en seguida complementada por un tratado multilateral de neutralización de dicho país, suscrito por los Estados Unidos, la Unión Soviética, la Gran Bretaña y Francia.

CASOS DE REGIONES Y VÍAS NEUTRALIZADAS

Entre los casos de regiones, zonas y vías que han sido neutralizadas, tenemos el del Mar Negro (Tratado de París de 1856); el del estrecho de Magallanes (Tratado argentino-chileno de 1881); el de los estrechos del Bósforo y de los Dardanelos (Tratado de Lausanne de 1923); el del Canal de Suez (Tratado de Constantinopla de 1888); y el del Canal de Panamá (Tratados anglonorteamericanos de 1850 y de 1901).

REQUISITOS DE LA NEUTRALIZACIÓN

La neutralidad ordinaria, como ya se ha visto, es un acto libre y *unilateral* —declarado o tácito— por el cual un Estado se abstiene de participar en una guerra determinada y asume una política de imparcialidad con respecto a los beligerantes. Éstos, a su vez, adquieren ciertas obligaciones con respecto al Estado neutral, a pesar de que no son parte en la producción del acto de neutralidad. Terminada la guerra, se extingue la condición de neutral que, con respecto a ella, cualesquier estados hayan asumido.

La neutralización o neutralidad permanente es, en cambio, un status establecido para un Estado o para una zona geográfica.

Uno de los problemas que surgen a este respecto, es el de si un Estado puede unilateralmente declararse neutralizado o declarar neutralizada una parte de su territorio.

Desde luego, puede hacerlo, ya que ninguna norma o práctica de derecho internacional lo impide. Así, tenemos el caso reciente de Austria, que como se ha visto, declaró su "neutralidad perpetua" (neutralización) por una ley constitucional. Sin embargo, dicho status, como también se acaba de ver, fue perfeccionado por un tratado internacional concertado entre cuatro potencias, especial, aunque contrapuestamente, interesadas con respecto al Estado austriaco. Pero, por otra parte, tenemos el caso de Turquía y de Colombia que, en el siglo pasado, proclamaron unilateralmente la "neutralidad perpetua" de la parte de sus territorios por donde, años más tarde, habrían de ser construidos, respectivamente, los canales de Suez y de Panamá.

En realidad, lo que se discute es el valor jurídico, frente a los demás estados, de una declaratoria unilateral de neutralización, ya que muchos autores consideran que ella no obliga a los demás estados a respetarla, ni obliga a mantenerla al propio Estado que la proclama.

También se ha discutido la efectividad jurídica de una declaratoria de neutralización efectuada por un tratado bilateral en que una de las partes es una potencia con sus inherentes pugnas y rivalidades; y la otra, un Estado que ha de ser, precisamente, el que se neutraliza, o en cuyo territorio se ha de neutralizar una región o zona.

Consideran muchos autores que la única neutralización realmente eficaz es aquella concertada —con la participación del respectivo Estado— por un grupo de estados poderosos y con especiales y contrapuestos intereses en cuanto al Estado o a la región objeto de la neutralización.

No cabe duda, desde luego, que la neutralización de un Estado o de un territorio, suscrita por las principales potencias relacionadas con dicho Estado o territorio, es la forma regular, eficaz y auténtica de neutralización.

Pero ello no significa que una declaratoria unilateral o bilateral de neutralización no tenga cierto valor jurídico y no entrañe cierto deber de respeto, por parte de otros estados que no hayan objetado claramente tal declaratoria.

No debe olvidarse que la neutralidad ordinaria o transitoria siempre es declarada unilateralmente, y sin embargo, obliga a todos los beligerantes con respecto al Estado neutral y a éste con respecto a aquéllos.

Con todo, cabe repetir que la auténtica neutralización debe ser de carácter convencional y debe estar garantizada por los principales estados relacionados con el Estado, vía o territorio objeto de la neutralización.

EFECTOS DE LA NEUTRALIZACIÓN

Los efectos de la neutralización de un Estado difieren en cierto aspecto de los de una zona o vía geográfica. La finalidad principal de la neutralización de un Estado es la de que éste no entre en guerra; la de un territorio o vía, es la de que no sea un objetivo bélico.

El complejo problema que surge en ambos casos, es el de la desmilitarización del Estado o de la zona neutralizados. Es decir, surge el problema de si la neutralización entraña necesariamente desmilitarización.

En el caso de un Estado, su status de neutralizado no le impide tener ejército y emplazamientos militares propios, pero sí *le impide tener en su territorio bases militares y ejércitos extranjeros.*

La misma regla general debe aplicarse, en principio, con respecto a territorios, zonas o vías neutralizados.

Incluso, algunos autores han ido más lejos al afirmar textualmente que: "la idea de la neutralización usualmente ha sido incompatible aun con el simple mantenimiento de fuerzas armadas y fortificaciones" (Moore); y que: "de acuerdo con opiniones generalmente aceptadas, no debe haber neutralización con fortificaciones y, viceversa, la construcción de fortificaciones destruye la neutralización" (Hains).

Según la opinión de estos dos autorizados internacionalistas norteamericanos, ni siquiera el Estado ribeño podría fortificar una zona o vía neutralizadas en su territorio.[1]

El tratado de neutralización del Canal de Suez siguió en parte esta tesis, al prohibir, en su artículo XI "la construcción de fortificaciones permanentes"...

Sin embargo, otros autores admiten y justifican la construcción de fortificaciones en una zona o vía neutralizadas, pero siempre que tengan como finalidad *exclusiva* la preservación de la neutralidad de dicha zona o vía.[2]

---

[1] Los aludidos autores son: John Basset Moore y Peter C. Hains, ambos citados por Harmodio Arias en su obra *El Canal de Panamá*, trad. española de Diógenes A. Arosemena G., Editorial "Panamá-América", Panamá, 1957, pp. 178-179.

[2] Cf. Harmodio Arias, *op. cit.*, p. 179.

Todos los autores excluyen, pues, la posibilidad de que en una zona o vía neutralizadas se ejerza derecho alguno de guerra o se realicen maniobras militares orientadas exclusivamente a la defensa del Estado que las efectúa.

TRATADOS QUE CONSAGRAN LA NEUTRALIZACIÓN DEL CANAL DE PANAMÁ

Aclarados los conceptos de neutralidad ordinaria y de neutralización o neutralidad permanente, y vistos sus principales requisitos y efectos, procede examinar los tratados internacionales en cuanto se refieren a la neutralización y a la llamada neutralidad del Canal de Panamá.

El primer tratado que estableció un principio general de neutralización de un posible canal a través del istmo centroamericano, fue el Tratado Clayton-Bulwer, concertado entre Gran Bretaña y los Estados Unidos de América en 1850, o sea, más de medio siglo antes de que los Estados Unidos iniciaran la construcción del Canal de Panamá.

Dicho convenio fue parcialmente subrogado por el Tratado Hay-Pauncefote, celebrado entre las mismas potencias en 1901. La subrogación se refirió fundamentalmente a la prohibición —contenida en el primer tratado— de que los Estados Unidos construyeran por sí solos un canal interoceánico a través del istmo centroamericano. De ahí que los principios generales de neutralización previstos en el Tratado Clayton-Bulwer de 1850, no sólo no fueron menoscabados por el Tratado Hay-Pauncefote de 1901, sino expresamente ratificados y desarrollados por el mismo.

Cabe advertir que el referido Tratado Hay-Pauncefote no habla de neutralidad, sino expresa y concretamente de *neutralización*. Y en su artículo III enumera las bases de dicha neutralización que —agrega el mismo artículo— "en sustancia son las mismas incorporadas en la Convención de Constantinopla, firmada el 28 de octubre de 1888 para la libre navegación del Canal de Suez"...

LA FÓRMULA DEL TRATADO HAY-BUNAU-VARILLA

El Tratado Hay-Bunau-Varilla —impuesto por los Estados Unidos a Panamá sólo dos años después de celebrado el Tratado Hay-Pauncefote— se apartó del lenguaje preciso y técnico de éste e introdujo modalidades no previstas en el mismo. Así, no empleó los términos neutralización y neutralizado, sino que utilizó los vocablos neutralidad y neutral. Habla, sin embargo, de neutralidad y neutral "a perpetuidad" (o sea, neutralización, y expresa que dicho status se ajustará a las estipulaciones del Tratado Hay-Pauncefote de 1901.

Con todo, es sintomático que el gobierno de los Estados Unidos al elaborar —unilateralmente— el Tratado de 1903, rehuyera usar el término neutralización, consagrado en el Tratado Hay-Pauncefote y que es el adecuado para designar la neutralidad permanente de un Estado, y, con mayor razón, de una zona y de un canal interoceánico.

Y mucho más sintomático es que los Estados Unidos incluyeran en el tratado que en 1903 impusieron a Panamá, el artículo XXIII, que dice:

Si en cualquier tiempo fuere necesario emplear fuerzas armadas para la seguridad y protección del Canal o de las naves que lo usen, o de los ferrocarriles y obras auxiliares, los Estados Unidos tendrán derecho, en todo tiempo y a su juicio, para usar su policía y sus fuerzas terrestres y navales y para establecer fortificaciones con ese objeto.

La inclusión de este artículo en el llamado Tratado Hay-Bunau-Varilla contradice abiertamente la tesis sostenida, entre muchos otros, por los autores norteamericanos Moore y Hains, de que la neutralización excluye la fortificación. Quizá por esto el gobierno norteamericano prefirió usar en dicho tratado la palabra neutralidad, más elástica y ambigua, a pesar de que, como se ha visto, el tratado que acababa de concertar con la Gran Bretaña lo obligaba a mantener y garantizar la neutralización (no la neutralidad) del Canal. Este detalle es característico del desprecio que ciertas potencias han tenido y siguen teniendo por sus obligaciones internacionales cuando éstas en alguna forma incomodan sus designios.

Sin duda, este cambio de términos —aparentemente inocente— fue para poder insertar mejor en el mismo instrumento la citada cláusula que les permite fortificar el Canal y usar en él no sólo su policía, sino también sus fuerzas militares.

Con todo, el referido artículo XXIII del Tratado de 1903 se ajusta a la tesis de quienes sostienen que en una zona o vía neutralizada pueden erigirse fortificaciones y usarse fuerzas militares *con el fin exclusivo de asegurar la neutralización de dichas zonas o vía*.

Pero, no cabe duda de que el citado artículo contraviene las estipulaciones del Tratado Hay-Pauncefote. A este respecto es esencial saber que el gobierno británico rechazó el primer proyecto del Tratado Hay-Pauncefote, enmendado por el Senado de los Estados Unidos, porque establecía que ninguna de las reglas relacionadas con la neutralización del Canal "se aplicará a las medidas que los Estados Unidos conceptúen necesarias para asegurar con sus propias fuerzas la DEFENSA del Canal y para el mantenimiento del orden público".

El gobierno de Gran Bretaña objetó dicho proyecto, entre otras cosas, por considerar que semejante cláusula podría, como textualmente expresó el entonces ministro británico de Asuntos Extranjeros, "implicar una clara variación de los principios de neutralización".[3]

Sin embargo, los Estados Unidos no sólo introdujeron la repudiada cláusula en el Tratado Hay-Bunau-Varilla, sino que, incluso, la han violado sistemáticamente excediéndose en el ejercicio de la actividad que ella les permite. Pues, no obstante el sentido restringido de ella, se han permitido, por sí y ante sí, implantar en territorio panameño bases y fuerzas militares muy ajenas a la *protección* del Canal y de su "neutralidad".

Este punto conduce a otros dos de suma importancia para el principio de neutralidad permanente o neutralización del Canal de Panamá. Se trata, por una parte, del concepto de *defensa* y del de *protección*; y, por otra, del de *bases militares* y del de *fortificación*. Veamos uno y otro.

PROTECCIÓN Y DEFENSA

Ni el Tratado Hay-Pauncefote ni la Convención del Canal Ístmico, conocida como Tratado Hay-Bunau-Varilla, usan en ningún caso el término *defensa*. Es interesante anotar que este término figuraba en las enmiendas introducidas por el Senado norteamericano al primer proyecto del Tratado Hay-Pauncefote que, como se ha visto, fue rechazado por el gobierno británico. Y, en cuanto a la Convención de 1903, ésta sólo usa las palabras *protección* y *seguridad*. Estos dos términos se refieren, ante todo, a funciones de policía, especialmente tratándose de un servicio público internacional, como lo es el Canal de Panamá. En cambio, el concepto de defensa alude a lo militar, a la guerra. Y ello es tanto más así, después de la última conflagración mundial, en que los eufemismos diplomáticos han llevado a casi todos los estados a llamar Ministerio o Departamento de "Defensa" a lo que antes, con más exactitud y franqueza, llamaban Departamento o Ministerio de *Guerra*.

La sujeción de una zona o vía a un régimen de defensa, es decir, su militarización, es incuestionablemente incompatible con el status de neutralización o neutralidad permanente. Por temor, sin duda, de que la Gran Bretaña lo objetara, el gobierno de los Estados Unidos no se atrevió a establecerlo en la Convención del Canal Ístmico. Sin embargo, ahora lo ha introducido en los proyectos de tratados, hasta el punto de que uno de éstos, como

3 Cf. Harmodio Arias, *op. cit.*, p. 180.

es sabido, lleva el irónico y paradójico nombre de "Tratado concerniente a la defensa del Canal de Panamá y de su neutralidad". Y, en virtud del mismo, Panamá concede a los Estados Unidos "sitios de defensa", esto es, *bases militares* en nuestro territorio por tiempo indefinido (o sea, a perpetuidad) o, en su defecto, por un período secular, igualmente inadmisible.

Esto trae a colación el otro punto mencionado, o sea, el de los conceptos de fortificación y de bases militares.

FORTIFICACIONES Y BASES MILITARES

En cuanto al problema de las bases militares, es preciso también advertir que ni la Convención del Canal Ístmico ni el Tratado General de 1936 aluden a ellas.

La Convención de 1903 sólo habla de la facultad de los Estados Unidos para "establecer fortificaciones" para la "seguridad y *protección* del Canal".

A este respecto, cabe indicar que fortificación no es lo mismo que bases militares. Las fortificaciones son construcciones puramente defensivas. Las bases, en cambio, pueden ser instalaciones defensivas y ofensivas. Y su índole ofensiva se acentúa, generalmente, cuando un Estado las emplaza en territorios distantes del suyo.

A pesar del carácter eminentemente defensivo de las fortificaciones, muchas autoridades internacionales han sostenido, como se ha visto, que la construcción de fortificaciones en una zona neutralizada destruye su neutralización. Esta tesis, como también se ha visto, ha sido cuestionada por otros autores, quienes las admiten, pero con la condición de que tengan por *objeto exclusivo* garantizar y proteger la neutralización de la zona o vía respectivas.

Hay, pues, discrepancias de criterio en cuanto a la compatibilidad entre neutralización y fortificación destinada a asegurar aquélla. Pero, en cuanto a bases militares extranjeras, todas las autoridades reconocidas en la materia coinciden en que la presencia de éstas es incompatible con el status de neutralidad permanente de un Estado, de un territorio o de una vía geográfica.

Por eso, el título del Proyecto de Tratado sobre "defensa" del Canal y de su "neutralidad" entraña, como dijimos, un absurdo jurídico y una falsedad política.

Esta realidad exige un examen de la "neutralidad" a que aluden los tres negociados proyectos de tratados.

LA NEUTRALIDAD EN LOS PROYECTOS DE TRATADOS

Cabe advertir, ante todo, que el proyecto de tratado denominado "Tratado concerniente a la defensa del Canal de Panamá y de su neutralidad", sólo contiene la palabra neutralidad en su título. Pues, luego, dicha palabra —y mucho más su concepto— brillan por su ausencia en el voluminoso instrumento por el cual Panamá otorga a los Estados Unidos *bases militares en nuestro territorio, por tiempo ya sea indefinido o perpetuo, o bien, secular.*

Esta omisión de toda referencia en dicho instrumento a la "neutralidad" que sirve de epígrafe al mismo, es otro sarcasmo más a la pretendida "neutralidad" que el título —y sólo el título— del proyecto dice defender.

Siendo ello así, es preciso ver qué entienden por neutralidad los otros dos proyectos de tratados, o sea, el referente al Canal de esclusas y el concerniente al futuro Canal a nivel.

Ya, al comienzo de este estudio, aparece lo que, respectivamente, dicen los artículos XXXIV y XI de dichos proyectos.

En ambos es Panamá y sólo Panamá la que "declara la neutralidad del Canal".

Es evidente que los redactores norteamericanos de estos artículos volvieron a rehuir el uso del término neutralización que, para este caso, es el correcto. Es, además, sintomático que esta vez no atribuyeran a dicha neutralidad el calificativo de permanente. Sin embargo, no cabe duda de que no pueden referirse a otra que ésta, ya que la neutralidad simple u ordinaria (la que un Estado declara unilateralmente al estallar una guerra) resulta inconcebible tratándose de un canal.

Esclarecido, así, este punto, procede ver en qué consiste la "neutralidad" que los negociadores norteamericanos han concebido para los días de vida que quedan al actual Canal y para toda la existencia del Canal a nivel.

El numeral (2) del artículo XXXIV del Proyecto de Tratado del Canal actual dice:

La República de Panamá y los Estados Unidos de América convienen en que la neutralidad del Canal, así como la de sus entradas y aguas territoriales adyacentes a las mismas, serán mantenidas de acuerdo con los principios que han regido tal neutralidad desde que el Canal fue abierto al tránsito internacional.

Puede notarse que, a diferencia de la Convención de 1903, esta cláusula no dice que la neutralidad del Canal presente y del futuro Canal se ajustará a las estipulaciones del Tratado Hay-Pauncefote, concertado con Gran Bretaña en 1901. La cláusula sólo alude a "los principios que han regido tal neutralidad *desde que el Canal fue abierto al tránsito internacional*".

Ésta es, sin duda, una forma muy sutil que han utilizado los juristas norteamericanos para desligar a su país, con respecto a Panamá, de las obligaciones que le imponen las cláusulas del Tratado Hay-Pauncefote, obligaciones que, por estar incluidas en la Convención del Canal Ístmico, rigen aun en el caso de que el Tratado Hay-Pauncefote hubiese dejado o dejara de existir.

El numeral (3) del mismo artículo del Proyecto de Tratado establece más o menos las bases o reglas de esta incomprensible "neutralidad". Son las siguientes:

El Canal de Panamá, así como sus entradas y aguas territoriales adyacentes a las mismas, estarán abiertos y libres a los buques de comercio y de guerra de todas las naciones, en términos de completa igualdad y sin discriminación alguna, con sujeción a: a) el pago de los peajes y tasas aplicables; b) el cumplimiento de las normas y reglamentos en vigencia, incluidas aquellas normas y reglamentos que puedan establecerse en tiempo de guerra u otra emergencia; y c) la obligación de que los buques que usen el Canal de Panamá no cometan actos de hostilidad en el mismo o en sus entradas o aguas territoriales adyacentes a dichas entradas.

Estas medidas están bien en lo que se refiere a la regulación del uso del Canal, con la salvedad de la contenida en la parte final del inciso (b) que confiere a la administración del Canal poderes irrestrictos para fijar normas discrecionales "en tiempo de guerra u otra emergencia". Se trata, salvo esta última, de reglas de universal aplicación a los usuarios de cualquier servicio público interno de un Estado y que, con mayor razón, deben reconocerse a los usuarios de un servicio público internacional como el Canal de Panamá.

Pero, distan mucho de ser normas definidoras ni aplicadoras de un régimen de neutralidad permanente o neutralización de una vía interoceánica, destinada a prestar un servicio a usuarios de todas partes del mundo.

Por otra parte, el numeral (4) del mismo artículo XXXIV del aludido proyecto, establece una excepción discriminatoria en favor de "los buques, incluidos buques de guerra" de los Estados Unidos, excepción incompatible, no ya con la neutralidad, sino con el principio mismo de igualdad de trato a todos los usuarios, inherentes a la prestación de cualquier servicio público. Como es sabido, la excepción se extiende también a los buques, incluidos los de guerra, que posea el Estado panameño. Pero esto, en cuanto a Panamá, no pasa de ser un privilegio ilusorio, ya que nuestro Estado no tiene buques, y mucho menos de guerra. Además, la inclusión de Panamá en el disfrute de este privilegio no lo convalida.

Pero hay algo más, el numeral (6) del mismo artículo parece dar carácter de perpetuidad al aludido privilegio en favor de los buques públicos y de guerra de los Estados Unidos y de Panamá (que no posee ninguno), al establecer:

La República de Panamá conviene en que, *con posterioridad a la terminación de este Tratado*, los principios estipulados en los numerales (1), (2), (3) y (4) de este artículo *se continuarán aplicando* al Canal de Panamá.

Podría argüirse que la condición de perpetuidad que esta estipulación entraña se justifica porque se trata de la neutralidad que, cuando equivale a neutralización, tiene carácter de permanente o perpetua. Pero los referidos numerales no consagran, como hemos visto, verdaderos principios de neutralidad, sino sólo medidas reguladoras de un servicio y, especialmente, una excepción a dichas medidas (esto es, un privilegio) en beneficio real de los Estados Unidos. Por tanto, lo que se está perpetuando es dicho privilegio y, en todo caso, las aludidas medidas de servicio, pero no régimen alguno de neutralidad. Además, *los calificativos de permanente y de perpetua para distinguir la neutralidad (cuando equivale a neutralización) no significan que tal status sea eterno, sino que, mientras rija, no puede ser suspendido ni interrumpido bajo ningún pretexto.*
Por último, el segundo período del mismo numeral (6) dice:

Cualquier declaración de neutralización hecha por la República de Panamá para desarrollar la aplicación de tales principios será hecha de acuerdo con las normas del derecho internacional.

Vale la pena observar que en este inciso o período no se habla de neutralidad, sino de neutralización, al menos en el texto español. Entendemos, sin embargo, que en el único texto original y oficial (o sea, el inglés) se emplea el término *neutrality* y no *neutralization*. Por tanto, la introducción de este último vocablo en la versión española no pasa de ser una libertad literaria —sin trascendencia jurídica— que, sin duda, se tomó algunos de los traductores panameños o de los correctores de la traducción del aludido proyecto.
Dicho inciso o período parece reconocer a Panamá el derecho de hacer declaraciones futuras de neutralidad encaminadas a desarrollar los supuestos principios de neutralidad contenidos en los cuatro primeros numerales o cláusulas del artículo XXXIV del proyecto del tratado sobre el Canal de Panamá. Sin embargo, no se ve en qué podrían consistir esas hipotéticas declaraciones de neutralidad por parte de Panamá para desarrollar unas cláusulas que, como se ha indicado, no contienen verdaderos principios de neutralización del Canal y, mucho menos, de la República de Panamá.
Por otra parte, es muy discutible, como se ha visto, la efec-

tividad jurídica de una declaratoria unilateral de neutralización, sobre todo cuando se trata de un Estado políticamente débil, económicamente dependiente y jurídicamente maniatado por tratados hábilmente redactados e impuestos por una gran potencia imperialista.

En consecuencia, la "neutralidad" de que hablan los proyectos de tratados no pasa de ser una ficción sin ningún valor práctico.

Y es que sólo un tratado multilateral de neutralización del Canal, suscrito por los principales estados del mundo, podría atribuir al Canal de Panamá el carácter de vía internacional neutralizada, sometida, desde luego, a la soberanía exclusiva del Estado territorial, pero destinada a prestar un servicio público mundial, en condiciones de igualdad e imparcialidad para todos y de seguridad y paz para el país donde dicha vía se encuentra.

CONCLUSIONES

1. La neutralidad es una clásica institución del derecho internacional, según la cual todo Estado tiene el derecho soberano, de no participar en cualquier determinada guerra internacional, esto es, de ser *neutral* con respecto a la misma.

2. En consecuencia, la neutralidad clásica u ordinaria entraña los siguientes requisitos:

a) Sólo los estados pueden declararse y ser neutrales;

b) Únicamente pueden ser neutrales cuando hay una guerra formal y sólo con respecto a ella;

c) Al concluir dicha guerra, necesariamente se extingue la condición de neutral de cualquier Estado en cuanto a la misma;

d) La neutralidad ordinaria es, pues, una situación jurídica pasajera y circunstancial de un Estado.

3. La *neutralización*, a diferencia de la neutralidad, es un status permanente, generalmente acordado entre varios estados, con respecto a un Estado *o a una parte de su territorio*; y la continuidad de dicho status no depende de la existencia de una guerra específica.

4. La neutralización, también llamada neutralidad permanente o perpetua, consiste en lo siguiente:

a) Si se trata de un Estado, en su obligación de no entrar en ninguna guerra y, por tanto, de no celebrar alianzas ni pactos militares con ningún otro Estado. Por su parte, los demás estados deben respetar ese status de neutralidad permanente del Estado neutralizado, no atacándolo ni usando su territorio, ya sea en tiempo de paz o de guerra, para ninguna actividad o finalidad actual o potencialmente bélicas.

b) Si se trata de una zona o vía geográfica, su neutralización significa que esa zona o vía están sustraídas de todo acto bélico. Es decir, que no pueden ser convertidas en teatro de guerra en caso de un conflicto armado y que, en tiempo de paz, no pueden ser tratados por ningún Estado como zonas militares, o sea, destinadas a la preparación de actos bélicos.

5. En el caso de estados neutralizados (Suiza y Austria, por ejemplo), su status no les impide tener ejércitos y emplazamientos propios, pero sí les impide tener en sus territorios bases militares y ejércitos extranjeros.

6. En el caso de territorios, zonas o vías neutralizadas, debe regir, por lo menos, la misma norma aplicada a los estados neutralizados, además de otras restricciones, a saber:

a) Algunos autores, como el norteamericano John Basset Moore, señalan que: "la idea de neutralización usualmente ha sido juzgada incompatible aun con el simple mantenimiento de fuerzas armadas y fortificaciones"...

Esta tesis es compartida, entre muchos otros, por el internacionalista Peter C. Hains, también norteamericano.

b) Otros, sin embargo, admiten la construcción de fortificaciones en zonas o vías neutralizadas, pero siempre que tengan como finalidad *exclusiva* la preservación de la neutralidad de dichas zonas o vías.

c) Por consiguiente, todos coinciden en excluir la posibilidad de que en una zona o vía neutralizadas se ejerza derecho alguno de guerra o se realicen maniobras militares orientadas exclusivamente a la defensa del Estado que las efectúa.

7. El Canal de Panamá fue *neutralizado*, antes de ser construido, por medio del Tratado Hay-Pauncefote, concertado en 1901 entre los Estados Unidos de América y el Reino Unido de Gran Bretaña.

8. El Tratado Hay-Bunau-Varilla, en su artículo XVIII, reiteró la neutralización del Canal de Panamá, de acuerdo con las condiciones estipuladas en el Tratado Hay-Pauncefote. Pero, en vez de usar el término *neutralización*, utilizó la expresión "neutralidad perpetua" que se considera equivalente de aquél, pero que, en ciertos casos —como el nuestro— puede engendrar equívocos y contrasentidos. Con todo, el status de neutralidad perpetua del Canal, acordado en 1903 entre Panamá y los Estados Unidos, obliga a ambos estados y está avalado por el tratado anglonorteamericano de 1901, o sea, el Hay-Pauncefote.

9. Según el Proyecto de Tratado sobre el Canal actual: "La República de Panamá declara la neutralidad del Canal de Panamá." Y según el Proyecto de Tratado sobre el Canal a nivel: "La República de Panamá declara la neutralidad del Canal a nivel del mar." A su vez, el Proyecto de Tratado sobre bases militares, se denomina: "Tratado concerniente a la defensa del Canal de Panamá y de su neutralidad."

10. De la fraseología utilizada en los referidos proyectos de tratados se desprenden las siguientes conclusiones:

a) Los negociadores de los Estados Unidos han rehuido nuevamente al uso del término neutralización, que en este caso es el técnico y correcto, con los siguientes agravantes:

i) El de que, a diferencia de 1903, ahora es sólo Panamá la que declara la llamada "neutralidad", tanto del Canal actual como el futuro Canal a nivel;

ii) El de que en estos proyectos, a diferencia del Tratado de 1903 —que hablaba de "neutralidad perpetua", o sea, neutralización— se habla de "neutralidad" a solas, término impropio para designar el status de un canal o de una zona territorial, ya que sólo un Estado puede ser neutral y ello, como se ha visto, con respecto a una guerra determinada y sólo mientras ésta dure.

b) El Proyecto de Tratado sobre bases militares, paradójicamente llamado "Tratado concerniente a la defensa del Canal de Panamá y de su neutralidad", sólo usa el vocablo neutralidad en su título, pues a lo largo de su extenso articulado no emplea una sola vez dicho término y mucho menos alude a su contenido. Y es explicable que así sea:

i) Porque los términos neutralidad y neutral, sin calificativos que los precisen, son impropios para designar el status de un canal que realmente se deseara neutralizar;

ii) Porque la concesión de sitios de defensa, esto es, de bases militares, hecha por un Estado a otro, es incompatible con la neutralidad permanente o neutralización de cualquier vía o zona que se halle en el Estado concedente.

11. Los proyectos de tratados introducen en las relaciones entre Panamá y los Estados Unidos el término y el concepto de defensa con respecto al Canal, término y concepto impropios y extraordinariamente peligrosos en relación con una zona y un canal supuestamente neutralizados y con un país débil y económicamente dependiente. A este respecto cabe observar:

a) Que ni el Tratado Hay-Bunau-Varilla ni el Tratado General de 1936 hablan de *defensa*, sino de seguridad y *protección* del Canal;

b) Que en 1901 el gobierno británico objetó decididamente y logró eliminar el término defensa, referente al Canal de Panamá, que aparecía en el anteproyecto norteamericano del Tratado Hay-Pauncefote;

c) Que el término *protección* —y no el de *defensa*— es el adecuado, en todo caso, ya que el concepto de protección alude, por excelencia, a funciones de policía, especialmente tratándose de un servicio público internacional, como el Canal de Panamá; mientras que el concepto de defensa se refiere a la guerra, a lo militar;

d) Que hoy el vocablo defensa tiene un carácter mucho más bélico que a comienzos de siglo, toda vez que después de la segunda guerra mundial la hipocresía diplomática ha llevado a muchas potencias a llamar Ministerio o Departamento de "Defensa", al que antes, con más exactitud y franqueza, llamaban Ministerio o Departamento de Guerra.

12. Los proyectos de tratados convalidan o autorizan el establecimiento de bases militares en territorio panameño, dentro y fuera de la Zona del Canal de Panamá. A este respecto, es preciso indicar:

a) Que la Convención del Canal Ístmico de 1903 sólo habla de la facultad de los Estados Unidos para "establecer *fortificaciones* para la "seguridad y protección del Canal"...

b) Que fortificación no es lo mismo que base militar, ya que:

i) Las fortificaciones son construcciones puramente defensivas;

ii) En cambio, las bases militares pueden ser también instalaciones ofensivas; y su índole ofensiva se acentúa, generalmente, cuando un Estado las emplaza en territorios distantes del suyo.

13. El Proyecto de Tratado sobre el Canal actual, en su artículo XXXIV, regula lo que da en llamar la neutralidad del Canal de Panamá; y el Proyecto de Tratado sobre el Canal a nivel, en su artículo XI, reproduce *mutatis mutandis* las estipulaciones del artículo XXXIV del Proyecto sobre el Tratado del Canal actual.

Un examen de las cláusulas de dichos artículos demuestra que éstos, en verdad, no se refieren a concepto alguno de neutralidad, sino que simplemente fijan medidas reguladoras del uso del Canal, como un servicio público internacional.

Sin embargo, los negociadores norteamericanos aprovecharon dichos artículos:

a) Para desligar hábilmente a los Estados Unidos, con respecto a Panamá, de las obligaciones, en cuanto a la neutralización del Canal, que les impone el Tratado Hay-Pauncefote de 1901, obligaciones que, por estar incluidas en la Convención del Canal Ístmico de 1903, rigen, mientras ésta exista, aun en el caso de que los Estados Unidos y Gran Bretaña convinieran en abrogar aquel Tratado.

b) Para asegurar sin limitación de tiempo (esto es, a perpetuidad), en beneficio de los buques de los Estados Unidos —incluidos sus buques de guerra— ciertos privilegios, que resultan discriminatorios por ser contrarios al principio de igualdad de trato para todos los usuarios en cualquier servicio público.

14. Podría argüirse que el carácter de perpetuidad que los proyectos de tratados atribuyen a los aludidos privilegios, se debe a que la neutralidad, cuando equivale a neutralización, se califica de perpetua. Pero ello en este caso no es así:

a) Porque los numerales pertinentes del artículo xxxiv del Proyecto de Tratado sobre el Canal actual y del artículo xi sobre el Canal a nivel, no tratan propiamente, como ya se ha advertido, de la neutralidad, sino de medidas reguladoras del uso del Canal; y

b) Porque los calificativos de permanente y de perpetua para distinguir la neutralidad (cuando equivale a neutralización) no significan que tal status sea eterno, sino que, mientras rija, no puede ser suspendido ni interrumpido bajo ningún pretexto.

15. Todo lo expuesto demuestra que la "neutralidad" de que hablan los tres proyectos de tratados entraña una ficción jurídica y una falsedad política, llena de contrasentidos y de fórmulas e intenciones completamente contrarias a una verdadera neutralización del Canal de Panamá.

16. Estimamos que sólo un tratado multilateral de neutralización del Canal de Panamá, suscrito por los principales estados del mundo, podría atribuir a nuestro Canal el carácter de vía internacional *neutralizada*, aunque sometida, desde luego, a la soberanía exclusiva del Estado ribereño, o sea, de la República de Panamá.

Panamá, noviembre de 1967

TERCERA PARTE

CANAL PROPIO

7. CANAL PROPIO *VS.* CANAL AJENO (ELEMENTOS PARA UNA NUEVA POLÍTICA CANALERA)[1]

CARLOS BOLÍVAR PEDRESCHI

INTRODUCCIÓN

La nación panameña vive un proceso de redefinición de su política canalera. Factores tanto de índole interna como de índole internacional, auspician, explican y precipitan este fenómeno. Tal proceso se expresa, de un lado, en un esfuerzo por sustraer a la República de las tesis, concepciones y estrategias canaleras tradicionales y, de otro, en un esfuerzo por oficializar y concretar las tesis, concepciones y estrategias que, en punto a la cuestión canalera, corresponde a la tradición nacionalista del pueblo panameño.

Lo dicho supone que la República de Panamá sí ha contado con una política canalera y que, además, la nación siente que esa política canalera no satisface las legítimas aspiraciones del país y que, por ello, necesita dotarse de una nueva concepción y estrategia canaleras que expresen el grado de desarrollo de los intereses y sentimientos nacionalistas del pueblo panameño y las perspectivas que abre la solidaridad de los pueblos latinoamericanos y del mundo que, como el panameño, luchan igualmente por la defensa y explotación de sus recursos naturales.

Hay quienes, patrióticamente preocupados por la causa panameña en relación con el canal, han considerado que los gobiernos panameños han carecido de una política canalera y, dentro de tal preocupación, se han dolido de que ello fuera así por razón de las consecuencias negativas que tal situación habría significado para el país. Con todo, nosotros partimos de la base de que nuestros gobiernos sí han contado con una política canalera y, más aún, lamentablemente con una política canalera desacorde con el grado de evolución del nacionalismo panameño y latinoamericano. Lo que ocurre, a nuestro juicio, es que tal política no hay que buscarla precisamente donde no se encuentra. En otras palabras, no hay que buscarla en declaraciones formales redactadas deliberadamente con la pretensión de resumir la posición de esos gobiernos y la estrategia de esos gobiernos en relación con el Canal de Panamá y con la llamada Zona del Canal de Panamá. La política canalera de los gobiernos anteriores, como la política de cualquier gobierno, hay que buscarla

[1] Tomado del volumen del mismo nombre, ediciones revista *Tareas*, Panamá, 1973.

más en lo que los gobiernos *hacen* que en lo que los gobiernos *dicen*, porque política, de cualquiera índole, no es tanto lo que un gobierno *dice* como lo que un gobierno *hace.* Por ello, la política canalera de los gobiernos panameños hay que buscarla en las formas concretas y objetivas en que se han expresado las relaciones de Panamá y los Estados Unidos de América por razón del canal: tratados, acuerdos, cruces de notas, memoranda de entendimientos y memorias de la cancillería. En consecuencia, no es que careciéramos de una política canalera. De lo que carecíamos, en todo caso, era de una sistematización de tal política, de un documento o documentos en que formalmente se resumiera la posición oficial de los gobiernos panameños en materia del Canal de Panamá y de la Zona del Canal de Panamá. Todavía más: no sólo existía una política canalera, sino que ésta era la expresión de las realidades y potencialidades de nuestra situación política interna y de nuestra situación política a nivel internacional. Por ello, igualmente, no resulta casual que el proceso de redefinición de la política canalera panameña coincida, precisamente, con cambios en la realidad política interior del país y con cambios en la realidad política internacional.

De lo que se trata, ahora, es de captar el sentido de los cambios en materia de política canalera y en dotar a la nueva política canalera de las características que le dictan los intereses auténticamente nacionales, la tradición nacionalista del pueblo panameño, sus luchas en relación con el Canal y las potencialidades que históricamente se abren a los pueblos del mundo que luchan por la recuperación, explotación y usufructo de sus riquezas naturales.

Conforme con nuestras arraigadas convicciones sobre el problema, la nueva política canalera ha de ser una política de carácter nacionalista y ha de significar una cancelación de las tesis, concepciones y estrategia propias de la política canalera tradicional.

Habida cuenta de que las políticas van surgiendo y configurándose en su confrontación con los problemas concretos que se plantean, y principalmente a partir de ellos, nuestro interés por contribuir a emanciparnos de la política canalera tradicional y de optar por una nueva política canalera, se podrá apreciar en el examen de aspectos concretos de las actuales negociaciones, tales como la cuestión de la perpetuidad, la defensa del Canal, el origen de las negociaciones y el sentido de éstas, entre otros.

Una aclaración final tal vez no sea inoportuna a propósito de nuestra posición sobre el problema. Ella es la de que, en efecto, no consideramos que los objetivos de la nueva política canalera que suscribimos en este ensayo se puedan lograr fácil y prontamente. Por el contrario, somos conscientes de que se trata de objetivos difíciles que, por lo demás, no podemos esperar lograrlos a corto plazo. Más aún: dada la índole de las legítimas aspiraciones de la nación panameña y dada la mentalidad que frente a las mismas los gobiernos de los Estados Unidos se empeñan en mantener, de hecho estamos enfrentados a la dura realidad de que el gobierno de los Estados Unidos de América no está preparado para un tratado justo con la República de Panamá y, de nuestra parte, nada debemos hacer para preparar a la nación para otro tratado injusto. Después de todo, Panamá no necesita el tratado que le sea posible o viable conseguir del gobierno de los Estados Unidos. A esta hora de su historia, el tratado que Panamá necesita es el que satisfaga sus demandas fundamentales, ahogadas por más de setenta años de inconsecuencia. Ése o ninguno. Panamá ya tiene tratado malo: el de 1903. Y de esa clase no necesita más.

Pero no sólo no ignoramos que los objetivos que se señalan en el presente ensayo no se lograrán *ni fácil ni prontamente*. Somos igualmente conscientes de que, por algún tiempo, el único derecho eficaz que la República de Panamá tiene en sus manos es el de rehusar la firma de un tratado que no satisfaga sus demandas fundamentales y aun el ejercicio de ese derecho no dejará de comprometer la estabilidad política del gobierno que patrióticamente intente hacerlo. En esto tampoco nos llamamos a engaño. Pero somos asimismo conscientes de que los objetivos a los cuales nos adherimos en el presente ensayo representan las auténticas aspiraciones de la nación panameña a las cuales ésta no puede abdicar sin atentar contra su propio destino y contra su propia legitimidad.

ORIGEN DE LAS ACTUALES NEGOCIACIONES

No podemos menos que empezar por el comienzo: el origen de las actuales negociaciones. Un repaso a la documentación generada por las actuales negociaciones, ubican el inicio *formal* de éstas en la declaración conjunta de 3 de abril de 1964, firmada por los representantes de los gobiernos de la República de Panamá y de los Estados Unidos de América, cuyo contenido veremos más adelante. Sin embargo, el origen *material e histórico* de tales negociaciones hay que ubicarlo en el proceso de agudización de las contradicciones entre Panamá y los Estados Unidos por razón del Canal, proceso éste que tuvo su expresión más dramática en los históricos acontecimientos de enero de 1964.

Esta agudización de las contradicciones se ha visto auspiciada por el hecho de que mientras la *mentalidad colonialista* de Estados Unidos respecto del Canal se ha mantenido virtualmente igual desde 1903 a nuestros días, el *sentimiento nacionalista* del pueblo panameño y su conciencia del derecho que tiene a explotar y usufructuar sus recursos naturales ha venido radicalizándose, produciéndose así, de hecho, un distanciamiento cada vez mayor entre la posición de Estados Unidos, virtualmente estática, y la posición panameña, ya concretada, históricamente, en su determinación de luchar por la recuperación del Canal y de la Zona del Canal. Ambas tendencias, esto es, el estatismo colonialista norteamericano, y la radicalización del nacionalismo panameño, constituyen, pues, los signos que están a la base de las actuales negociaciones y lo que, en definitiva, explica el estado de éstas.

Por otra parte, nada hace suponer un cambio inmediato en la posición tradicional del gobierno norteamericano en relación con el Canal y las demandas panameñas. Por lo que hace a la República de Panamá, todo confirma que la nación panameña, fiel a su tradición nacionalista y fiel al contexto de intereses de los pueblos subdesarrollados que luchan por la defensa de sus recursos naturales, está definiendo cada vez con mayor precisión su determinación de luchar por la recuperación del Canal y de la Zona del Canal, como único medio de sanear su soberanía política, de proveer a su seguridad física y de explotar la riqueza natural que representa su privilegiada posición geográfica.

Para los que, ausentes de nuestras realidades históricas, pudieran asombrarse de nuestra afirmación de que la mentalidad colonialista de Estados Unidos no ha variado mucho de 1903 a nuestros días, bastará recordarles lo que le costó al gobierno panameño conseguir en *1936* que a propósito de la desvalorización del dólar, la ridícula anualidad de 250 000 dólares fuera convertida en una anualidad, igualmente ridícula, de 430 000 dólares, que era la que resultaba de la desvalorización del dólar; bastará recordarles que en *1940* el gobierno de los Estados Unidos propuso al gobierno panameño un convenio de bases militares por un término de *novecientos noventa y nueve (999) años*; bastará recordarles que la ridícula anualidad de 430 000 dólares subsistió hasta *1955*, fecha en que fue aumentada a la suma igualmente *risible* de 1 930 000 dólares; bastará recordarles que la ridícula anualidad de 1 930 000 dólares se consiguió paralelamente con concesiones fiscales otorgadas a los Estados Unidos que le representaba a ese gobierno una economía por más de B/.1 000 000, con lo cual el aumento de 1 930 000 dólares no fue tal aumento; bastará recordarles el tiempo que se tomó el gobierno de los Estados Unidos para cumplir con la obligación que en *1942* contrajo con la República de Panamá de construir un puente sobre el Canal; bastará recordarles que, no obstante el control que tiene sobre nuestro territorio de la Zona del Canal, en *1948* propuso que le cediéramos control sobre nuestro espacio aéreo; bastará recordarles la agresión de que fue objeto en enero de *1964* la República de Panamá cuando panameños inermes fueron agredidos por el ejército norteamericano por el delito de pretender que en la Zona del Canal se respetara la bandera panameña, conforme lo determinaban los acuerdos al respecto; y bastará recordarles los proyectos de tratados de *1967* mediante los cuales el gobierno de los Estados Unidos, a espaldas de los hechos que dieron lugar a tales negociaciones, se proponía legalizar aquellas prácticas mantenidas en la Zona del Canal denunciadas por los gobiernos panameños como violatorias del propio Tratado de *1903*; y bastará recordar la reticencia de 70 años por reconocerle a la República de Panamá sus derechos y demandas, al punto de que a estas alturas, por obra y gracia del gobierno norteamericano, todavía el Canal se rige por el Tratado de 1903 y por las prácticas norteamericanas violatorias del propio Tratado de 1903. Y como resumen y símbolo de la mentalidad colonialista del gobierno de los Estados Unidos de América, no es inoportuno reproducir la descarnada y cruda respuesta que el señor Dean Rusk, secretario de Estado de los Estados Unidos de las administraciones demócratas de John F. Kennedy y Lyndon B. Johnson, diera en Río de Janeiro en *1965* al canciller panameño, al argumentarle éste que los Estados Unidos pagaban 25 veces más por dos bases militares en España que lo que pagaban a Panamá por 500 millas cuadradas de la Zona del Canal y por las muchas bases militares en ellas establecidas. A decir del señor Jack Vaughn, ex embajador de los Estados Unidos en Panamá, la respuesta del señor Dean Rusk al canciller panameño fue tan despiadada y brutal como la siguiente:

"Existe una crucial diferencia que debe tenerse en mente en su comparación: si el gobierno español insiste en que nosotros abandonemos nuestras bases, nosotros no podríamos tener otra salida que abandonarlas. Si el gobierno panameño, sin embargo, nos solicita abandonar la Zona, nuestra respuesta tendría que ser: nosotros nos quedaremos." ¿Se quiere prueba más elocuente y humillante de que la mentalidad del Departamento de Estado de los Estados Unidos no ha cambiado mucho de 1903 a nuestros días?

Y para los que, ausentes de la propia realidad nacional, reciban con incredulidad la afirmación de que el *sentimiento nacionalista* del pueblo panameño se ha venido radicalizando, bastará remitirlos a los pronunciamientos de instituciones docentes, de organizaciones políticas, sindicales y estudiantiles, de figuras prestantes de nuestro mundo intelectual y profesional, a los acontecimientos de enero de 1964 y a las posiciones del actual gobierno, las cuales empiezan a concretar y a oficializar las posiciones nacionalistas del pueblo panameño. Algunos de estos pronunciamientos serán apreciados más detenidamente en el capítulo siguiente de este ensayo. Por lo pronto, basta recordar que una buena cantidad de ellos solicitan la nacionalización del Canal, la desmilitarización del Canal, la neutralización del Canal y el derecho de la República de Panamá a construir y explotar el nuevo Canal. Por lo que hace a la posición del gobierno actual, una apreciación objetiva de su política canalera y exterior permite identificarle las siguientes contribuciones a la causa nacionalista del país: la terminación del Convenio de Bases de Río Hato, al no consentir una prórroga del mismo; el rechazo de los proyectos de tratados negociados en 1967; la liberalización de sus relaciones con países del campo comunista; el rechazo de las nuevas bases de negociación presentadas por el gobierno norteamericano; el virtual enjuiciamiento del gobierno de los Estados Unidos ante la opinión pública mundial con ocasión de la reunión del Consejo de Seguridad de las Naciones Unidas celebrada en la ciudad de Panamá en marzo del presente año; el rechazo, por parte de la Asamblea de Representaciones, de la anualidad que por el Canal paga el gobierno norteamericano al gobierno panameño; las declaraciones de personeros de la actual administración afirmando que la República de Panamá se reserva el derecho a construir el nuevo canal y que las bases militares emplazadas en la Zona del Canal apuntan directamente contra la República de Panamá; y el acercamiento a los países del Tercer Mundo.

Como expresión dramática del proceso de agudización de las contradicciones entre los Estados Unidos y Panamá en relación con el Canal, se produjeron los históricos acontecimientos de enero de 1964, cuya gravedad no dio otra alternativa al gobierno panameño que romper sus relaciones diplomáticas con el gobierno de los Estados Unidos de América, no obstante la identidad de intereses económicos e ideológicos de que eran representativos ambos gobiernos. Confirmación de la identidad de intereses que unían a los gobiernos panameño y norteamericano de esos días se podrá apreciar en la siguiente parte de la declaración de 21 de marzo de 1964 del presidente Lyndon B. Johnson: "Sé que el presidente Chiari comparte esta esperanza; pues a pesar de los desacuerdos actuales, los valores e intereses comunes que nos unen son mucho más fuertes y más duraderos que las diferencias que nos dividen."

Los acontecimientos de enero de 1964 lesionaron a tal extremo el sentimiento nacionalista del país, que la opinión pública panameña fue virtualmente unánime en exigir al gobierno panameño que no reanudara relaciones diplomáticas con el gobierno de los Estados Unidos mientras éste no conviniera en negociar nuevos tratados que derogaran el de 1903 y los siguientes en materia canalera. Y esta exigencia se hizo tan reiterada y la opinión pública se mostró tan celosa en el cumplimiento de esta exigencia que la Cancillería hubo de emitir un comunicado el 15 de enero de 1964 aclarando expresamente que el gobierno panameño no reanudaría relaciones diplomáticas con el de los Estados Unidos "mientras el gobierno de los Estados Unidos no le dé las seguridades al gobierno de Panamá de que se iniciarán negociaciones para celebrar un nuevo tratado que sustituya a los existentes". De su parte, habida cuenta de la resonancia negativa que para los Estados Unidos habían tenido los sucesos de enero de 1964 y la necesidad de poner fin a las exterioridades de la crisis que se habían producido en las relaciones de los Estados Unidos con Panamá, el gobierno de los Estados Unidos pagó el precio que las circunstancias del momento le exigían y convino en negociar sus diferencias con el gobierno panameño por razón del Canal, a cuyo efecto suscribió la declaración conjunta de 3 de abril de 1964. Esta declaración conjunta es del tenor siguiente:

De conformidad con las amistosas declaraciones anexas de los presidentes de los Estados Unidos de América y de Panamá del 21 y 24 de marzo de 1964 respectivamente, que coinciden en un sincero deseo de resolver favorablemente todas las diferencias entre los dos países;

Reunidos bajo la presidencia del señor presidente del Consejo y luego de reconocer la valiosa cooperación prestada por la Organización de los Estados Americanos a través de la Comisión Interamericana de Paz y de la Delegación de la Comisión General del Órgano de Consulta, los representantes de ambos gobiernos han acordado:

1. Restablecer relaciones diplomáticas.

2. Designar sin demora embajadores especiales con poderes suficientes para procurar la pronta eliminación de las causas de conflicto entre los dos países, sin limitaciones ni precondiciones de ninguna clase.

3. En consecuencia, los embajadores designados iniciarán de inmediato los procedimientos necesarios con el objeto de llegar a un convenio justo y equitativo que estaría sujeto a los procedimientos constitucionales de cada país.[2]

SENTIDO DE LAS ACTUALES NEGOCIACIONES

Las actuales negociaciones, nacidas dentro del marco y realidad que se relata, surgieron *históricamente* como un intento por controlar las contradicciones entre los Estados Unidos y Panamá por razón del Canal. *Formalmente* este intento se expresó en el compromiso de los dos gobiernos de "procurar la pronta eliminación de las causas de conflictos entre los dos países".

Apreciadas en su doble dimensión, esto es, tanto *histórica* como *formal*, las actuales negociaciones sólo deben referirse al Tratado de 1903 y al actual Canal y a las causas de

---

[2] En representación del gobierno de Estados Unidos de América firmó esta declaración el señor Ellsworth Bunker, y por la República de Panamá el licenciado Miguel J. Moreno Jr., distinguido compatriota vinculado a las luchas nacionalistas del país.

conflictos generadas por *ese* tratado y *ese* Canal y por las prácticas del gobierno de los Estados Unidos en la Zona del Canal violatorias del propio Tratado de 1903.

No obstante la realidad expuesta, y como una demostración adicional de la prepotencia de los Estados Unidos y de la dependencia del gobierno panameño, el gobierno panameño aceptó *negociar* en 1964 un tratado sobre el *actual Canal*, un tratado sobre *otro canal* (éste a nivel del mar), y un tratado de *bases militares*, llamado "Tratado sobre defensa y neutralidad del Canal".

Lo dicho implica que la diplomacia norteamericana, fiel a su espíritu colonialista, y los gobiernos panameños, fieles a nuestro subdesarrollo político, distorsionaron completamente tanto el sentido *histórico* como el sentido *formal* de las negociaciones, al desbordar el marco *histórico* y *formal* de ellas, limitado al *actual Canal* y al Tratado de 1903 y a sus causas de conflictos, incorporando al campo de dichas negociaciones materias que nada tenían que ver con el *actual Canal*, ni con el *Tratado de 1903*, ni con las *causas de conflictos* que éste genera, como es el caso del *Canal a nivel*.

Pero esta distorsión original del sentido de las negociaciones no ocurrió por casualidad. Con *deliberación* la diplomacia norteamericana y con *obsecuencia* o "sentido práctico y realista" la diplomacia panameña, dieron en consentir en que lo qúe fuera motivo para resolver un problema *nuestro*, como lo es el actual Canal y su Tratado de 1903, fuera usado más bien para asegurar los objetivos básicos de *ellos*, entre éstos su interés en obtener la concesión para lo construcción y explotación de un canal a nivel y su interés en legalizar su presencia militar en el istmo. Así, las actuales negociaciones, que nacieron para eliminar los problemas confrontados por la República de Panamá por razón del actual Canal y del Tratado de 1903, se pretende tomarlas por el gobierno de los Estados Unidos de América para cambiarnos un *canal viejo* por *uno nuevo* y, como si fuera poco, para hacernos entrega del *canal viejo* precisamente cuando éste deje de ser tal en virtud de su obsolescencia y de haber empezado a operar el canal nuevo. Y como el gobierno de los Estados Unidos todo lo tiene bien calculado, la fecha de entrega o reversión del actual Canal coincidirá virtualmente con la fecha de expiración natural de éste, con lo cual sólo nos quedaría a los panameños, para decirlo con humor, el derecho a exigir que se nos entregara el viejo canal con su correspondiente certificado de defunción. Ciertamente, el gobierno de los Estados Unidos de América, por los estudios realizados a propósito, sabe perfectamente que el actual Canal es un Canal añoso, cuasi obsoleto y con una vida funcional próxima a expirar y sabe que dicho Canal no le tiene cuenta cuando puede cambiarlo por un nuevo y moderno.

Lo expuesto, por lo que concierne al canal en tanto *funciona-lidad*, vale decir, en tanto canal. En tanto área geográfica sustraí-da de los atributos jurisdiccionales de la República, el gobier-no de los Estados Unidos de América pretende revertir esta área a la jurisdicción panameña sólo a cambio de que le aseguremos el dominio o control de otra, esto es, la que demandaría un nuevo canal, área ésta que, de paso, puede comprender parte de la actual faja canalera.

En efecto, nuestro problema, el problema panameño, el que dio origen a las negociaciones de 1964, es el actual Canal, el Tra-tado de 1903 que lo regula y las prácticas de hecho mantenidas por los Estados Unidos de América en la Zona del Canal viola-torias del propio Tratado de 1903. El problema del gobierno norteamericano, por el contrario, está en cómo se asegura la concesión para un nuevo canal y cómo legitima y prorroga su presencia militar en la República de Panamá. En otras palabras, "las causas de conflicto entre los dos países" por razón del Ca-nal, que dieron lugar a las presentes negociaciones, no consistían, ni mucho menos, en que la República de Panamá deseaba que el gobierno de los Estados Unidos de América se comprometiera a construir y explotar un canal a nivel por territorio panameño y a mantener su presencia militar en la República de Panamá a título de la defensa del Canal. Muy por el contrario, "las causas de conflictos entre los dos países" tienen que ver con el derecho, la aspiración y la determinación de la nación panameña de recupe-rar y explotar la riqueza natural que representa su posición geo-gráfica explotada por el gobierno de los Estados Unidos a través del Canal y sus muelles; en su derecho a su seguridad compro-metida con la presencia militar de los Estados Unidos en la Zona del Canal; y en su derecho a incorporar la Zona del Canal de Panamá al resto del territorio nacional no sujeto a limitaciones jurisdiccionales.

Pero el gobierno de los Estados Unidos no sólo pretende apro-vecharse de nuestro problema y de las causas de conflictos que genera el actual Canal, para asegurarse el interés de ellos de construir y explotar el nuevo canal. También pretende servirse de nuestro problema y de las causas de conflictos para solucio-nar otro problema de ellos: el de la legalización y prórroga de su presencia militar en la República de Panamá. En los proyectos de tratados de 1967 el gobierno de los Estados Unidos logró que uno de esos proyectos contemplara y satisficiera su interés de legalizar y prorrogar su presencia militar en Panamá y aun cuan-do tales proyectos de tratados fueron rechazados por el pueblo y por el actual gobierno, es evidente que el gobierno de los Esta-dos Unidos se empeña en satisfacer ese interés.

Respecto del sentido de las actuales negociaciones, considera-mos que la República de Panamá tiene títulos suficientes y muy justificados para pretender que tales negociaciones se limiten al Canal actual, a su régimen jurídico concretado en el Tratado de 1903 y a las causas de conflictos que su texto y las prácticas del gobierno de los Estados Unidos han generado y por ningún concepto una nueva regulación canalera debe lograrse a expensas de concesiones para un canal a nivel. En esto la posición panameña debe ser irreductible, pues ningún gobierno tiene derecho a vender la progenitura que históricamente significa para las nuevas generaciones el canal a nivel. Tampoco una nueva regulación canalera debe lograrse a expensas de comprometer la seguridad física y política del Estado panameño, legalizando y prorrogando la presencia militar de los Estados Unidos de América en territorio panameño. Naturalmente, si las actuales negociaciones se refirieran al nuevo canal debieran ser sólo para reconocer el derecho de la República de Panamá a construirlo y usufructuarlo.

A propósito del sentido de las actuales negociaciones, también conviene llamar la atención al hecho de que "las causas de conflictos" entre la República de Panamá y los Estados Unidos de América en relación con el Canal nada tienen que ver con demandas o aspiraciones norteamericanas frustradas por la República de Panamá, sino, por lo contrario, con derechos, demandas y aspiraciones panameñas sistemáticamente negadas por todos los gobiernos de los Estados Unidos de América. Este aspecto, por aparentemente obvio, aparentemente intrascendente, no debe perderse de vista en ningún momento, pues él constituye una referencia sumamente útil para determinar cuándo estamos dentro de las coordenadas lógicas y políticas de nuestros derechos, demandas y aspiraciones, y cuándo estamos fuera de esas coordenadas.

A efecto de precisar el sentido que para la nación panameña tienen las actuales negociaciones, es indispensable remitirse a los pronunciamientos de organismos de distinta índole y de panameños de la más variada filiación ideológica que se produjeron antes de que se iniciaran las actuales negociaciones y las que se han producido luego de iniciadas éstas. Entre tales pronunciamientos, mencionaremos los siguientes:

1. La resolución del 10 de enero de 1964 del Consejo General Universitario de la Universidad de Panamá, firmada por el rector Narciso E. Garay y el secretario general Diógenes A. Arosemena G. en nombre de dicho Consejo, mediante la cual este importante organismo demanda clara y expresamente *"la nacionalización del Canal de Panamá como aspiración de la República de Panamá que debe ser planteada sin pérdida de tiempo"*. Cabe recordar, que el Consejo General Universitario fue el más alto órgano de gobierno de la Universidad de Panamá para dicha fecha y estaba integrado por todos los profesores regulares

de esa institución docente, así como por representantes estudiantiles.[3]

2. El comunicado del Colegio Nacional de Abogados de Panamá, de enero de 1964, el cual señala clara y terminantemente que la presencia de los Estados Unidos de América en la Zona del Canal *es incompatible con nuestra soberanía, con la tranquilidad del país y con la paz hemisférica y exigía la desmilitarización de la Zona del Canal.* Este comunicado lleva la firma de los abogados Jorge Illueca, Manuel García Almengor, Carlos del Cid, Ascanio Mulford, Mario Galindo, Carlos Bolívar Pedreschi, Ricardo Rodríguez y Rodrigo Molina.

3. El comunicado del capítulo de Chiriquí del Colegio Nacional de Abogados de enero de 1964, reclama expresamente un nuevo tratado con un término fijo no mayor de diez años; la nacionalización, la desmilitarización y la neutralización del Canal. Este comunicado lleva la firma, entre otros, de las siguientes figuras del foro nacional: Gonzalo Rodríguez Márquez, Raúl Trujillo Miranda, Basilio Duff, Julio Miranda, Rubén de la Guardia, Álvaro Candanedo, Olmedo Miranda, José A. de Obaldía, Guillermo Zurita, Rodrigo Anguizola, Abel Gómez, Guillermo Morrison, Rodrigo Miranda, Gonzalo Salazar y Elías Sanjur.

4. La Comisión designada por la Rectoría de la Universidad de Panamá para el estudio de los proyectos de tratados negociados en 1967, integrada por los profesores doctor Dulio Arroyo, ingeniero Alberto de Saint Malo, doctor Emilio Clare, doctor César A. Quintero, doctor Julio Linares y doctor Secundino Torres Gudiño, manifestó en la parte de su informe concerniente a la defensa del Canal lo siguiente:

"No se justifica, desde el punto de vista de los intereses vitales de Panamá, la concertación de un Tratado de Defensa con los Estados Unidos de América. La mejor defensa del Canal, hasta donde ésta es posible, consiste en su efectiva neutralización."

Y en cuanto al nuevo canal, dicha importante Comisión agregaba: "Panamá tiene que considerar y estudiar todas las posibilidades que se presentan para arribar finalmente a una decisión. Por ejemplo: ¿le conviene y puede Panamá construir por su cuenta dicho canal, de manera que sea propietaria del mismo? ¿Debe darle a otro país la concesión para la construcción de dicho canal? En caso afirmativo tendría que determinar qué país le ofrecería las mayores ventajas."

5. La Comisión designada por el Colegio Nacional de Abogados para el estudio de los proyectos de tratados negociados en 1967, integrada por los abogados Erasmo de la Guardia, César A. Quintero, Rómulo Escobar Bethancourt, Jorge Fábrega, Ro-

[3] Esta y las demás citas que en el presente capítulo no indiquen expresamente sus fuentes pueden apreciarse en los ejemplares del diario *La Estrella de Panamá* del mes de enero de 1964.

drigo Arosemena, Mario Galindo, Julio E. Linares, Guillermo
Endara y José Antonio Molino, manifestó expresamente, a propósito de la presencia militar de los Estados Unidos de América
en la Zona del Canal, que "el proyecto en cuestión vendría a
legalizar la presencia del ejército norteamericano en la actual
Zona del Canal y en el resto del país en el futuro, *en abierta
oposición a una de las aspiraciones básicas de la República*". [4]

6. La Asociación de Profesores de Panamá, en comunicado de
enero de 1964, declara expresamente que "*es necesario el retiro
de todas las tropas norteamericanas que se encuentran en la Zona
del Canal*, en virtud de que se ha utilizado esa fuerza para fines
ajenos a la defensa del Canal".

7. En carta del 10 de agosto de 1967, dirigida al presidente
del Consejo de Relaciones Exteriores, la cual nos cupo el honor
de redactar, un grupo de importantes intelectuales y profesionales panameños, formulaba las siguientes preguntas: [5]

"*¿Hasta dónde conviene ceder, o bien a los Estados Unidos de
América o bien a cualquier otro Estado, el derecho a construir
un canal a nivel?*"

"*¿Hasta dónde conviene renunciar a la posibilidad de construir un canal auténticamente panameño, apelando a las fuentes
de crédito internacional?*"

"Desde el punto de vista de la funcionalidad del actual Canal
y de su valor económico como tal, ¿qué ventaja existe en aceptar
como plazo para la reversión del Canal uno que coincide precisamente con la muerte natural de éste?"

La importante carta, de la que forman parte las tres interro-
gantes mencionadas, lleva las firmas, entre otras, de los siguien-
tes panameños: doctor Ricardo A. Morales, doctor César A. Quintero, ingeniero Alberto de Saint Malo, doctor Antonio González
Revilla, arquitecto Ricardo J. Bermúdez, doctor Julio Pinilla Ch.,
doctor Dulio Arroyo, doctor Diego Domínguez Caballero, profesor
Juan A. Monterrey, licenciado Arturo Sucre P., licenciado Jorge
Fábrega, doctor Carlos Iván Zúñiga, doctor Julio Linares, doctor
Carlos Bolívar Pedreschi, doctor Emilio Clare, doctor Manuel
Ferrer Valdés, profesor Braulio Vásquez, doctor Carlos Ma-
nuel Gasteazoro, doctor Fabián Echevers, profesor Alberto Quirós
Guardia, doctor Lino Rodríguez Arias, doctor Rubén Aroseme-
na Guardia, doctor Ricaurte Soler, licenciado Antonio de León,
licenciado Erasmo Escobar, doctor Edgardo Molino Mola, doctor
Iván García, doctor Pedro I. Fonseca, ingeniero Víctor Yanis,
ingeniero Víctor N. Juliao, licenciada Ana María Jaén, licenciada
Carmen de Herrera, profesora Brunilda Sierra, licenciado Luis
Carlos Abrahams, licenciado José Salgueiro, profesor Carlos Calzadilla, licenciado Mario Cal Hernández, diputado Ramón Pereira

4 Véase *Tareas*, números 20-21, junio de 1971.
5 Véase *El Panamá América* del 23 de agosto de 1967.

P., licenciado Carlos Enrique Adames, ingeniero Leonidas Quintero, arquitecto Adolfo Villalaz, doctor Ariosto Ardila, licenciado Rodrigo Molina, arquitecto Raúl R. Rodríguez P., profesor Luis A. Melo, arquitecto Julio Rovi, Jr., arquitecto Ascanio Villalaz, ingeniero Gilberto Carles, ingeniero Rogelio B. Delgado, profesor Ricardo A. Ríos T., doctor Luis E. Tenorio, doctor Rafael Batista, doctor Luis E. Vergara, doctor Milcíades Díaz, doctor Jorge Barranco, doctor Moisés V. Ríos Espino, doctor Auberto Naar, doctor Horacio A. Vásquez, doctor Bolívar Dávalos, ingeniero Nicolás Rafael Real, ingeniero Amador Hassel, profesor Egberto Agard W., profesora Zobeida E. de López, doctora Sydia C. de Zúñiga, licenciado Iván Tejeira, profesor Alfeo A. Castro, profesor Alcides González, profesor N. de Abrego, profesor Arsenio Cárdenas B., profesor César González, profesora Emma de Vera, profesora Vilma D. de Ramos, doctor Daniel Bravo, doctor Juan Kravcio, doctor Aurelio Jaén, doctor Gladston Holder, doctor Carlos Cazabón, doctor Roberto Pérez, doctor José A. Hernández, licenciado Roy Carlos Durling, licenciado Roberto E. Díaz, doctor Jorge E. Montalván, doctor Ezequiel Jethemal, doctor César A. Castillo, doctor Ildemaro Correa Icaza, ingeniero Miguel A. Ulloa, ingeniero Saturnino Cerrud C.

8. La Asociación Federada del Colegio Abel Bravo, en comunicado de enero de 1964, pide *la nacionalización del Canal, la evacuación de tropas norteamericanas de la Zona del Canal y la neutralización del Canal.*

9. La Unión de Estudiantes Universitarios, en Asamblea General del 15 de enero de 1964, planteó la *desmilitarización, neutralización y nacionalización del Canal.*

10. La posición tradicional de la Federación de Estudiantes de Panamá siempre se ha orientado hacia la *nacionalización, desmilitarización y neutralización* del Canal de Panamá.

11. El Frente Cívico Universitario, en comunicado de enero de 1964, exige expresamente "plantear la inmediata *nacionalización* del Canal de Panamá".

12. La Asociación Panameña de Inspectores de Saneamiento, en comunicado del 10 de enero de 1964, declara expresamente que "cualquier nuevo tratado que se negocie debe tener un límite en el tiempo y deberá dejar las puertas abiertas para la futura *nacionalización* del Canal".

13. El Partido Demócrata Cristiano, en comunicado del 11 de enero de 1964, exigía expresamente *"que las nuevas negociaciones con los Estados Unidos se hagan a base de la nacionalización del Canal de Panamá".*

14. El Partido Socialista de Panamá, en manifiesto del 1 de octubre de 1961, manifestaba lo siguiente: "Frente a esta realidad, el Partido Socialista considera que nuestra riqueza geográfica, capitalizada por el Canal y los grandes puertos de Balboa y Cris-

tóbal, no será plena y efectiva para los panameños mientras no
sea plena y efectivamente nacionalizada. Mientras a Panamá no le
llegue esa oportunidad, mientras Panamá no siga el camino de
Egipto y de todo pueblo que aspire a su liberación económica,
nuestra riqueza geográfica continuará básicamente hipotecada
y usufructuada injusta y unilateralmente por los Estados Unidos
de América." [6]

15. El Partido Movimiento de Liberación Nacional, en comunicado de enero de 1964, expresamente declaró "que no habrá más
paz ni tranquilidad en el corazón y la mente de los panameños
hasta que se logre un nuevo instrumento regulador de las relaciones entre Estados Unidos y la República de Panamá *que ponga
la faja canalera bajo el imperio de la jurisdicción panameña*". Este
comunicado lleva la firma de los señores Temístocles Díaz Q.,
Jorge Rubén Rosas, Carlos Calzadilla, Ignacio Molino Jr., René
A. Crespo, Aníbal Vallarino y Ramón Jiménez Q.

16. La Unión de Profesores de Enseñanza de Panamá, en comunicado de enero de 1964, pide al Órgano Ejecutivo que denuncie
el Tratado de 1903 "como uno de los documentos más monstruo-
sos de la piratería internacional".

17. Los estudiantes panameños en Salamanca, España, manifestaron "luchar hasta morir por nuestra soberanía absoluta y
nacionalización del Canal".

18. La Federación de Estudiantes Cunas, en comunicado publicado el 28 de enero de 1964 en *La Estrella de Panamá* pidieron
la anulación total de los tratados canaleros, la desmilitarización,
neutralización y nacionalización del Canal.

19. Los profesores, alumnos y ex alumnos de la Escuela de Diplomacia de la Universidad de Panamá, en comunicado publicado
el 16 de enero de 1964 en *La Estrella de Panamá* exigieron la denuncia del Tratado de 1903.

20. La Agrupación Radical en Marcha, en Resolución del 14 de
enero de 1964, resolvió "solicitar al gobierno nacional la nacionalización del Canal".

21. El Comité Distritorial de Penonomé en Defensa de la Soberanía Panameña, en comunicado de enero de 1964, expresa que
"el 9 de enero se inicia nuestra verdadera y total independencia.
El Canal es nuestro". Este comunicado lleva la firma, entre otros,
del profesor Ricardo A. Ríos T., del licenciado Marcelino Jaén, del
doctor Aníbal Grimaldo, del profesor Eriberto Torres y del señor
Miguel Lombardo.

22. En enero de 1964 el arquitecto Rodrigo Mejía Andrión escribe un artículo en donde aboga por la nacionalización del Canal
de Panamá y defiende la capacidad de los panameños para administrarlo.

[6] Véase *El Socialista*, órgano del Partido Socialista de Panamá, 9 de octubre de 1961.

23. El ingeniero Juan Alberto Morales, en escrito de enero de 1964, abogaba porque desde la firma del nuevo tratado *"todas las fuerzas militares y navales de Estados Unidos se retiren de de la Zona del Canal"* y exhorta a *"no descansar hasta que la tierra irredenta vuelva a la patria y hasta que el último vestigio de dominación extranjera haya desaparecido".*

24. El doctor Carlos Iván Zúñiga, en intervención parlamentaria en el año 1965, precisaba el problema de las negociaciones en los términos que siguen: [7]

"Lo que hay en debate frente al problema de las negociaciones, tal vez de contenido mucho más trascendente que el mero examen de la declaración conjunta, lo que hay en debate, repito, es saber qué es lo que desea el panameño de hoy en relación a su posición geográfica; lo que hay en debate es precisar quién resume el pensamiento nacional, quién interpreta el pensamiento nacional. Si los que desean hacer un canal a nivel irrevocablemente con los Estados Unidos o si lo que interpreta el sentimiento nacional es que un canal a nivel sea hecho por Panamá de conformidad a sus mejores esfuerzos, a sus mejores conveniencias."

Y, sobre el particular, agregaba las siguientes frases proféticas:

"Yo tengo la perfecta convicción de que en este país no pasará un Tratado con los Estados Unidos para un canal a nivel; yo tengo la perfecta convicción que el país se movilizará en contra de ese tratado, porque un tratado con los Estados Unidos, es un tratado que viola la historia, que va contra la historia; porque un tratado con los Estados Unidos para un canal a nivel, es un tratado de vergüenza nacional porque basta recoger lo que hay de legado histórico de nuestras luchas para darnos cuenta de que, necesariamente, el sentimiento más puro es el sentimiento que dice que el día que Panamá tenga un canal, ¡que sea panameño ese canal!"

25. La Junta Directiva de la Sociedad Panameña de Ingenieros y Arquitectos, en carta reciente dirigida al ministro de Relaciones Exteriores y publicada en *El Panamá América* el día 9 de agosto de 1973, sinceramente preocupada porque nos precipitemos y firmemos un tratado que no resuelva las demandas fundamentales de la nación panameña, manifestó expresamente "que bajo ningún concepto debería negociarse un tratado con los Estados Unidos, concerniente al Canal de Panamá, si median presiones e intereses simplemente de tipo económico, olvidándose la dignidad nacional. Es preferible creemos, sinceramente, acogerse a la tesis que denominaríamos la 'De la espera' hasta que se produzcan posibilidades más propicias a los intereses nacionales". Por la Junta Directiva firmaron el ingeniero César P. Saavedra G. y el arquitecto Felipe A. Estribí.[8]

[7] Véase *Tareas*, número 17, agosto de 1966.
[8] Véase *La Estrella de Panamá* del 9 de agosto de 1973.

26. Este inventario esquemático de los pronunciamientos en relación con el Canal y las negociaciones, no puede prescindir de una mención muy especial a la vigorosa y sistemática campaña nacionalista que a través de la radio realiza el profesor Alberto Quirós Guardia y con él el personal de Radio Impacto. Como es conocido, este medio de expresión cumplió un papel muy importante en la lucha contra los proyectos de tratados de 1967 y es clara su posición por la nacionalización, neutralización y desmilitarización del canal y por un canal a nivel panameño.

27. Consideramos oportuno cerrar la relación de pronunciamientos representativos del pensamiento nacional en relación con el Canal y las negociaciones, con las siguientes declaraciones de personeros del propio gobierno panameño.

a) Refiriéndose a la militarización de la Zona del Canal, el general Omar Torrijos ha manifestado expresamente que "no podemos admitir que nuestro territorio sea el escaparate bélico de una nación poderosa" y que "las bases militares no tienen sentido, pues el Canal es indefendible; ellas sólo apuntan al corazón de los panameños".[9]

b) Refiriéndose al nuevo canal, el ministro de Relaciones Exteriores, licenciado Juan Antonio Tack, ha dicho expresamente que "Panamá tiene derecho a explotar sus recursos naturales. Si nuestro país considera que es conveniente construir un canal a nivel del mar por su territorio, ningún país debe estorbar el logro de este objetivo".[10]

Los pronunciamientos mencionados convencen:

a) De que las actuales negociaciones no nacieron por generación espontánea.

b) De que hay una relación de causa o efecto entre los acontecimientos de enero de 1964 y las actuales negociaciones.

c) De que esta relación de causa o efecto tenía como causa mediata o predisponente la diferencia de intereses entre Panamá y el gobierno de los Estados Unidos de América respecto del Canal.

d) De que las relaciones entre la República y los Estados Unidos llegaron a tal punto crítico, por razón del Canal y de los acontecimientos de enero de 1964, que al gobierno panameño no le quedó otra alternativa que exigir negociaciones para un nuevo tratado sobre el Canal como precio para restablecer relaciones diplomáticas con el gobierno de los Estados Unidos de América.

e) De que al gobierno de los Estados Unidos tampoco le quedó alternativa más razonable que pagar el precio de consentir en negociar con la República de Panamá un nuevo tratado sobre el Canal.

[9] Véase *La Estrella de Panamá*, del 8 de abril de 1973 y *El Panamá América*, del 18 de abril de 1973.
[10] Véase *El Dominical*, del 13 de mayo de 1973.

f) De que las actuales negociaciones nacieron para enfrentar las demandas panameñas negadas sistemáticamente por los gobiernos norteamericanos y no para satisfacer demandas del gobierno de los Estados Unidos, el cual no tiene demandas pendientes de satisfacción por el gobierno panameño. Ciertamente, el Tratado de 1903 y las prácticas de hecho mantenidas por el gobierno norteamericano en la Zona del Canal no le han dejado demandas que ese tratado o, en su defecto, su aplicación, no hubieren satisfecho.

g) De que la nación panameña lo que aspiraba o exigía era la subrogación total del régimen jurídico y de hecho que gobierna al actual Canal y a la Zona del Canal.

h) De que la subrogación total del régimen jurídico y de hecho que gobierna el Canal, significan básica y concretamente para la nación panameña la lucha por los siguientes objetivos:

1. La perentoria recuperación y aprovechamiento del actual Canal.
2. La perentoria incorporación de la Zona del Canal a la jurisdicción de la República de Panamá.
3. La desmilitarización del Canal de Panamá.
4. La neutralización del Canal de Panamá.
5. La construcción y explotación del nuevo canal por la República de Panamá.

Los objetivos enunciados, independientemente de que se pueden o no lograr a corto o mediano plazo, eran los que la nación panameña sentía cuando exigía en 1964 la abrogación de los tratados canaleros y son los objetivos que cada vez con mayor claridad y determinación siente la nación panameña. Por ello, no tiene sentido para la nación panameña un tratado que legalice la presencia militar de los Estados Unidos de América en la Zona del Canal, por ser tal presencia contraria al derecho de la nación panameña a su seguridad y contraria a sus luchas por la desmilitarización y neutralización del Canal; que no implique la devolución del Canal y de la Zona del Canal antes de su expiración natural, por ser ello contrario a la aspiración de la nación panameña de sanear prontamente su soberanía y aprovechar prontamente el recurso natural que a ella le representa su privilegiada posición geográfica; y que otorgue a los Estados Unidos de América o a cualquier otro país u organización la concesión para construir y explotar un nuevo canal, por ser ello contrario a la aspiración panameña de que Panamá construya y explote el nuevo canal y a su aspiración de no prorrogar innecesariamente las experiencias canaleras con el gobierno de los Estados Unidos.

DEVALUACIÓN Y PRÓRROGA DE LA PERPETUIDAD

En su estrategia orientada a convencer a la República de Panamá
de la conveniencia y necesidad de concertar en las presentes negociaciones acuerdos que comprendan concesiones a favor de los
Estados Unidos de América para la construcción de un *nuevo
canal*, la diplomacia norteamericana ha venido usando a su favor,
en adición a la prepotencia de hecho de que disfruta, el fantasma
de la perpetuidad, esto es, la cláusula del Tratado de 1903 que
dispone que las concesiones que en él se acuerdan a favor de los
Estados Unidos de América se pactaron a perpetuidad. El corolario de tal estrategia es el de que las *nuevas concesiones* en las
que ahora está interesado el gobierno de los Estados Unidos de
América, principalmente la concesión para el nuevo canal y la
legalización de bases militares en el país, es el precio que la República de Panamá debe pagar si pretende sacudirse de la cláusula de la perpetuidad.

Lamentablemente para el país, la estrategia expuesta ha encontrado eco entre algunos panameños, unos por inocencia y
otros por lo que ellos mismos llaman el sentido práctico y el
sentido realista de las cosas.

Aturdidos por la estrategia y examen y por el trauma y complejo que la perpetuidad y la prepotencia de los Estados Unidos
de América ha creado en nosotros en tanto país débil y subdesarrollado, la República de Panamá se ha sentado a la mesa de las
negociaciones presa de ese complejo, de ese fatalismo y de su
propio "sentido práctico y realista de las cosas", virtualmente
anuente a aceptar la *inevitabilidad* de concesiones militares y
de concesiones para un nuevo canal a favor de los Estados Unidos de América como precio que tendrá que pagar para liberarse
del "monstruo de la perpetuidad".

Sobre este importante aspecto de la perpetuidad, deseamos
hacer observaciones de tres órdenes distintos: *jurídicos, prácticos e históricos*.

Desde el punto de vista *jurídico*, la perpetuidad no tiene autonomía alguna ni respecto del Canal en sí ni respecto del régimen
jurídico que lo regula. Como es del conocimiento de los estudiosos del problema canalero, el Tratado de 1903 no es independiente
del Canal que regula. Por el contrario, es enteramente dependiente de él. Y, de otro lado, la perpetuidad es una de las distintas cláusulas que hacen parte del Tratado de 1903, esto es, es una
de las cláusulas que forman el régimen jurídico que regula al
Canal.

Lo dicho tiene importantes consecuencias en el orden jurídico,
y, como se verá, en el propio orden práctico de las cosas. Lo
dicho significa que siendo el Tratado de 1903 enteramente dependiente del objeto que regula, vale decir, enteramente depen-

diente del Canal, los Estados Unidos no pueden jurídicamente pretender que desaparezca el Canal y que le sobreviva el régimen jurídico que lo regula, esto es, que le sobreviva el Tratado de 1903. Extinguido el Canal de Panamá, y ello es esperado para dentro de breve tiempo por el gobierno de los Estados Unidos de América,[11] con él se extingue el régimen jurídico que lo regula, esto es, el Tratado de 1903. Y extinguido el Tratado de 1903, con él se extinguen sus cláusulas y, en consecuencia, aquella que consagra la perpetuidad. Esta tesis fue enunciada por nosotros en nuestra obra titulada *Comentarios al Proyecto de Tratado sobre defensa y neutralidad del Canal*, editada en agosto de 1968. En aquella oportunidad decíamos que la necesidad de un nuevo canal que comunique los océanos Atlántico y Pacífico era cuestión que pocos discutían. Y agregamos que "las limitaciones cada vez mayores del actual Canal para satisfacer las necesidades del tráfico marítimo mundial y su deterioro natural cada vez mayor también, determinarán eventualmente la extinción del actual Canal como tal, bien físicamente o bien como vía regular para el tráfico marítimo mundial. Cuando ello ocurra, es decir, cuando se llegue al punto en que el actual Canal desaparezca físicamente o desaparezca como vía regular de tráfico marítimo mundial, desaparecerá también el régimen jurídico a que dio lugar y, con éste, la perpetuidad, ya que jurídicamente tal régimen nació para y por el Canal. Contra este razonamiento jurídico, no es de extrañar una réplica sobre la base de que la apertura de un nuevo canal no necesariamente determina la clausura o desaparición del actual y que los Estados Unidos bien podrían mantener en operaciones el actual Canal a objeto de conservar el presupuesto físico que sirve de base para el mantenimiento de su régimen jurídico. De hecho no se podrían descartar tales posibilidades, pero de derecho es evidente que la conservación artificiosa del actual Canal como vía alterna o como simple pretexto para mantener la Zona del Canal bajo el régimen jurídico actual, desborda las causas, los fines y razones que en el Tratado de 1903 se tuvieron en mientes para la construcción del Canal. Por ello, la conservación del Canal en tales condiciones sería, jurídicamente hablando, violatorio del propio Tratado de 1903. De conformidad con los términos del Tratado de 1903, Panamá no consintió a cualquier precio —si fue que en realidad consintió— la afectación de su territorio. De conformidad con ese tratado, Panamá habría autorizado la afectación de su territorio, para que se cons-

[11] En efecto, el Informe sobre la República de Panamá rendido por el Comité Republicano designado por el presidente Ike Eisenhower y presidido por su hermano Milton Eisenhower, decía en *1964* lo siguiente: "Una cosa está clara: cualquier actitud realista para con los problemas panameños debe comenzar con el reconocimiento de que la construcción de un canal a nivel dentro de unos 25 años es imperativa; construirlo antes sería preferible." (Véase *Lotería*, números 101 y 102; abril-mayo, 1964; tomo II; p. 224.)

truyera un canal que sirviera de vía regular de tránsito de un
océano a otro y satisfacer así una gran necesidad del tráfico
marítimo mundial y no para que, desaparecido aquél, subsistiera
como base militar, ni para que, existiendo otro canal, se le con-
servara como simple vía alterna ni, en fin, como pretexto más o
menos aparente para perpetuar la presencia norteamericana en
territorio panameño. En consecuencia, existiendo otra vía a través de la cual se garantice ese tránsito en condiciones de regularidad y aun de superioridad la conservación del régimen que
actualmente pesa sobre la Zona del Canal carecería de justificación legal a la luz del derecho y del propio Tratado de 1903 por
no ser necesario dicho régimen para satisfacer la necesidad de
tránsito marítimo que, de acuerdo con el Tratado de 1903, le dio
origen".

Desde el punto de vista práctico, debemos tener presente
que el gobierno de los Estados Unidos de América es consciente
de tres cosas: *una*, de que el actual Canal tiene históricamente
sus días contados; *otra*, de que, en consecuencia, el actual Canal
tendrá que ser remplazado por uno nuevo; y *finalmente*, de que
desaparecido el actual Canal desaparece el tratado que lo regula,
esto es, el Tratado de 1903 y, con él, la cláusula de la perpetuidad.

Consciente el gobierno de los Estados Unidos de América de
tal realidad; consciente, por ello, de que la tal perpetuidad no
es tal perpetuidad y de que, por el contrario, la galopante obsolescencia del actual Canal le ha producido una devaluación cronológica irreversible, la estrategia y poderío del gobierno de los
Estados Unidos de América se han dirigido claramente a aprovechar los nuevos tratados que está negociando para sacudirse
ellos de una perpetuidad que ya no es tal, ni nunca ha sido tal,
como perpetua no fue Roma; de una perpetuidad que ya no les
tiene cuenta, y de una perpetuidad que para ellos mismos no
tiene un valor cronológico superior a treinta años. Vista esa realidad, el gobierno de los Estados Unidos de América desde el
inicio de las negociaciones orienta su estrategia y su poderío a
remplazar su devaluada perpetuidad por un término fijo, el
cual, de hecho, vendría siendo cronológicamente más extenso que
el que le supone la actual "perpetuidad", con lo cual la estrategia
y el poderío de los Estados Unidos de América se propone, valga
el aparente sin sentido, prorrogar la actual perpetuidad, de suerte
que ésta no expire con el actual Canal, sino que le sobreviva
por algún tiempo más. Para ilustrar con una figura médica la tesis que se expone, diremos que la estrategia y poderío de los
Estados Unidos de América pretenden ponerle una venoclisis
jurídica a su actual "perpetuidad" y conseguir así que prolongue
su duración por algún tiempo más. En efecto, el gobierno de los
Estados Unidos propone, con su estrategia de vincular y uncir

la solución de los problemas del *actual* Canal con las concesiones para la construcción de un nuevo canal, un término de virtualmente CIEN AÑOS para las nuevas relaciones jurídicas que nacerían de las negociaciones, con lo cual de hecho remplazaría una "perpetuidad" de 30 años, en el mejor de los casos, por un plazo fijo de CIEN, operación ésta que asegura un saldo cronológico a favor de Estados Unidos de SETENTA años sobre la actual "perpetuidad".

A los cultores del sentido práctico en nuestro medio, los invitamos a que se pregunten por qué el gobierno de los Estados Unidos de América ha aceptado renunciar a la "perpetuidad"; por qué están de acuerdo en cambiar la "perpetuidad" por la concesión para la construcción de un canal a nivel con un plazo fijo de CIEN años; por qué los Estados Unidos de América han considerado que le tiene más cuenta la concesión para un nuevo canal con un término fijo de CIEN años en vez del actual Canal a "perpetuidad". La respuesta a todas estas preguntas no podrá encontrarse en una generosidad que en materia canalera no hemos conocido del gobierno de los Estados Unidos. Dicha respuesta no es otra que la de que los Estados Unidos sí sabe cuánto vale históricamente el actual Canal y su "perpetuidad" y sí sabe también cuánto vale un nuevo canal aun cuando fuese con término fijo y no a "perpetuidad".

Lo expuesto lleva de la mano a la necesidad de que, cuando menos, nosotros sepamos cuánto sabe el gobierno de los Estados Unidos de América respecto del valor del actual Canal, del valor de su malferida "perpetuidad" y del valor que entraña un nuevo canal, para así enfrentarnos con mayor conocimiento y responsabilidad a las alternativas que supone el problema canalero y sus negociaciones. Pero el gobierno de los Estados Unidos de América no sólo pretende prorrogar la "perpetuidad" del Canal sustituyendo ésta por un término fijo que de hecho sea más extenso que el que le supone su "perpetuidad" jurídica. El gobierno de los Estados Unidos de América pretende prorrogar su "perpetuidad" en la Zona del Canal a fuerza de realizar obras en el Canal que, de hecho, prorrogan la vida funcional de éste. Estas prácticas del gobierno de los Estados Unidos de América en el Canal, protestadas ya por el gobierno panameño como violatorias de los tratados existentes, son altamente lesivas a los intereses de la República de Panamá, pues con ellas el gobierno de los Estados Unidos de América está prorrogando el término de expiración real del Tratado de 1903 al prorrogar el término de expiración natural del actual Canal, cuya vida funcional es la que sirve de sustentáculo al régimen jurídico que lo regula y del cual hace parte la cláusula de la perpetuidad. Con la oposición a esta práctica del gobierno norteamericano en la Zona del Canal no se quiere privar a los usuarios del Canal de un

servicio más moderno y eficiente. Se quiere, sólo, algo que, por
lo demás, es enteramente justo y posible: que tales mejoras
no se sigan haciendo a expensas de los derechos de la República de Panamá.

Desde el punto de vista de las perspectivas históricas, percep-
tibles a través del pasado y del presente político de los pueblos
latinoamericanos y del mundo, qué duda cabe de que las actuales
direcciones de la historia ofrecen justificadas y objetivas razones
para afirmar que la historia trabaja contra el colonialismo y que
en esa misma medida trabaja a favor de los pueblos que, como
el panameño, aún son víctimas de sus efectos; para afirmar que
las contradicciones de intereses entre América Latina y los Estados Unidos se acentúan día a día y de que en esa medida madura
históricamente la solución panameña; para afirmar que cada día
es más creciente la conciencia de cada pueblo latinoamericano
y del mundo de su derecho a explotar sus propios recursos naturales y de que en esa misma medida se acerca la solución del
problema panameño; para afirmar que las causas nacionales son
cada vez menos nacionales por la solidaridad internacional que
reciben y de que en esa misma medida se hace más fuerte la
causa panameña; para afirmar que la propia sociedad norteamericana vive históricamente una crisis social y una crisis política que resultará interiormente en una sociedad más humana
y exteriormente más receptiva a las nobles demandas de los pueblos bajo el coloniaje de su gobierno y de que en esa misma
medida crecerá la causa panameña al hacerse ésta causa propia
de la nueva sociedad norteamericana.

Contra lo que puedan pensar los que, dentro y fuera del país,
están habituados a extender los criterios crematísticos y pragmá-
ticos a todos los problemas, consideramos que no es lirismo
afirmar, frente al problema de las negociaciones, que la República de Panamá no debe negociar a espaldas de consideraciones
históricas y, dentro de éstas, a espaldas de las perspectivas históricas. Por ello, el aporte de nuestra generación nunca debe ser
el consentir en demandas iguales o parecidas a aquellas que las
primeras generaciones republicanas no pudieron evitar. Téngase
presente que si la historia ha sido tan dura con aquellos que
consintieron en demandas y situaciones que materialmente no
podrían evitar, cómo será con nosotros que estamos negociando
en circunstancias tan diferentes a aquellas de 1903. Repárese en
que hoy día Panamá no negocia en esa etapa difícil de nuestra
historia bien definida por el doctor Carlos Iván Zúñiga como
una en que la nueva República se debatía entre la reconquista
colombiana y la conquista yanqui.[12] Hoy día Panamá negocia
liberada de ambos riesgos y si consentimos en la entrega del

[12] Carlos Iván Zúñiga, "El desarme de la policía nacional en 1916", *Lex*
(revista del Colegio Nacional de Abogados), número 2, mayo, 1973, p. 44.

nuevo canal a los norteamericanos y en la legalización de la presencia militar de los Estados Unidos en Panamá, punto éste que no consintió siquiera el Tratado de 1903, las generaciones vinculadas —por acción o por omisión— a las actuales negociaciones no tendremos ante la historia y ante las nuevas generaciones ni siquiera el beneficio de los próceres, de quienes al menos la historia podrá decir que negociaron dentro de la dura realidad de la conquista yanqui y la reconquista colombiana. Lejos de ello, las presentes generaciones negocian bajo los auspicios históricos de un pueblo latinoamericano, africano y asiático en lucha por el rescate de sus recursos naturales, de organismos internacionales que ya han comprometido su comprensión y solidaridad con la causa panameña y con una sociedad norteamericana en crisis, que, en su lucha por una sociedad más humana y justa, terminará por comprender la justicia de la causa panameña, negada por los mismos gobiernos que niegan las causas y demandas por las que lucha esa misma sociedad norteamericana.

Repárese, asimismo, en que aun en esa etapa difícil en que sobre la República pesaba la dura alternativa de la reconquista colombiana o la conquista yanqui, nuestra historia se honra con posiciones de ilustres panameños, a quienes sobraba patriotismo para decir, como es el caso del general Santiago de la Guardia en 1916, a propósito del desarme de la policía panameña exigida por el gobierno norteamericano, lo siguiente: "Opino que el gobierno panameño de ninguna manera debe convenir en esa humillación. Que acaben con el gobierno y con el país si quieren, pero que ello no dependa de nuestra propia voluntad." A estas alturas de nuestra realidad histórica y de la realidad histórica de Latinoamérica y del mundo, resulta más inexcusable y menos riesgoso decir, inspirados en el valor y patriotismo de los panameños que han hecho nacionalidad, que el enclave colonial que tanto hemos denunciado, que la presencia militar extranjera que tanto hemos combatido y que la explotación de nuestra posición geográfica por una nación extranjera que tanto hemos resentido, ocurra contra nuestra voluntad, ocurra porque aún no tengamos fuerza para evitarlo, pero nunca porque nos sobre debilidad para consentirlo mediante tratados negociados muy lejos de las limitantes realidades que enmarcaron y determinaron el Tratado de 1903. A propósito de la consideración histórica como factor al que debemos remitirnos para orientarnos frente a los problemas, tal vez sea oportuno recordar que la historia, como el tiempo, se venga de las cosas que se hacen sin su colaboración. Y los acontecimientos y designios históricos se vienen cumpliendo con tanta vertiginosidad que la generación que, con su acción u omisión, haga posible la entrega del nuevo canal a una potencia extranjera, sea cual fuere ésta, vivirá el triste privilegio de ser juzgada en vida por la propia historia.

LA DEFENSA DEL CANAL

La llamada defensa del Canal es otro de los aspectos esenciales en las negociaciones. Su estudio no puede menos que llevarnos a la consideración del tema a la luz de las siguientes perspectivas: a la luz del Tratado de 1903, a la luz de la neutralidad y a la luz de los intereses nacionales.

La historia de nuestras relaciones con los Estados Unidos de América en relación con el Canal demuestra claramente que dicho país no se ha conformado con usar su poderío para mantenernos atados a un tratado como el de 1903. Como si ello fuera poco, los Estados Unidos ha violado dicho tratado tantas veces cuantas ha considerado conveniente y ha impuesto las interpretaciones que se le ha ocurrido. Esta realidad ha producido el efecto de que, de un lado, la República de Panamá ha vivido un tratado *formal*, el tratado escrito de 1903, malo como se conoce, y, paralelamente a él, ha vivido un tratado de *hecho*, no escrito, peor que aquél, resultante de las prácticas e interpretaciones que los Estados Unidos de América han impuesto en la Zona del Canal. Nuestra historia canalera es rica en ejemplos de prácticas norteamericanas en la Zona del Canal violatorias del propio Tratado de 1903. Entre tales prácticas, hace bulto el de las bases militares en la Zona del Canal.

Como es bien conocido, el Tratado de 1903 no nació para darle al gobierno de los Estados Unidos el derecho a instalar bases militares en la Zona del Canal, como parte del sistema militar de los Estados Unidos de América. El Tratado de 1903 habla de simples fortificaciones para la protección *específica* del Canal, lo cual es muy distinto a *bases militares* para la protección de los Estados Unidos de América y de lo que se ha dado en llamar el mundo occidental, del cual forma parte, como buena muestra, el Tratado de 1903. La protección autorizada en el Tratado de 1903, de una parte, consiste en *fortificaciones*, y, de otra, se previó *específicamente* para la protección del *Canal en sí* y no como parte del complejo militar defensivo de los Estados Unidos de América. En lo jurídico, esta aserción, muy clara en sí, se hace más evidente cuando se la asocia al carácter *neutral* que el propio tratado le reconoce al Canal, ya que mal podría ser neutral el Canal de Panamá si su defensa se la compromete y se la hace parte de la defensa de una potencia mundial: los Estados Unidos de América.

Al margen de las consideraciones jurídicas ya enunciadas, cuya pobre significación práctica bien conocemos, conviene ahora referirse a la defensa del Canal a la luz de su propia *neutralidad*. Como se sabe, dos cosas básicas unen a todos los estados del mundo con relación al Canal de Panamá. Ellas son: *su utilidad* y *su neutralidad*. Por lo mismo que todos los estados del mundo son beneficiarios del Canal interoceánico que atraviesa nuestro territorio y son conscientes de la necesidad y ventajas que él importa, los estados del mundo son conscientes también de la conveniencia y necesidad de que tales ventajas no se interrumpan y de que estén abiertas a todos ellos sin discriminación alguna, para lo cual es necesaria la neutralidad. La neutralidad se hace indispensable tanto como un elemento para el aseguramiento de la *continuidad* en los servicios y beneficios del Canal, como un elemento para la seguridad del derecho de los estados a no verse discriminados en el aprovechamiento de tales servicios y beneficios. Y, evidentemente, las bases militares emplazadas dentro de la Zona del Canal como parte del complejo militar de los Estados Unidos de América, atentan directamente contra el derecho de todos los estados del mundo a la *continuidad* y *regularidad* del servicio canalero y contra el derecho a no verse discriminados en el aprovechamiento de tal servicio. Y, como se verá a continuación, las bases militares atentan también directamente contra la seguridad del Estado que generosamente da lecho al Canal: el Estado panameño.

Visto el problema desde otra perspectiva, la República de Panamá no puede dejar de apreciar el problema de la defensa del Canal a la luz de sus propios intereses. Muy por el contrario, es desde la perspectiva de sus intereses propios que el problema de la defensa del Canal cobra su mayor sentido y su mayor significación para el país. Cuando, como ocurre en el presente caso, la defensa del Canal es algo que compromete y arriesga la seguridad física de todo el país, el criterio para evaluar este espinoso problema no puede ser el de *pro-mundi et beneficio*. Cuando está en juego la existencia misma del país, no podemos darnos la generosidad suicida de prescindir de considerar lo que atañe a nuestra propia integridad y seguridad. De allí que el problema de la defensa del Canal ha de verse por los panameños a la luz de los intereses propios de la República de Panamá.

Sobre el aspecto de la defensa del Canal, estimamos que vienen oportunamente a cuento las siguientes apreciaciones formuladas por nosotros en agosto de 1968, en nuestra obra titulada *Comentarios al Proyecto de Tratado sobre defensa y neutralidad del Canal*. En aquella oportunidad decíamos: "Sin embargo, para una objetiva apreciación del problema de la defensa del Canal a la luz de los intereses auténticamente nacionales, debemos empezar por tomar conciencia del hecho de que la defensa del Canal de Panamá no significa una misma cosa para los Estados Unidos que para Panamá y de que, en consecuencia, Panamá no debe precisar su posición en cuanto a la defensa del Canal a espaldas de sus intereses propios. Así, mientras para los Estados Unidos de América la defensa del Canal supone más que la defensa de éste la defensa de sus enormes intereses económicos, políticos y mi-

litares en el mundo, para Panamá la defensa del Canal no tiene
por qué cobrar importancia o significación a la luz de tales factores. Para Panamá, incluso, la hegemonía que los Estados Unidos
de América han logrado a costa, entre otros, del sacrificio del Estado panameño, sólo ha servido, en cierto sentido, para hacer
más difícil y desigual la lucha por el reconocimiento de nuestros
justos intereses y de nuestra justa participación en la obra del
Canal. Tal hegemonía ha servido para que Panamá, de hecho,
carezca de fuerzas suficientes con las cuales enfrentar y superar
las imposiciones de que ha sido víctima e, incluso, ha sido la
responsable de que no haya podido contar con respaldo eficaz
de otros estados por estar éstos, precisamente, bajo la hegemonía de los Estados Unidos de América. Éste es el caso, por ejemplo, de los estados latinoamericanos.

Asimismo, mientras el Canal de Panamá supone para los Estados Unidos de América los más óptimos beneficios económicos,
valorados éstos no sólo en función del rendimiento de los peajes
sino principalmente en razón del servicio general que ha prestado
y presta al desarrollo y a la expansión económica de dicho país,
para la República de Panamá, el Canal ha estado muy lejos de
representar los óptimos beneficios económicos que debe repre-
sentarle y por los cuales ha venido luchando infructuosamente
hasta el presente. Más aún, el Canal de Panamá, no obstante sus
enormes virtualidades económicas, no constituye para Panamá,
dada la injusta política norteamericana a este respecto, la importante fuente de intereses con la que Panamá pudiera contar para
contribuir a financiar los programas económicos que permitan
enfrentar el reto de su subdesarrollo.

Para la República de Panamá, en cambio, la defensa del Canal
se vincula de modo *inmediato* a la seguridad del propio país, al
riesgo que la actual estructura del Canal entraña para la existencia de la población que compone el Estado panameño y de modo
mediato a la conservación del Canal como fuente eventual de justos beneficios económicos para la República de Panamá. En otras
palabras, mientras para los Estados Unidos el problema de la
defensa del Canal se asocia principalmente al problema del mantenimiento de su hegemonía económica, política y militar, y, en
consecuencia, el tratado de defensa debe estructurarse para ellos
en función de tales intereses, para Panamá la defensa del Canal
se vincula principalmente a los intereses que le son propios, cuales son la seguridad del Estado panameño, demográfica, física,
política e históricamente considerado y la conservación del Canal
como fuente eventual de justos beneficios económicos para el
país. En consecuencia, éstos serían los intereses que, en todo
caso, la República de Panamá debería tener presente al considerar
el problema de la defensa del Canal.

En punto a la necesidad de defender el Canal, debe destacarse, en primer lugar, la circunstancia de que el Canal como tal, vale decir, como simple servicio de tránsito comercial y militar ha perdido mucha de la importancia logística que alguna vez tuvo, dada la naturaleza de los modernos dispositivos bélicos desarrollados por las grandes potencias militares del orbe. Lo que, en realidad, viene a enriquecer el valor militar o estratégico del Canal de Panamá no es éste en sí, no es el conjunto de servicios que éste pone a disposición del trasporte marítimo mundial, sino su conversión en un centro de naturaleza militar y el emplazamiento en éste de armas cuya capacidad ofensiva ni siquiera sospechamos y menos controlamos. Es este elemento, conveniente a los Estados Unidos desde el punto de vista de sus intereses económicos, políticos y militares de orden mundial, pero inconveniente para la República de Panamá desde el punto de vista de su propia seguridad, el que, de modo particular, hace del Canal un foco de represalia militar por parte de otras potencias. Es por ello que la tesis central, la tesis histórica de la nación panameña, no es la del otorgamiento de bases militares para la supuesta defensa del Canal y la conversión de éste en un importante emplazamiento militar, sino la efectiva y real neutralización del Canal, de suerte que el mismo se mantenga como un servicio público de orden internacional, igual para todos los usuarios y ajeno a toda significación, provocación o amenaza de orden militar.

En consecuencia, siendo que los peligros que pudieran acechar al Canal se deben más a su conversión en una base militar que a la prestación del servicio ordinario que ofrece al trasporte marítimo mundial, los peligros contra el Canal disminuirán en la medida en que disminuya su importancia como base militar. Por ello nuestra tesis es la de que el Canal necesita defenderse abdicando de su condición de base militar y garantizando su efectiva neutralización a través de los instrumentos y medios que sean adecuados. Despojado el Canal de su carácter militar y garantizada su efectiva neutralización el Canal sólo necesitaría de una adecuada fuerza de policía para mantener el orden dentro del mismo y prevenir actos que entorpezcan su normal funcionamiento.

Dadas las perspectivas propias desde las cuales Panamá debe enjuiciar el problema de la defensa del Canal, Panamá ha de ver, cuando menos, con extrema preocupación la existencia dentro del Canal de factores que conviertan a éste en blanco de represalias militares de carácter nuclear, como lo es el hecho de la militarización de la Zona del Canal a título de su supuesta defensa, ya que dichas represalias no sólo afectarían al Canal en sí, sino, lo que es más grave, a toda la República. A diferencia de los Estados Unidos de América, que no tiene comprometida su existencia y seguridad en caso de destrucción del Canal, la República de Panamá

se lo juega todo en el evento de que se desate contra el Canal
una descarga de tipo nuclear. Es por ello que Panamá debe analizar el problema de la defensa del Canal en función de sus valores e intereses propios, los cuales, como ya se ha visto, envuelven
la seguridad y el destino mismo de la especie humana dentro de
su territorio.

Consecuencia de la desigualdad de intereses que presentan los
Estados Unidos y Panamá en orden a la defensa del Canal lo
constituye el hecho de que si bien la militarización del Canal se
enmarca dentro de los intereses de los Estados Unidos de América, la desmilitarización y la efectiva neutralización del Canal, es
decir, el fenómeno opuesto a la militarización, es lo que consulta
los auténticos intereses panameños por ser lo que mejor res-
guarda la población de la República y la soberanía de nuestro
Estado.

De lo dicho se sigue que, en realidad, el otorgamiento de bases
militares a gobiernos extranjeros, sean cuales fueren éstos, a
título de proveer a la defensa del Canal, lejos de responder a los
intereses auténticamente nacionales y lejos probablemente de resolver también el problema de la defensa real y efectiva del
Canal, resulta incompatible con el derecho fundamental del Estado panameño a su propia seguridad y a su soberanía.

En realidad, la militarización del Canal y el otorgamiento de
bases militares a los Estados Unidos de América sólo se explica,
de hecho, en función de la situación de dependencia económica
e internacional en que se encuentra el Estado panameño respecto
de aquel país. Por ello, la República de Panamá no debe ver en la
militarización de su territorio ni una necesidad intrínseca ni mucho menos el cumplimiento de un deber nacional o internacional. Por el contrario, para la República de Panamá la militarización del Canal supone un enorme riesgo al par que un gran
sacrificio que nuestro pueblo no ha consentido y que sólo subsiste por razón de la situación de impotencia en que se encuentra
la República para liberarse por sí misma de realidad tan onerosa
a su soberanía y seguridad. La realidad de hecho que confron-
tamos, por razón de la dependencia en que vivimos respecto a
los Estados Unidos de América, no debe hacernos perder las perspectivas auténticamente nacionales del problema.

SENTIDO HISTÓRICO *vs.* SENTIDO PRÁCTICO

Consideramos muy de lugar y muy oportuno referirnos también
a dos importantes criterios que subyacen en el subsuelo mismo
de las actuales negociaciones. Nos referimos a lo que, en obsequio a la sistematización, podríamos llamar el *criterio histórico*
y el *criterio práctico*. Estos criterios, por cierto, no han estado

ausentes de la opinión pública panameña a propósito de anteriores negociaciones. Por el contrario, diríamos que, más o menos visibles, los hemos visto militar a lo largo de las distintas negociaciones que el país ha tenido con la poderosa nación del norte por razón del Canal. Diríamos más: desde la perspectiva formal de los criterios, la historia de nuestras negociaciones con los Estados Unidos de América en materia canalera no ha sido otra cosa que el triunfo del sentido práctico sobre el sentido histórico. Naturalmente, como todo, tampoco estos criterios nacen por generación espontánea, esto es, ajenos a toda causa o razón que los explique. Por el contrario, tales criterios son, en general, expresión de intereses y de la influencia cultural a que hemos estado sometidos. Esta aserción es lo que explica por qué el *criterio práctico* ha sido el propio de determinados grupos sociales, representados por lo que vernacularmente conocemos como oligarquía, y por qué el *criterio histórico* ha sido el propio de los sectores antioligárquicos.

Los criterios en examen no son, por lo demás, exclusivos del problema canalero. Ellos han estado presentes también dentro de nuestra política interna. Y también podemos afirmar que la historia de nuestra política interna de las últimas décadas es igualmente la historia del triunfo del sentido práctico sobre el sentido histórico. La realidad expuesta explica la coincidencia de que los que dentro del gobierno y fuera de él usan el criterio práctico para evaluar el problema canalero sean los mismos que en materia de política interior han sido y son de la escuela práctica, de criterio práctico, en contraposición al criterio o sentido histórico. Tal vez lo dicho explique el caos de confusiones y frustaciones que ha vivido el país tanto en política canalera como en política interior.

En materia canalera, el criterio práctico pareciera descansar sobre las siguientes premisas:

1. *Premisas económicas*

a) La ausencia de tratado con los Estados Unidos en relación con el Canal y la tirantez de relaciones que tal realidad impone, afecta sensiblemente la economía del país.

b) La afectación de la economía del país implica afectación de nuestros propios intereses económicos.

2. *Premisas políticas*

a) La República de Panamá está dentro de la incontrastable esfera de influencia de los Estados Unidos de América.

b) En virtud de ello, la República de Panamá no puede escapar a los dictados de tal realidad y resistirse a concertar un tratado con los Estados Unidos de América.

c) En consecuencia, la República de Panamá debe celebrar un tratado con los Estados Unidos de América y conseguir a través de él lo más que se pueda conseguir, lo que, de hecho, significa conseguir lo más que los Estados Unidos de América buenamente quiera reconocerle a la República de Panamá.

Derivación del criterio "práctico o realista", ha sido la práctica de presentar como demandas panameñas aquellas que hemos juzgado posible conseguir, produciéndose así una distorsión respecto de los verdaderos objetivos de la nación panameña en materia canalera, al confundir lo que podemos conseguir, lo que los Estados Unidos están dispuestos a concedernos actualmente, con los verdaderos, fundamentales y finales objetivos de la nación panameña.

No obstante ello, hemos llegado a un punto de conciencia y de desarrollo en materia canalera que hace del todo indispensable distinguir lo que podemos conseguir de modo inmediato de los Estados Unidos de América, de lo que son los objetivos históricos de la nación panameña, pues que una cosa no implica la otra, ni mucho menos. Y también se hace indispensable percibir que somos ya una nación históricamente encauzada hacia el logro no de lo que se puede conseguir *inmediatamente* de los Estados Unidos de América, sino de lo que es aspiración final y esencial de la nación panameña: la explotación propia de sus recursos naturales, entre los cuales su posición geográfica y su corolario comercial que es el Canal y sus puertos, constituye en la actualidad el más importante. A la altura de las realidades internacionales de la hora presente y del grado de evolución de la conciencia nacional en materia canalera, somos una nación en marcha hacia el cumplimiento de sus objetivos propios y finales y esta realidad no puede dejarse de lado a la hora de evaluar situaciones y de fijar objetivos en la cuestión del Canal.

Consecuencia también del sentido práctico lo es la disposición de negociar con los Estados Unidos de América un tratado sobre el Canal actual que deja en manos de los Estados Unidos, a cambio de concesiones secundarias, la soberanía efectiva sobre la actual Zona del Canal; un tratado sobre defensa del Canal que convalidaría la ilegal presencia militar de Estados Unidos en la República de Panamá; y un tratado sobre un nuevo canal que dejaría en manos del gobierno de los Estados Unidos de América la construcción, administración y aprovechamiento del nuevo canal y que, por ello, privaría a la República de Panamá de su derecho a construir el nuevo canal y a constituirse en su usufructuario. Este criterio "práctico", este sentido "realista" de las cosas, ya encontró concreción en los proyectos de tratados de

1967, en las bases generales de negociación reiteradas por el gobierno norteamericano y en el respaldo inicial que esas nuevas bases de negociación empezó a ganar en algunos panameños. Afortunadamente para el país, el gobierno nacional rechazó oficialmente los proyectos de tratados de 1967 y afortunadamente también el gobierno nacional rechazó oficialmente las posteriores bases de negociación propuestas por el gobierno norteamericano, según informe oficial del 12 de diciembre de 1972.[13] Lo importante ahora es que éste o cualquier otro gobierno a quien corresponda la responsabilidad de decidir sobre las negociaciones se encare a ellas y decida con arreglo al sentido histórico y no al sentido "práctico y realista".

En contraposición al criterio práctico, el criterio histórico postula la necesidad de que las actuales negociaciones *se limiten* al Canal actual; que lejos de convalidar la presencia militar de los Estados Unidos en la Zona del Canal aseguren el pronto desmantelamiento de bases y tropas extranjeras; y proclamen finalmente el derecho de la República de Panamá a construir y disfrutar pacíficamente el nuevo canal.

La posición histórica no es ilusa. Ella no descansa, ni mucho menos, en la seguridad de que los objetivos que busca y que hemos dejado enunciados son de inmediata y fácil realización. Como posición objetiva que es, sabe que tales aspiraciones no son de ejecución inmediata y, por ello, no espera lograrlos a tan corto plazo. En consecuencia, la posición histórica no ignora que es *difícil* limitar las negociaciones al actual Canal cuando negocia con una superpotencia que se empeña en negociar también bases militares y la construcción de un nuevo canal. La posición histórica no ignora que es *difícil* para la República de Panamá rescatar su soberanía efectiva en la Zona del Canal, sanear su territorio de tropas extranjeras y construir y usufructuar un nuevo canal. Pero la posición histórica sabe también que más difícil aún será para la República de Panamá rescatar su soberanía efectiva si en virtud de un nuevo tratado la República de Panamá convalida y legaliza la presencia colonialista de los Estados Unidos en la Zona del Canal; que más *difícil* aún será para la República de Panamá emancipar su territorio de tropas extranjeras si en virtud de un nuevo tratado convalida y legaliza esa presencia de tropas extranjeras en su territorio; y que más *difícil* aún será para la República de Panamá construir su propio canal si en virtud de un tratado le otorga a los Estados Unidos de América, o a cualquier otro país, el derecho a construirlo, administrarlo y usufructuarlo.

El criterio histórico parte de las siguientes premisas:
1. Es cierto que Panamá está dentro de la esfera de influencia

---

[13] Véase informe sobre las actuales negociaciones, leído por el doctor Jorge E. Illueca el 12 de diciembre de 1972 en la Universidad de Panamá.

de los Estados Unidos de América, pero más cierto es que más tiempo será el que permaneceremos dentro de tal esfera de influencia si la República de Panamá se limita a reconocer tal hecho y nada hace por emanciparse de dicha influencia.

2. No es cierta la premisa de que Panamá no puede resistirse a concertar un tratado con los Estados Unidos en los términos en que ese tratado es hoy día posible. Si los gobiernos panameños y su pueblo se mantienen firmes en su decisión de rehusar la firma de un tratado lesivo a sus intereses, éste sería, por cierto, uno de los pocos derechos que hoy día la República de Panamá tiene la seguridad que puede ejercer.

3. Por algún tiempo la República de Panamá no contará con los factores necesarios para liberarse de un tratado injusto como el de 1903, pero la República de Panamá debe ser consciente de que sí le es posible, en cambio, negarse a firmar un tratado que no satisfaga sus demandas fundamentales.

4. Es cierto que al presente no es la República de Panamá la que está en situación de dictar los términos de un nuevo tratado, pero sí es cierto que la República de Panamá sí está en situación de rehusar la firma de un tratado que no satisfaga las demandas de la hora presente de la nación panameña.

5. En oposición a la premisa de los "prácticos y realistas", la República de Panamá no debe firmar un tratado por el solo hecho de que el mismo represente el máximo de lo que pueda arrancársele al gobierno de los Estados Unidos. Si ese máximo que el gobierno de los Estados Unidos está dispuesto a otorgar no coincide con los objetivos básicos de la República de Panamá, entonces no deberá haber tratado, pues lo que el país necesita no es simplemente un nuevo tratado, sino un tratado que satisfaga sus demandas fundamentales y resuelva así las causas de conflicto entre los dos países. Tratado que mantenga tales causas de conflictos no lo necesitamos. Ya lo tenemos: el de 1903. Lo que se necesita y lo *único* que se debe firmar es un tratado que, *por su contenido*, resuelva las causas de conflicto, satisfaciendo las demandas fundamentales de la nación panameña.

6. Si es cierto, como lo es, que la mentalidad colonialista del gobierno de los Estados Unidos de América no da para esperar un tratado satisfactorio para la República de Panamá, entonces la República de Panamá no tiene por qué sentirse obligada a firmar un tratado que no le es satisfactorio, pues el objetivo de Panamá no es la firma del tratado posible, sino del tratado que resulte satisfactorio a sus intereses a la luz de las demandas fundamentales del país.

7. Si bien es cierto que al presente el poder colonialista de los Estados Unidos sobre Panamá y América Latina, es evidente, también lo es que la historia trabaja contra el colonialismo y que, específicamente, América Latina ha empezado ya a luchar clara

y definitivamente contra la hegemonía colonialista de los Estados Unidos en Latinoamérica. Este hecho trabaja a favor de la causa panameña y en contra del poder colonial de Estados Unidos en la Zona del Canal.

8. Así como para los "prácticos y realistas", los objetivos de las negociaciones deben limitarse a lo que sea posible conseguir, los objetivos de los que actúan con lo que hemos dado en llamar sentido histórico deben ajustarse a lo que corresponde a las necesidades políticas y económicas de la República de Panamá, sean tales objetivos posibles de modo inmediato o no.

9. Para los que actúen con sentido histórico, un tratado simplemente superior al de 1903 puede resultar hoy aún más humillante e inexplicable que el de 1903. El tratado que se firme en la actualidad, debe estar a tono con las exigencias de la hora presente y no ser sencillamente superior al de 1903. Un tratado superior al de 1903, pero inferior a lo que corresponde a la época actual, históricamente será tan injusto como aquél y su firma tendrá históricamente menos justificación.

10. Para el criterio histórico, las bondades de un nuevo tratado no deben establecerse por simple contraste con el injusto tratado de 1903 ni con otro peor, pues de esa guisa no habría virtualmente tratado malo, sino contrastándolo con lo que exige la hora presente, que es la referencia histórica que se impone para tasar las virtudes de un nuevo tratado.

11. En cierto sentido, históricamente el Tratado de 1903 fue el precio que tuvimos que pagar para asegurar nuestra independencia. Pero la firma, en los momentos actuales, de un tratado que convalide las prácticas norteamericanas en la Zona del Canal sería el precio que innecesaria y absurdamente estaríamos pagando para comprometerla.

12. Panamá no puede darse el lujo de renunciar a la única *arma* eficaz propia que posee y que consiste en la ofensiva diplomática, moral y política que le da un tratado injusto y humillante como el de 1903, liberando al gobierno de los Estados Unidos de ese tratado, a cambio de otro que —palabras más o palabras menos— reproduzca, *setenta años más tarde*, aquellas características del Tratado de 1903, y de sus interpretaciones, que hacen de ese tratado un instrumento incompatible con los derechos fundamentales del Estado panameño y de los principios de la Carta de las Naciones Unidas.

Dicho de otro modo, la convalidación, *setenta años más tarde*, de la presencia colonialista y militar de los Estados Unidos en la Zona del Canal y del monopolio para la explotación de nuestra privilegiada posición geográfica, mediante un nuevo tratado negociado *libremente*, esto es, sin los angustiosos factores que rodearon el nacimiento del Tratado de 1903, privaría a la República de Panamá de la ofensiva moral, diplomática y política en materia canalera, tan necesaria para el logro del único tratado que Panamá necesita: el que satisfaga sus demandas fundamentales. Ello es así, pues, de allí en adelante, Panamá ya no podrá hablar de un tratado logrado, como el de 1903, con engaño, amenazas y con toda suerte de vicios de consentimiento y en abuso del estado de necesidad en que se encontraba la incipiente República. De allí en adelante, la nueva versión del Tratado de 1903 que ahora se pacte habría sido el resultado inconcebible, pero real, de nuestra propia y libre voluntad.

CANAL PROPIO *vs.* CANAL AJENO

Ya hemos dicho que la estrategia de los Estados Unidos de América se orienta a conseguir de las actuales negociaciones la concesión para un canal a nivel a través del territorio panameño. No cabe duda de que la pretensión de asegurarse el derecho a construir un nuevo canal por la República de Panamá y la de extender su presencia militar en territorio panameño, son los objetivos más importantes de la política canalera norteamericana. Tanto una como otra pretensión tiene especial cuenta a los intereses propios de los Estados Unidos en tanto potencia económica, política y militar. También ya hemos expresado que, por lo que concierne a nosotros los panameños, las mencionadas pretensiones de los Estados Unidos encuentran eco en la República de Panamá en aquellos dotados de "sentido práctico y sentido realista". Ahora agregamos que lo que procede es hacer conciencia, de una vez por todas, asistidos por el sentido de histórico, de que la República de Panamá ha llegado ya a su mayoría de edad en materia canalera; de que no siente como justa la explotación de su recurso natural, hasta aquí más importante, como lo es su posición geográfica, por quien no sea la propia República de Panamá; y de que no está decidida a prorrogar, a través de un tratado para un nuevo canal, la explotación de su posición geográfica por los Estados Unidos de América ni por ninguna otra nación extranjera.

Como ya hemos manifestado, los términos de la declaración conjunta que dio origen a las actuales negociaciones no obliga a la República de Panamá a negociar un tratado con los Estados Unidos para la construcción de un nuevo canal. Ello significa que la República de Panamá no tiene obligación legal alguna, dimanante de la expresada declaración conjunta, de negociar un tratado con los Estados Unidos para la construcción de un nuevo canal. Esto es jurídicamente claro. Pero más claro aún lo es desde el punto de vista económico y político. Desde el punto de vista económico, para la República de Panamá, como país subdesarrollado que es, sería realmente inexcusable su renuncia a la construcción del nuevo canal y la entrega de ese rico privilegio a los Estados Unidos o a cualquiera otra potencia. Si Panamá aspira a emanciparse de su subdesarrollo no podrá lograrlo precisamente a expensas de poner al servicio de potencias extranjeras la explotación de sus recursos más importantes, entre ellos el nuevo canal. Y si los Estados Unidos tienen un sincero deseo de ayudar a la República de Panamá a salir de su subdesarrollo, ninguna oportunidad mejor que ésta para demostrarlo respetando el derecho de la República de Panamá a construir, administrar y usufructuar el nuevo canal.

La República de Panamá debe tomar una decisión clara y terminante con relación a las actuales negociaciones y el nuevo canal y debe dejar clara y definitivamente establecido que se reserva el derecho a construir el nuevo canal con los auxilios financieros y tecnológicos que en su oportunidad considere oportunos, bien sean de naturaleza privada o de naturaleza pública y bien sean norteamericanos o de otra nacionalidad. En esto no se trata de sentimientos antinorteamericanos. De lo que se trata es de que la República de Panamá sea el usufructuario de un bien propio como es su posición geográfica; de que cese el monopolio que hoy día ejerce Estados Unidos de América en el aprovechamiento de un bien que no le pertenece como lo es nuestra posición geográfica; y de que la República de Panamá se decida a explotar en su propio provecho su privilegiada posición geográfica. Naturalmente, no se ignora el hecho de que la cláusula quinta del Tratado de 1903 expresa que la República de Panamá otorga a los Estados Unidos el monopolio, a perpetuidad, para la construcción, mantenimiento y funcionamiento de cualquier sistema de comunicación por medio de canal. Lo que ocurre es que un nuevo tratado debe servir, precisamente, para librar convencionalmente a Panamá de esta cláusula y no para convalidarla, aparte de que Panamá tiene, desde el punto de vista puramente legal, buenos fundamentos para no sentirse atada a esa cláusula y a todo el Tratado de 1903. Entre estos fundamentos cabe mencionar: primero, las razones jurídicas que Panamá tiene para denunciar todo el Tratado de 1903 y, con él, su cláusula quinta; segundo, la tesis de que el Tratado de 1903 es nulo por ser contrario a los principios de la Carta de las Naciones Unidas que consagra el derecho de todos los Estados a explotar sus recursos naturales; y, tercero, el hecho de que la cláusula quinta habla literalmente de monopolio para la construcción, mantenimiento y funcionamiento de cualquier sistema de comunicación por medio de canal, pero no para la *explotación y usufructo* de esos sistemas de comunicación, que es cosa muy distinta a *construcción, mantenimiento y funcionamiento*, con la cual Panamá puede, jurídicamente, alegar que esa cláusula no priva a la República de Panamá de su derecho a *explotar* y *usufructuar* los sistemas de comunicación por medio de canal interoceánico en su territorio.

Como es de conocimiento elemental, para obras de la índole de un nuevo canal no hay actualmente países con monopolios financieros ni tecnológicos. Afortunadamente para la República de Panamá, ésta puede elegir las fuentes financieras y tecnológicas convenientes para la construcción de un nuevo canal. Únicamente factores eminentemente políticos, concernientes a la influencia del gobierno de los Estados Unidos en la República de Panamá, mediatizan el derecho de la República de Panamá a tomar la decisión que debe tomar y a llevar adelante su decisión de construir el nuevo canal apelando a las fuentes financieras y tecnológicas que le resulten más convenientes, privadas o públicas, norteamericanas o no norteamericanas.

La Carta de las Naciones Unidas, de la cual los propios Estados Unidos es signatario, consagra claramente el derecho de todo Estado a explotar sus recursos naturales. Ello no podía ser de otro modo. Y la construcción del nuevo canal por la República de Panamá, con los auxilios financieros y tecnológicos del caso, es la *única* forma que tiene la República de Panamá de explotar hasta aquí su más importante recurso natural: *su privilegiada posición geográfica*, recurso éste que viene siendo usufructuado por los Estados Unidos de América a través del actual Canal y a través de sus puertos.

A estas alturas de la lucha de los pueblos subdesarrollados por la defensa y explotación de sus recursos naturales, la República de Panamá no puede abdicar a su derecho a explotar su recurso natural hasta aquí más importante entregando la construcción y explotación de un nuevo canal a una potencia extranjera, sea cual fuere ésta. A estas alturas del desarrollo de la conciencia de los pueblos y de las realidades financieras y tecnológicas del mundo, Panamá debe ser enteramente consciente de que el nuevo canal, *por su necesidad*, es una obra *imprescindible*, y, por su *rentabilidad*, una obra *autofinanciable*. En efecto, por lo que se refiere a su necesidad, dentro de relativamente pocos años será casi suicida para la economía mundial no contar con un moderno canal que satisfaga las crecientes necesidades del tráfico marítimo universal. Y por lo que concierne a su *rentabilidad*, es notorio que los Estados Unidos de América no estaría tan interesado en la construcción y aprovechamiento del nuevo canal si éste fuera precisamente un lastre económico. En realidad, mucho valor económico debe significar el canal cuando al gobierno de los Estados Unidos de América no le importa afectar su prestigio ante los pueblos del mundo en su lucha por negarle a Panamá su derecho a construir y explotar el nuevo canal. Una obra de la que no se puede prescindir, como lo sería un canal moderno, es una obra que, por ese solo hecho, encuentra sobrada explicación y justificación económica. Es por todo esto que la construcción de un nuevo canal no es un problema ni económico ni tecnológico: es un problema eminentemente político. El problema está en que el gobierno de los Estados Unidos de América hará todo cuanto esté en sus manos para asegurarse la construcción y explotación del nuevo canal y despojar a la República de Panamá del ejercicio de este importante derecho soberano. En cualquier caso, al gobierno norteamericano corresponde demostrar lo contrario facilitándole a la República de Panamá el ejercicio de su derecho a construir, administrar y usufructuar el nuevo canal.

Y la República de Panamá no podrá escapar a la disyuntiva que le plantean las actuales negociaciones con relación al nuevo canal, ni quienes la gobiernen al tiempo de tomar la decisión podrán escapar al severo juicio de la historia. Y respecto del nuevo canal la disyuntiva es ésta: o canal propio o canal ajeno. Siendo, como lo es, que la decisión que ahora se tome, tanto por la fecha de iniciación y terminación de un nuevo canal, como por los efectos económicos y políticos del mismo, es decisión cuyas consecuencias conocerán principal y directamente las nuevas generaciones, la entrega de la construcción y explotación del nuevo canal a una potencia extranjera no podría ser entendida ni sentida por esas generaciones de panameños sino como otra clásica venta de progenitura. Evaluada tan importante decisión desde cierta perspectiva histórica, mediarán más razones para explicar el humillante Tratado de 1903 que la entrega en el presente del nuevo canal a una potencia extranjera. Lo primero puede explicarse en obsequio a realidades insuperables de la época. Fue, en cierta medida, el precio doloroso, pero real, que hubo de pagarse para consolidar la independencia. Pero la renuncia al nuevo canal y su explotación por una potencia extranjera no constituye en la actualidad ninguna necesidad insuperable ni insorteable, ni ningún precio que haya de pagarse a cambio de una independencia que, paradójicamente hoy sólo la empaña la potencia que pretende asegurarse la construcción del nuevo canal.

La estrategia para vendernos a los panameños la fatalidad de un nuevo canal construido y explotado por los norteamericanos tiene ya cierta tradición entre nosotros y ha apelado a la explotación de los más variados razonamientos. Así, la idea de un nuevo canal construido y explotado por los Estados Unidos de América se nos vendía en el pasado asociada a la necesidad de asegurar que la República de Panamá y el resto del continente americano se mantuvieran libres de la influencia comunista. Era, si se quería, una especie de seguro político, cuyas primas debía subsidiar el Estado panameño al alto precio de su dignidad y soberanía o, visto de otro modo, el precio que se tenía que pagar para preservar a la República de Panamá y a la América como parte del mundo occidental, del cual, repetimos, forma parte el Tra-

tado de 1903. Sin embargo, es claro que la lucha por un canal
panameño no es ni puede ser la lucha por un canal ruso o un canal comunista. La lucha por un canal panameño, valga el simplis-
mo que sigue, es la lucha por un canal panameño. Ni canal ruso
ni canal gringo; un canal panameño, para el desarrollo económico
del país y como servicio igual para todos los países del mundo.
No existe ninguna relación de causa a efecto entre una lucha
por un canal panameño y el resultado de un canal ruso a una
república comunista. Este expediente ha sido un expediente tan
malicioso como pueril, orientado a separar de la lucha nacionalista del pueblo panameño a aquellos panameños que, en virtud
de convicciones o intereses, temen a la influencia comunista en
la República de Panamá. Sin embargo, como se dijo, la lucha por
un canal panameño no significa, ni mucho menos, la sustitución de un canal norteamericano por un canal ruso.

También la fatalidad de un nuevo canal construido y explotado por los norteamericanos se nos ha justificado explotando
o cultivando el complejo de incapacidad de los ciudadanos del
subdesarrollo para la ejecución y administración de las obras
que a las grandes potencias les interesa manejar. De esta guisa,
se nos acompleja a fuerza de repetir la especie de que los panameños no estamos capacitados para garantizarle al mundo la
eficiente administración de una obra tan importante y compleja
como lo es un canal interoceánico.[14] Para enriquecer las apariencias de este razonamiento, se apela a los ejemplos de ineficiencia
e irresponsabilidad de nuestros gobiernos. Sin embargo, es evidente que el uso de este razonamiento no se dirige justamente
a asegurar una administración eficiente del actual y del nuevo
canal, sino únicamente a asegurar la administración del presente
y del futuro canal para los Estados Unidos y conseguir así lo
que realmente les interesa: su usufructo. Por lo demás, cualquiera sea la eficiencia de los pueblos subdesarrollados para administrar sus recursos naturales, tal supuesta o real deficiencia
no otorga títulos a las potencias extranjeras para despojar a los
pueblos subdesarrollados del derecho a la explotación y aprovechamiento de sus recursos.

A efecto de disminuir la importancia y significación del canal
y, con ello, el interés de Panamá sobre el mismo y, de este modo,
facilitar un tratado como mejor acomode a las pretensiones del
gobierno norteamericano, se habla también de los enormes progresos que seguirá experimentando la aviación y la absorción por
ésta de una cantidad cada vez mayor del trasporte mundial. Sin
embargo, paralelamente a la innegable realidad de los progresos
de la aviación deben tenerse en cuenta otras realidades no menos

---

[14] Tal mentalidad puede verse en el informe rendido por una comisión
de técnicos e intelectuales norteamericanos designada por el presidente Ike
Eisenhower y presidida por su hermano Milton Eisenhower.

importantes y que, además, contribuyen a darnos una comprensión más objetiva y proporcionada del problema. Entre ellas, la realidad de que la aviación irá evolucionando al mismo tiempo que irá creciendo el comercio mundial, o sea, que no ocurrirá que evolucione el trasporte aéreo y que las necesidades del comercio mundial se mantengan estáticas. También habrá que contar con el hecho de que el trasporte aéreo tendrá siempre límites en su propia evolución como resultado de factores varios. Entre otros, debe tenerse presente que, como sugieren los estudios de los técnicos, el hombre no podrá abusar de la generosidad de la atmósfera. Por lo demás, a esta altura de la capacidad económica del mundo y de las crecientes necesidades de intercambio entre los pueblos, parece elemental pensar que mientras tengan agua los océanos nunca sobrará un canal que los comunique.

Todo lo dicho implica que Panamá no puede dejar de decidir, a propósito de las actuales negociaciones, lo relativo al nuevo canal. O Panamá se limita a negociar lo concerniente al actual Canal, reservándose el derecho a construir y explotar el nuevo canal, o Panamá cae en la trampa histórica de negarle el nuevo canal a las nuevas generaciones de panameños para entregárselo a las nuevas generaciones de norteamericanos. Naturalmente, estamos inscritos en la línea de pensamiento con arreglo a la cual el nuevo canal debe reservarse como patrimonio panameño para las nuevas generaciones de panameños y no como patrimonio extranjero a favor de genegraciones extranjeras.

Si, en otro orden de consideraciones, hasta el presente el gobierno de los Estados Unidos ha probado ser con los gobiernos panameños todo lo inconsecuente e inflexible que se pueda ser; si encima de perseverar en un tratado injusto e injurídico como el de 1903 agrega de su propia cosecha, en perjuicio de la República de Panamá, interpretaciones y prácticas violatorias del propio Tratado de 1903, ¿qué, que no sea masoquismo histórico, nos debe llevar de la mano a prorrogar tan injusta realidad entregándole al responsable de ella los derechos para construir y explotar un nuevo canal? ¿No significaría esto prorrogar la injusta situación que vivimos actualmente en materia canalera? ¿No significaría esto frustrar los esfuerzos de la nación panameña por sacudirse de tan onerosa situación?

ELEMENTOS DE UNA NUEVA POLÍTICA CANALERA

Sin perjuicio del mérito de todas aquellas posiciones oficiales que en el pasado supieron enfrentar con sentido de historia y de nacionalidad las iniciativas ilegítimas y prepotentes del gobierno norteamericano, posiciones que honran y enriquecen nuestra historia republicana, es evidente que las políticas canaleras del pasado eran, en general, prisioneras de la incontrastable hegemonía que el gobierno de los Estados Unidos de América ha tenido sobre la República de Panamá y América Latina. Tal hegemonía, tanto económica, como diplomática y política, llegó a tarar de fatalismo a la política canalera de nuestros gobiernos y el "sentido práctico" de éstos terminaba de completar las consecuencias jurídicas y de hecho de tal hegemonía.

A objeto de precisar las características que debe tener una nueva política canalera, resulta conveniente determinar las características que presenta la que se propone remplazar.

Consideramos que una apreciación atenta de lo que llamamos política canalera tradicional convence de que ésta presenta las siguientes características generales:

a) Es expresión de los intereses comunes que han unido a los gobiernos norteamericanos y panameños y que hacían de éstos eficaces piezas de la diplomacia norteamericana en el ajedrez internacional.

b) Es fatalista, ya que parte de la convicción de que cualquier esfuerzo por lograr los objetivos fundamentales del país en materia canalera está condenado al fracaso.

c) Es "práctica", ya que limita sus objetivos a lo que es posible conseguir.

d) Apunta principalmente a los objetivos económicos y fiscales y no a los políticos.

e) Pretende sólo una solución parcial y provisional del problema canalero, trasfiriendo la solución integral y definitiva a las futuras generaciones.

f) No logra categoría ni características de política nacionalista. Con todo, es evidente que setenta años de experiencia canalera han contribuido a depurar los objetivos de la nación panameña en orden al canal interoceánico y le han dado suficiente conciencia y claridad respecto de las demandas por las cuales debe luchar. La República de Panamá no puede negociar a espaldas de esta verdad histórica. El período en que las negociaciones servían para resolver problemas subalternos y parciales, vale decir, puramente económicos y fiscales, ha pasado. Panamá aspira a una nueva política canalera que concrete esta verdad y exprese la experiencia acumulada en setenta años de relaciones canaleras con el gobierno de los Estados Unidos de América.

Contrario a la política canalera tradicional, una nueva política sobre el Canal debe inspirarse, en general, en las siguientes premisas:

a) Debe ser expresión de una política exterior independiente y autónoma de la del Departamento de Estado, en tanto expresión concreta de los intereses auténticamente nacionales del Estado panameño.

b) Debe pretender la solución integral y definitiva del problema canalero y no debe aspirar a remitir dicha solución a las generaciones futuras.

c) Debe apuntar principalmente a los aspectos políticos, ya que éstos, además, llevan implícitos la solución de los problemas económicos y fiscales.

d) Debe ajustar sus objetivos a los que coincidan con las demandas básicas y fundamentales de la nación panameña y no a los que sea posible conseguir.

e) Debe partir de la convicción de que el tiempo y la historia trabajan a favor de la posición panameña y no a favor de la posición norteamericana.

f) Como respuesta a las realidades a las que específicamente responde, y como parte del contexto de lucha latinoamericana de la que inevitablemente es parte, la nueva política canalera debe tener el carácter de una política nacionalista.

Las premisas generales que dejamos enunciadas, sirven de marco para una política canalera con los siguientes objetivos concretos:

a) Hacia la recuperación de la Zona del Canal, incorporando ésta a la total, completa y exclusiva jurisdicción del Estado panameño.

b) Hacia la recuperación, administración y usufructo del actual Canal.

c) Hacia la construcción, administración y usufructo del nuevo canal por el Estado panameño, a través de los auxilios tecnológicos y financieros que el Estado panameño estime oportunos.

d) Hacia la desmilitarización de la Zona del Canal.

e) Hacia la neutralización efectiva del actual Canal y del nuevo canal.

Referidas a las actuales negociaciones tanto las premisas generales de la nueva política canalera como sus objetivos concretos, tenemos lo siguiente:

a) Que son inaceptables para la nación panameña unas negociaciones que resulten en tratados que impliquen la recuperación del actual Canal y de la Zona del Canal en una fecha *posterior* o *coincidente* con la fecha de expiración natural del actual Canal.

b) Que son inaceptables para la nación panameña unas negociaciones que confirmen el pretendido derecho y el interés de los Estados Unidos de América a construir y explotar el nuevo canal.

c) Que son inaceptables para la nación panameña unas negociaciones que resulten en tratados que convaliden o legalicen las bases militares norteamericanas en la Zona del Canal.

d) Que Panamá debe esperar todo el tiempo que sea necesario para conseguir el tratado que satisfaga sus demandas fundamentales y en ningún caso precipitarse a firmar unos tratados que no resuelvan sus demandas fundamentales.

e) Panamá no necesita el tratado que pueda conseguir. Panamá necesita el tratado que satisfaga sus demandas fundamentales.

Naturalmente, no seríamos nacionalistas en materia canalera, sino simplemente ilusos, si creyéramos que para la República de Panamá todo se resuelve con la sola formulación de una política canalera como la expuesta. Tampoco seríamos nacionalistas, sino ilusos, si pensáramos que los objetivos expuestos son fáciles de obtener y que, además, pueden ser logrados prontamente. Por el contrario, al adherirnos a una política canalera nacionalista, somos altamente conscientes de que se trata de objetivos muy difíciles y de que no tenemos por qué esperar para muy pronto el logro de tales objetivos. Pero nos adherimos muy conscientemente a esta posición, en la convicción de que la República de Panamá no puede desentenderse de la lucha por sus derechos y porque obviamente mucho más lejos tendrá la República de Panamá el logro de sus aspiraciones básicas mientras más tarde empiece a luchar concreta y claramente por tales aspiraciones.

Al postular una política canalera nacionalista tampoco ignoramos todo lo que ella implica en orden a su administración. La lucha por una solución nacionalista del problema canalero es una lucha ardua y grande. La incomprensión con que tal política será recibida por los Estados Unidos de América y la decisión con que su gobierno pretenderá enfrentarla, da la medida de los serios riesgos y de los grandes problemas que tal política puede generar. Por ello, ningún gobierno solo será suficiente para mantener con éxito una política canalera nacionalista. Una política canalera nacionalista necesita el concurso de toda una nación decidida y resuelta a luchar por tal política. Ni un gobierno ni un hombre serán suficientes a la hora de las confrontaciones definitivas. De allí que la ejecución de una política canalera nacionalista reclame el acopio de fuerzas que desborden la sola buena voluntad y disposición de los personeros de un gobierno. Una política canalera nacionalista debe ser, así, más una política de todo un pueblo que la política de los personeros de un gobierno. Esto último tiene mérito y bastante. Pero esto solo no será históricamente suficiente.

Lo expuesto nos lleva al problema de la administración de una política canalera nacionalista, pues no basta tener una política nacionalista; es necesario saberla administrar.

A nuestro juicio, un esquema de administración de una política canalera nacionalista supone, en general, lo siguiente:

a) Tener clara conciencia de la magnitud, implicaciones y riesgos de tal política.

b) Tener clara conciencia de que una política canalera nacionalista es una causa muy grande para toda una nación y, naturalmente, mucho mayor para cualquiera de sus gobiernos o de sus personeros.

c) Vincular a la ejecución de la nueva política canalera a panameños cuyo pasado sea garantía de fidelidad a los principios y objetivos de tal política y no precisamente negación de éstos.

d) Hacer conciencia de que la lucha por la recuperación del actual Canal y de la construcción y explotación de un nuevo canal por la República de Panamá, no es una lucha ideológica, sino una lucha nacional, un imperativo histórico del que no puede sustraerse un pueblo subdesarrollado como el panameño si quiere salir del subdesarrollo, afirmar su personalidad nacional, defender su soberanía y proveer a su propia seguridad física. En consecuencia, la lucha por el canal no es una lucha en que haya lugar para sectarismos, sino una lucha de panameños, una lucha de una nación que se resiste a dejar de afirmarse como tal y que reclama el derecho a explotar sus recursos naturales, a proteger su soberanía y a proteger su seguridad física.

e) Crear las condiciones que hagan irreversibles los avances logrados en materia de política canalera y que permitan el desarrollo a plenitud de una nueva política en relación con el Canal.

f) Allanar todos los obstáculos que, de hecho, frenan el concurso y el respaldo que la política canalera nacionalista necesita de las distintas corrientes de opinión que existen en el país y que en el pasado han estado identificadas con la causa nacionalista del pueblo panameño y han tenido a su cargo la vocería y responsabilidad de tal política.

g) Asegurar a favor de ella el más decisivo, espontáneo y eficaz respaldo de la nación panameña mediante una política interior que contribuya a tal propósito.

h) Desarrollar al máximo la producción nacional a efecto de hacer al país cada vez menos dependiente del Canal y del mercado exterior y así menos vulnerable a las represalias económicas y políticas.

i) Asegurar a favor de ella la mayor solidaridad internacional posible.

j) Asegurar a favor de ella la mayor solidaridad posible del propio pueblo norteamericano, cuyo concurso debe ser objetivo esencial de la estrategia de la nueva política canalera. Un repaso a la historia política de la sociedad norteamericana de los últimos lustros demuestra que ésta ha empezado ya a cuestionar por ella misma la validez ética y política de las decisiones de su gobierno. Evidentemente, la época en que los gobiernos norteamericanos disponían de un cheque político en blanco de la sociedad norteamericana, mientras sus estudiantes, obreros e intelectuales se limitaban al ejercicio de sus labores clásicas, ha pasado ya. Y, evidentemente también, la conciencia ética de la sociedad norteamericana empieza a resentir un poderío asentado

en parte en el despojo de los países débiles. La experiencia de
Vietnam es el mejor ejemplo de que la juventud norteamericana
no está dispuesta a sacrificar su vida por valores que ética y
políticamente no lo justifiquen.

k) Aprovechar al máximo la solidaridad internacional mediante una nueva política exterior que, entre sus objetivos esenciales,
tenga precisamente ése, esto es, la solidaridad internacional para
la causa panameña.

l) Proveer al servicio diplomático y consular de personal idóneo y calificado para la representación de tal política.

m) Aprovechar al máximo las tribunas y coyunturas internacionales y los mecanismos de presión internacional.

Naturalmente, como podrá confirmar el lector, el presente
capítulo no agota todos los elementos que, a nuestro juicio, deben
servir de fundamento y referencia para articular una nueva política canalera. Muchos de ellos pueden ser apreciados también
en los capítulos precedentes y en las conclusiones con que rema-
tamos este ensayo, así como en los estudios de otros panameños
preocupados por el problema del Canal.

CONCLUSIONES

1. El presente ensayo tiene el propósito de contribuir a estructurar y definir una política canalera de carácter nacionalista.

2. Las actuales negociaciones concernientes al Canal de Panamá tienen su origen *formal* en la declaración conjunta del 3 de
abril de 1964 y su origen *material*, real o histórico, en el proceso
de agudización de las contradicciones entre los Estados Unidos de América y la República de Panamá por razón de dicho
Canal, proceso este que encontró en los sucesos de enero de 1964
su expresión más dramática.

3. Tanto por el documento que sirve de origen *formal* a las
actuales negociaciones como a la causa *material* o *histórica* de
las mismas, las actuales negociaciones nacieron para resolver las
causas de conflictos que genera el *actual Canal* y su régimen
jurídico concretado en el Tratado de 1903 y no para resolver
lo concerniente al nuevo canal.

4. En consecuencia, las actuales negociaciones con los Estados
Unidos de América deben limitarse al actual Canal y por ningún
concepto deben extenderse a un nuevo canal, como no sea para
reconocer el derecho de Panamá a construirlo, administrarlo y
usufructuarlo.

5. La estrategia de los Estados Unidos de América en las actuales negociaciones se orienta a tomar ventaja de ellas no para
resolver las causas que dieron origen a las negociaciones, sino
para lograr los siguientes objetivos:

a) Legalizar su presencia militar en la República de Panamá, a título de la supuesta defensa del Canal.

b) Prorrogar o extender cronológicamente su control sobre el Canal interoceánico, en vista de que dicho país es plenamente consciente de que sus derechos a perpetuidad no son tales y que expirarán precisamente cuando el actual Canal necesite ser remplazado por uno nuevo y ello está previsto por los Estados Unidos de América para dentro de breve tiempo.

c) Asegurarse la construcción, control y usufructo del nuevo canal. Dicho esto en otros términos, los Estados Unidos de América aspiran a cambiarnos un canal viejo por uno nuevo.

6. La República de Panamá debe sacudirse del complejo de la perpetuidad y ser consciente de que ésta es política, física y jurídicamente insostenible; de que el crónico e irreversible proceso de obsolescencia que vive el Canal actual ha devaluado o depreciado el verdadero valor cronológico de la perpetuidad; y de que el gobierno de los Estados Unidos de América, consciente de ello, persigue remplazar tal "perpetuidad" por un plazo fijo más largo que lo que cronológicamente le vale su perpetuidad, con lo cual pretende, valga la aparente contradicción, prorrogar su perpetuidad.

7. La presencia militar de los Estados Unidos en la Zona del Canal, a título de su supuesta defensa, es contraria al propio Tratado de 1903, conspira contra el carácter neutral del Canal, viola la soberanía panameña y atenta directa e indirectamente contra la seguridad física del Estado panameño.

8. La presencia militar de los Estados Unidos de América en la Zona del Canal de Panamá, a título de su supuesta defensa es violatoria del propio Tratado de 1903, pues éste no autoriza bases militares para la defensa y seguridad de los Estados Unidos de América.

9. La presencia militar de los Estados Unidos de América en la Zona del Canal de Panamá viola el derecho de los usuarios de éste a la neutralidad del Canal.

10. La presencia militar de los Estados Unidos de América en la Zona del Canal de Panamá atenta *directamente* contra la seguridad física de la población del Estado panameño, tal como lo demostraron los sucesos de enero de 1964.

11. La presencia militar de los Estados Unidos de América en la Zona del Canal de Panamá atenta *indirectamente* contra la seguridad física de la población panameña al convertir a la República de Panamá en blanco de obligadas represalias militares por parte de las potencias enemigas de los Estados Unidos de América.

12. A la República de Panamá no le tiene ninguna cuenta una defensa del Canal que, por su índole, implique una violación a su soberanía y una amenaza directa e indirecta a la seguridad de su población y de su territorio.

13. Un cambio en la posición panameña respecto del Canal de Panamá supone un cambio en los criterios de evaluación del problema canalero.

14. La posición tradicional de los gobiernos panameños en materia canalera se racionalizaba en razón de lo que hemos dado en llamar "el criterio o sentido práctico".

15. En virtud del "sentido práctico" con que la posición tradicional proponía que se entendiera el problema canalero, la República de Panamá debía limitarse a aceptar lo que le fuera posible conseguir de los Estados Unidos de América.

16. En virtud de lo que hemos dado en llamar el sentido histórico de la República de Panamá no debe limitar sus demandas a lo que se juzgue posible conseguir de los Estados Unidos de América, sino a lo que represente sus demandas fundamentales, independientemente de que actualmente sea o no posible lograrlas, entre las cuales están su derecho a incorporar la Zona del Canal a la total jurisdicción panameña, su derecho a recuperar el actual Canal, su derecho a emancipar su territorio de bases militares extranjeras y su derecho a construir y explotar el nuevo canal.

17. Lo importante no es un nuevo tratado, sino un tratado que consagre los derechos mencionados en el punto anterior.

18. Panamá no necesita un tratado simplemente *nuevo*, sino un tratado *bueno*. Panamá no necesita un tratado nuevo en la fecha y malo en el fondo. Panamá ya tiene tratado *malo*: el de 1903. Y no necesita otro de la misma índole.

19. Un tratado que, negociado a estas alturas, legalice la presencia militar de los Estados Unidos en la Zona del Canal y prive a la República de Panamá de su derecho a construir, manejar y usufructuar el nuevo canal es, históricamente, menos excusable que el firmado en 1903 en circunstancias que, al menos, lo hacían concebible y hasta explicable.

20. Los negociadores no negocian a nombre exclusivamente de las actuales generaciones. Dada la naturaleza y las proyecciones cronológicas de un tratado, los negociadores no pueden negociar con prescindencia de las generaciones futuras y de sus intereses.

21. El canal interoceánico es para la República de Panamá el medio más idóneo para explotar su recurso natural hasta hoy más importante: su posición geográfica.

22. Si en 1903 Panamá no pudo evitar que una potencia extranjera explotara su principal recurso natural, vale decir, su privilegiada posición geográfica, a estas alturas es inconcebible e históricamente imperdonable que Panamá abdique a su derecho a explotar su posición geográfica entregando a una potencia extranjera su derecho a construir, manejar y explotar el nuevo canal.

23. El nuevo canal es, por su necesidad, inevitable, y, por su rentabilidad, autofinanciable.

24. Dentro de pocos años será poco menos que suicida para la economía mundial no contar con un canal nuevo que satisfaga las crecientes necesidades del tráfico marítimo mundial.

25. Panamá debe reservarse el derecho a construir el nuevo canal apelando a los auxilios tecnológicos y financieros que en su oportunidad estime conveniente, bien sean tales auxilios norteamericanos o no norteamericanos.

26. La confrontación entre la tesis del canal propio y del canal ajeno debe resolverse a favor de la tesis del canal propio.

27. No habrá perdón en la historia para quienes, a estas alturas de la lucha de los pueblos por la defensa y explotación de sus recursos naturales, entreguen el nuevo canal a una potencia extranjera, sea cual fuere ésta.

28. A estos respectos, Panamá no puede dejar de hacer lo que, en su lugar, harían los propios Estados Unidos de América: proteger y explotar sus recursos naturales.

29. Si Panamá aspira a emanciparse de su subdesarrollo no podrá lograrlo precisamente a expensas de poner su recurso natural más importante en manos de una potencia extranjera.

30. Los más altos intereses nacionales exigen que la comunidad toda cuente con las condiciones que le permitan desarrollar y organizar al máximo todo su potencial nacionalista, de suerte que, sean cuales fueren las alternativas de nuestra política interna, los gobiernos norteamericanos sepan que, en punto al Canal interoceánico, en Panamá encontrará siempre un solo gobierno, sean quienes fueren los personeros físicos de éstos.

31. El país vive un proceso de definición de su política canalera.

32. La experiencia acumulada en 70 años de relaciones canaleras con los Estados Unidos de América y las nuevas realidades políticas tanto internas como internacionales, han precipitado dicho proceso.

33. Este proceso expresa la lucha de la política canalera tradicional por sobrevivir frente a una nueva política canalera que pretende negarla y afirmarse como política oficial del país.

34. Las actuales negociaciones no deben adelantarse bajo los auspicios de la política canalera tradicional, sino bajo la rectoría y patrocinio de una nueva política canalera.

35. La nueva política canalera debe tener por objetivos básicos los siguientes:

a) La incorporación de la Zona del Canal a la total y completa jurisdicción del Estado panameño.

b) La recuperación del Canal actual antes de que éste expire por muerte natural y no precisamente cuando vaya a ser remplazado por uno *nuevo*.

c) La construcción, manejo y usufructo del nuevo canal por la República de Panamá con los auxilios financieros y tecnológicos que el país determine en su oportunidad.

d) La desmilitarización de la Zona del Canal.

e) El rechazo de todo tratado que desconozca los expresados objetivos básicos.

36. Entre las contribuciones oficiales adelantadas a favor de una nueva política canalera tenemos las siguientes: La terminación del Convenio de Bases de Río Hato; el repudio oficial a los proyectos de tratados propuestos por los negociadores en 1967; el rechazo, por parte de la Asamblea de Corregimientos, de la irrisoria y ofensiva anualidad pactada a favor de la República de Panamá en el Tratado de 1955; el repudio oficial, el 12 de diciembre de 1972, de las bases de negociación reiteradas por el gobierno norteamericano; el virtual enjuiciamiento de los Estados Unidos de América ante el Consejo de Seguridad por su política colonialista en la Zona del Canal; y la apertura de relaciones con países del campo comunista y del Tercer Mundo.

37. Una nueva política canalera supone una estrategia diplomática y política distinta de las propias de la política canalera tradicional.

38. En lo internacional, la nueva política canalera debe marchar paralela a una *política exterior* que tenga como centro los intereses auténticamente panameños y no los intereses de los grandes centros de poder mundial; que sea autónoma o independiente de la política exterior del Departamento de Estado de los Estados Unidos; y que en todo momento sea expresión de los intereses nacionales y de la soberanía del Estado panameño.

39. En lo interno, la nueva política exterior debe marchar paralela a una política interior que coadyuve e invite a todas las fuerzas representativas del potencial nacionalista del país a tomar su puesto en la lucha de la nación panameña por la recuperación del Canal, por la recuperación de la Zona del Canal, por la emancipación del territorio nacional de bases militares extranjeras y por la construcción, manejo y usufructo del nuevo canal por parte de la República de Panamá. Éste y no otro, es el reto histórico que se confronta y que la nueva política canalera, y con ella todo el país, debe enfrentar.

40. Una nueva política canalera necesita ser administrada con la estrategia y el personal compatible con ella y, por consiguiente, no puede dejarse expuesta a la influencia de los ideólogos y estrategas de la política canalera tradicional.

41. Para el éxito de una política canalera nacionalista es rigurosamente indispensable asegurarse la identificación real y masiva del país con dicha política, pues ella tiene que partir y sustentarse en el respaldo consciente y decidido de todo el potencial nacionalista del país, a sus distintos niveles.

42. Las negociaciones iniciadas en 1964 y toda la política canalera norteamericana demuestran que el gobierno de los Estados Unidos de América no está preparado para la concertación
de un tratado justo con la República de Panamá y, de su parte, la
República de Panamá no tiene por qué sentirse obligada a concertar un tratado injusto.

43. La causa nacionalista, por la desproporción de las fuerzas
que desafía, es superior a un hombre, es superior a un gobierno
y, por algún tiempo, superior a todo un pueblo que necesitará
de sacrificios de años, y a veces de generaciones, para ver cum-
plidos sus objetivos.

44. Así como es verdad que Panamá no puede dictar los términos de un nuevo tratado con los Estados Unidos de América,
asimismo lo es que nada la obliga a firmarlo si no le conviene.

8. POSIBILIDAD DE UN CANAL PANAMEÑO *

ZÓSIMO WONG

INTRODUCCIÓN

Con el descubrimiento del océano Pacífico, el 25 de septiembre de 1513 se inició para el istmo de Panamá una de las fases más trascendentales de su historia.

Bien sabemos cómo a partir de ese momento España empieza a utilizar su angosta faja para concentrar fuerzas expedicionarias y despacharlas hacia las regiones de América del Sur: aquí se organizó el ejército que conquistó el imperio inca en el Perú y se comienza el traslado de las riquezas de éste hacia la metrópoli. Más tarde se contribuye a expandir el poderío económico de la Corona española con las transacciones que se efectúan en las famosas Ferias de Portobelo. Conocemos también, la importancia que el contrabando y la piratería tuvo en la región del Caribe, y que alimentó las economías de los imperios inglés, francés y holandés.

A mediados del siglo XIX el istmo panameño es aprovechado por mineros y aventureros para trasladarse hasta California en busca de los abundantes yacimientos de oro. También se utilizó esta vía para trasladar el oro hacia las arcas del Tesoro norteamericano. Asimismo, la compañía norteamericana del ferrocarril transístmico jugó un destacado papel en estas y otras transacciones.

Terminada la construcción del actual Canal, los Estados Unidos utilizan el istmo para desarrollar su poderío económico y fortalecer su mercado en los países subdesarrollados. Durante la segunda guerra mundial, el Canal de Panamá se convierte en zona estratégica para derrotar y someter a sus enemigos, tanto en el océano Pacífico como en el Atlántico.

El istmo ha servido a otras potencias como medio de expansión económica imperial, pero Panamá sólo ha obtenido pobreza, atraso y subdesarrollo. Vemos, pues, cómo la dependencia neocolonial que se manifiesta principalmente a través del control casi absoluto del Canal que posee los Estados Unidos, ha impedido nuestro desarrollo integral. Reconquistar esta fuente primordial de riqueza es una tarea de profundo sentido nacional.

Consideramos que nos conviene trazar una estrategia inteligente y cautelosa, pues el tiempo comienza a favorecernos y

* Tomado de la revista *Tareas*, núm. 22-23, Panamá, julio, 1971-marzo, 1972.

creemos que cada vez más la situación internacional creará condiciones que nos permitan aprovecharlas para rescatar la plena jurisdicción soberana en nuestro Canal.

Actualmente carecemos de los recursos financieros para construir un canal a nivel, pero tenemos dos valiosos tesoros naturales, y por tanto económicos: nuestra angosta faja terrestre y su privilegiada situación geográfica. Garantías innegables para la explotación y aprovechamiento de una vía interoceánica. Esta base natural, geográfica y económica nos permitirá obtener los medios financieros para la ejecución de la obra que será así nacional y no dependiente. La situación financiera de potencias e instituciones internacionales abren ya la posibilidad de contratar empréstitos que obvien así las condiciones de tratados internacionales onerosos en los que Panamá siempre ha llevado la peor parte.

Sin embargo, aparentemente nos encontramos atados a un instrumento jurídico llamado Convención Istmica de 1903 que nos impide negociar un financiamiento para otro canal. En él los Estados Unidos cree mantener el derecho de opción sobre otro proyecto. Pero las circunstancias tan especiales de imposición, coacción y ventaja en que se desarrollaron las negociaciones sobre el Tratado Hay-Bunau-Varilla lo hacen ya nulo jurídicamente a la luz del derecho internacional. Por otra parte, Panamá conserva autónomamente el derecho de construir su propio canal ya que ejercemos la soberanía y, por tanto, la jurisdicción territorial.

Evidentemente este trabajo no es un estudio acabado, pero pensamos que es una base inicial de investigación abierta a la preocupación de los panameños que luchan por darle a nuestro país un verdadero concepto de nación, que, en el caso de los problemas del Canal, nos toca hacer valer nuestro derecho para obtener el usufructo de este don natural.

ELECCIÓN DE RUTA Y COSTO DE CONSTRUCCIÓN

Si observamos el mapa del istmo centroamericano nos daremos cuenta de que Panamá presenta la faja más angosta de tierra. Además su formación topográfica y geológica permite mayores facilidades para la construcción de un canal.

Son cinco países los que han sido considerados en los proyectos de construcción, en vista de que ofrecen posibles condiciones para su realización: México, Nicaragua, Costa Rica, Panamá y Colombia.

Aunque hasta la fecha se han planteado treinta posibles rutas (Anexo A) para un nuevo canal, cabe mencionar que pocas se han considerado seriamente. En ello intervienen una serie de factores: en primer lugar, el método de excavación, sea éste convencional

220 CANAL PROPIO

o mediante el uso de la energía nuclear; la longitud de excavación, la topografía, para determinar la masa de tierra; y la con-
sistencia del suelo. Todo esto se refleja en el costo de construcción y en el mantenimiento de la nueva vía.

A) *Rutas estudiadas de mayores posibilidades de construcción*

A pesar de haberse considerado tantas rutas, sólo tres tienen posibilidad de ser elegidas: la núm. 10, Caimito-Palmas Bellas; la
núm. 14, por la ruta del Canal actual y la núm. 17, Sasardí-Mortí.

1. *Ruta núm. 10, Caimito-Palmas Bellas*
Se proyecta a diez millas al oeste del Canal actual, tendría una
distancia de 48.5 millas, sus elevaciones serían de 360 pies y su
travesía tomaría cinco horas (Anexo A).
Sobre esta ruta, la Comisión para el Estudio del Canal Interoceánico Atlántico-Pacífico del gobierno de los Estados Unidos
señala en sus Conclusiones y Recomendaciones presentadas al
presidente de los Estados Unidos, el 1 de diciembre de 1970,
como "la más ventajosa para un canal a nivel". Su costo de construcción se estima en 2 880 millones de dólares, según precios
de 1970, por medio de excavaciones convencionales, con capacidad para 35 000 barcos anuales hasta de 150 000 toneladas de peso
muerto.[1]

2. *Ruta núm. 14, por la ruta del Canal actual*
Esta ruta presenta casi las mismas características de la
núm. 10, con ligeras variantes. Su longitud es de 46 millas, con
elevaciones hasta de 390 pies y su costo se calcula en 2 300 millones de dólares (Anexo A).
Su construcción tendría que producirse por sistemas convencionales de excavación, "aunque mayormente por dragados a profundidad y con peligro de críticos derrumbes por deslizamiento
de laderas debido a la débil estructura geológica del subsuelo".[2]
Por otra parte, opina el ingeniero nuclear Simón Quirós Guardia que la construcción de un canal a nivel por esta ruta "obligaría a cerrar el Canal actual por seis meses, lo que causaría
a Estados Unidos perjuicios por valor de 500 millones de dólares
en el comercio marítimo".[3]
Aunque esta ruta es técnicamente factible, según la Comisión
de Estudio para el Canal Interoceánico,[4] su construcción es improbable porque la interrupción temporal en el tránsito inter-

[1] Véase apéndice.
[2] *El Panamá América* (Panamá, R. de P.), *Descartadas las rutas fuera
de Panamá*, 16 de noviembre de 1970, año XLI, primera plana.
[3] *El Panamá América. Opinión de técnico, ibid.*
[4] Véase apéndice, conclusión núm. 11.

oceánico podría provocar hondas repercusiones en el comercio internacional.

3. Ruta núm. 17, Sasardí-Mortí

Esta ruta comprende un recorrido de 45.6 millas; la altura de sus montañas alcanza 1 100 pies, cuyas terminales serían la bahía de Caledonia y la bahía de San Miguel, y tendría una travesía de cuatro horas (Anexo A.)

Inicialmente se consideró como la de mayor probabilidad porque su construcción por medios nucleares ofrecía la perspectiva más económica, al estimarse su costo en solamente 747 millones de dólares; además, sólo afectaría a una escasa población. Sin embargo, después de haberse realizado investigaciones y estudios más profundos en el mismo campo, ha dado como conclusión que no es técnicamente factible mediante dispositivos nucleares. Por métodos convencionales se estimaría en 5 000 millones de dólares,[5] suma que hace prohibitiva su realización, por lo que ha sido prácticamente descartada por la Comisión para el Estudio del Canal Interoceánico.

b) Métodos de excavación

Existen dos formas de excavaciones para la construcción de un canal interoceánico: excavaciones nucleares, o sea la utilización de la energía atómica por medio de explosiones; y las excavaciones convencionales mediante el uso de explosivos comunes y permitidos.

1. Excavaciones nucleares

Cuando se consideró la posibilidad de utilizar la energía nuclear para la construcción de un canal interoceánico, a través del istmo de Panamá, causó alarma en los círculos nacionales en vista de que no se conocen los efectos que pudiera tener en nuestra flora y fauna marina, y las consecuencias en los seres humanos debido a la contaminación radiactiva provocada por estas explosiones. Temor que se justifica por los estragos a la población que causaron las explosiones efectuadas en Hiroshima y Nagasaki. En aquellos casos los daños fueron más permanentes al provocar la radiactividad mutaciones que se trasmiten a través de generaciones. Estas mutaciones produjeron niños defectuosos y se desarrollaron enfermedades congénitas como la leucemia y el cáncer óseo.[6]

[5] Dato suministrado por el ingeniero Simón Quirós Guardia, director de la Oficina del Canal Interoceánico del Ministerio de Relaciones Exteriores.

[6] Pauling, Linus (premio nobel), ¡Basta de guerras!, Editorial Palestra, Buenos Aires, 1961, pp. 49-102.

Después de los estudios realizados, la Comisión para el Estudio del Canal Interoceánico ha determinado que la construcción de un canal a nivel, "excavado total o parcialmente por medio de explosiones nucleares, no es factible por infinidad de razones y probablemente siga así, aunque se establezca la factibilidad técnica de la excavación nuclear".[7]

Por consiguiente, se puede decir que la excavación de un canal, mediante la aplicación de explosivos nucleares, ha quedado prácticamente descartada en vista de que no conlleva mayor seguridad.

2. Excavaciones convencionales

Aunque este sistema de excavación es el más costoso, es el más conveniente para Panamá, ya que no ofrece ningún riesgo de contaminación radiactiva como sucedería con el otro método.

Además, este sistema es más ventajoso porque se aprovecharía mayor mano de obra nacional, mientras que en el de dispositivos nucleares se contratarían técnicos altamente especializados en ciencias que nos son ignoradas por las limitaciones de nuestros conocimientos. Al utilizar obreros nacionales quedaría gran parte de la inversión en el país.

Las grandes masas servirían para rellenar y habilitar tierras para la agricultura; y las enormes rocas podrían ser aprovechadas para construcción, fortalecer márgenes, formar islotes, construcción de rompeolas y robustecer las bases de los puertos terminales.

La maquinaria y el equipo excedente sería utilizado en otros proyectos, como la construcción de caminos de penetración u otras obras de cierta magnitud.

c) Ruta elegida

Al quedar descartada la factibilidad técnica del uso de explosivos nucleares en la excavación de un canal a nivel, se eliminó la posibilidad de construcción de las rutas 17 y 25, aunque la 17 podría realizarse por medios convencionales a un costo de 5 000 millones de dólares.

La ruta 14 es técnicamente factible por excavaciones convencionales, pero presenta la desventaja de que se suspende el tránsito por el actual Canal durante su construcción; queda *la ruta 10 como la más conveniente*, y su mayor factibilidad técnica consiste en que durante su construcción no interferirá las operaciones de tránsito del presente Canal.

[7] Véase apéndice, conclusión núm. 10.

LIMITACIONES DEL ACTUAL CANAL

El actual Canal de esclusas será completamente obsoleto y podrá provocar una crisis en el comercio internacional. Su capacidad física de operación quedará rebasada; y, probablemente, serán insuficientes los recursos hidrográficos de que dispone debido a que se depende un poco del azar, verbigracia, de las condiciones climáticas que la naturaleza pudiera ofrecer en un momento determinado.

A) Problemas sobre el abastecimiento de agua al Canal

En julio de 1957 el lago Gatún alcanzó un gran descenso en su nivel. Llegó a tener un mínimo de 81.78 pies de profundidad (Anexo B); este hecho causó una gran preocupación a las autoridades responsables del manejo del Canal de Panamá. Inmediatamente ordenaron un estudio sobre las condiciones mínimas de abastecimiento de agua y los efectos que pudiera tener en las operaciones del Canal sobre el tránsito futuro y el aumento de la energía hidroeléctrica.[8]

1. Fuentes de abastecimiento de agua

El actual Canal, por ser de esclusas, consume grandes cantidades de agua para sus operaciones y las fuentes de donde se abastece son las siguientes:

a) *Cuenca del lago Gatún.* La fuente de abastecimiento de agua del Canal de Panamá procede del derrame de la cuenca del lago Gatún, comprende una superficie de 1 289 millas cuadradas cuya longitud aproximadamente es de 75 millas y un promedio de anchura de 20 millas. Tiene siete principales corrientes tributarias cuyo nervio es el río Chagres.[9]

Esta cuenca no puede ser ampliada porque se encuentra determinada por la topografía del terreno y por consiguiente limita la capacidad de recolección de agua.

b) *Descripción de las reservas.* Como parte del proyecto del Canal de Panamá fue construida la represa de Gatún a través del río Chagres y formó un lago de 165 millas cuadradas con capacidad de 4 400 000 acres-pies que sirven como canal elevado entre las compuertas de Gatún y Pedro Miguel; además de esto se utiliza como reserva de agua y generador de energía hidroeléctrica. La represa Madden se construyó en 1935 en el río Chagres sobre el lago Gatún y dejó un lago de 20 millas cuadradas con una capacidad de 623 500 acres-pies; esta obra es usada como

[8] Panama Canal Company. *Panama Canal Water Supply*, Engineering and Construction Bureau, Electrical Division, Meteorological and Hydrographic Branch, enero, 1961, p. 1.

[9] *Ibid.*, p. 5.

control de inundación, generador de energía hidroeléctrica y almacenamiento suplementario de agua.[10]

Las demandas de agua para el Canal son recibidas de estas reservas. Suplen cualquier necesidad de provisión de agua para las esclusas y sirven para tomar precauciones contra posibles inundaciones. Toda el agua vertida de la represa Madden fluye en el lago Gatún donde se encuentra disponible para su uso.

c) *Influencias climáticas.* Ésta es la fuente original de donde procede el agua y ejerce poderosa influencia en las operaciones del Canal de Panamá.

i. *Patrones de aguaceros.* Los aguaceros en la Zona del Canal son estacionarios y variables, se extienden desde un promedio anual de 70 pulgadas en la costa del Pacífico y a 130 pulgadas en el Altántico.[11]

Uno de los patrones es de formación local y comienza abruptamente a principios de mayo hasta octubre y no cubre un área uniforme. Otras lluvias tienen su origen en los huracanes tropicales cuando alcanzan posiciones en el oeste del mar Caribe sobre el norte del istmo, y como el viento es desviado por el flujo constante de vientos meridionales, entonces los vientos regresan de oeste a norte y generalmente ocurren fuertes lluvias. Se producen al comienzo de la estación lluviosa. Existen también formaciones de lluvias originadas por aires polares debido a las grandes y altas presiones de otoño e invierno, proceden del Golfo de México y alcanzan el istmo; el aire frío se calienta y absorbe humedad de los bajos estratos causados por el levantamiento orográfico de las montañas de la costa atlántica y, al encontrarse con los estratos fríos, se producen las lluvias. Estos tipos de lluvias son los que comúnmente causan los prolongados aguaceros; el período usual de estas fuertes precipitaciones ocurre cerca del fin de la estación lluviosa y presenta un problema en el control de inundaciones cuando las reservas de agua se mantienen a sus máximos niveles por el acopio de agua ante la proximidad de la estación seca.[12]

ii. *Ciclos.* Utilizando el promedio neto de rendimiento sobre la cuenca de drenaje del lago Gatún desde 1890 como un índice de humedad, un ciclo de años secos aparece cerca de cada seis o nueve años. Aunque su periodicidad parece tener existencia, su valor de predicción es discutible debido a inesperados cambios a lo largo de la fase. Estos períodos secos han ocurrido en 1900-1901, 1905-1906, 1911-1912, 1919-1920, 1925-1926, 1930-1931, 1939-1940, 1948-1949 y 1957-1958.[13]

Se puede apreciar en el Anexo B que el nivel del lago Gatún

[10] *Ibid.*
[11] *Ibid.,* p. 6.
[12] *Ibid.*
[13] *Ibid.,* p. 7.

durante el ciclo de 1957-1958 alcanzó las elevaciones más bajas hasta los meses de junio y julio, como consecuencia de la extensión de la estación seca después de mayo.

III. *Promedio de derrame de agua.* El promedio total de derrame de agua de la cuenca del lago Gatún se eleva a la cifra de 4 800 000 acres-pies. Se deduce un promedio de 500 000 acres-pies que es la pérdida anual por evaporación, y queda un promedio neto anual de derrame o rendimiento de 4 300 000 acres-pies, equivalente a 5 941 pies cúbicos por segundo.[14]

Por consiguiente, las necesidades de agua para operar el Canal están supeditadas a las reservas que puedan ser almacenadas en el lago Gatún y el lago Madden, los cuales deben mantener un promedio de nivel de 79 a 87 pies y de 200 a 250, respectivamente. Y estas reservas son alimentadas por las corrientes hidrográficas y, principalmente, las precipitaciones atmosféricas; estas últimas son impredecibles e incontrolables por el hombre.

2. *Estudios para aumentar la capacidad de almacenamiento de agua*

Si bien el estudio realizado por la Oficina de Ingeniería de la Compañía del Canal de Panamá considera que son suficientes los recursos de agua que dispone el Canal, de todas maneras previene la posibilidad de que pueda necesitarse mayor cantidad de agua para efectuar las operaciones de esclusajes ante la demanda de tránsito de barcos. Por ello ha sometido ciertos estudios sobre medidas para aumentar la capacidad de almacenamiento a los funcionarios de la administración del Canal y a las autoridades gubernamentales de los Estados Unidos.

A continuación, posibles proyectos para aumentar la disponibilidad de agua:

a) *Profundizamiento del lecho para la navegación.* El propósito más inmediato de aumento de almacenamiento en el lago Gatún es el proyecto de profundizar el lecho para la navegación en cinco pies y permitiría al lago acercarse a una elevación de 77 pies, el cual daría 487 000 acres-pies de disponibilidad adicional utilizable y todavía mantendrá las esclusas a una profundidad de 42 pies. El profundizamiento también proveerá normalmente de profundidad adicional en el lecho del Corte, el cual facilitará control para la navegación en el calado de los barcos. Esto hará posible obtener, durante el período mínimo de rendimiento de agua, 40 esclusajes diarios y cerca de 2 000 kilowatts de promedio de producción de energía en Gatún o de 45 esclusajes diarios, pero sin energía.[15]

Este proyecto quedará terminado a finales del año 1970 y

14 *Ibid.*
15 *Ibid.*, p. 10.

ha sido ampliado al ensancharse el Corte Gaillard, lo que ha
hecho aumentar la disponibilidad de agua.

b) *Reserva adicional en el río Chagres.* Estudios preliminares
sobre una posible reserva adicional en la parte superior del
río Chagres, arriba de la represa Madden, indican el requerimiento de una represa de cerca de 450 pies de altura.[16]

Si este sitio fuese desarrollado para una óptima producción de energía, la reserva proveería de 2.2 esclusajes diarios adicionales durante
el más severo período seco. Si primariamente se desarrollase para
abastecimiento de agua para el Canal, con una producción de energía
como consideración secundaria, el agua podría proveer de 4.5 esclusajes diarios adicionales en el período más crítico.[17]

Por ser su alto costo inicial poco atractivo se había descar-
tado este proyecto, pero recientemente ha vuelto a considerarse
en el informe del Economic Research Associates, de Los Ángeles,
California.

c) *Aumento del nivel de operación del lago Gatún a una elevación de 88 pies.* La factibilidad de alcanzar el nivel máximo de
operación del lago Gatún a una elevación de 88 pies, un pie más
alto, se traduciría en 640 esclusajes adicionales, o cerca de cuatro
diarios durante la estación seca. Esto envolvería alteraciones en
las esclusas y compuertas, y requeriría capacidad adicional de
vertederos.[18]

El costo de estas mejoras es tan bajo que posiblemente se encuentre en vías de realización.

d) *Represa de Trinidad.* La construcción de una represa para
separar a Trinidad, ramal del lago Gatún, del resto del lago, crearía almacenamiento adicional de agua y proporcionaría también
un control suplementario de inundación. La capacidad del Canal
quedaría aumentada en nueve esclusajes más.[19]

Sin embargo, su elevado costo de construcción lo ha colocado
en segundo plano.

Estos proyectos son los de mayor aceptación. Se han hecho
estudios de otros con el mismo propósito, como la formación de
un lago entre las esclusas de Miraflores y Pedro Miguel, señalado en el informe del Economic Research Associates, de Los
Ángeles, California.

Por otra parte, los funcionarios del Canal han tomado otras
medidas para ahorrar agua, como:

La administración del agua, especialmente la relación entre el abas-

[16] *Ibid.*, p. 11.
[17] Panama Canal Company, *Review of Studies Potential Reservoir Development, Upper Chagres River,* diciembre, 1960, p. 2.
[18] Panama Canal Company, *Panama Canal Water Supply, op. cit.,* p. 11.
[19] *Ibid.*, p. 12.

tecimiento de agua y la energía eléctrica producida, continuaba en 1969 siendo de mayor importancia. Cuando el agua es vertida del área de almacenamiento del lago Gatún, esto reduce la cantidad disponible para esclusajes y requiere imponer restricciones de calado para las embarcaciones que lo transitan. La demanda de más agua para esclusajes y la profundidad de calado ha conducido a la sustitución de energía hidroeléctrica por energía termal, y temporalmente se están usando dos plantas auxiliares flotantes: la planta nuclear "Sturgis" y la turbina de gas "Weber", ambas prestadas por el Cuerpo de Ingeniería del Ejército de los Estados Unidos. Un alivio más permanente ante la escasez de energía fue concertado a través de negociaciones con una agencia del gobierno de Panamá, recientemente, para provisión de energía, especialmente la construcción de una planta.[20] Además el ejército de los Estados Unidos adjudicó su primer contrato en 1969 para una planta que será construida en la Zona y estará en servicio en el sistema de la Compañía a mediados de 1971...[21]

Todas estas medidas conducen a consumir menos energía hidroeléctrica para aprovechar el agua en las operaciones de esclusajes con el propósito de evitar que las restricciones en el calado de los barcos no afecten la cantidad de carga trasportada, fenómeno que limitaría el comercio internacional; además, mermaría los ingresos de las empresas navieras.

3. *Problema sobre el control de inundaciones*

Uno de los problemas que se le puede presentar al Canal de Panamá es una inundación provocada por el exceso de lluvias cuyos orígenes se han señalado. Si bien una sequía puede causar perturbaciones en las operaciones del Canal, éste no quedaría paralizado, por las medidas que toman los operarios para controlar las aguas. Solamente se obligaría a los barcos a cruzar con un calado menor que les señale la Compañía. Mientras que una inundación sí interrumpiría el tránsito, causaría daños internos en el Canal y en las áreas cercanas y provocaría ciertos trastornos al comercio internacional.

Suponiendo que, al final de la estación lluviosa y ante la proximidad del período seco, las reservas se encuentren a sus máximos niveles: 87 pies en el lago Gatún y 250 pies en el lago Madden; y entonces ocurran abundantes lluvias causando inundaciones. Ante este hecho se tomarían ciertas medidas, como abrir todos los vertederos de la represa de Gatún, utilizar las compuertas de las esclusas de Pedro Miguel y Gatún para desaguar. Sin embargo, esta inundación no habría sido totalmente controlada y habría causado los siguientes daños:

[20] Contrato por 25 años, firmado el 9 de mayo de 1969, por 37 millones de dólares entre la Compañía del Canal de Panamá y el Instituto de Recursos Hidráulicos y Electrificación (IRHE).
[21] Panama Canal Company, *Annual Report*, Fiscal Year Ended June 30, 1969, pp. 15 y 16.

a) Se requerirían 54 horas para reducir el nivel del lago Gatún a 87 pies.

b) Rellenos por erosión en las esclusas, las maquinarias de las esclusas e instalaciones eléctricas quedarían inundadas, daños en los pisos de las cámaras de las compuertas y desagües por haberse usado como vertederos.

c) La hidroeléctrica de Gatún y las plantas diesel de Miraflores quedarían paralizadas por dos días.

d) El relleno de la vía férrea en el lago Gatún quedaría sumergido y el puente de Gamboa cerrado.

e) Derrumbes ocurrirían a lo largo de la carretera trasístmica, similares a los de diciembre de 1959.

f) El tránsito del Canal sería suspendido por cerca de cinco días.

g) Los daños en la Zona se estimarían en dos millones de dólares.[22]

Pero donde más incide su efecto es en el tránsito por el Canal. Si se calcula en 40 travesías por día, 200 barcos se acumularían en los cinco días. Se requerirían aproximadamente 10 días para eliminar el congestionamiento de barcos. El total de 4 413 días-barcos de retraso, a un costo promedio de $ 1 906 por día-barco, significaría una pérdida de $ 8 400 000.

4. *Efectos en las operaciones por el aumento de tránsito*

En vista de que la disponibilidad de agua guarda estrecha relación con el esclusaje y, por supuesto, con las travesías, la Compañía del Canal solicitó un estudio sobre el tránsito del Canal que fue realizado por el Stanford Research Institute, el cual fue emitido el 6 de octubre de 1960. Este estudio nos suministra las proyecciones futuras de los promedios diarios de tránsitos y esclusajes:

Años	Tránsitos	Esclusajes
1965	37.91	32.9
1970	41.39	35.8
1975	44.88	38.8
1980	47.96	41.5
2000	60.27	52.1 [23]

En el Anexo D se utilizó el factor de esclusaje de 1.15, que es el calculado por el Stanford; sin embargo, este factor ha disminuido en los últimos años al aumentar las dimensiones de los barcos. Pero para los efectos comparativos se recurre al mismo en los años siguientes:

[22] Panama Canal Company, *Panama Canal Water Supply, op. cit.*, pp. 15 y 16.
[23] *Ibid.*, p. 14.

Años	Tránsitos	Esclusajes
1970	41.28	45.9
1975	47.64	41.4
1980	54.00	46.9
2000	79.45	69.1

Al comparar estas cifras se observa que las estimadas por el Stanford son menores; fueron muy conservadores en sus cálculos, en vista de que no se esperaba que el tránsito se desarrollaría en forma tan progresiva, como ha sucedido en los últimos cinco años al contemplar las estadísticas de la Compañía del Canal de Panamá.

El estudio de la oficina de ingeniería de la Compañía señala que el abastecimiento de agua para los años normales de lluvias será suficiente después que se realice el profundizamiento del Corte Gaillard para proveer al Canal de 66 esclusajes diarios o más (76 travesías), pero sin producción de energía hidroeléctrica en Gatún. Esto representa 14 esclusajes más del estimado para el año 2000 por el Stanford Research Institute.[24]

De acuerdo a las estimaciones de este trabajo, para el año 2000, el esclusaje diario será de 69.1, equivalente a 79.5 travesías, lo cual significa un excedente en tres esclusajes y tres travesías del máximo que tendría el Canal según la oficina de ingeniería de la Compañía.

Por otra parte, para que el actual Canal incremente su capacidad para manejar aproximadamente 26 800 barcos al año, o sea un promedio de 74 barcos diarios, tendrían que ponerse en ejecución quince proyectos de expansión a un costo estimado de 92 millones de dólares.[25]

B) *Limitaciones operacionales del Canal*
Todos los estudios realizados sobre las perspectivas del actual Canal, así como las personas que han tenido la oportunidad de observar la problemática de esta materia, convienen en que está próximo a su saturación por el aumento del tránsito debido al desarrollo del comercio internacional.

1. *Capacidad de tránsito*
El Canal de Panamá está condicionado por su sistema de esclusas: a las operaciones mecánicas de bombeo y apertura de las compuertas, a la demora en el traslado de los barcos mediante

[24] *Ibid.*
[25] Leber, Walter P. (gobernador de la Zona del Canal), *El futuro del Canal de Panamá,* discurso ante la Sociedad Americana de Panamá pronunciado el 19 de mayo de 1970.

mulas eléctricas, el cuidado que deben guardar en las esclusas cuando son atravesadas por los barcos y observación de ciertas medidas de seguridad, como la velocidad que deben mantener. Todo esto significa que el tiempo de travesía está limitado por estas operaciones, y los operarios del Canal establecieron un promedio de 16.4 horas, en 1969, en lugar de 18 horas que era el tiempo que consumían en 1968.[26]

Con el propósito de rebajar más este espacio de tiempo, existen varios proyectos, contemplados en el informe del Economic Research Associates, de Los Ángeles, como hacerles agujeros a las compuertas de las esclusas para hacer más rápidos los movimientos de apertura y cierre y disminuir, así, los oleajes por efectos de hidrodinámica; incluir tuberías adicionales en las esquinas del fondo de las esclusas para que los niveles se alcancen con mayor rapidez, y revisar ciertas medidas de seguridad relacionadas con la restricción de la velocidad de los barcos en las esclusas, en el trayecto del lago Gatún y en el Corte Gaillard. Y para agilizar el tránsito de los barcos se va a aumentar el número de remolcadores y mulas eléctricas. También se estima conveniente recibir a los barcos mucho más cerca en las entradas de las esclusas.

Veamos hasta qué cantidad de travesías pueden efectuarse en el actual Canal sin que sea modificado:

En el estudio de la CEPAL denominado "Estudio sobre las perspectivas del actual Canal de Panamá", México, 1965, se señala que las mejoras en el Canal permitirían una capacidad maxima de 57 barcos diarios para 1973 y de 70 barcos diarios para 1980, hasta finales del siglo. Sin embargo, dicho informe de la CEPAL reconoce que, por información de los propios funcionarios del Canal de Panamá, la experiencia actual ha demostrado que esos promedios máximos no se mantendrían por razones prácticas y operativas. De manera que se podría fijar con un sentido de la realidad un promedio de 50 a 54 barcos diarios para el año 1973...[27]

El promedio de barcos diarios en el estudio de la CEPAL ha sido sobrestimado. Si para el año 1969 el promedio real fue de 40 barcos, para 1973 tendría un promedio de 45.1, basándose en un promedio de aumento de 464 barcos por año (cálculo realizado sobre los años comprendidos entre 1959 y 1969). Estas proyecciones estuvieron muy alejadas de la realidad al compararlas con las estadísticas de la Compañía del Canal de Panamá.

Veamos lo que afirma el profesor Emilio F. Clare:

De acuerdo con datos oficiales de la Compañía del Canal de Panamá,

26 Panama Canal Company, *Annual Report*, 1969, *op. cit.*, p. 13.
27 Clare, Emilio F., *Los tratados*, Lección IX, Cátedra de Relaciones Económicas Internacionales, pp. 18 y 19.

el promedio de tránsito diario es de 36.5 barcos de 300 toneladas netas base. Con base en esta cifra, podemos calcular que en el año 1966 esos tránsitos ocurrieron durante 344 días completos, dejando el equivalente a 21 días del año sin actividad por efectos de arreglos de las esclusas o de cualquier otro motivo. Si asumimos que las mejoras tecnológicas y administrativas aumentan la eficiencia de las operaciones en los años futuros de manera que se reduzca el período de inactividad a sólo 15 días en el año, podríamos calcular ahora, sobre esta base, el número promedio de tránsito de barcos en el futuro así:

1966	(real)	33.5
1976	(estimado)	47.7
1986	(estimado)	59.4
1996	(estimado)	71.1
2000	(estimado)	75.8

Si el punto de saturación de capacidad del Canal se realiza en términos de esta tendencia histórica, encontramos que en 1976 el Canal todavía sería adecuado, mientras que para 1986 (con un promedio de 59.4 diarios) ya habría rebasado la capacidad máxima de 57.0 tránsitos diarios calculado para 1973. Esto indica que para después de esta última fecha se requerirá implementar importantes programas de inversión para expansión adicional de la capacidad del Canal, usando como cifra la de 57 barcos diarios, sería aproximadamente en 1982 o 1983.[28]

Estos cálculos se encuentran bastante aproximados a los del Anexo D. Las pequeñas diferencias se deben a que el estudio del profesor Clare está basado en los años 1957 a 1966. Este estudio, en cambio, ha tomado en cuenta los años de 1959 a 1969. En los años de 1968 y 1969 acusaron un fuerte incremento del tránsito interoceánico por el cierre del Canal de Suez y la guerra de Vietnam. Por otra parte, estos cálculos debieran ser superiores en vista de que no se consideró "la posible reducción de 300 barcos a causa de la huelga de estibadores en la costa este de los Estados Unidos y en los puertos del Golfo desde el 20 de diciembre de 1968 al 21 de febrero de 1969".[29]

Tomemos un hecho casual que sirve de medida para calcular el punto de saturación del Canal de Panamá.

El 25 de febrero de 1968 un barco japonés llamado Shozan Maru, cargado de mineral de hierro, se desvió y chocó con un banco en el lado este del Corte Gaillard, perforándose y hundiéndose en el lugar. El Canal de Panamá quedó cerrado al tránsito por 18 horas y 20 minutos mientras se reflotaba el barco hundido. Este incidente hizo establecer una nueva marca. *Cruzaron el Canal 65 barcos en 24 horas.* Este espacio de tiempo sirvió

[28] *Ibid.*, p. 19.
[29] Panama Canal Company, *Annual Report*, 1969, *op. cit.*, p. 9.

para acumular un apreciable número de barcos que esperaba su travesía.[30]

Ante esta emergencia, los empleados del Canal organizaron las posiciones de los barcos, lo que les permitió descongestionarlos en forma más eficiente y rápida.

Por consiguiente, estimamos que el punto máximo de saturación es de *62 barcos de promedio diario* por razones de mantenimiento y reparaciones; y no 65 barcos, porque esta marca se realizó bajo una situación extraordinaria.

De acuerdo a los pronósticos del Anexo D, este promedio se logrará en 1987; y si por habilidades técnicas y administrativas se establece un promedio igual a la marca obtenida, entonces ésta será alcanzada en 1989.

Además, cabe señalar que los funcionarios de la Compañía del Canal se encuentran realizando investigaciones técnicas de operación y análisis de sistema para mejorar las facilidades de tránsito. Para ello están haciendo lo siguiente:

Un comité para el estudio del horario de los barcos, consistente en un equipo de empleados de la Compañía y un consultor, ha sido establecido. Su objetivo es hacer un riguroso análisis de las operaciones de control del tráfico marítimo y determinar la factibilidad de la aplicación de un computador al horario de tránsito de las naves. En el caso de que la aplicación del computador no se encuentre factible, el estudio podría realizar la meta importante de mayores mejoras al presente manual del sistema de horarios que está volviéndose más complejo a causa del volumen de tránsito y tamaño de los barcos.[31]

Como se observa, las autoridades del Canal de Panamá están utilizando todos los medios posibles para prolongar su inevitable saturación.

2. *Otros problemas que obstaculizan las operaciones*

El Canal de Panamá requiere constante mantenimiento para que pueda efectuar eficientemente sus tareas sin interrumpir el tránsito de barcos.

Entre estas labores, tenemos que anualmente deben hacerse revisiones (Overhaul) periódicas de las esclusas:

Las revisiones son completadas en cuatro jornadas, cada una requiere aproximadamente 20 días, quedando su vía fuera de uso y causando un moderado cúmulo de barcos que esperan su travesía. Mejores revisiones futuras reducirán el tiempo de la vía fuera de uso a 6 días o menos, en vista del siempre creciente tránsito, lo cual no es deseable, pero necesario para continuar el eficiente funcionamiento.[32]

[30] Panama Canal Company, *Annual Report*, Fiscal Year Ended June 30, 1968, pp. 14 y 15.
[31] Panama Canal Company, *Annual Report*, 1969, op. *cit.*, p. 15.
[32] Panama Canal Company, *Annual Report*, 1968, *op. cit.*, p. 15.

Estas revisiones requieren 80 días en total. Durante este tiempo el Canal queda operando con un 50 % de eficacia porque una sección de un juego de las esclusas queda paralizada. Estas tareas, antes consideradas de rutina, adquieren en los actuales momentos connotaciones dramáticas porque se trata de instalaciones con más de 50 años de uso y por lo tanto necesitan constante mantenimiento y vigilancia en todas y cada una de sus estructuras.

Una situación potencialmente peligrosa, que requirió una acción inmediata de emergencia, tuvo lugar en 1968. Durante el mes de abril se descubrió una larga grieta de 1 200 pies a lo largo de la ladera oeste de Culebra, que alcanzó hasta el Corte Gaillard. Inmediatamente se inició una investigación geológica en gran escala para determinar la magnitud de este movimiento sísmico. Una inspección en el lugar mostró que la hendidura se extendió a 2 800 pies más al norte, pero en menor grado, lo cual totalizó una distancia de 4 000 pies.[33]

Si bien este hecho sin precedentes no afectó en manera alguna el desenvolvimiento normal del Canal, sí alarmó a los funcionarios de la Compañía, circunstancia que los ha obligado a aumentar la vigilancia debido al desconocimiento de los grados de peligrosidad inherentes y frente a daños de mayores proporciones posibles en el futuro.

PERSPECTIVAS FUTURAS DE UN CANAL INTEROCEÁNICO

Antes de realizarse una inversión se calculan los posibles ingresos y las perspectivas que pueda tener el proyecto. Por tal motivo es necesario considerar los aspectos que puedan afectar el tránsito futuro para determinar la capacidad comercial de la nueva vía y sus posibles efectos en el comercio internacional.

A) *Aumento del tránsito*

En el aumento de tránsito juegan un papel importante las rutas y el movimiento de carga que pueda realizarse a través de él. Es obvio que en los últimos años están ocurriendo cambios en el comercio internacional como consecuencia del desarrollo tecnológico en el trasporte marítimo, la incorporación de nuevos sistemas para trasportar la carga y la aparición de nuevos mercados y fuentes de materia prima. Todo esto debe examinarse para establecer las posibles proyecciones en el tránsito de un canal interoceánico.

Para ello hay que observar dos aspectos: las rutas y las cargas.

[33] *Ibid.*, p. 17.

1. *Rutas*

Las rutas tienen una gran importancia en el tránsito por el Canal porque interviene la distancia como factor principal en el ahorro de tiempo y el costo del trasporte.

En el Anexo F se describen las rutas entre los puertos más representativos del comercio mundial que cruzan el Canal de Panamá. Señala también las diferencias en distancias de las otras rutas alternativas. Se observa, en la ruta de Europa y Asia (Londres y Yokohama), la vía del Canal de Suez como ruta alternativa. Ésta permanece cerrada por conflictos bélicos, factor que determina el uso obligado de la vía del Canal de Panamá.

Las rutas son trazadas por los mercados de producción y consumo; asimismo, el desarrollo de ciertas áreas, como América Latina y Asia, contribuyen al establecimiento de otras que antes no existían, por necesidades de comercialización.

También pueden aparecer nuevas rutas debido a que ciertos países pudieran incorporarse al comercio mundial, actualmente marginados por motivos políticos internacionales.

En las proyecciones se ha supuesto que habían de mantenerse las condiciones normales de desarrollo económico en el ámbito internacional y se subraya que, de cambiar las circunstancias políticas que imperan en el mundo, si se incorporan plenamente al comercio mundial grandes bloques económicos como la URSS, los países europeos de economía centralmente planificada o la China Continental, tendrían que variar las proyecciones.[34]

Recientemente varios de estos países están negociando con los del hemisferio occidental y se han convertido en usuarios del Canal de Panamá.

2. *Cargas*

Para determinar las proyecciones futuras en las cargas hay que considerar dos aspectos fundamentales que son las mercancías y las formas de embarques.

a) *Principales mercancías que transitan a través del Canal.* Existen once productos básicos de los cuales cuatro ocupan el 54.9 % del total de la carga, distribuidos en esta forma:

	%
	%
Carbón y coque	16.1
Minerales y metales	11.5
Petróleo y derivados	17.4
Granos	9.9 [35]

[34] CEPAL, *Estudios sobre las perspectivas del actual Canal de Panamá*, 30 de octubre de 1965, México, p. 79.
[35] Panama Canal Company, *Annual Report*, 1969, *op. cit.*, p. 8.

POSIBILIDAD DE UN CANAL PANAMEÑO 235

Ellos se mueven casi en la misma orientación geográfica y "más del 60 % de la carga se trasporta del océano Atlántico al Pacífico".[36]

Veamos ahora las proyecciones calculadas por la Comisión Económica para América Latina (CEPAL) sobre estos productos:

Años		Totales	Petróleo y derivados	Carbón y coque	Metales y minerales	Granos
1955 a	Q [a]	44 261	6 073	3 358	6 242	4 026
1957						
	% [b]	100.0	13.7	7.6	13.9	9.1
1961 a	Q	64 480	11 682	5 969	8 086	6 907
1963		100.0	18.2	9.2	12.5	10.7
1964	Q	70 550	13 328	6 563	15 427 [c]	
	%	100.0	18.9	9.3	21.8 [c]	
1980	Q	105 895	14 500	12 500	11 535	12 200
	%	100.0	13.7	11.8	10.9	11.5
	I [ch]	150.1	108.8	190.5	143.7	164.9
2000	Q	257 290	17 900	16 700	13 285	15 200
	%	100.0	11.7	10.9	8.7	9.9
	I	216.5	134.3	254.5	165.5	205.5[37]

a Cantidad en miles de toneladas.
b Porcentaje del tráfico total.
c No aparece el desglose entre granos y minerales.
ch Índice del crecimiento, 1964-100 %.

En este cuadro se observa que el total de la carga es de 257 millones de toneladas para el año 2000; sin embargo, según el cálculo del Anexo D para el mismo año es de 277 millones de toneladas. Esta diferencia se debe a que los años tomados en consideración al confeccionarse estas proyecciones no son los mismos, ya que en los últimos años el Canal ha tenido un aumento considerable de cargas.

Se señala también en el mismo cuadro, que los porcentajes correspondientes a estos cuatro productos en el año 2000 disminuirán en relación con el año 1980. Ello se debe a que la CEPAL está considerando las posibles disminuciones en las cargas que puedan causar las rutas alternativas utilizadas por los grandes cargueros a granel (bulk carrier).

Al hacer una comparación entre estas proyecciones y los porcentajes reales para 1969, detallados al principio de esta sección, tenemos que para el renglón de petróleo y derivados disminuyó en 1.5 % y para el renglón de carbón y coque aumentó en

36 Ibid., p. 10.
37 CEPAL, op. cit., p. 42.

casi 7 %. Esto hace suponer que las condiciones de trasporte de carga no sufrirán disminuciones en su índice.

b) *Formas de trasporte*. Existen varias formas de trasporte de mercancías que pueden afectar el tránsito por el Canal.

I. *Cargueros gigantes*. Ante la creciente demanda del comercio internacional se ha desarrollado la tendencia a construir cada vez los barcos más grandes.

Estos barcos, como los gigantes cisternas y cargueros a granel, tienen limitada su capacidad para transitar por el Canal.

Cerca de 1 400 barcos en servicio o en construcción no pueden cruzar el existente Canal de Panamá por limitaciones de calado o manga, o no pueden pasarlo completamente cargados.[38]

Algunas de estas unidades lo transitan parcialmente cargados y "las compañías que operan estos barcos no consideran económico proporcionar servicios regulares a través del Canal".[39]

Esto no quiere decir que a estos grandes cargueros no les sea económico utilizar el Canal en ciertas rutas si pudiesen atravesarlo.

Por ejemplo, en la ruta de costa a costa de los Estados Unidos, cuyos puertos terminales son Galveston y San Francisco, existe una diferencia de 8 925 millas náuticas (Anexo E) si se sigue la ruta del Estrecho de Magallanes en vez del Canal de Panamá. "El costo por tonelada de estos cargueros es 70 % menor que para un barco de menos de 50 000 toneladas"[40] y el costo días-barcos es de $ 1 906 para el mismo;[41] por consiguiente, para un carguero a granel de 100 000 toneladas su costo días-barcos es de $ 2 664. Si este carguero hiciese el trayecto a razón de 10 millas náuticas por hora le tomaría 54 días a un costo de $ 143 856; pero si utilizara el Canal lo haría en 17 días, su costo de travesía sería de $ 45 288 más $ 90 000 que pagaría en concepto de peaje y su costo total estaría en $ 135 288. Se deriva un ahorro de $ 8 568 y 37 días.

Ahora tomemos el factor tiempo. Este barco se ahorra 37 días. Ello obedece a que la vía de Panamá tiene 4 057 millas náuticas, mientras que la ruta alternativa por el Estrecho de Magallanes es de 12 982 millas náuticas (Anexo E). En otros términos, la ruta por el Estrecho de Magallanes representa tres veces el recorrido por la de Panamá. Significa que este carguero puede hacer tres viajes por el Canal en el mismo tiempo, si tuviese la capacidad de cruzarlo, en vez de uno solo por la ruta alternativa, y

[38] Estados Unidos de América, *Fourth Annual Report*, Atlantic-Pacific Interoceanic Canal Study Commission, julio 1, 1968, pp. 7-3.

[39] CEPAL, *op. cit.*, p. 70.

[40] Stanford Research Institute, *Analysis of Panama Canal traffic and revenue potential*, marzo de 1967, p. 13.

[41] Panama Canal y Company, *Panama Canal Water Supply*, op. cit., p. 16.

obtendría, por supuesto, una mayor utilidad. Incluso, estos mismos barcos obtendrían mayores beneficios al tener la posibilidad de un mayor volumen de viajes, aunque el costo por la ruta del Canal fuese mayor.

Esto sinifica que si existiese un canal a nivel con capacidad para permitir su tránsito, muchos de estos barcos lo utilizarían.

Por otra parte, es improbable que ante la tendencia del aumento de estos barcos, un canal pierda su importancia. Estas naves generalmente trasportan cargas como: petróleo, carbón y minerales, mientras que para los productos acabados se utilizan buques más pequeños porque ahorran tiempo y pueden atracar en los puertos de poca profundidad, van a los centros de consumo y la demanda no exige cantidades tan grandes. Además, los grandes cargueros operan en rutas determinadas, donde existen las grandes fuentes de materias primas hacia los centros de industrialización. Ello obedece a que no es comercial trasportar unas pocas mercancías hacia los pequeños puertos.

II. *Oleoductos.* Otro de los factores que pudiera afectar el tránsito por el Canal lo constituye el incremento de los oleoductos. Pero estos oleoductos no pueden trasportar todos los derivados del petróleo sin disponer de varias líneas de tuberías.

Si ahora se piensa en la construcción de un oleoducto a través del istmo, no es sino con el propósito de aliviar el tránsito por el Canal debido a su cercana saturación.

Sobre el posible impacto que tendría en el Canal la construcción de un oleoducto, señala la CEPAL:

Para 1980, el efecto sobre la capacidad del Canal sería muy relativa y el ahorro representaría alrededor de un 3.7 % del tránsito anual de barcos.[42]

Sobre el mismo asunto reproducimos el criterio del gobernador de la Zona del Canal:

Pero consideramos que los oleoductos no podrán ser utilizados como medio para trasportar todos los productos del petróleo. No estamos en una de las rutas principales del comercio del petróleo en el mundo. Somos un balance entre cuencas, el Atlántico y el Pacífico, y contamos con muchos productos derivados del petróleo que pasan por el Canal, no sólo aceite crudo, y creemos que algunos de estos productos y del crudo, continuarán trasportándose por el Canal.[43]

De acuerdo a las estadísticas de la Compañía del Canal el movimiento de los productos de petróleo es el siguiente:

42 CEPAL, *op. cit.*, p. 4.
43 Walter P., Leber, *loc. cit.*

		Atlántico al Pacífico	Pacífico al Atlántico	Total
Total de petróleo y derivados	Q [a]	16 003	1 620	17 623
Petróleo crudo	Q	5 996	572	6 568
Gasolina	Q	1 652	22	1 674 [44]

[a] Cantidades en miles de toneladas.

En el cuadro anterior se han incluido los dos principales productos del petróleo que se trasportan por el Canal de Panamá. Los otros derivados no tienen tanto movimiento, y representan el 47 % del total. Se observa también que la mayor cantidad se mueve del Atlántico al Pacífico y de construirse oleoductos se harían en la misma dirección.

Por otra parte, no entrañaría gran ventaja comercial la construcción de ellos porque el trasporte marítimo a los puertos terminales se realizaría en unos pocos viajes con los modernos gigantes cisternas.

III. *Containers*. Últimamente se ha desarrollado un revolucionario sistema en el trasporte de carga llamado "containers". Consisten en cajas de metal de dimensiones apreciables que sirven para embalar las mercancías, las cuales quedan selladas hasta ser abiertas por el consignatario.

Los principales atributos de los "containers" son el fácil manejo de ellos por varios medios de trasporte y la seguridad que proporcionan a la mercancía.

Este nuevo sistema exige barcos apropiados, cada día tienden a ser más grandes, y se teme puedan afectar el tránsito por el Canal. Pero actualmente está sucediendo lo contrario, al aumentar el número de barcos que lo cruzan.

Sobre el particular, afirma el señor Leber:

Estos barcos no serán muy grandes para el actual Canal, y no nos atrevemos a pronosticar que nunca lo serán, por la simple razón de que estas naves deben atracar en casi todos los puertos del mundo, y estos puertos no son lo suficientemente profundos para dar servicio a barcos que sean tan grandes que no puedan transitar por el Canal de Panamá.[45]

Por lo tanto, para un futuro canal a nivel, aunque se sigan construyendo estos barcos más grandes, mayor será la necesidad de cruzarlo.

[44] Panama Canal Company, *Annual Report*, 1969, *op. cit.*, p. 48.
[45] Walter P., Leber, *loc. cit.*

B) *Posibles ingresos*

Los peajes constituyen el principal ingreso que obtendría un nuevo canal a nivel; también se pueden recibir ingresos indirectos o subingresos que aumentarían las perspectivas rentables.

1. *Peajes*

Actualmente la Compañía del Canal cobra: *a*) 90 centavos por tonelada neta para barcos mercantes, navíos de guerra (de otras naciones), cisternas, barcos-hospitales y yates, cuando acarrean pasajeros o carga; *b*) 72 centavos por tonelada neta para tales barcos en lastre, sin pasajeros o sin carga, y *c*) 50 centavos por tonelada neta para otras embarcaciones. Los barcos de los gobiernos de Panamá y de Colombia están libres de cualquier pago de peajes.[46]

Los peajes que actualmente se cobran en el Canal de Panamá fueron establecidos en el año 1912 y reducidos en el año 1938; desde esta fecha no ha habido revisión alguna. Esto significa que la devaluación monetaria norteamericana (1934), el aumento mundial en el nivel de precios, el incremento de los costos y fletes de la marina mercante, etc., no ha tenido influencia en los peajes que se cobran en el Canal de Panamá y por lo tanto dichos peajes no guardan relación razonable con el servicio que ofrece el Canal a las flotas mercantes del mundo.[47]

Los ingresos en concepto de peajes si este Canal fuese exclusivamente comercial serían mayores. De acuerdo con el informe anual de la Compañía del Canal de Panamá, en el año fiscal de 1969 que termina en junio, se colectó en peajes $ 95 914 000. Si a esto le agregamos $ 6 760 000, por diferencia en la tarifa para las naves de guerra de los Estados Unidos, y $ 231 000 para las naves de los gobiernos de Colombia y Panamá, que se encuentran exonerados de este pago, hubiese resultado $ 102 905 000.

Por otra parte, estas recaudaciones serían mucho mayores si no existiesen ciertos privilegios para las naves comerciales norteamericanas, pues las medidas de los barcos no están siendo consideradas correctamente.

El barco cisterna "Bunker Hill", de matrícula norteamericana, según medidas del Canal de Suez, tiene 8 154 toneladas netas, a razón de $ 0.97.5 por tonelada, paga la suma de $ 7 971 por cruzar el Canal. La misma nave para el Canal de Panamá tiene sólo 7 745 toneladas netas, y a razón de $ 0.90 por tonelada de peaje paga $ 6 971, o sea, $ 1 000 menos. Es decir, para este buque-tanque el Canal de Suez es 14.3 % más caro que el de Panamá.

En la actualidad en Suez las naves de pasajeros pagan la tarifa

[46] Panama Canal Company, *Annual Report*, 1969, *op. cit.*, p. 2.
[47] Emilio F. Clare, *op. cit.*, p. 17.

completa a razón de $0.97.5 por tonelada neta, aun en el caso de que trasporten un solo pasajero. Así el "S. S. Matsonia", de bandera norteamericana, tiene para el Canal de Suez 18 352 toneladas netas y a razón de $0.97.5 por tonelada, paga $17 939. En cambio, al mismo barco de pasajeros se le aplica en el Canal de Panamá un sistema aún más liberal para determinar su tonelaje, de suerte que alcanza sólo a 12 890 toneladas, las que a razón de $0.90, paga solamente $11 601.; es decir, $6 338 menos que en Suez, o sea que el Canal de Suez le cuesta al "S. S. Matsonia" 54.6% más que el de Panamá [48]

Ahora consideremos otro aspecto y es el aumento de la tarifa de los peajes, el cual debiera elevarse en vista de que los costos de operación, así como los fletes, han tenido un apreciable incremento durante la vida del Canal; pero la realidad nos presenta otros factores que no hemos tomado en cuenta. Si bien es necesario un aumento en el valor de tales peajes, no creemos que pueda ser sustancial. Para elevarlo se necesita realizar un estudio sobre los posibles resultados que tendría en el tráfico marítimo.

El Stanford Research Institute estima los efectos que pudiese acarrear durante los próximos veinte años en los ingresos:

Porcentaje de aumento	Promedio de ingreso anual	Promedio de carga anual
0	101 [a]	116 [b]
25	118	106
50	121	91
100	125	70
150	125	56

[a] En millones de dólares.
[b] En millones de toneladas.

"Un aumento en los peajes de 100% o más, no sólo resultaría en grandes pérdidas inmediatas, sino lo más importante es que ello eliminaría el crecimiento, incluso se iniciaría un declive en el volumen de tráfico. Por ejemplo, si se proyecta en una rata de 150% de aumento sobre la presente estructura de peajes, causaría un absoluto descenso en el volumen del tráfico de 60 millones de toneladas largas en 1970 a 52 millones en 1990.

"La razón de este efecto predominante de un aumento a largo plazo en los peajes fue encontrado en la naturaleza de las alternativas disponibles de los embarcadores y cargueros." [49]

[48] Eloy Benedetti (Dr.), *Tres ensayos sobre el Canal de Panamá*, Ediciones Nuevos Rumbos, Panamá, pp. 48 y 49.
[49] Stanford Research Institute, *op. cit.*, p. 13.

A continuación una breve descripción de seis tipos de alternativas para uso del Canal que pueden ser utilizadas:

Rutas alternativas. Por ser la diferencia en distancias relativamente pequeña los barcos pueden evitar el paso por el Canal si les resulta más barata la otra vía. Ejemplos como Nueva Zelandia a Europa y Japón a Brasil.

Alternativas en el tamaño de los barcos. Al aumentar el tamaño de los barcos, el costo por tonelada desciende y el alza de los peajes estimularía aún más a los embarcadores a construir barcos cada vez más grandes.

Alternativas en el servicio de los embarques. Se desarrollaría más el sistema de "containers" y aumentaría la capacidad de estos barcos para abaratar el costo de trasporte.

Alternativas en los medios de trasporte. Aunque el trasporte aéreo es elevado, éste puede sustituir a la ruta del actual Canal si la diferencia en costo no es apreciable. Además en los Estados Unidos podría utilizarse los ferrocarriles para el trasporte de carga si les resulta más barato.

Alternativas de mercados y fuentes de materia prima. Buscarían nuevos mercados y fuentes de materia prima en otros lugares a los ya acostumbrados, si el flete por la ruta del Canal les fuera más costoso.

Alternativas de desarrollo. Recurrirían a otras áreas de desarrollo como Asia, y se alejarían de América para buscar rebaja de costos en el trasporte marítimo.

Como vemos, el alza en el valor de los peajes puede ocasionar pérdidas por la disminución de las travesías. Aun sin necesidad de aumentar la tarifa, los ingresos son lo suficientemente atractivos como para garantizar una inversión de esta naturaleza.

2. Otros ingresos

Además de los peajes, el abastecimiento de naves representa una entrada adicional. Aunque este servicio ha disminuido bastante en los últimos años debido a la gran autonomía que han alcanzado los barcos modernos, ya que no necesitan hacer escala para adquirir combustible y víveres.[50]

Otra actividad que originaría ingresos sería la creación de instalaciones para reparar y carenar barcos; es decir, realizar un complejo marítimo como lograron los egipcios en el Canal de Suez, en donde llegaron a construir barcos en sus propios astilleros.

El organismo del Canal ha procedido a la mejora de un astillero que lleva, hasta ahora, construidos cuatro navíos de 3 000 toneladas cada

[50] No hemos podido reproducir datos sobre este servicio en el actual Canal porque los informes financieros presentan cifras globales.

uno. Estos astilleros proceden ahora a la construcción de un navío de 6 000 toneladas y se apresta para otro de 12 000. El mismo astillero procede a la reparación de buques y construcción de cargueros y remolcadores.[51]

El establecimiento de puertos terminales y ampliaciones de zonas libres, con lugares adecuados de almacenamiento para mercaderías, serían otros generadores económicos que producirían ingresos y ocupación a la mano de obra nacional.

FINANCIAMIENTO DE UN CANAL A NIVEL

Antes de pasar a estudiar los problemas de financiamiento hay que considerar otras implicaciones, sobre la construcción de un canal a nivel, para determinar si es justificable su inversión y si las posibilidades de ingresos previsibles permitirían recuperarla.

A) *Implicaciones sobre la inversión*

Todos los que han estudiado los problemas del Canal concluyen en la conveniencia de un canal a nivel en lugar del tercer juego de esclusas sobre la actual vía.

Para su operación se requiere gran cantidad de mano de obra; el incremento de la productividad supone un aumento paralelo en la escala de salarios y el costo de operación crece en la misma proporción que el tránsito.

En un estudio realizado hace poco tiempo por la Compañía del Canal, al comparar los costos de operación del Canal actual con los de un canal a nivel se llega a la conclusión que esta última inversión quedaría justificada económicamente por el volumen de tránsito que existe y por el que se ha supuesto para las dos próximas décadas; las economías que se obtendrían en el costo de operación justificaría en 1980 la sustitución del Canal actual por otro a nivel del mar.[52]

Si bien su inversión sería mayor, en cambio se reducirían los gastos en el renglón de salarios debido a la menor cantidad de mano de obra. El crecimiento del tránsito sólo influiría en muy pequeña escala en los costos porque los barcos pasarían con poca intervención del personal. La administración y mantenimiento del canal a nivel supondría gastos fijos en los que no tendría ningún efecto el aumento de tránsito.

La construcción de nuevas esclusas permitiría el manejo de

[51] República Árabe Unida, *La revolución en doce años, 1952-1964*, Gráfica Norte, Madrid, 1964, pp. 87 y 88.
[52] CEPAL, *op. cit.*, p. 83.

barcos hasta de 150 000 toneladas de peso muerto, pero no tendrían mayor capacidad; mientras que un canal a nivel podría acomodar rutinariamente barcos de 150 000 toneladas de peso muerto y tendría la facultad de 250 000 toneladas de peso muerto bajo condiciones controladas. La capacidad de tránsito se estima en 35 000 barcos al año. Podrían costar más de tres quintos del costo máximo de un canal a nivel.[53]

B) *Garantías y condiciones para el financiamiento*

Cabe agregar que una de las mayores garantías para la amortización de un empréstito consiste en la forma de pago de los peajes. Casi en su totalidad se realiza al contado. De no hacerlo, el barco no cruza el Canal. Hay otra forma de utilizar este servicio: mediante la entrega de un bono de cumplimiento emitido por una compañía de seguros, lo que viene a ser una transacción casi en efectivo y sin ningún riesgo. Sólo se le concede crédito sobre el pago de peajes a las naves del gobierno de los Estados Unidos, el cual se ajusta con la liquidación de las utilidades netas.

Aunque la construcción de un canal a nivel, por la ruta núm. 10, se estima en 2 880 millones de dólares, se han confeccionado en el Anexo F las proyecciones para un proyecto de empréstito por 3 000 millones de dólares (tomando en consideración los cambios en su valor que pueda sufrir el dólar) pagadero en 40 años a un interés de 6 %, a partir de 1991, si se considera como año de inicio de las operaciones del nuevo canal.

En el Anexo F se observa también que durante los cuarenta años siguientes a la apertura del nuevo canal, se habrá recaudado en concepto de peajes 9 281 millones de dólares, el equivalente de más de tres veces la inversión. Si a esto le descontamos el costo de operación y mantenimiento calculado en 329 millones de dólares, resultaría un ingreso neto de 8 952 millones de dólares, suma que garantizaría la cancelación de cualquier empréstito para dicha obra.

Los primeros años de esta inversión serán los más difíciles porque los ingresos recibidos en concepto de peajes van aumentando paulatinamente en la medida en que crece el tránsito, mientras que los intereses decrecen al bajar el capital amortizable, y por lo tanto la disponibilidad aumenta. Durante este plazo la suma disponible alcanzaría a 2 877 millones de dólares, según el Anexo F.

Una entidad financiera que otorgue un empréstito de esta naturaleza querrá tomar medidas que le aseguren que el capital le será reintegrado, por lo que exigirá ciertas condiciones contractuales, y además deseará participar en la administración con cierta autoridad que le garantice la seriedad de la empresa.

[53] Véase apéndice, conclusiones núm. 6 y núm. 7.

C) *Fuentes de financiamiento*

Siempre se ha pensado en los Estados Unidos como el único país con capacidad económica para la realización de una obra como un canal a nivel. Pero la historia nos demuestra que el primer canal interoceánico fue construido por una empresa comercial que se llamó la Compañía Universal del Canal Marítimo de Suez.

Para construir esta vía se obtuvo su inversión mediante la venta de acciones de la Compañía fundada y posteriormente fueron adquiridas por Inglaterra y Francia, logrando el control del Canal.

Si ésta fue una forma de lograr capital para la ejecución de esa obra, por lo tanto se debe pensar que pueden existir otras fuentes que provean los recursos necesarios para construir el nuevo canal a nivel.

1. *Otras potencias*

Si se ha excluido a Estados Unidos como fuente de financiamiento, es por el hecho de que ellos pretenden realizar la nueva vía como si fuese parte de su patrimonio y retener el control efectivo en las operaciones de la misma.

Por consiguiente, se debe intentar en otras potencias como Rusia y Japón.

a) *Rusia.* Ésta es la segunda potencia del mundo actual y antagónica, en cuanto a su sistema económico y político, a los Estados Unidos y Panamá. Esto no quiere decir que se deba evitar la relación económica y financiera con ellos. Actualmente se están derribando las barreras políticas que mantenían a los países del bloque socialista marginados del comercio mundial, y Rusia como las otras naciones similares buscan estrechar las relaciones comerciales con los del hemisferio occidental.

El financiamiento y construcción de un canal a nivel podría interesar a la URSS porque lograría simpatías en el plano internacional, la ayuda prestada a un pequeño país en la explotación de su recurso natural. Por otra parte, significaría un alto prestigio tecnológico, la construcción de una obra de ingeniería tan portentosa como lo sería un canal a nivel del mar.

Un hecho parecido al que se plantea, aunque de diferentes dimensiones, fue la concesión de un préstamo a Egipto para la construcción de la represa de Asuán, que le valió un gran reconocimiento por parte del mundo árabe.

Egipto había solicitado la ayuda económica para la realización de este proyecto al Banco Internacional de Reconstrucción y Fomento (BIRF) junto con la Gran Bretaña y los Estados Unidos; sin embargo, el 19 de julio de 1956 le retiraron la oferta financiera, lo cual obligó a este país a solicitar a la URSS el financiamiento para este proyecto. Rusia le concedió un empréstito por 1 300 millones de rublos, equivalente a 325 millones de dólares, a un interés de 2 ½ % anual rembolsable en 24 anualidades.[54]

Este proyecto significa para Egipto un aumento considerable de la superficie cultivable, un sistema permanente de irrigación, control de las aguas para evitar los peligros de altas crecidas, mejorar la navegación fluvial a lo largo del Nilo durante todo el año y producir energía hidroeléctrica para ser utilizada en la agricultura y la industria.

Para Egipto esta presa es de vital importancia porque la agricultura es la base de su economía y constituye el núcleo de la mayor parte de las exportaciones representando una importante fuente de divisas extranjeras, necesarias al desenvolvimiento económico.

Indudablemente, la suma prestada a Egipto es diez veces menor de lo que se necesitaría para la construcción de un canal a nivel, pero no se puede decir que no se obtendría el financiamiento mientras no se gestione, porque a Rusia se le presentaría la oportunidad de hacerle justicia a una pequeña nación a la cual siempre se la han negado.

b) *Japón.* Uno de los mayores usuarios del Canal de Panamá es el Japón, debido a su gran desarrollo industrial y comercial de las dos últimas décadas. Se sabe que éste es un país de escasos recursos pero de una gran tecnología y, por consiguiente, tiene que buscar de los países productores las materias primas que necesita.

Si se estudian las estadísticas de la Compañía del Canal, éstas demuestran el gran tráfico de cargas que ha tenido este país. Para el año fiscal de 1969, cruzó por el Canal 33.5 millones de toneladas de productos de las costas atlánticas y de Europa con destino a Japón, cifra que representa el 51.82 % del total.[55]

7.3 millones de toneladas se movieron principalmente del Japón con destino en el perímetro del Atlántico.[56]

De acuerdo con lo señalado, para el Japón, el actual Canal representa una necesidad nacional, como lo sería también el futuro canal a nivel. Este último evitaría demoras en la espera de turno, el tránsito a través de él sería más rápido; es decir, aceleraría su comercialización.

Por otra parte, el mismo prestigio que tendría para Rusia la

[54] República Árabe Unida, *La alta presa*, Gráfica Norte, Madrid, 1964. pp. 5 y 6.
[55] Panama Canal Company, *Annual Report*, 1969, *op. cit.*, p. 54.
[56] *Ibid.*, p. 11.

construcción de un nuevo canal a nivel, lo tendría para el Japón. Serviría como propaganda de su gran capacidad tecnológica en la realización de obras de tal magnitud. También, por ser el Japón uno de los mayores constructores de barcos, el canal a nivel incrementaría el comercio marítimo internacional, de tal manera que demandaría la manufactura de nuevas unidades.

Por lo tanto, esta potencia económica, considerada la tercera actualmente, podría financiar este proyecto, y contribuiría al desarrollo de su trasporte marítimo y su comercialización.

2. *Mercado Común Europeo*

Los países europeos son altamente industrializados y cuentan con grandes recursos, pero necesitan comprarles a países productores de otras materias primas. Tienen también una antigua tradición comercial marítima, lo que los hace poseedores del 45 % de todos los barcos del mundo, sin incluir los países socialistas. Se destaca en primer lugar la Comunidad Británica con la mayor flota comercial de todos los mares.[57]

Este continente es uno de los más importantes usuarios del Canal de Panamá. Durante el año fiscal de 1969, cruzó hacia Europa el 37.75 % de la carga del Pacífico al Atlántico, y de Europa con destino al Asia el 9.51 %.[58]

Por este motivo, se podría interesar a esta comunidad de naciones para que concedan el financiamiento, ante la importancia que tiene para ellos la ejecución de un canal interoceánico en el desenvolvimiento de su comercio marítimo y desarrollo industrial.

La fuente de recursos de este empréstito podría operar mediante cuotas aportadas por los países consignatarios de este mercado común, interés colectivo que contribuiría a estrechar sus relaciones. Además les produciría una utilidad (intereses) que podría ser aprovechada en ciertas facilidades en el desarrollo de sus actividades.

3. *Organismos internacionales de crédito*

El mayor organismo de crédito es el Banco Internacional de Reconstrucción y Fomento, llamado también Banco Mundial, que podría ser una de las fuentes de financiamiento para este proyecto.

El total del capital suscrito del Banco Mundial es de 20 663 millones de dólares; de esta cantidad sólo el equivalente de 2 067 millones de dólares ha sido pagado, parte en oro y dólares y parte en monedas

---

[57] *Almanaque Mundial 1970*, Editora Moderna, Inc., Nueva York, E. U., p. 476.

[58] Panama Canal Company, *Annual Report*, 1969, *op. cit.*, pp. 54 y 60.

nacionales; y el resto puede ser exigido en caso de que se necesite para hacer frente a obligaciones del Banco.

El Banco vende sus bonos en los mercados de capital de todo el mundo y en septiembre de 1962, sus obligaciones eran de 2 532 millones de dólares. Aun cuando la mayoría son bonos en dólares, más de la mitad se han colocado fuera de los Estados Unidos de Norteamérica.

El Banco Mundial también solicita participación directa de inversionistas privados en sus préstamos. Mediante la participación en los nuevos préstamos y la venta de partes de préstamos de su cartera, el Banco se ha provisto de los fondos por 1 360 millones de dólares para sus operaciones. Las ventas a participantes privados son sin garantía del Banco. No ha habido pérdidas sobre los préstamos hasta la fecha. Los bancos de depósitos que participan compran normalmente los primeros vencimientos, y sobre nuevos préstamos recibe 5 ¾ anual, más una comisión de ¾ por año sobre los fondos por disponer. Las tasas corrientes son de 5 a 5 ½ % anual, de acuerdo con el plazo. Los términos del Banco incluyen un período de espera antes de empezar el pago principal; la extensión del período se basa en el tiempo requerido estimado para que el proyecto financiado empiece a producir ingresos.[59]

Se deduce que los recursos del Banco Mundial son apreciables y los medios de que dispone para aumentarlos son sólidos, por lo cual tiene la capacidad para prestar el capital necesario para este proyecto.

Sin embargo, tenemos que:

El Banco no presta el costo total de los proyectos y programas; normalmente sólo financia el costo en divisas de la compra de bienes y servicios importados y excepcionalmente costos en moneda local. El prestatario cubre los costos locales, usualmente más de la mitad total, con recursos de otras fuentes.[60]

Esto no significa que no se puede obtener la totalidad de la inversión, sólo que tendría que hacerse mixta: el aporte de los bienes y servicios importados de parte del Banco Mundial y los gastos locales por otra u otras entidades de crédito, lo cual resultaría un compromiso múltiple.

Otra de las instituciones internacionales de crédito que sigue en importancia es el Banco Interamericano de Desarrollo.

El monto autorizado de los recursos ordinarios de capital asciende a 2 150 millones de dólares. De este monto, 475 millones corresponden a capital pagadero en efectivo y 1 675 millones a capital exigible.

Hasta fines de 1966, el Banco había vendido nueve emisiones de

[59] Emilio F. Clare, *Instituciones internacionales de crédito y de desarrollo económico*, Lección VI, Cátedra de Relaciones Económicas Internacionales, Universidad de Panamá, 1965, pp. 1 y 2.

[60] *Ibid.*, p. 2.

bonos y obtenido dos empréstitos directos, por un total de 395 300 000 dólares, que han sido incorporados a los recursos ordinarios de capital.[61]

Por consiguiente, los recursos de capital con que dispone el BID sólo son suficientes para sufragar parte de un proyecto similar.

4. *Empresas financieras*

Existen muchos bancos privados con grandes capitales y con amplias ramificaciones en todas partes del mundo. Estos bancos, de tener la seguridad de un fructífero negocio, no vacilarían en ofrecer su concurso para la realización de este proyecto.

Lo más probable es que una empresa de éstas que participara en el financiamiento, emitiría bonos que serían colocados en los mercados financieros del mundo y el producto se utilizaría en la obra.

Está demás decir que los intereses serían elevados y los plazos de amortización más cortos que los de una entidad de crédito, porque sería una actividad totalmente lucrativa.

CONCLUSIONES

El desarrollo de este trabajo tiene el objeto de iniciar las posibilidades de que pueda construirse otro canal que sea panameño. La única forma de obtenerlo será mediante un empréstito, pues carecemos de los medios económicos adecuados.*

Hemos considerado varios puntos del problema canalero movidos por la intención de señalar todos los aspectos que puedan afectar el tránsito y explotación de una zanja intermarítima.

Siempre se había tratado de intimidar a Panamá con la tesis del canal a nivel por rutas de Centroamérica o Colombia. Pero la factibilidad técnica ha demostrado que es por nuestro istmo donde se tendrá que construir y, prácticamente, ha quedado la ruta 10, Caimito-Palmas Bellas, como la elegida. Panamá, reiteramos, geográficamente tiene la exclusividad de construcción.

El presente Canal de esclusas está condenado a convertirse en reliquia histórica como consecuencia del creciente y progresivo tránsito marítimo. Aunque se le hagan mejoran para acumular mayores reservas de agua o se aumente su capacidad operacional mediante reformas a sus sistemas técnicos y mecánicos, no se haría otra cosa que prolongar su agonía.

[61] *Almanaque Mundial 1970, op. cit.*, p. 277.
    * Véase "Canal panameño", de Carlos E. González de la Lastra, en *El Canal de Panamá: origen, trauma nacional y destino*, Grijalbo, México, 1976. [Nota del recopilador.]

Este Canal, al llegar a su punto de saturación, provocará perturbaciones al comercio internacional y será la mejor oportunidad que tendrá Panamá para reclamar su sed de justicia y demandar la devolución de su territorio. Además, será el momento indicado para que se pueda solicitar el financiamiento para la construcción de la nueva vía, la cual no ofrecerá estos problemas.

Las perspectivas futuras del nuevo canal se presentan lo suficientemente halagadoras para devolver la inversión en un buen plazo; además no se han cuantificado ciertos factores que harían aumentar los ingresos.

No creemos que sea en la mesa de negociaciones donde se nos hará justicia, tenemos experiencias notables. Después de finalizadas las conversaciones en 1967 se nos presentaron tres instrumentos que sustituían el Tratado Hay-Bunau-Varilla y donde se nos arrancaba otra concesión, como lo era la opción para un canal a nivel, y nos mantenían en el mismo estatus jurídico en forma indefinida.

El concepto imperialista de los Estados Unidos no ha variado. Basta observar las Recomendaciones y Conclusiones presentadas por la Comisión para el Estudio del Canal Interoceánico Atlántico-Pacífico: "Los Estados Unidos deben mantener el derecho absoluto a defender el presente Canal y cualquier sistema de canal por el istmo en cualquier futuro previsible." [62] Cuando está de más decir que los sistemas tecnológicos modernos de guerra hacen inefectivas las instalaciones de defensa.

También recomienda: "áreas de operación del Canal y de defensa deben incluir en el Canal existente y la ruta 10".[63] Como vemos, quieren todavía más territorio del existente.

La misma comisión quiere que se incluya el derecho de autoridad para la ruta 10,[64] es decir, extender concesiones jurisdiccionales hasta las nuevas áreas.

Quieren retener también el control efectivo en las operaciones del Canal.[65]

Por eso, a Panamá no le queda otra alternativa que buscar soluciones a este problema en otra parte donde se pueda conseguir el financiamiento necesario, porque por muy ventajosas que sean las propuestas de los Estados Unidos, siempre existirán las "causas de conflictos", abolibles sólo mediante la eliminación del complejo canalero en la llamada Zona del Canal y la construcción del canal panameño.

[62] Véase apéndice, conclusión núm. 2.
[63] Véase apéndice, recomendación núm. 1b.
[64] Véase apéndice, recomendación núm. 1a.
[65] Véase apéndice, conclusión núm. 21.

APÉNDICE

CONCLUSIONES Y RECOMENDACIONES DE LA COMISIÓN DE ESTUDIO
PARA EL CANAL INTEROCEÁNICO PRESENTADAS AL PRESIDENTE
DE LOS ESTADOS UNIDOS

Un canal a nivel a través del istmo americano ha sido un sueño
de hace más de cuatro siglos, y todos los que han participado
—los españoles, los franceses y los constructores norteamericanos del presente Canal a esclusas— se han convencido de que
finalmente habrá que construir un canal a nivel. Los estudios
del Canal en 1947, 1960 y 1964 llegaron a la misma conclusión,
pero recomendaron medidas provisionales y se propuso su construcción.

Hoy día no hay obstáculos técnicos de suficiente magnitud
como para impedir la construcción y operación de un canal a
nivel. La determinación de su factibilidad debe ser una apreciación de valores, muchos de los cuales no son cuantificables.
Las ventajas políticas, económicas y militares de los Estados
Unidos, el hemisferio occidental, y del mundo entero en un canal
seguro y adecuado no pueden ser medidas con precisión. Separar
los costos contra la rentabilidad estimada es sólo una medida, y
muy tenue al menos. Los elementos más críticos —las negociaciones para la construcción de un canal, su operación y defensa—
faltan por ser establecidos. Sin embargo, la Comisión considera
que las condiciones esenciales para los tratados son obvias, y
con base a las muchas consideraciones discutidas en este informe
y en sus anexos, ha llegado a las siguientes conclusiones y recomendaciones.

CONCLUSIONES

1. Los Estados Unidos, como la principal potencia del hemisferio
occidental, tiene la responsabilidad de asegurar la continuidad
en la operación de un canal en el istmo operado sobre una base
neutral y de igualdad. Esta obligación está reconocida en tratados de Estados Unidos con el Reino Unido, Panamá y Colombia.

2. El Canal de Panamá es de primordial importancia para la
defensa de los Estados Unidos. Los Estados Unidos deben mantener el derecho absoluto a defender el presente Canal y cualquier sistema de canal por el istmo en cualquier futuro previsible.

3. Un canal ístmico adecuado es de gran valor económico para
muchas naciones, especialmente para los Estados Unidos ya que

aproximadamente el 70 % del tonelaje a través del Canal en años recientes ha sido hacia, desde o entre puertos de los Estados Unidos. Esta relación se espera continúe.

4. Las limitaciones del actual Canal de Panamá restringen el uso de barcos de trasporte de carga a granel. La tendencia mundial a usar grandes naves para trasportar carga a granel harán de esta limitación de creciente importancia económica a los Estados Unidos y el comercio mundial a medida que trascurra el tiempo.

5. La demanda potencial del tránsito anual de barcos dentro de las dimensiones que permitan su navegación por el actual Canal probablemente exceda la capacidad máxima estimada de 26 800 toneladas durante la última década del siglo. La saturación del Canal existente impondrá fuertes limitaciones, pero no necesariamente insuperables en la navegación mundial. Si no se le provee de mayor capacidad al Canal para el tránsito y para permitir el paso de barcos más grandes, el incremento en el tráfico potencial se diversificará a los barcos más grandes en rutas de alternativa y por otros medios de trasporte. La provisión de capacidad adicional en el Canal sería ventajoso para el sostenido incremento en el comercio mundial y de los Estados Unidos.

6. La construcción inicial de facilidades de ampliación al Canal permitirán el manejo de barcos de hasta 150 000 toneladas de peso muerto. Nuevas esclusas diseñadas para tales naves no tendrán mayor capacidad, pero en cambio un canal a nivel que podría rutinariamente acomodar barcos de 150 000 toneladas de peso muerto podría permitir el manejo de barcos de 250 000 DWT bajo condiciones controladas.

7. La nueva capacidad que debería preverse inicialmente es para 35 000 barcos al año. Ésta podría ser una solución provisional sin ventajas militares significativas, y no resolvería los problemas en las relaciones de Panamá y los Estados Unidos que derivan de los requisitos de personal y defensa que requiere el canal a esclusas. El aumento en la capacidad podría ser excedido por la demanda en el tránsito poco después de que sean construidas las nuevas esclusas. Las esclusas con capacidad de acomodar barcos de 150 000 DWT podrían costar más de 3/5 del costo máximo de un canal a nivel de mucha más capacidad y no permitiría el tránsito de los portaviones de la Marina. Esclusas adicionales incrementarían, además, los costos de operación del canal mucho más que lo haría un canal a nivel.

9. Un canal a nivel proveería un significativo medio en cuanto a la capacidad de una vía acuática en el istmo para soportar operaciones militares, tanto en su menor vulnerabilidad a ser inutilizado por la acción bélica o en su habilidad para permitir paso de portaviones que ahora no pueden transitar por el Canal de Panamá. Estas ventajas militares de un canal a nivel, junto

a su capacidad de enfrentar la demanda potencial para el tránsito por un período mucho más largo, y su costo de operación mucho menor, balancearían en exceso el costo más bajo de construcción y de aumentar la capacidad del actual Canal con esclusas más grandes.

10. La factibilidad técnica del uso de explosivos nucleares para la excavación de un canal a nivel no ha sido establecida. No puede pronosticarse si la tecnología puede ser perfeccionada y si los obstáculos que imponen tratados internacionales para su uso pueden ser superados. La eliminación de obstáculos técnicos y de los tratados que restringen el empleo de la excavación nuclear podrían dejar obstáculos políticos y económicos mayores que la construcción de un canal a nivel lejos de los núcleos de población en Panamá. Un canal a nivel en la ruta 17, excavado total o parcialmente por explosiones nucleares, no es factible por infinidad de razones y probablemente siga así, aunque se establezca la factibilidad técnica de la excavación nuclear. Un canal a nivel excavado parcialmente por métodos nucleares en la ruta 25 en Colombia podría ser algún día políticamente aceptable si se prueba su factibilidad técnica.

11. Un canal a nivel en Panamá construido por excavación convencional ya sea en la ruta 10 o en la 14 es técnicamente factible.

12. La ruta 10 es la más ventajosa para un canal a nivel.

13. Aunque las evidencias indican que las corrientes marinas que se esperan en un canal a nivel del mar sin estructuras para su control podrían ser navegadas con seguridad por la mayoría de los barcos, compuertas de control de mareas podrían incrementar la seguridad en la navegación y deben ser instaladas.

14. Un canal a nivel del mar excavado convencionalmente en la ruta 10 con compuertas para la marea, capaz de acomodar por lo menos 35 000 barcos por año, incluyendo aquellos de la flota mundial que exceden los 150 000 DWT, costaría 2 880 millones, según precios de 1970.

15. Los costos e ingresos de un futuro canal a nivel del mar no pueden ser pronosticados debidamente sobre un período de 75 años que podría ser necesario para su construcción y amortización. Entre los factores críticos figuran el costo de la moneda y la estabilidad de su valor. Si los canales viejo y nuevo fueran integrados financieramente al inicio de la nueva construcción, y si se cumplieran los más favorables pronósticos en los costos, ingresos y ratas de interés, un canal a nivel que comenzara a operar en 1990 podría ser financiado mediante peajes a la vez que se pagaban regalías razonables a Panamá. Acontecimientos favorables en los costos futuros y en los ingresos durante el período harían imposible la amortización mediante peajes. La amortización requeriría aumentos en los peajes sobre los niveles

actuales del Canal de Panamá, así como incrementos periódicos para compensar la inflación que producirán los costos futuros. Bajas tasas de interés o bajas regalías podrían facilitar el financiamiento de cuantiosas inversiones y permitir peajes más bajos. A la inversa, altas tasas de interés, altas regalías, o peajes inferiores a una justificación económica reducirían la inversión en la obra que debería ser amortizada por peajes.

16. Un sistema de precios variables para peajes diseñado para enfrentar la competencia de alternativas al canal atraería un mayor tráfico y generaría los mayores ingresos en un futuro canal de cualquiera clase, a esclusas o a nivel del mar.

17. La seguridad de la recuperación de la inversión de los Estados Unidos es deseable, pero no debe ser la única determinante de la política norteamericana sobre el canal. La decisión de construir o no un canal a nivel debería tomar en cuenta también los factores económicos, político y militar.

18. Aunque la verdadera acción internacional de un futuro canal a nivel del istmo no parece ser alcanzable, la participación multinacional en su financiamiento y administración podría ser financiera y políticamente ventajosa. Los Estados Unidos podrían buscar tal participación en un tratado binacional con Panamá, pero la política de los Estados Unidos sobre el canal no debe depender exclusivamente de ese logro.

19. Las relaciones de los Estados Unidos con Panamá podrían ser mejoradas mediante la progresiva reducción en el personal de los Estados Unidos en la autoridad que opera el canal y un aumento concomitante en la proporción del personal panameño en las posiciones normalmente ocupadas por ciudadanos norteamericanos. La construcción de un canal a nivel del mar facilitaría la reducción de la presencia de los Estados Unidos en cuanto él podría ser operado y defendido con menos personal.

20. La construcción de un canal a nivel en la ruta 10 o la ruta 14 crearía grandes beneficios económicos para Panamá. De las alternativas consideradas, los mayores beneficios en empleos adicionales y en ingresos de divisas extranjeras para Panamá podrían derivarse de la construcción de un canal en la ruta 10 y operándolo conjuntamente con el Canal actual como un solo sistema.

21. Los objetivos de los Estados Unidos en torno al Canal y las relaciones tranquilas con Panamá son más susceptibles de ser logradas si hay un acuerdo que dé a Panamá un papel mayor en la empresa canalera mediante beneficios económicos justificables por las actividades del canal, pero los Estados Unidos deberán retener el control efectivo en las operaciones del Canal.

22. Tal canal, ha podido determinar la Comisión sobre la base de estudios limitados, la unión de los océanos al mismo nivel no

afectaría la pesca comercial o deportiva a cada lado del istmo americano. Ningún cambio físico en el ambiente parece posible fuera de las áreas inmediatas de excavación y de los depósitos de material excavado. Compuertas para las mareas podrían usarse para eliminar sustancialmente el flujo de agua entre los océanos, y el agua entre las compuertas tendría diferencias de temperatura y salinidad en cada océano que podría constituir una barrera limitada para la trasferencia de la vida marina. Un pronóstico definitivo y fidedigno de todos los efectos ecológicos de un canal a nivel del mar no es posible. La posibilidad de paso de especies dañinas de un mar a otro existe, pero los riesgos involucrados en ello parecen aceptables. Estudios profundos comenzados antes de la construcción han sido iniciados y deberán ser continuados antes de la apertura del canal a nivel para medir los efectos ecológicos.

23. La decisión para construir un canal a nivel debería permitir su planificación y construcción en aproximadamente 15 años hasta llegar al plazo de su necesidad, que puede fijarse con seguridad a medida que se acerca ese término. Otros factores, sin embargo, incluyendo los términos del tratado con Panamá deben ser negociados y ratificados, así como las prioridades nacionales para su financiamiento federal, serían los determinantes finales en el caso de que el presidente proponga al Congreso que legisle para un canal a nivel.

24. La construcción de un canal a nivel, de ser financiado principalmente por los Estados Unidos, debería ser planificado y llevado a cabo bajo la dirección de una autoridad autónoma del gobierno de los Estados Unidos.

RECOMENDACIIONES

La Comisión de Estudios para el Canal Interoceánico Atlántico-Pacífico recomienda:

1. Cualquier nuevo tratado con la República de Panamá debe considerar:

a) La creación de un sistema de canal ístmico, incluyendo el Canal existente y un canal a nivel del mar en la ruta 10, operado y defendido dentro de una relación justa y mutuamente aceptable entre los Estados Unidos y Panamá.

b) Las áreas de operación del canal y de defensa deben incluir el Canal existente y la ruta 10.

c) El control efectivo en las operaciones del canal y el derecho de defensa del sistema del canal y las áreas del mismo por los Estados Unidos, previéndose la participación panameña mediante negociaciones que sean mutuamente aceptables y consistentes con otras recomendaciones incluidas en este informe.

d) Adquisición del derecho de la ruta 10 para la autoridad que operará el sistema del canal tan pronto como sea factible.

2. El sistema canalero deberá ser operado de manera que provea ingresos justos y otros beneficios económicos para Panamá consistentes con la eficiencia de las operaciones del canal, la solvencia financiera de la empresa, y el mantenimiento de niveles de peaje que permitan la competencia efectiva con alternativas al canal.

3. Otras naciones pueden participar en el financiamiento del sistema del canal, si tal participación multinacional es aceptable al gobierno de Panamá.

4. Sujeto a la prioridad de requerimientos nacionales más importantes, los Estados Unidos iniciarán la construcción de un canal a nivel en la ruta 10 a más tardar 15 años con anticipación a la fecha estimada de saturación del presente Canal, ahora estimada para que se produzca durante la última década de la centuria.

5. Cuando los derechos y obligaciones de los Estados Unidos bajo nuevos tratados con Panamá se establezcan, el Presidente revaluará la necesidad de una deseable capacidad adicional para el tráfico del canal, y tomará las medidas conducentes al planeamiento de la construcción del canal a nivel en la ruta 10 cuando lo considere apropiado.

6. La modernización del canal existente para que ofrezca su máximo potencial de tránsito deberá realizarse, pero sin que involucre construcción de esclusas adicionales.

7. Los Estados Unidos seguirán el desarrollo de la tecnología de excavación nuclear, pero no pospondrá sus decisiones en cuanto a política del canal ístmico por el posible establecimiento de la factibilidad de la excavación nuclear en fecha posterior.

8. Los siguientes estudios, iniciados en el curso de la investigación de la Comisión aún no completados, deberán ser continuados por la autoridad de control del nuevo sistema del canal, si tal autoridad es establecida y se obtiene el derecho de la ruta 10:

a) Investigación de la subsuperficie geológica del trazado propuesto para la ruta 10 para permitir la selección del exacto curso en propósitos de diseño.

b) Investigación de la estabilidad de ángulo aplicable a las condiciones geológicas de la ruta 10.

c) Investigación de la hidrodinámica de grandes barcos que se mueven a través de aguas confinadas con corrientes variables.

9. Una agencia permanente del Ejecutivo será establecida para mantener y coordinar las actividades públicas y privadas que podrían contribuir a la evaluación de los efectos potenciales de un canal a nivel en el ambiente, y si se decide iniciar la construcción, recomiende al Presidente sobre la organización para

tales investigaciones adicionales, según se requieran, para llegar a conclusiones definitivas.

1 de diciembre de 1970

BIBLIOGRAFÍA

Almanaque Mundial 1970, Editora Moderna, Inc., Nueva York, 512 pp.
Arauz, Amado, *Observaciones al informe final de estudios del nuevo canal*, El Panamá América, del 6 al 30 de noviembre de 1970.
Benedetti, Eloy, *Tres ensayos sobre el Canal de Panamá*, Ministerio de Educación de la República de Panamá, Imprenta Nacional, 1965, 116 pp.
Carles, Jr. Rubén Darío (Prof.), *Algunos aspectos de la evolución económica-fiscal de la República de Panamá*, El Panamá América, edición extraordinaria, 3 de noviembre de 1953.
Comisión Económica para América Latina (CEPAL), *Estudios sobre las perspectivas del actual Canal de Panamá*, México, 1965, 133 pp.
Clare, Emilio F. (Prof.), *Instituciones internacionales de crédito y de desarrollo económico*, Lección VI. Cátedrá de Relaciones Económicas Internacionales, 14 pp.
—, *Los tratados*, Lección IX, Cátedra de Relaciones Económicas Internacionales, 51 pp.
Estados Unidos de América, *Fifth Annual Report*, Atlantic-Pacific Interoceanic Canal Study Comission, julio 31, 1969, 57 pp.
—, *Fourth Annual Report*, Atlantic-Pacific Interoceanic Canal Study Comission, julio 31, 1968, 77 pp.
—, *Third Annual Report*, Atlantic-Pacific, Interoceanic Canal Study Comission, julio 31, 1967, 65 pp.
Leber, Walter P. (gobernador de la Zona del Canal), *El futuro del Canal de Panamá*, discurso ante la Sociedad Americana de Panamá pronunciado el 19 de mayo de 1970.
Panama Canal Company, *Annual Report*, Fiscal Year Ended June 30, 1969, 141 pp.
—, *Annual Report*, Fiscal Year Ended June 30, 1968, 147 pp.
—, *Annual Report*, Fiscal Year Ended June 30, 1967, 146 pp.
—, *Annual Report*, Fiscal Year Ended June 30, 1966, 147 pp.
—, *Annual Report*, Fiscal Year Ended June 30, 1965, 140 pp.
Panama Canal Water Supply, Engineering and Construction Bureau, Electrical Division, Meteorological and Hydrography Branch, enero, 1961, 18 pp.
—, *Review of Studies Potential Reservoir Development, Upper Chagres River*, diciembre, 1960, 32 pp.
Pauling, Linus (premio nobel), *¡Basta de guerras!*, Editorial Palestra, Buenos Aires, 1961, 212 pp.
República Arabe Unida, *La alta presa, 1962*, Gráfica Norte, Madrid, 1964, 32 pp.
—, *La revolución en doce años, 1952-1964*, Gráfica Norte, Madrid, 1964, 126 pp.
República de Panamá, *Balanza de pagos, Sector Zona del Canal, 1965*,

Estadística Panameña, año XXVI, Contraloría General de la República, 23 pp.

—, *Balanza de pagos*: *años 1960 a 1966*, Estadística Panameña, año XXVII, Contraloría General de la República, 37 pp.

—, *Memorias del ministro de Relaciones Exteriores*, 1 de octubre de 1965.

Stanford Research Institute, *Analysis of Panama Canal traffic and revenue potential*, 1967, 111 pp.

CARACTERÍSTICAS DE LAS RUTAS EN ESTUDIO PARA UN CANAL INTER

Número de la ruta	Nombre de la ruta	Método	Tipo	Costo de la construcción (en millones de balboas)	Período de la construcción (años)	Longitud (millas)
1	Tehuantepec Tehuantepec	Convencional Nuclear		13 000 2 270		170 163-165
2	San Juan del Norte Bahía de Fonseca	Convencional	Esclusas	4 095	12	
3	San Juan del Norte Realejo					
4	San Juan del Norte Tamarindo					
5	San Juan del Norte Brito	Convencional	Esclusas	4 094-4 135	12	173
6	San Juan del Norte San Juan del Sur					
7	San Juan del Norte Bahía de Salinas					
8	San Juan del Norte Bahía de Salinas	Nuclear	Nivel	1 850	12	168
8	San Juan del Norte Bahía de Salinas	Convencional	Nivel	8 000-10 000	15	170
8	San Juan del Norte Bahía de Salinas	Nuclear y Convencional	Nivel			170
9	Chiriquí	Nuclear	Nivel			55
10	Caminito Palmas Bellas	Convencional	Nivel	2 700-3 000		48.5
11	Chorrera Bahía de Limón	Convencional	Nivel			46.8
12	Chorrera Gatún	Convencional	Nivel			43.7
13	Paralelo al de Panamá	Convencional	Nivel			48.1
14	Canal a nivel por la ruta actual	Convencional	Nivel	2 300	10-12	46
15	Actual Canal de Panamá		Esclusas			46
16	San Blas	Nuclear	Nivel	620	10	39.4
16	San Blas	Convencional	Nivel	6 272		40

OCEANICO

Profundidad mínima (pies)	Anchura mínima (pies)	Duración de la travesía (horas)	Elevación (pies)	Terminales	Ubicación
		17	812	Golfo de Tehuantepec Golfo de Campeche	Estados Unidos Mexicanos
					Vía Lago Managua
40-60	600	17	760	San Juan Bahía de Salinas	Vía Lago Nicaragua
					República de Nicaragua
200-300	1 000-1 200	17	760	San Juan Bahía de Salinas	
40-60	600	20	760		Repúblicas de Costa Rica y Nicaragua
40-60 (1)	600 (1)	18-19	760		
200-300	1 000-1 200		5 000		Chorrera-Arraiján República de Panamá
40-60	600	5	360	Lagarto Bahía de Chorrera	
40-60	600			Bahía de Limón Bahía de Chorrera	
40-60	600			Cristóbal Bahía de Chorrera	
40-60	600			Balboa Bahía de Limón	Rutas alternativas para un canal a nivel. Ruta actual Zona del Canal y rutas cercanas
40-60	600	5		Cristóbal Balboa	
42	300	8-10 (3)		Cristóbal Balboa	
200-300	1 000-1 200	3.5	1 100	Golfo de San Blas Chepo	
40-60	600	4.5	1 100		

CARACTERÍSTICAS DE LAS RUTAS EN ESTUDIO PARA UN CANAL INTER

Número de la ruta	Nombre de la ruta	Método	Tipo	Costo de la construcción (en millones de balboas)	Período de la construcción (años)	Longitud (millas)
17	Sasardí-Mortí	Nuclear	Nivel	747	10	45.6
18	Anglaseniqua Asnatí	Nuclear	Nivel			46.5
19	Caledonia Subcutí	Nuclear	Nivel			49.7
19	Caledonia Subcutí	Convencional	Nivel	5 132		59
20	Tupisa-Tiali Acantí	Nuclear	Nivel			
21	Arquia-Paya Tuira	Nuclear	Nivel			
22	Tanola-Pucro Tuira	Nuclear	Nivel			
23	Atrato-Cacarica Tuira	Nuclear	Nivel			127-135
24	Atrato-Peranchilo Tuira	Nuclear	Nivel			125
25	Atrato Truando	Nuclear Convencional		1 440 4 594	13	46-58 104
26	Atrato Napipí	Nuclear	Nivel			
27	Atrato-Napipí Doguado	Nuclear	Nivel			
28	Atrato Bojaya	Nuclear	Nivel			
29	Atrato Baudó	Nuclear	Nivel			
30	Atrato San Juan	Convencional	Esclusas	743 (4)	10-20	265

BIBLIOGRAFÍA: Report on a Long-range Program for Isthmian Canal Transits. House
Isthmian Canal Studies 1964, Panama Canal Co., septiembre, 1964.
Isthmian Canal Plans-1964, Engineering Review, marzo, 1964.
Isthmian Canal Plans-1964, Panama Canal Co., febrero, 1964.
Vortnean, Luke, J. M. Asce, Nuclear Excavation of Sea-Level Isthmian
of Civil Enginiers, noviembre, 1964.
Engineering with Nuclear Explosive, Proceeding of the third Plowshare
Panama Canal, The Sea-Level Proyect, American Society of Civil Enge
NOTA: Cuadro suministrado por la Oficina del Canal Interoceánico del Ministerio de

OCEANICO

Profundidad mínima (pies)	Anchura mínima (pies)	Duración de la travesía (horas)	Elevación (pies)	Terminales	Ubicación
200-300	1 000-1 200	4	1 100	Bahía de Caledonia Bahía de San Miguel	
200-300	1 000-1 200		1 100	Bahía de Caledonia Bahía de San Miguel	Rutas de la bahía de Caledonia
200-300	1 000-1 200		720	Bahía de Caledonia Bahía de San Miguel	
40-60	600				
200-300	1 000-1 200			Golfo del Darién Bahía de San Miguel	
200-300	1 000-1 200			Golfo del Darién Bahía de San Miguel	
200-300	1 000-1 200			Golfo del Darién Bahía de San Miguel	Rutas por el río Tuira
200-300	1 000-1 200		470	Turbo-Bahía de San Miguel	
200-300	1 000-1 200		957	Turbo-Bahía de San Miguel	
40-60 (1)	600 (1)	9	950	Golfo del Darién Bahía de Humbolt	
200-300	1 000-1 200			Turbo Bahía de Cupica	
200-300	1 000-1 200			Turbo Bahía de Cupica	Rutas por el río Atrato
200-300	1 000-1 200			Turbo Bahía de Cupica	
200-300	1 000-1 200			Turbo Baudó	
40	300-400	36-48		Golfo de Urabá Boca de San Juan	

Report núm. 1960, Washington, 1960.

Canal, Journal of Waterways and Harbor Division, Proceedings of American Society

Symposium, abril 21, 22, 23, 1964.
niers, abril, 1940.
Relaciones Exteriores.

ANEXO B

Elevaciones mínimas del lago Gatún sobre el máximo del nivel del mar

Año	Enero	Feb.	Marzo	Abril	Mayo	Junio	Julio	Agosto	Sept.	Oct.	Nov.	Dic.
1951	86.47	86.16	85.40	83.93	84.03	84.93	85.03	84.91	85.30	85.31	85.85	86.74
1952	85.55	84.91	83.79	83.41	83.21	83.34	83.81	84.14	84.57	85.39	85.39	86.17
1953	86.73	85.96	84.32	82.91	82.83	84.63	84.54	84.95	85.40	85.42	85.44	86.21
1954	85.78	84.87	83.66	82.83	82.81	83.26	83.68	85.47	85.40	85.36	85.56	86.11
1955	86.78	86.08	84.82	83.52	83.38	83.64	84.45	84.58	85.27	85.37	85.73	86.10
1956	86.84	85.80	84.73	83.94	83.80	85.27	84.87	84.90	84.92	84.90	85.34	86.43
1957	85.84	84.61	83.19	82.48	82.15	81.95	81.78	82.39	82.55	82.82	85.31	86.42
1958	86.60	85.51	84.15	83.24	82.59	82.69	82.64	83.33	84.49	84.98	85.44	86.16
1959	85.15	84.36	83.68	83.37	83.26	82.75	82.85	83.33	83.52	84.00	84.97	86.50
1960	86.20	85.29	84.77	84.76	84.66	85.18	85.08	85.08	84.94	84.93	85.79	86.48
1961	86.23	85.46	84.48	83.77	83.40	83.54	84.57	84.71	85.46	85.55	85.72	86.81
1962	86.07	85.49	84.66	84.14	84.01	84.90	84.90	84.90	85.19	85.52	85.93	86.69
1963	86.70	86.37	85.57	85.15	85.40	85.63	85.52	86.37	86.35	86.32	86.50	86.34
1964	86.00	85.23	84.28	83.78	83.76	84.90	85.94	86.25	86.25	86.25	86.46	86.42
1965	86.15	85.18	83.77	82.82	82.37	82.43	82.10	82.33	82.69	83.35	85.50	87.12
1966	86.32	85.05	83.92									

FUENTE: Panama Canal Company, Meteorological and Hidrographic Branch.

ANEXO C

El Canal de Panamá. Aumento anual de tránsitos oceánicos, peajes y carga desde los períodos fiscales de 1958 a 1969

Período fiscal [1]	Tránsitos oceánicos [2]	Peajes [3]	Carga tonelada larga [3]
1959	473	$ 3 712 614	3 346 951
1960	1 089	5 256 412	8 072 746
1961	76	3 369 687	4 814 848
1962	277	3 174 571	3 846 894
1963	(16)	(491 359)	(5 186 275)
1964	776	4 690 459	8 291 490
1965	19	4 602 061	6 754 241
1966	398	5 445 659	6 400 532
1967	784	9 702 528	7 674 495
1968	1 422	10 857 011	12 540 360
1969	(205)	2 760 959	3 254 751
Total:	5 109	53 080 602	59 811 033
Promedio:	464.5	4 825 509	5 437 367

[1] Los períodos fiscales comienzan el 1 de julio y terminan el 30 de junio del siguiente año.

[2] Tránsitos oceánicos incluye barcos de más de 300 toneladas netas, medidas de la Compañía del Canal, o de más de 500 toneladas de desplazamiento para naves que pagan peajes sobre desplazamiento básico (dragas, barcos de guerra, etc.).

[3] Incluye el total del tráfico del Canal de Panamá.

FUENTE: Panama Canal Company and Canal Zone Government, *Annual Report*, Fiscal Year Ended June 30, 1969, p. 35.

Tráfico estimado del Canal de Panamá para los períodos fiscales de 1969 al 2000
(Promedio tomado del Anexo C)

Período fiscal	Tránsitos oceánicos [1]	Promedio diario de tránsitos	Promedio diario de esclusaje [2]	Peajes en dólares (en miles)	Carga en ton. largas (en miles)
1969 [3]	14 602	40.0	34.8	95 915	108 793
1970	15 066	41.3	35.9	100 740	114 230
1971	15 531	42.5	37.0	105 566	119 668
1972	15 991	43.8	38.1	110 391	125 105
1973	16 460	45.1	39.2	115 217	130 542
1974	16 924	46.4	40.3	120 042	135 980
1975	17 389	47.6	41.4	124 868	141 417
1976	17 853	48.9	42.5	129 693	146 855
1977	18 318	50.2	43.6	134 519	152 292
1978	18 782	51.4	44.7	139 344	157 729
1979	19 247	52.6	45.8	144.170	163 167
1980	19 711	54.0	46.9	148 995	168 604
1981	20 176	55.3	48.1	153 821	174 041
1982	20 640	56.5	49.2	158 646	179 479
1983	21 105	57.8	50.3	163 472	184 916
1984	21 569	59.0	51.4	168 297	190 354
1985	22 034	60.3	52.5	173 123	195 791
1986	22 498	61.6	53.6	177 948	201 228
1987	22 963	62.9	54.7	182 774	206 666
1988	23 427	64.2	55.8	187 599	212 103
1989	23 892	65.4	56.9	192 425	217 540
1990	24 356	66.7	58.0	197 250	222 978
1991	24 821	68.0	59.1	202 076	228 415
1992	25 285	69.3	60.2	206 901	233 852
1993	25 750	70.5	61.3	211 727	239 290
1994	26 214	71.8	62.4	216 552	244 727
1995	26 679	73.1	63.5	221 378	250 165
1996	27 143	74.4	64.7	226 203	255 062
1997	27 608	75.6	65.8	231 029	261 039
1998	28 072	76.9	66.9	235 854	266 477
1999	28 537	78.2	68.0	240 680	271 914
2000	29 001	79.5	69.1	245 505	277 351

[1] Tránsitos oceánicos, incluye barcos de más de 300 toneladas netas, medidas de la Compañía del Canal, o de más de 500 toneladas de desplazamiento para naves que pagan peajes sobre desplazamiento básico (dragas, barcos de guerra, etc.).

[2] La rata utilizada en esta columna es de 1.15, la cual fue tomada del factor de esclusaje del estudio "Panama Canal Water Supply", Engineering and Construction Bureau, Electric Division, Metereological and Hydrographic Branch, enero, 1961, p. 17.

[3] Los datos de este año son exactos.

ANEXO E

Canal de Panamá: Distancias de rutas principales

(Millas náuticas)

Rutas y puertos representativos	Vía Panamá	Ruta alternativa	Diferencia
Costa del Atlántico de los Estados Unidos y Asia			
Nueva York-Yokohama	9 700	13 018 [a]	3 312
Costa del Atlántico de los E. U. y costa del Pacífico de América del Sur			
Nueva York-Antofagasta	4 158	8 930 [b]	4 772
De costa a costa de los E. U.			
Galveston [c]-San Francisco	4 057	12 982 [b] [c]	8 925
Costa del Pacífico de América del Sur y Europa			
Callao-Bishop Rock [d]	5 638	9 690 [b]	4 052
Costa del Pacífico de Canadá y Europa			
Vancouver-Bishop Rock [d]	8 320	13 997 [b]	5 677
Oceanía-Europa			
Auckland-Londres	11 317	12 246 [b]	929
Costa del Pacífico de los E. U. y Europa			
S. Francisco-Bishop Rock [d]	7 533	13 207 [b]	5 674
Costa del Pacífico de los E. U. y costa del Atlántico de América del Sur			
San Francisco-Maracaibo	3 982	11 971 [b]	7 987
Costa del Atlántico de los E. U. y Oceanía			
Nueva York-Melbourne	9 942	12 393 [b]	2 451

ANEXO E

Canal de Panamá: Distancias de rutas principales

(Millas náuticas)

	D i s t a n c i a s		
Rutas y puertos representativos	Vía Panamá	Ruta alternativa	Diferencia
Antillas y Asia			
Aruba-Yokohama	8 276	14 435 [a]	6 159
Antillas y costa del Pacífico de América del Sur			
Aruba-Antofagasta	2 840	7 850 [b]	5 010
De costa a costa de América del Sur			
Maracaibo-Antofagasta	2 877	7 779 [b c]	4 902
Europa y Asia			
Londres-Yokohama	12 483	11 224 [a]	(1 259)
Costa del Atlántico de los E.U. y Hawaii			
Nueva York-Honolulu	6 703	13 348 [b]	6 645
Antillas y costa del Pacífico de los E.U.			
Kingston-San Francisco	3 839	12 432 [b]	8 593

FUENTE: Oficina Hidrográfica de los Estados Unidos, *Tables of Distances between Ports*, Washington, 1948.
[a] Vía Canal de Suez.
[b] Vía Estrecho de Magallanes.
[c] Se han tomado las distancias desde el punto común, el Canal de Yucatán.
[d] El punto común de diversas rutas hacia Europa.
[e] Para esta ruta, la alternativa sería posiblemente trasporte terrestre o combinación de ruta marítima y terrestre.
FUENTE SECUNDARIA: CEPAL, *op. cit.*, pp. 62 y 63.

ANEXO F

Proyecciones en 40 años para proyecto de empréstito
sobre 3 000 millones de dólares (cifras en millones de dólares)

	1ª década 1991-2000	2ª década 2001-2010	3ª década 2011-2020	4ª década 2020-2030	Totales
Ingresos por peajes [a]	2 248.0	2 296.0	2 344.0	2 393.0	9 281.0
Menos costo de operación y conservación [b]	81.0	81.5	82.5	84.0	329.0
Ingresos netos	2 167.0	2 214.5	2 261.5	2 309.0	8 952.0
Proyecto de empréstito					
Intereses [c]	1 331.3	956.3	581.2	206.2	3 075.0
Amortización [d]	750.0	750.0	750.0	750.0	3 000.0
Suma pagada	2 081.3	1 706.3	1 331.2	956.2	6 075.0
Suma disponible	85.7	508.2	930.2	1 352.8	2 877.0

[a] Cálculos basados en el Anexo D.
[b] Cálculos basados en CEPAL, Estudios sobre las perspectivas del Canal de Panamá, México, 1965.
[c] 6 % de interés anual.
[d] 75 millones de dólares por año.

CUARTA PARTE

LAS ACTUALES NEGOCIACIONES DE PANAMÁ CON LOS ESTADOS UNIDOS

9. LAS NEGOCIACIONES SOBRE EL CANAL DE PANAMÁ Y LA DECLARACIÓN DE LOS OCHO PUNTOS *

CARLOS BOLÍVAR PEDRESCHI; MARIO J. GALINDO H.; MIGUEL J. MORENO; CARLOS IVÁN ZÚÑIGA; JULIO E. LINARES

Panamá, 25 de abril de 1974

Señor licenciado Juan Antonio Tack,
ministro de Relaciones Exteriores,
E. S. D.

Señor Ministro: Conscientes de nuestra responsabilidad en la histórica lucha de la nación panameña por la recuperación del Canal e inspirados en el más elevado patriotismo, hemos considerado impostergable la iniciativa de analizar el Anuncio Conjunto del 7 de febrero de 1974,** suscrito entre los gobiernos de la República de Panamá y de los Estados Unidos de América, habida cuenta de la clara significación que tal documento tiene dentro del proceso negociador en que están empeñados los referidos gobiernos.

Como nuestro interés es sólo el de contribuir al robustecimiento de la posición nacionalista en relación con el problema del Canal y aportar los esclarecimientos que nos sean posible en materia de suyo tan grave y trascendente para la historia y destino del país, consideramos nuestra obligación entregar a usted los resultados del estudio en mención, los cuales se contienen en el documento adjunto.

En consideración al interés que lo inspira, confiamos en que el documento que por este medio ponemos en sus manos surta todas las bondades patrióticas que se propone.

Del señor Ministro, con toda consideración, *Carlos Bolívar Pedreschi, Mario J. Galindo H., Miguel J. Moreno, Jr. Carlos Iván Zúñiga, Julio E. Linares.*

Dada la significación que en el curso de las negociaciones tiene el Anuncio Conjunto del 7 de febrero de 1974 hecho por los go-

* Véase *Declaración de Principios Tack-Kissinger* o *Declaración de los ocho puntos* en la sección de Anexos de este libro.

El presente texto se toma de un folleto del mismo nombre publicado en Panamá, en 1974. [Nota del recopilador.]

** Véase el texto de la *Declaración de los ocho puntos* en la sección de Anexos (Documentos históricos).

biernos de la República de Panamá y de los Estados Unidos de América, mejor conocido como la Declaración de los Ocho Puntos, se impone una evaluación de dicho documento a la luz de las características que presentan la causa panameña y el proceso negociador, a lo cual se procede en los apartes que siguen:

LA CAUSA PANAMEÑA DENTRO DE SU PROPIO CONTEXTO

Como es de conocimiento general, las diferencias entre los intereses panameños y norteamericanos por razón del Canal tienen su raíz o asiento en el propio tratado que dio origen a dicho Canal y en las prácticas que, al margen de tal tratado, ha impuesto la prepotencia norteamericana en la llamada Zona del Canal. Por ello, no es de extrañar que las primeras reclamaciones panameñas se produjeran inmediatamente después de la firma del expresado tratado y de que toda la historia que sigue no haya sido otra cosa que una historia de sucesivas reclamaciones y frustaciones.

La causa panameña, como todo, ha vivido también su propia dinámica en una evolución que permite distinguir dos momentos esenciales en su desarrollo histórico. El primero de esos momentos, conocido ya como el de la *revisión*, y el segundo momento, conocido como el de la *abrogación*.

El período de *revisión*, condicionado por los factores internos y externos de la época, recoge todos los esfuerzos de los gobiernos panameños por *modificar* determinados aspectos del Tratado de 1903 y cronológicamente termina con la gesta de enero de 1964. Este período de la causa panameña se define, en el *fondo*, por el hecho de que las demandas oficiales no iban a las causas de los conflictos y, en lo *formal*, porque tales demandas se limitaban a la pretensión de *revisar* algunos aspectos del Tratado de 1903 cuya solución dejaba intacto el problema básico de nuestras relaciones con los Estados Unidos por razón del Canal. Ello explica por qué, terminadas tales negociaciones, el problema no sólo se mantenía, sino que, incluso, iba presentando caracteres cada vez más dramáticos.

Las "soluciones" intentadas dentro del interregno revisionista, a la par de no resolver los problemas básicos, permitieron la acumulación de mayores resentimientos y con tal realidad el desarrollo de una conciencia cada vez más clara de las auténticas aspiraciones y demandas panameñas. El 9 de enero de 1964 fue precisamente el aldabonazo que cerró el ciclo revisionista y abrió el período histórico de la abrogación. La heroica experiencia de enero de 1964 enseñó en qué medida ya no podía haber solución dentro del esquema revisionista y en qué medida era urgente y perentorio adecuar el contenido y la estrategia de las demandas panameñas al grado de evolución del nacionalismo panameño, que sabe que no habrá solución del problema canalero por el camino de las *revisiones*, de las *abdicaciones* y del *neocolonialialismo*, sino sólo por el de la *abrogación* y el *nacionalismo*.

Dentro de esta última realidad, esto es, dentro del período histórico que arranca con todas sus patrióticas características de enero de 1964, tiene lugar el curso de las actuales negociaciones, las cuales se han visto favorecidas por el desarrollo de la conciencia nacionalista panameña.

LA CAUSA PANAMEÑA DENTRO DEL CONTEXTO INTERNACIONAL

Pero nuestra causa no sólo se ha visto favorecida por el desarrollo del nacionalismo panameño, sino también por el desarrollo del nacionalismo en Latinoamérica y en el mundo en general, así como por las evidentes alteraciones en la correlación de fuerzas en el campo internacional. Estas realidades han abierto actualidad y perspectiva a la causa panameña, la cual se ensambla dentro de la historia política que vive Latinoamérica y el mundo del subdesarrollo en general, con las consiguientes manifestaciones y garantías de solidaridad internacional que tal hecho supone. Este aserto se ha visto corroborado últimamente, entre otras experiencias, por las del Consejo de Seguridad, las de la Reunión de Argelia y las de la Conferencia en Bogotá.

Históricamente la causa panameña hace parte de la causa latinoamericana y de la causa del subdesarrollo en general, la cual se define, *en lo económico*, como un esfuerzo por recuperar y explotar en su provecho sus propios recursos naturales, hoy día en poder de las metrópolis colonialistas, y, en lo político, como un esfuerzo por emanciparse de la tutela política y diplomática de esas metrópolis. A este respecto, el pueblo panameño no hace otra cosa que escribir su propio capítulo dentro de la historia general latinoamericana y del subdesarrollo que lucha por la recuperación de sus recursos naturales y se empeña en cancelar un pasado y un presente de dominaciones económicas y políticas extranjeras.

Todo lo anterior tiene la importancia de destacar dentro de qué contexto internacional e histórico se enmarca el proceso negociador y asimismo en qué medida las negociaciones deben conducirse dentro de la mayor lealtad a dicho contexto y con la confianza y perspectiva que el mismo impone.

Por ello, en un período histórico como el actual, caracterizado por el empeño y decisión de los pueblos por recuperar, explotar y usufructuar sus recursos naturales, es apenas imaginable que pueblo alguno esté anuente a negociar su recurso natural más importante como lo es, en el caso panameño, nuestra privilegiada posición geográfica, hoy día bajo el control, explotación y usufructo de los Estados Unidos de América. Para que la causa panameña guarde relación con su contexto histórico internacional, es necesario que, al igual que el mundo del subdesarrollo, Panamá defina y mantenga su decisión de recuperar, explotar y usufructuar el recurso natural que a ella le representa su posición geográfica y el Canal de Panamá a través del cual se le explota.

CONTENIDO DE LA ABROGACIÓN

Como es del dominio general, entre las causas de conflictos que dieron origen a las actuales negociaciones estaba el Tratado de 1903. A tal punto ello es así que la Cancillería panameña, en comunicado de 15 de enero de 1964, manifestaba que el gobierno panameño no reanudaría relaciones diplomáticas con el gobierno de los Estados Unidos mientras el gobierno de los Estados Unidos no diera las seguridades al gobierno de Panamá de que se iniciarían negociaciones para celebrar un nuevo tratado que sustituyera a los existentes. La necesidad de abrogar el Tratado de 1903 y los demás concernientes al Canal ha sido, incluso, formalmente aceptada por los gobiernos de los Estados Unidos. Sin embargo, es importante que se sepa que detrás de esta aspiración, esto es, detrás de la necesidad de abrogar el Tratado de 1903 y los demás instrumentos contractuales reguladores del Canal, no existía por parte de la nación panameña una pretensión puramente *formal* que se satisficiera, sin más, con el simple remplazo del Tratado de 1903 por otro. Muy por el contrario, detrás de la lucha de la nación panameña por la abrogación del Tratado de 1903 estaba y está la lucha específica por la liquidación total del régimen jurídico y político que dicho tratado simboliza, así como la lucha contra las prácticas observadas por los gobiernos norteamericanos en la Zona del Canal en violación del propio Tratado de 1903.

Lo dicho supone que para precisar lo que *material* y *sustancialmente* hay en el fondo de la lucha por la abrogación del Tratado de 1903 es necesario precisar cuáles son las características que hacen del Tratado de 1903 y de las prácticas norteamericanas en la Zona del Canal un régimen incompatible con la dignidad, con la soberanía y con los intereses del Estado panameño, ya que en el fondo de la lucha por la abrogación del Tratado de 1903 no estaba ni está la simple ociosidad histórica de remplazar un tratado por otro, sino la determinación de sustituir una realidad considerada injusta y humillante, por otra que signifique, precisamente, su negación.

Lo expuesto significa que un tratado que sustituya el de 1903, pero que no sustituya las características que hacen de ese tratado un instrumento incompatible con la soberanía, la dignidad y los intereses del Estado panameño, ni resuelve las causas de conflictos entre los países contratantes ni es tampoco el tratado por el cual viene luchando la nación panameña. En consecuencia, un tratado que se limite a remplazar el de 1903, pero que no elimine las características que lo hacen ominoso a la dignidad, soberanía e intereses del Estado panameño, será todo lo que se quiera, incluso una estafa histórica, pero jamás el tratado por el cual el pueblo panameño ha venido pagando su renovada cuota de sacrificio.

Los elementos del Tratado de 1903 y del régimen de hecho que rige en la Zona del Canal incompatibles con la soberanía, dignidad e intereses del Estado panameño, podemos resumirlos así:

1. El Tratado de 1903 deja al Estado panameño con una soberanía mediatizada en la parte de su territorio conocida como Zona del Canal por razón de limitaciones jurisdiccionales que, incluso, los gobiernos de los Estados Unidos han extendido más allá de lo previsto por el propio Tratado de 1903.

2. El Tratado de 1903 y los abusos que en su nombre ha consagrado el gobierno de los Estados Unidos en la Zona del Canal han privado al Estado panameño del aprovechamiento de su privilegiada posición geográfica, poniendo ésta al servicio de la economía y de los intereses de los Estados Unidos de Norteamérica.

3. Contra toda autorización contractual, el gobierno de los Estados Unidos, a título de la supuesta defensa del Canal, ha militarizado la Zona del Canal, con probables emplazamientos nucleares en ella, poniendo en peligro la seguridad del pueblo y territorio panameños y comprometiendo la neutralidad del Canal a que tienen derecho el Estado panameño y los demás estados del mundo.

Las anteriores son, a grandes rasgos, las características del Tratado de 1903 y del régimen de hecho que regula el Canal, incompatibles con la soberanía, la dignidad y los intereses del Estado panameño. Por ello, mal puede satisfacer las aspiraciones y necesidades de la nación panameña un tratado que, no obstante derogar el de 1903, reproduzca, con variantes más o variantes menos, las características generales del Tratado de 1903 y del régimen de hecho que regula la Zona del Canal. De allí que la lucha por la abrogación del Tratado de 1903 significa, concretamente, la lucha por lo siguiente:

1. Por la pronta recuperación de todos los atributos jurisdiccionales en la Zona del Canal de Panamá.

2. Por la pronta recuperación del actual Canal.

3. Por la construcción, administración y usufructo del nuevo canal por el Estado panameño.

4. Por la desmilitarización del Canal.

5. Por la neutralización del Canal.

En esto de la lucha por la abrogación del Tratado de 1903 lo menos que debemos pretender es una concepción clara de lo que ella significa. Así como los negociadores de los Estados Unidos saben claramente qué quieren y cómo mixtificar y distorsionar el sentido de nuestras luchas, asimismo los panameños debemos aprender a precisar con claridad nuestros objetivos y a no dejarnos confundir. Por ello, cuando se habla de la abrogación del Tratado de 1903 no se está hablando de un simple remplazo por otro tratado cualquiera, sino sólo por uno que represente, *literal y sustancialmente*, la negación de las mencionadas características del régimen que regula el Canal y que la nación panameña ha sufrido por tanto tiempo.

Lo dicho supone que la abrogación del Tratado de 1903 no es para los panameños una cuestión de *forma*, sino una cuestión de *fondo*. Lo afirmado es sentido así por la nación panameña y así será igualmente juzgado por la historia.

Consideramos en extremo importante destacar la cuestión planteada, vale decir, lo que significa *realmente* la abrogación del Tratado de 1903. Basta repetir que aun el propio gobierno norteamericano está conforme con la abrogación del Tratado de 1903 para darnos cuenta de la necesidad y urgencia de apreciar con la mayor atención este aspecto y precisar qué entendemos los panameños por la abrogación del Tratado de 1903 frente a lo que el gobierno norteamericano ha entendido por tal abrogación. Y, sobre todo, es muy importante que quienes tienen en sus manos la autoridad para comprometer a la República tengan muy presente que la abrogación de que ha venido hablando el gobierno norteamericano tiene un contenido muy distinto del que a dicha abrogación le han dado las jornadas históricas cumplidas por el nacionalismo panameño.

La realidad expuesta nos obliga a tener muy claro:

1. Que para el gobierno de los Estados Unidos la abrogación del Tratado de 1903 significa:

a) La oportunidad de legalizar las bases militares que tienen en el territorio panameño conocido como Zona del Canal, que ni el propio Tratado de 1903 les permite.

b) La oportunidad de remplazar el presente Canal por uno nuevo y continuar de esta forma el aprovechamiento de nuestra posición geográfica que constituye nuestro principal recurso natural.

2. Que, por el contrario, para la nación panameña la abrogación del Tratado de 1903 significa:

a) La oportunidad de lograr la pronta recuperación del actual Canal y empezar así a aprovechar plenamente su posición geográfica.

b) La oportunidad de rescatar prontamente todos los atributos jurisdiccionales en la Zona del Canal.

c) La oportunidad de reafirmar el derecho del Estado panameño a construir, administrar y usufructuar el nuevo canal.

d) La oportunidad de liberar su territorio de bases militares extranjeras.

e) La oportunidad de proveer a la seguridad física del Estado panameño consagrando la neutralidad del Canal.

3. Que, en consecuencia, una abrogación del Tratado de 1903 que legalice la presencia militar de los Estados Unidos en la Zona del Canal que ni el propio Tratado de 1903 legaliza y que prive a la República de Panamá de su derecho a construir, administrar y usufructuar el nuevo canal, será la abrogación por la que está luchando el gobierno norteamericano, pero nunca aquella por la cual ha luchado y lucha la nación panameña.

LA DECLARACIÓN DE LOS OCHO PUNTOS

La política seguida por el actual gobierno en relación con el problema del Canal de Panamá ha obtenido logros en el campo nacionalista, como son la terminación del Convenio de Bases de Río Hato, la reunión del Consejo de Seguridad para conocer del problema del Canal de Panamá, el repudio de los proyectos de tratados negociados en 1967, y los acuerdos alcanzados en la Conferencia de Bogotá. Estos hechos hablan de un esfuerzo por ajustar la política canalera oficial a la política nacionalista del pueblo panameño en relación con el Canal.

No obstante la dirección positiva y nacionalista de los hechos anteriormente relacionados, recientemente se ha sumado al proceso negociador un documento, conocido como la Declaración de Principios o los Ocho Puntos, que, por sus características, constituye una pieza exótica y extraña al carácter positivo que tienen los actos oficiales que le han precedido y que hemos mencionado y, obviamente, una pieza aún más exótica y extraña al sentido nacionalista que ha guiado la acción y el pensamiento del pueblo panameño en su lucha por la recuperación del Canal.

Una lectura atenta del documento en cuestión convence de que el mismo *no aporta* conquistas, sino que se limita a *reiterar* principios que ya se habían de distinto modo incorporado al proceso negociador, y, a cambio de tal *reiteración*, se reconocen las pretensiones *básicas* de los Estados Unidos en las actuales negociaciones, negadas por el nacionalismo panameño, como son la de legalizar su presencia militar en Panamá y la de asegurarse la construcción de un nuevo canal o de modernizar el actual.

Entre los puntos que no constituyen ninguna novedad, sino simple reiteración, tenemos los siguientes: el compromiso de derogar el Tratado de 1903, el compromiso de eliminar la "perpetuidad", el compromiso de devolver la jurisdicción y el compromiso de administración conjunta en el Canal de Panamá. En efecto, el compromiso de derogar el Tratado de 1903 estaba implícito en la Declaración Conjunta del 3 de abril de 1964 y se concretó, *formalmente*, en los proyectos de tratados de 1967. De lo que se trata es de que la derogatoria del Tratado de 1903 sea *sustancial* y no puramente *formal* y ninguna novedad *sustancial* se adelanta a propósito del compromiso de derogar el Tratado de 1903. Tampoco es novedad el punto concerniente a la perpetuidad. Como se sabe, los proyectos negociados en 1967 pretendían haber eliminado la perpetuidad. Por lo demás, es bien sabido que la eliminación de la perpetuidad es realidad anterior a cualquier compromiso en ese sentido, pues viene asegurada por el solo orden natural de las cosas. Así, la eliminación de la perpetuidad se debe, más que a la generosidad norteamericana, al propio proceso de obsolescencia del actual Canal que ha llevado al gobierno norteamericano a advertir que la perpetuidad no existe realmente y que, por ello, más cuenta le tiene un plazo fijo superior al tiempo que le reste de vida natural al actual Canal que una perpetuidad de papel. Por ello, el problema no está ya en la eliminación de la "perpetuidad", que ésta se ya se ha eliminado por sí sola, sino en la extensión cronológica que tendrá el plazo que se fije en sustitución de la "perpetuidad". Sobre este aspecto de nuestras apreciaciones, no podemos menos que recibir como muy sugestivas las declaraciones formuladas el 15 de marzo del año en curso en *El Panamá América* por el general Omar Torrijos H., al manifestar que "cualquier nuevo tratado no deberá durar más de 20 años".

Tampoco el compromiso de devolver la jurisdicción es conquista del documento en examen, sino reiteración de una realidad ya incorporada al proceso negociador, pues la entrega de jurisdicción también estaba contemplada en los proyectos de tratado de 1967.

A estas alturas del proceso negociador, lo importante no es *repetir* que la jurisdicción será devuelta a Panamá, por más que se haya agregado que tal entrega se realizará *prontamente*, pues bien se sabe que prontamente no es ninguna expresión que tenga en este caso un contenido cronológico concreto. A estas alturas y a este respecto, lo novedoso e importante habría sido el señalamiento de un plazo *concreto* de reversión de la jurisdicción acorde con las aspiraciones de la nación panameña y tal cosa, como se sabe, no aparece en el mencionado documento. En cuanto a la administración conjunta a que alude el documento, observamos que la misma estaba contemplada en los proyectos de tratados de 1967. Por ello, también aquí lo novedoso, al menos, habría sido la determinación de un tipo de administración conjunta en donde hubiera paridad al menos y no la desigual administración conjunta prevista en los proyectos de tratados de 1967, en la cual los Estados Unidos de América tenía mayoría y, en consecuencia, podía imponerle a la minoría panameña las decisiones que quisiera.

Con relación al punto 5 de las Declaraciones, concerniente a los beneficios derivados del Canal, nada hay concreto en dicho punto. Todo está allí por determinar. La segunda oración de este punto declara por escrito lo que la propia geografía panameña grita por ella misma a propios y extraños y no es nada que resulte de ningún documento. En efecto, el carácter de recurso natural que tiene nuestra posición geográfica no es ninguna concesión que nos hace el gobierno de los Estados Unidos en la Declaración en examen, sino un hecho geográfico y económico que debemos directamente a nuestra propia geografía, como debe Estados Unidos a su geografía su riqueza minera, agrícola y forestal.

Es igualmente de observar, a propósito de este punto 5, que si por "participación justa y equitativa" se entiende una participación por partes iguales, la participación panameña sería ciertamente "equitativa", pero extremadamente injusta. Y sería extremadamente injusta porque empezar a recibir en *1974* la mitad de los beneficios del Canal de Panamá, cuando desde *1914* los Estados Unidos ha venido recibiendo la totalidad de los beneficios directos del Canal no es nada que pueda parecer justo. Y tal participación equitativa sería también injusta, ya que no guarda proporción con el valor de la aportación de las partes. Así, si Panamá aporta lo más caro, lo insustituible, como lo es su privilegiada posición geográfica, ¿por qué ha de recibir igual a quien aporta un bien sustituible y de valor inferior? ¿En qué regla o principio de justicia puede descansar tal cosa?

A cambio de la reiteración de los puntos enunciados, Panamá a su vez reitera en la Declaración de los Ocho Puntos la posición de los proyectos de tratados de 1967, los cuales convinieron en negociar la legalización de bases militares norteamericanas y la apertura de un nuevo canal. En efecto, la Declaración de los Ocho Puntos expresamente incorpora el compromiso de Panamá a conferir a los Estados Unidos el derecho de uso sobre tierras, aguas y espacio aéreo necesarios para la "protección y defensa del Canal" y compromete también a Panamá a tomar "provisiones" con los Estados Unidos sobre "obras nuevas".

Como se sigue de todo lo anterior, sin ganancia, al menos aparente, para la República de Panamá, se pierden en la Declaración de los Ocho Puntos las referencias que significan, *en lo jurídico*, la Declaración Conjunta del 3 de abril de 1964 y, *en lo histórico*, la gesta de enero de 1964, referencias éstas que no comprometían al país ni a legalizar bases militares extranjeras, ni a negociar el nuevo canal, ni a negociar el ensanche del actual Canal. Ciertamente, los mártires de enero no murieron para asegurarle al gobierno que los inmoló su derecho a ensanchar el actual Canal, ni su derecho a asegurarse el nuevo canal, ni menos para legalizar en territorio panameño las mismas armas que cegaron sus vidas heroicas.

Sobre este octavo punto de la Declaración, no está de más observar que toda facilidad que Panamá otorgue para mejorar la capacidad del actual Canal es, en principio, contraria a sus intereses, ya que lo que más cerca pone a Panamá de la posibilidad de recuperar el actual Canal y la Zona del Canal es el proceso de deterioro y obsolescencia del actual Canal. Obviamente, no dejamos de advertir la muy justificada aspiración del comercio mundial de contar cuanto antes con un canal adecuado a sus necesidades. Pero, asimismo, estimamos que no será difícil a los intereses internacionales captar en qué medida es el egoísmo colonialista del gobierno norteamericano, que insiste en continuar usufructuando un bien que es panameño y no norteamericano, el responsable de que la solución del problema canalero haya sido diferida por tanto tiempo.

Para terminar de definir el carácter general de la Declaración de Principios, es de observar que si bien el documento se esmera en consagrar la pretensión de los Estados Unidos de *defender* el Canal, nada dice sobre la *neutralidad* de la vía, punto éste tan importante para la seguridad y soberanía del Estado panameño y para los intereses de todos los países usuarios del Canal de Panamá.

Valga la oportunidad para subrayar la doble importancia que tiene para la República de Panamá la neutralidad: primero, es necesaria para la propia seguridad física de su población y su territorio; segundo, la neutralidad constituye el interés común que une al Estado panameño con los demás estados usuarios del Canal y, en consecuencia, fuente de solidaridad internacional para la causa panameña.

La ilegalidad de las bases militares en la Zona del Canal ha sido reconocida también por la Cancillería del actual gobierno, así como la necesidad de poner fin a esa presencia militar ilegal. En una de las últimas declaraciones del actual gobierno sobre el particular, ha dicho el ministro Juan Antonio Tack que las bases militares son ilegales y que "si los Estados Unidos quisiera demostrar su buena fe para solucionar los problemas con Panamá, esa buena fe tendría que coincidir con la decisión terminante de poner fin a esta situación ilegal". Y en la Declaración de Principios del 7 de febrero los Estados Unidos faltan a su buena fe, al reiterar una vez más una de las pretensiones que mejor definen su papel colonialista: la prolongación de su presencia militar en la República de Panamá. Esta pretensión, en el orden *militar*, junto con la pretensión, en el orden *económico*, de asegurarse la explotación del actual y del nuevo canal, constituyen las demandas fundamentales de los Estados Unidos de América que mejor expresan el papel colonialista que todavía los Estados Unidos se empeñan en cumplir en Panamá y que el actual secretario de Estados Unidos, doctor Henry Kissinger, como fiel expresión de esos intereses colonialistas, no ha tenido ningún reparo en hacerlas valer en la Declaración de Principios. Esta Declaración de Principios, como ejemplo de la nueva política norteamericana para América Latina, demuestra claramente que, como es natural, el Partido Republicano, el presidente Nixon y su canciller Kissinger, aparte de una nueva retórica, en el fondo no tienen nada distinto de colonialismo que ofrecer a la América Latina.

Conviene apuntar, finalmente, que la Declaración de los Ocho Puntos contiene una situación sumamente dudosa e imprecisa a propósito de un aspecto tan vital para los intereses panameños, como lo es el estatus de los Estados Unidos en Panamá luego de que tenga lugar la reversión a nuestro país de las tierras hoy día bajo el control y aprovechamiento de los Estados Unidos de América. Este aserto encuentra fundamento en las siguientes consideraciones:

a) El cuarto punto explica que Panamá conferirá a los Estados Unidos, por la duración del nuevo tratado, los derechos que sean necesarios para el funcionamiento, mantenimiento, protección y defensa del Canal y el tránsito de las naves.

b) Según se sigue de la lectura del referido cuarto punto, los fines de la concesión que Panamá otorgaría a los Estados Unidos son, repetimos, el funcionamiento, mantenimiento, protección y defensa del Canal y el tránsito de las naves.

c) En cambio, cuando en el sexto punto se prevé la reversión del actual Canal a la República de Panamá sólo se dice que Panamá asumirá la total responsabilidad por el funcionamiento del Canal, sin mencionar en absoluto lo atinente al mantenimiento, protección y defensa del Canal y el tránsito de las naves.

d) Así, pues, parece que al vencimiento del nuevo tratado no revertirán a Panamá los derechos atinentes al mantenimiento, protección y defensa del Canal y el tránsito de las naves, ya que Panamá sólo ganaría en ese momento la responsabilidad por el funcionamiento del Canal.

e) La interpretación que se contiene en los párrafos que anteceden se ve reforzada por el hecho de que el sexto punto, que trata sobre la reversión del Canal actual a Panamá, dispone, en la frase inmediatamente siguiente a la que prevé tal reversión, que la República de Panamá "conferirá a los Estados Unidos los derechos necesarios para regular el tránsito de las naves a través del Canal y [*sic*] operar, mantener y proteger el Canal, y para realizar cualquier otra actividad específica en relación con esos fines, conforme se establezca en el tratado".

f) La mención expresa que se hace en el sexto punto de los derechos de los Estados Unidos de América en cuanto al Canal no puede ser ociosa, es decir, no puede ser simple repetición de lo previsto en el cuarto punto, ya que, tratando, como trata, el sexto punto de la reversión del Canal a la República de Panamá sería absurdo consignar nuevamente en ese sexto punto los derechos norteamericanos respecto al Canal, a no ser que con ello se pretenda dejar a salvo tales derechos frente al fenómeno jurídico de la reversión, esto es, a no ser que se quiera sentar el principio de que, pese a la reversión y aún después de ella, seguirán incólumes los derechos de los Estados Unidos en punto al tránsito de las naves y al manejo, mantenimiento, defensa y protección del Canal.

LA DECLARACIÓN DE LOS OCHO PUNTOS Y LA POSICIÓN OFICIAL ANTERIOR A ELLA

Prueba concreta de que la Declaración de Principios, analizada en el aparte anterior de este estudio, constituye una pieza exótica y extraña al carácter que, en general, han tenido los actos del gobierno nacional en materia canalera, puede advertirse claramente en las apreciaciones que siguen:

Cuando el 18 de diciembre de 1964 el entonces presidente de los Estados Unidos, señor Lyndon B. Johnson, hace declaraciones a la prensa de su país en relación con la cuestión del Canal, recibimos los panameños las primeras noticias ciertas de lo que habría de ser la política norteamericana dentro del proceso negociador que se inicia ese año, política que, según queda dicho, adscribe un significado muy preciso a la abrogación del Tratado de 1903 y fija las metas concretas que los Estados Unidos de América se propuso alcanzar a cambio y como contraprestación de la abrogación así entendida. En efecto, en las referidas declaraciones, el ex presidente Johnson, luego de abundar en las razones que, según él, justifican la necesidad de construir un nuevo canal a nivel del mar, necesidad determinada, como queda dicho, por la obsolescencia del actual Canal de esclusas, anuncia la disposición norteamericana de abrogar el Tratado de 1903 y sus reformas, así como la de permitir la reversión del actual Canal a la soberanía panameña, siempre y cuando el tratado que subrogue y remplace al de 1903 asegure a los Estados Unidos de América el derecho de construir, explotar y defender la nueva vía acuática. Desde esa fecha, la diplomacia norteamericana dentro del proceso negociador ha girado en torno al logro de tales objetivos, los mismos que, en consecuencia, vienen a representar lo que Estados Unidos entiende son sus "intereses vitales" implicados en dicho proceso.

Curioso resulta observar que en las declaraciones de que se hace mérito el ex presidente Johnson habla ya del "friendly partnership" (asociación armónica) entre Panamá y los Estados Unidos de América a que tanto se refirió el canciller Kissinger en el discurso que pronunció con ocasión de su reciente visita a Panamá, discurso que, a todas luces, tiene el carácter de auténtica exégesis del anuncio conjunto en que se contienen los ocho puntos que, en lo sucesivo, presidirán el desarrollo y ulterior concreción del proceso negociador.

La diplomacia norteamericana, como es del dominio público, logró en 1967 que los "intereses vitales" de su país quedaran consultados e incorporados en los proyectos de tratados que se dieron a conocer ese año, por cuanto éstos, de haber sido ratificados, habrían otorgado a los Estados Unidos de América el derecho de construir y explotar un canal a nivel del mar y el de instalar bases militares en territorio panameño.

Rechazados los proyectos en cuestión, se inicia un ciclo o período en el proceso negociador que se caracteriza por la actitud del gobierno panameño de negarse a acoger dentro de tal proceso los intereses vitales norteamericanos, período este que, según se verá, alcanza su máxima expresión en las sesiones que el Consejo de Seguridad de las Naciones Unidas celebró en la ciudad de Panamá en el mes de marzo de 1973 y que parece empezar a cerrarse con el ya mencionado anuncio conjunto contentivo de los ocho puntos.

La justificada actitud renuente del gobierno panameño frente a los intereses vitales de su contraparte se advierte a las claras en el informe leído por el doctor Jorge Illueca, asesor de la Comisión Negociadora, en la Universidad de Panamá el día 12 de diciembre de 1972. En ese informe aparecen recogidas distintas tesis panameñas que, en mayor o menor grado, suponen un rechazo de las pretensiones norteamericanas en punto al logro de los objetivos que los Estados Unidos de América se han señalado en el proceso negociador. En efecto, a la pretensión norteamericana de asegurarse el derecho de tener tropas y bases militares en la zona canalera opone Panamá la neutralización tanto del canal de esclusas como del futuro canal a nivel, neutralización esta que, como es bien sabido, resultaría incompatible con la presencia de tropas extranjeras, es decir, no panameñas, en el territorio neutralizado. Así, en relación con el Canal a nivel sostiene Panamá que "en la hipótesis de un canal a nivel del mar por Panamá o de un tercer juego de esclusas, no podrán los Estados Unidos tener bases militares en la República de Panamá para la protección de esas obras". Y, a propósito del Canal actual, la tesis panameña, por cierto no muy congruente con la neutralización de dicha vía, es la de que en el nuevo tratado sólo puede preverse lo atinente a la protección del canal en tiempo de paz, esto es, lo relativo a la tarea de vigilancia y mantenimiento del orden público y de la seguridad del canal y sus instalaciones, con total exclusión de la defensa en tiempo de guerra. La posición panameña se contiene en el párrafo que, por diciente, nos permitimos trasladar en seguida:

La República de Panamá considera que existe una clara diferencia entre los conceptos de protección del Canal en tiempo de paz y de defensa del Canal en tiempo de guerra. El concepto de defensa del Canal para casos de conflagración internacional y de amenaza real de agresión es, por definición, una cuestión internacional que involucra aspectos multilaterales. Las medidas que se deben pactar en el tratado son las necesarias para cumplir con el concepto de protección del Canal.

Importa destacar la precisa distinción que el gobierno panameño hace en el párrafo que antecede entre los conceptos de protección y defensa del Canal, por cuanto, como hemos visto, esa distinción ya no figura en la declaración contentiva de los ocho puntos, en la que, de manera indiscriminada y reiterada, se proclama el propósito de otorgar a los Estados Unidos de América los derechos necesarios tanto para la protección como para la defensa del Canal.

De otro lado, en el informe de que se viene haciendo mérito, Panamá rechazó la pretensión norteamericana de asegurarse, como contraprestación y a cambio de la abrogación del Tratado de 1903, el derecho de construir un tercer juego de esclusas o un canal a nivel del mar. La posición panameña viene concebida en los siguientes términos:

Los Estados Unidos vienen insistiendo en su deseo de tener una oportunidad para extender la capacidad del Canal actual mediante la construcción de un tercer juego de esclusas o para construir un canal a nivel del mar, y vienen insistiendo también en establecer, como condición previa para la concertación de un nuevo tratado, que los dos países convengan en llegar a un acuerdo en paquete que comprenda las materias relativas a canal de esclusas, expansión de dicho canal o construcción de un canal a nivel del mar, que el gobierno panameño prefiere calificar, con toda justicia, como *obras nuevas*, y, además, sobre protección o defensa.

Sobre esta misma materia Panamá invoca la prioridad que tiene en la negociación de los asuntos relativos a la existencia del presente Canal y la eliminación de las causas de conflicto que del mismo se derivan. Panamá sostiene con irrebatible lógica que el proyecto tercer juego de esclusas y el proyecto canal a nivel no son causas de conflicto porque simplemente no se ha acordado su construcción y no existen físicamente.

Nótese que en los párrafos que dejamos trascritos Panamá perfila el alcance de la expresión "obras nuevas", abarcando en la misma tanto la posibilidad de construir un tercer juego de esclusas como la de construir un canal a nivel del mar. Comoquiera que la expresión de marras figura en el último de los ocho puntos, parece claro que, al utilizarla, Panamá y los Estados Unidos no manejaron un concepto de contenido vago y carente de implicaciones comprometedoras, sino que, por el contrario, usaron una expresión que, dentro del proceso negociador, tiene un significado concreto, que comprende, como queda dicho, la modernización del Canal actual mediante la construcción de un tercer juego de esclusas y la construcción de un canal a nivel del mar.

De lo dicho hasta aquí se colige que, luego del rechazo de los proyectos de tratados de 1967, el proceso negociador entra en una etapa en la que Panamá considera que sus intereses y los de Estados Unidos son apenas conciliables.

Al sesionar el Consejo de Seguridad en la ciudad de Panamá, tuvimos la ocasión de presenciar, una vez más, el choque, esta vez más dramático, entre la posición de los Estados Unidos de América, centrada sobre los ya mencionados intereses vitales norteamericanos, y la posición panameña, a la sazón francamente opuesta a tales intereses y concentrada en la defensa de los intereses nacionales. En tales reuniones, el embajador norteamericano ante el Consejo de Seguridad, John A. Scali, expuso, sin ambages ni circunloquios, la posición de su país frente al problema canalero, identificando *urbi et orbi* los intereses vitales norteamericanos y precisando, además, lo que su país estaba anuente a reconocer a Panamá. Y al hacerlo el embajador norteamericano nos dio a conocer lo que podríamos llamar el primer anuncio de la Declaración de los Ocho Puntos. Dicha primera versión de los ocho puntos fue precisada por John A. Scali, así:

a) Respecto de los intereses vitales de su país, dijo Scali: "los Estados Unidos iniciaron negociaciones con Panamá teniendo presentes tres objetivos principales, que siguen siendo válidos en la actualidad:

"1. El Canal debería estar a disposición de los navíos comerciales del mundo sobre una base igualitaria y a costo razonable.

"2. A fin de que el Canal pueda servir eficazmente al comercio mundial, los Estados Unidos tendrían derecho a proveer capacidad adicional al mismo.

"3. El Canal debería continuar funcionando y siendo defendido por los Estados Unidos por un período ampliado pero determinado."

b) Respecto de lo que su país pagaría por lograr sus objetivos, dijo Scali:

"1. El Tratado del Canal de 1903, debe ser remplazado por uno nuevo y moderno.

"2. Todo nuevo tratado sobre el Canal debería ser de duración fija, rechazando el concepto de perpetuidad.

"3. Debe devolverse a Panamá un territorio sustancial que ahora forma parte de la Zona del Canal, con arreglos respecto de otras áreas. Estas otras áreas serán el mínimo requerido para las operaciones de los Estados Unidos y la defensa del Canal, y se integrarían en la vida jurídica, económica, social y cultural de Panamá, ateniéndose a un programa que ha de acordarse.

"4. Panamá debería ejercer su jurisdicción en la Zona del Canal con arreglo a un programa acordado mutuamente.

"5. Panamá debería recibir pagos anuales sustancialmente aumentados por el uso de su territorio en relación con el Canal."

No hace falta ninguna perspicacia para ver en los párrafos que anteceden una primera versión de la Declaración de los Ocho Puntos, declaración que, según palabras del secretario de Estado de los Estados Unidos, Henry A. Kissinger, representan un "partnership", vocablo ya utilizado por el presidente Johnson, que hace compatibles los intereses vitales de los Estados Unidos con la soberanía panameña.

Cuando el representante de los Estados Unidos de América habló ante el Consejo de Seguridad, la República de Panamá no vio en esa primera versión de los ocho puntos asomo alguno del "espíritu de asociación" ni del "acto de conciliación", que, posteriormente, se ha querido columbrar en la versión final de los ocho puntos. En efecto, por conducto de su canciller, en dichas sesiones del Consejo de Seguridad, la República de Panamá expuso lo siguiente:

Los objetivos que en las negociaciones bilaterales tienen los Estados Unidos, según confesión hecha esta mañana por su representante, no pueden satisfacer a Panamá, y su aceptación sólo contribuiría a aumentar las causas de conflicto que por tales negociaciones se pretende eliminar entre los dos países.

No hay lógica en la afirmación de que, para que el Canal pueda servir eficientemente al comercio mundial, Estados Unidos deba tener el derecho a aumentar su capacidad. Esto no concuerda con nuestras aspiraciones legítimas de recuperación total de la jurisdicción sobre nuestro territorio y del ejercicio de nuestros derechos soberanos sobre nuestros recursos naturales. El objetivo de que el Canal continúe siendo "operado y defendido" por los Estados Unidos por "un extenso período" es una forma muy sutil de expresar el concepto de perpetuidad en cifras.

Panamá no está buscando un cambio de terminología, sino un cambio de estructuras. Hasta ahora no ha existido realmente ninguna negociación bilateral; lo que ha existido son proposiciones norteamericanas dirigidas a disfrazar a perpetuidad el enclave colonialista ante propuestas de Panamá dirigidas a terminar con ese enclave, las que no han sido aceptadas en ningún momento por los Estados Unidos.

El rechazo de los proyectos de tratados de 1967 respondió al hecho de que eran incluso más ofensivos que el propio Tratado de 1903. Cambiada la terminología de la perpetuidad por una fecha que llegaba al año 2067, es decir, la perpetuidad en cifras; legalizaba la existencia de bases militares y del Comando Sur, que hasta ahora ni siquiera con el oprobioso Tratado de 1903 tiene justificación legal, y pretendía, además, que a cambio de toda esa entrega también se les diera el derecho exclusivo de construir en Panamá un nuevo canal a nivel y una nueva zona del canal, a base de lo que se denomina una opción abierta sin compromiso alguno.

Según se sigue de los párrafos trascritos, Panamá rechazó de manera inequívoca la versión original de los ocho puntos, la misma que en nada se diferencia de la actual y, en consecuencia, nuestro país se opuso a que los denominados intereses vitales norteamericanos figurasen en el proyecto de resolución que se sometió a la consideración del Consejo de Seguridad a propósito de la cuestión del Canal de Panamá. Esa oposición, como era de esperarse, provocó el veto de los Estados Unidos respecto del proyecto y una explicación de voto del embajador de ese país. De esta última se puede afirmar que es otro antecedente inmediato de la declaración de los ocho puntos, por cuanto en ella reiteró Scali la disposición de los Estados Unidos de suscribir tales ocho puntos en la medida en que en ellos quedaran debidamente recogidos los intereses vitales de su país. Díganlo si no las siguientes palabras de Scali:

"He dicho que lamentamos haber tenido que emitir un voto negativo sobre el proyecto de resolución panameño, porque hay tanto en él con lo que podríamos estar de acuerdo. Como he aclarado, estamos de acuerdo con la República de Panamá en cuanto a la necesidad de remplazar el convenio de 1903 por un instrumento totalmente nuevo, que refleje un nuevo espíritu. Convenimos en que dicho nuevo instrumento no debe ser 'a perpetuidad', sino que debe tener término fijo, y estamos de acuerdo respecto de la integración progresiva en la vida jurídica, económica, social y cultural de Panamá aun de aquellas zonas utilizadas para la operación y defensa del Canal. ¿Por qué, entonces, cuando hay tanto en ese proyecto con lo que estamos de acuerdo, no votamos en su favor o, como se nos ha urgido, por lo menos no nos abstuvimos?"

Luego de formularse esa pregunta, Scali explica que el veto norteamericano obedeció a que: "el actual proyecto de resolución se refiere a las cuestiones de interés para Panamá, pero ignora los intereses legítimos importantes para los Estados Unidos de Norteamérica".

CONCLUSIONES

1. Consideramos que, acorde con el proceso histórico que ha vivido la causa panameña y que vive el mundo del subdesarrollo en general, el gobierno panameño debe perseverar en el desarrollo de una política canalera nacionalista que proclame y luche claramente:

a) Por la recuperación del actual Canal.

b) Por el derecho del Estado panameño a construir, administrar y usufructuar cualquier nuevo canal.

c) Por la emancipación de su territorio de bases extranjeras.

d) Por la neutralidad del actual Canal y de cualquier nuevo canal.

e) Por la total y única jurisdicción del Estado panameño sobre su territorio, conocido como Zona del Canal.

2. Consideramos que Panamá debe tener muy presente que la estructura económica y política colonialista de los Estados Unidos no ha cambiado y que, en consecuencia, cualquiera buena intención que se le atribuya a los funcionarios norteamericanos en relación con las negociaciones ha de recibirse con la natural reserva que impone el hecho superior de los verdaderos intereses colonialistas en cuyo nombre hablan sus funcionarios. Prueba de lo dicho se tiene en el hecho de que, dígase lo que se diga del nuevo secretario de Estado norteamericano, en la Declaración de Principios del 7 de febrero de este año y en su discurso de exégesis de la misma no hizo otra cosa en el fondo que reiterar las pretensiones básicas del colonialismo en Panamá: asegurar y legitimar la presencia militar de Estados Unidos en Panamá y privar a la República de Panamá de su legítimo derecho a construir, administrar y usufructuar por sí sola cualquier nuevo canal.

3. Si lo que sigue de negociaciones se continúa bajo los auspicios del espíritu neocolonialista concretado en el Anuncio Conjunto del 7 de febrero de 1974, espíritu este que ha venido rechazando el pueblo panameño y también el actual gobierno en sus posiciones oficiales anteriores a dicho documento, no cabe duda de que estaremos abocados a otra gran frustración, ésta sin las atenuantes históricas de 1903.

4. Somos conscientes de que la causa panameña es dura y difícil y de que, además, a la República de Panamá no le bastará plantear sus demandas para que éstas sean satisfechas, pero somos asimismo conscientes de que, en esta hora de grandes defi-

niciones, Panamá no tiene otra alternativa que continuar su lucha histórica, por muy dura y difícil que ésta sea.

Panamá, 29 de abril de 1974

Carlos Bolívar Pedreschi; Mario J. Galindo H.; Miguel J. Moreno; Carlos Iván Zúñiga; Julio E. Linares.

10. EL ANUNCIO CONJUNTO TACK-KISSINGER
(Ensayo de interpretación) *

JULIO YAU

Como en cualquier otro caso, los países resuelven sus diferencias
por medio de negociaciones o guerra —lucha armada. Cuando
fracasan las conversaciones se recurre a la guerra hasta que se
llegue a una solución negociada. Con guerra o sin guerra, siempre
hay negociaciones.

En el caso de Panamá, por la desigualdad de fuerzas, parece
lógico que la vía de la negociación sea la más aconsejable como
paso inmediato. Nadie podría negar esta verdad. Desde luego,
nadie podría negar tampoco la posibilidad de una lucha de liberación nacional por la vía armada, así como nadie podría negar la
posibilidad de utilizar las diversas fases o métodos de lucha
practicables antes de que se desemboque en una liberación nacional armada. Pero en la actualidad la lucha panameña se concreta al marco de posibilidades que ofrecen las negociaciones
con Estados Unidos, sin descartar las otras vías.

Las luchas históricas contra la dominación colonial en todas
partes responden a criterios muy distintos a los de la simple racionalidad de los actos. La racionalidad o el pragmatismo llevados al extremo conducen al oportunismo y el conformismo, mientras que la pasión nacional y el patriotismo pueden conducir al
heroísmo y el sacrificio. Entre lo primero y lo segundo, los pueblos deciden su destino y definen su carácter.

Las negociaciones suponen una transacción, una coexistencia
o permanencia simultánea de diversos intereses y objetivos. El
que acepta la negociación, acepta la transacción y el compromiso:
la verdad de que no todos los elementos del pasado desaparecen
en la nueva relación. Ésta es una consecuencia lógica e indiscutible de las negociaciones.

Lo que cabe preguntar es: ¿con cuáles criterios se determina
qué elementos viejos o nuevos se darían cita en el nuevo tratado
y qué elementos serían eliminados?

Suponemos hoy que la posición "histórica" panameña, que no
ha sido una cosa dada desde el principio como el resultado de

* Fragmento de una conferencia dictada en la Universidad de Panamá
el 4 de diciembre de 1974. El texto se reproduce de la revista *Tareas*, núm. 30,
Panamá, enero-abril de 1975.
Algunas páginas del texto original, sobre las relaciones históricas entre
Panamá y los Estados Unidos en el ámbito interamericano, se han supri-
mido para dar mayor cohesión al presente libro, evitándose así las repe-
ticiones de carácter temático. [Nota del recopilador.]

un nacionalismo puro suprahistórico, sino que se la concibe como el resultado de un proceso, consiste en que Panamá posea y maneje su Canal. Por otra parte, sabemos que la posición histórica de Estados Unidos niega la posibilidad de un canal exclusivo para Panamá. Las dos posiciones se rechazan mutuamente y no es posible que ambas se hagan realidad. Una de las dos, o las dos, tendrían que ser modificadas para hacer posibles las negociaciones. La realidad de las cosas dicta que ninguna negociación se hace mediante la exclusión total de los puntos de vista de una de las partes. Por esa razón es que el Tratado de 1903 no recogió los puntos de vista de Panamá: porque no fue negociado. Las negociaciones sobre el desarme entre la Unión Soviética y Estados Unidos recogen intereses y puntos de vista de ambos países. Si la Unión Soviética pudiera imponer todos sus puntos de vista, todas sus metas, no habría necesidad de negociar sino de dictar los términos que Estados Unidos tendría simplemente que cumplir. Las únicas otras alternativas a las negociaciones con Panamá, serían: que Panamá pudiera derrotar militarmente a Estados Unidos; que Estados Unidos se apoderara de todo Panamá; que Estados Unidos decidiera irse de Panamá inmediatamente y en su totalidad; que Panamá, abandonara la lucha y dejara las cosas como están. Pero éstas no son las posibilidades reales o inmediatas ni las premisas de las presentes negociaciones.

La posición histórica de Estados Unidos en Panamá es de largo plazo y alcance. La posición histórica de Panamá también es de largo plazo y alcance. La gran diferencia consiste en que Estados Unidos no puede, absolutamente no puede imponer sus intereses vitales a la política de largo plazo de Panamá. Lo único que puede definir Estados Unidos es su política de corto plazo en relación con y subordinada a la política de recuperación del Canal por parte de Panamá, en vista de que los objetivos panameños descansan sobre una plataforma de normas e imperativos jerárquicamente superiores a cualesquier fundamentos que pueda esgrimir Estados Unidos. No es legítima la existencia o aceptación de una política canalera norteamericana de largo plazo. La política panameña representa una aspiración y determinación nacional no sujeta a condiciones, interpretaciones o discusiones en sentido contrario.

El objetivo de Panamá es perfeccionar el proceso de independencia frustrado varias veces. La independencia total, en lo que atañe al Canal, obliga a la desaparición de la presencia norteamericana en un breve plazo para dar cumplimiento a la meta de un canal panameño manejado y protegido por panameños. El propósito a corto plazo de Panamá en las negociaciones debe ser, no sólo compatible con el objetivo histórico de ejercer la completa soberanía en su territorio y manejar un canal propio, sino que debe ser una función directa de dicho objetivo histórico y constituir su base o plataforma de realización.

La nueva fase de las negociaciones sólo debe ser un medio, un instrumento, para conseguir el fin último perseguido por Panamá, y no un fin en sí o un medio que esté vinculado a fines distintos al mencionado.

Ubicando el propósito de las negociaciones a corto plazo, tendríamos que ver cómo es que pueden conjugarse los objetivos de Estados Unidos con los de Panamá. Estados Unidos tendría que descender de la explotación unilateral perpetua a una explotación bilateral a plazo fijo. Panamá tendría que traducir su meta de querer explotar exclusivamente el Canal —como objetivo de largo plazo—, en una meta de corto plazo, que necesariamente significaría compartir el ejercicio de las actividades canaleras con Estados Unidos por un breve período, para dar paso pleno a sus aspiraciones históricas.

Podría preverse la posibilidad de que el funcionamiento general (funcionamiento, administración, mantenimiento, saneamiento) y la protección del Canal sean compartidas entre Estados Unidos y Panamá.

Antes de continuar, quiero dejar una nota entre paréntesis sobre las negociaciones. Hay varios modos o enfoques, distintos a los actuales, que pueden ser empleados para enfrentarse a Estados Unidos. Uno sería no negociar con Estados Unidos y dejar las cosas como están; otro, enviarle un memorándum para que desalojen totalmente la "Zona" en un plazo de 24 horas; otro, ocupar militarmente hasta donde sea practicable la "Zona"; otro, adoptar un programa de hostilización a la "Zona" y sus actividades; otro, negarnos a negociar y remitirnos a las Naciones Unidas; otro, anunciar que nos desvinculamos de las obligaciones y derechos del Tratado de 1903; otro, marchar en manifestación masiva a la "Zona" con todas las consecuencias; otro, hundir barcos en el Canal; otro, dañar las obras auxiliares del Canal, etcétera.

Ninguna posibilidad es en principio mejor que otra; ninguna posibilidad se descarta; siempre es posible que cada uno tenga sus propias ideas al respecto. Y, por cierto, es fácil decir que una vía en particular entrañaría una dosis mayor de patriotismo.

Veamos de cerca el Anuncio Conjunto.

Un Anuncio Conjunto es, como se entiende directamente, un anuncio, un aviso, un informe, una publicación que dos o más estados hacen sobre una materia o cuestión determinada. Es posible que un anuncio conjunto contenga algún tipo de acuerdo, pero ello no tiene que ser así. El Anuncio Conjunto Tack-Kissinger contiene un acuerdo internacional. ¿Es este acuerdo internacional un tratado? ¿Qué es un tratado? Un tratado, según una aceptada definición, es un acuerdo, cualquiera que sea su denominación, entre dos o más estados mediante el cual formal o expresamente se crea, modifica o extingue una determinada relación jurídica. Luego, todo tratado es un acuerdo internacional, pero no todos los acuerdos internacionales son tratados. ¿Por qué? Porque no todos los acuerdos internacionales crean, modifican o extinguen una determinada relación jurídica. En ocasiones, verdaderos tratados, en el sentido mencionado, se celebran echando mano de diversas formas de acuerdos internacionales, pero su verdadera naturaleza procede del examen concreto del acuerdo en cuestión. De este modo, hay *modus vivendi*, protocolo, concordato, acuerdo ejecutivo, memorándum, acta adicional, canje de notas, declaración, anuncio conjunto.

En inglés, al Anuncio Conjunto se le llama "Joint Declaration" —Declaración Conjunta. Las declaraciones se utilizan generalmente para consagrar principios doctrinarios o acuerdos bien concretos. En el primer caso, sirven para evitar obligarse al cumplimiento o respeto de una norma o principio específicamente cuando no resulta posible, deseable o conveniente. En el segundo, sirven para anunciar que se ha llegado a entendimientos específicos no doctrinarios. El término "declaración" en el caso de Anuncio Conjunto, es más afín con el segundo sentido: el de anunciar que se ha llegado a entendimientos concretos, si bien no excluye necesariamente la posibilidad de que en el mismo se haga reconocimiento de ciertas normas o principios.

El Anuncio Conjunto dice textualmente que se ha llegado "a un acuerdo sobre un conjunto de principios fundamentales". Técnicamente pudiera argüirse que no todos los puntos del Anuncio Conjunto son principios, pues algunos son puntos, directrices o reglas, encaminados a establecer un procedimiento o método para llegar a acuerdos finales o definitivos. Pero ésta es una cuestión de semántica, secundaria a la esencia del Anuncio Conjunto.

El Anuncio Conjunto no crea, ni modifica, ni hace extinguir las relaciones jurídicas entre Panamá y Estados Unidos por razón del Canal: no es un tratado; ni siquiera tiene una fecha límite para la concentración del tratado. El Anuncio Conjunto es "un acuerdo para acordar". Es un instrumento de negociación, considerado necesario para establecer un procedimiento o método de solución; no es la solución y pudiera pensarse que no es siquiera del todo el método de la solución, porque esto último supone no sólo un procedimiento acordado sino una cierta uniformidad de criterio en cuanto a cómo se desarrollarán los puntos del Anuncio Conjunto. Como el mismo lo expresa, es una simple "guía" para los negociadores.

En el Anuncio Conjunto no hay indicio claro del criterio que será empleado para relacionar y armonizar posiciones contradictorias de ambos países en un solo haz. El Anuncio Conjunto es un medio interno de negociación que explica el nivel de entendimiento al cual han llegado Panamá y Estados Unidos. El Anuncio Conjunto obedece a la necesidad de fijar un marco de problemas ante una variedad de enfoques que representaban pérdida de tiempo. Por su propia naturaleza, el Anuncio Conjunto está vinculado a la posterior celebración de un tratado definitivo y preciso y, por lo tanto, es transitorio y temporal y su real significado en términos de ventajas o desventajas no se ilumina por su propia existencia —no tiene luz propia—, sino que su significado y valor se medirán y comprobarán en su desenlace final: en un tratado posterior.

El Anuncio Conjunto es obligatorio sólo en relación con la materia de que trata y en relación con lo que determinen las partes. Lo cual llanamente significa que el Anuncio Conjunto tiene y tendrá validez únicamente en la medida en que el mismo pruebe ser útil o conveniente al propósito de las negociaciones. Si prueba no serlo, se llega a esa conclusión y se descarta en favor de otra fórmula, o bien se le modifica o complementa. Pero no obliga como instrumento de un modo absoluto ni en general ni en particular.

La Declaración Robles-Johnson de 1965, en la cual se sentaron las bases de las negociaciones de entonces, ya no es útil según la política actual de las negociaciones, y ambos países no se sienten obligados por la misma. Pueden ofrecerse muchos ejemplos. La relativa obligatoriedad no puede entenderse como una absoluta obligatoriedad. Si fuera cierto que el significado jurídico fuera absoluto e igual en todas las declaraciones o anuncios conjuntos, habría que admitir la inaceptable proposición que la Declaración Robles-Johnson obliga a Estados Unidos y Panamá tanto como obliga la Declaración Conjunta de 3 de abril de 1964.

Sucede simplemente que algunos acuerdos están raizalmente ligados a las negociaciones porque fijan expresamente el propósito y orientación de las mismas y constituyen su fuente diplomática y de inspiración original, como la propia Declaración Conjunta del 3 de abril de 1964; mientras otras responden a fases posteriores o particulares de las negociaciones que deben guardar compatibilidad con la primera (en la medida que ésta sea tenida buena por las partes). Una de las razones que justificaron la oposición a la Declaración Robles-Johnson, y más tarde a los tres borradores de tratado, era justamente la de que éstos eran incompatibles en su base con la Declaración Conjunta del 3 de abril de 1964.

Una diferencia a primera vista nos hace observar que el Anuncio Conjunto Tack-Kissinger se refiere a un tratado, sobre el

Canal, mientras que la Declaración Robles-Johnson obligaba a la celebración de tres tratados. Ciertamente, ello no sería óbice para que la materia de los tres borradores de tratados se incorporara al desarrollo del Anuncio Conjunto de 7 de febrero de 1974. Hay otras diferencias entre ambos instrumentos, las cuales podrían ser objeto de un estudio comparativo posterior.

Lo importante es destacar el entendimiento recíproco de que ninguna de las partes —Estados Unidos y Panamá— abandona automáticamente frente al Anuncio Conjunto, sus posiciones originales. El propósito del Anuncio Conjunto, según tengo entendido, era el de explorar de qué manera era posible llegar a un acuerdo desde la perspectiva de las posiciones originales. Por supuesto, semejante propósito dice desde ya, directamente, que algunos elementos de las posiciones originales se mantendrán intactos; otros se verían modificados, y otros descartados. Pero sin estas condiciones no es posible ninguna negociación o transacción.

El Anuncio Conjunto, por su redacción consciente y deliberada, debía dar cabida a la flexibilidad necesaria para mover los elementos dinámicos de las negociaciones, admitir ajustes, coordinaciones, énfasis, correcciones, modificaciones y eliminar contradicciones. La flexibilidad es necesaria para que cada parte pueda mantener su planteamiento original en la mesa de negociación bajo una u otra forma.

En tanto que el Anuncio Conjunto permite salvaguardar los intereses originales de Estados Unidos y Panamá, es perfectamente comprensible que del mismo se desprenda una rica gama de posibilidades cara al nuevo tratado del Canal, y estas posibilidades van desde un tratado que satisfaga casi totalmente los intereses de Estados Unidos y niegue los panameños, hasta un tratado que satisfaga casi totalmente las aspiraciones panameñas y niegue los intereses norteamericanos.

Una crítica objetiva del Anuncio Conjunto tendría que tomar cuenta de este peculiar carácter suyo, y, por lo tanto, la crítica objetiva tendría que situarse frente al Anuncio Conjunto en tanto que procedimiento para un método de solución, o frente a todas las posibilidades del mismo, pero nunca podría definirse dicha crítica solamente en relación con un determinado número de posibilidades o de una sola posibilidad.

El Anuncio Conjunto y su flexibilidad no son buenos ni malos en sí, sino que las ventajas que pudieran derivarse del mismo dependen de la claridad y conciencia de los propósitos buscados, la firmeza con que se les defienda y la habilidad de las partes en el proceso de las negociaciones.

Para penetrar el contenido del Anuncio Conjunto con una hipótesis probable que hiciera posible otro conjunto de posibilidades más específicas, llegamos a la conclusión al principio de esta conferencia de que Estados Unidos no puede legítimamente abrigar propósitos de largo plazo en relación con el Canal, y Panamá no tiene que aceptárselos; de modo que sus metas deben limitarse a un breve período. Igualmente, Panamá necesitaría concebir sus objetivos a corto plazo en relación y armonía con su aspiración histórica. Ello se reduciría a compartir el conjunto de las responsabilidades canaleras específicas sin perjuicio de las facultades y derechos de Panamá que no pueden ser ejercidos conjuntamente.

La nuestra es una hipótesis de trabajo y en nada compromete la posición real y original de Estados Unidos y Panamá, pero es útil para el propósito de hacer un análisis específico.

No nos toca examinar todas las posibilidades sino sólo apuntar que ellas existen concretamente. Nos toca averiguar si la hipótesis encuentra su verificación en los puntos del Anuncio Conjunto, de qué manera, y, en caso contrario, cuál es la posibilidad que emerge desde el punto de vista de los objetivos panameños. Es claro que se presume la intención de las partes de lograr un máximo de ventajas en cada caso.

Antes que nada, es indispensable estructurar un armazón de lógica jurídica que sea el resultado de una interpretación orgánica y total del Anuncio Conjunto, que constituye a la vez el marco de referencia restrictivo y caracterizador de cada uno de los principios fundamentales, objetivos básicos y compromisos específicos del mismo, de manera que sea posible establecer una jerarquía de las normas primarias y secundarias y la correspondiente interpretación de los acuerdos concretos en relación dialéctica con las mismas, descendiendo de lo general a lo particular.

Debe emanar un sentido coherente del Anuncio Conjunto en su totalidad para Panamá, que sea un reflejo de la armonía entre sus diversas partes con el debido respeto de la jerarquización de los principios fundamentales. Todo lo que no sea compatible con éstos, debe ser rechazado por contradictorio. Toda interpretación que conduzca a una conclusión absurda o imposible no es válida. Todo elemento superfluo debe ser puesto de lado momentáneamente.

De este modo, las normas o entendimientos generales se desenvuelven lógicamente en normas o entendimientos particulares, iluminándolos y dándoles un sentido integral. A su vez, las normas o entendimientos particulares iluminan y dan un sentido concreto a las normas o entendimientos generales. La correspondencia entre lo general y particular debe ser, básicamente, ceñida. Si ella no es posible, se concluye que el Anuncio Conjunto no puede ser usado como base de negociaciones y debe ser rechazado.

El preámbulo reconoce que las negociaciones tienen como objeto "concertar un tratado enteramente nuevo respecto al Canal de Panamá"; que dichas negociaciones hallan su origen en la Declaración Conjunta del 3 de abril de 1964; que el tratado enteramente nuevo debe significar la abrogación del Tratado de 1903 y sus enmiendas; que todo ello debe ser la base de "una relación moderna entre los dos estados basada en el más profundo respeto mutuo"; que el tratado enteramente nuevo, justo y equitativo, debe eliminar, "de una vez por todas las causas de conflicto entre los dos países". El anuncio conjunto es un medio, un instrumento, para realizar este objetivo.

La *Declaración Conjunta de 1964* sirve de base a las negociaciones cuyo objeto es la concertación de *un tratado que tenga cuatro características*: 1) que sea enteramente nuevo; 2) que sea la abrogación de los tratados anteriores; 3) que elimine las causas de conflicto; y 4) que establezca los requisitos para una relación moderna entre los dos estados basada en el más profundo respeto mutuo.

Es fácil advertir que los objetivos centrales de la Declaración Conjunta de 1964 se hallan presentes en el Preámbulo del Anuncio Conjunto en cuanto se relaciona con las negociaciones. El tratado *"enteramente nuevo" tiene un significado concreto; no se refiere a cualquier tratado sino a uno que satisfaga tres condiciones*: 1) *que sea abrogación de anteriores convenios*; 2) *que elimine causas de conflicto*; 3) *que conduzca a una relación moderna*. Como la abrogación es terminación, hacer desaparecer, dicha abrogación, como negación de la situación anterior, debe ir acompañada o seguida inmediatamente de una afirmación de principios y propósitos distintos y nuevos. Estos principios nuevos tienen como objeto eliminar, de una vez por todas, las causas de conflicto. La eliminación de las causas de conflicto tiene como propósito establecer los requisitos para una "relación moderna".

El tratado debe ser nuevo en la forma y el contenido, así como nuevo también en la actitud de las partes en cuanto interpretación y puesta en práctica de sus cláusulas. Recordemos que, aparte de habérsenos impuesto el Tratado de 1903, Estados Unidos nos ha obligado a padecer interpretaciones realmente arbitrarias de sus cláusulas sin consideración de otras normas o límites. Una "relación moderna" debe ser el resultado del tratado y, por lo tanto, esto significa que el tratado debe respetar y cumplir los principios de derecho internacional, de la Carta de las Naciones Unidas y de las Resoluciones de la Asamblea General de este organismo.

No se trata, pues, de un cualquier tratado, que sea sólo una abrogación formal o simple sustitución de un tratado por otro, basada en principios viejos que no eliminan las causas de conflicto. Lo novedoso del tratado a ser negociado se refiere a que su contenido u objetivo debe adquirir un carácter, función y sentido distintos a los de tratados anteriores.

Tales condiciones definen el sentido particular del Anuncio Conjunto. Pero ellas no son las únicas que limitan, determinan, constriñen y especifican las posibilidades del Anuncio Conjunto. También las condiciones o principios generales que son implícitos en toda transacción internacional gobiernan y marcan pautas en el desarrollo y aplicación del Anuncio Conjunto. Los principios y normas del derecho internacional general y aceptado, la Carta de las Naciones Unidas y las Resoluciones de la Asamblea General o del Consejo de Seguridad, así como los convenios colectivos o los propios de Estados Unidos y Panamá, tienden a darle una mayor precisión y sentido doctrinario al Anuncio Conjunto y a ponerlos en una perspectiva adecuada.

Ninguna negociación, ninguna transacción, ningún acuerdo se lleva a cabo como si no existieran determinadas limitaciones y restricciones a lo que manejan entre sí los estados. Así como los individuos no pueden hacer lo que les plazca y ejercer sus derechos y prerrogativas, a pesar de y en contradicción con los derechos y prerrogativas de otros —teniendo que respetar además el orden jurídico nacional—, tampoco los estados pueden negociar y determinar sus relaciones y actos al margen del orden jurídico internacional y de los derechos de los demás estados.

El preámbulo está a su vez condicionado por el orden público internacional aun cuando no se lo exprese formalmente. El preámbulo antecede jerárquicamente a las normas particulares, de modo que por distintas que puedan ser las posibilidades de interpretación de los ocho puntos, sólo es correcta la que logre reunir las condiciones dichas al comienzo. Además, antes de que se establezca la correspondencia de un punto con el preámbulo, es necesario que los puntos o entendimientos guarden entre sí una cierta armonía y que ésta, entonces, sea avalada por el preámbulo.

Por otro lado, dado que el propósito de las partes era el de asegurarse la simple presentación de sus posiciones originales, la forma de la presentación responde a esta necesidad, la cual no quiere decir que la presentación en sí de los puntos o ideas, incluso contrarias, vayan a ser aceptados de antemano por la otra parte, bien como válidos, bien como una convalidación de derechos. Además, si bien el tratado debe ser nuevo, la materia de negociación no cambia porque el objeto del tratado es el mismo canal; cambian el carácter y el modo en que ambos países definirán nuevas responsabilidades.

El punto 1 establece lo siguiente:

1. El Tratado de 1903 y sus enmiendas serán abrogados al concertarse un tratado enteramente nuevo sobre el canal interoceánico.

Este punto se refiere a "un tratado enteramente nuevo", que

significará la abrogación de anteriores tratados, y que se refiere
nada más que al canal interoceánico, al único canal existente, y
los nuevos arreglos deben eliminar las causas de conflicto.

Desde el punto de vista de la diplomacia, la principal causa
de conflicto es la vigencia del Tratado de 1903, contentivo de la
estructura básica de las relaciones entre ambos países, pues dicho instrumento no fue negociado sino impuesto y es así el semi-
llero de todas las otras causas de conflicto.

De conformidad con el preámbulo, el nuevo tratado deberá
establecer los requisitos para una relación moderna. Por consiguiente, el tratado nuevo no puede ser contrario al derecho
internacional, a la Carta de las Naciones Unidas y a las Resoluciones de su Asamblea General. La norma básica la expresa ro-
tundamente el artículo 103 de la Carta de las Naciones Unidas:

En caso de conflicto entre las obligaciones contraídas por los miembros de las Naciones Unidas en virtud de la presente Carta y sus
obligaciones contraídas en virtud de cualquier otro convenio internacional, prevalecerán las obligaciones impuestas por la presente Carta.

Del citado artículo se desprenden las obligaciones fundamentales que harían anulables ante sí a cualesquiera otras obligaciones que sean su contradicción.

El punto 2 establece lo siguiente:

2. Se eliminará el concepto de perpetuidad. El nuevo tratado relativo
al canal de esclusas tendrá una fecha de terminación fija.

La perpetuidad es otra de las causas de conflicto. Estaría de
sobra decir en esta época que un tratado no puede ser perpetuo,
a menos que se tratara de un tratado de paz, de fijación de fronteras o de otro que, por su carácter, no requiera un plazo fijo.
La eliminación de la perpetuidad supone una fecha de terminación, pero la reiteración pudiera ser necesaria para negar la
pretensión inveterada de los Estados Unidos de disfrazar la perpetuidad con la fijación de varias fechas, tal como efectivamente
sucedió con los borradores del Tratado de 1967, que, por una
parte, contemplaban fechas distintas para el canal de esclusas
y el canal a nivel, y por la otra disponían una perpetuidad dis-
frazada, por la indefinición de las fechas, en lo concerniente al
tratado de defensa. Aquí se habla del "canal de esclusas" y de
"una fecha". Ahora bien, el que el tratado tenga una fecha de
terminación fija no excluye la posibilidad de que en su interior
se definan plazos específicos para etapas o aspectos especiales
que se completen o cumplan antes de expirar el tratado.

El punto 3 establece lo siguiente:

3. La terminación de la jurisdicción de los Estados Unidos en terri-

torio panameño se realizará prontamente, de acuerdo con los términos especificados en el nuevo tratado.

El Tratado de 1903 fue impuesto, no negociado. La imposición
del tratado explica que no sea posible penetrar con lógica jurídica
el sentido integral del mismo y, por el contrario, que surjan variadas conclusiones e interpretaciones, contradictorias entre sí,
en torno a los derechos y deberes de cada una de las partes.

Estados Unidos ha entendido tradicionalmente que el Tratado de 1903 le otorgó el derecho de actuar como si fuera soberano en Panamá en cuanto a la empresa canalera como a fines
ajenos a la misma. La tesis básica panameña, siempre suponiendo necesario intentar una interpretación del contradictorio instrumento, se endereza a demostrar que Panamá no enajenó,
no otorgó o en alguna forma perdió su soberanía. Los derechos mencionados en el artículo III del Tratado sólo son derechos
jurisdiccionales limitados a los fines de construir, manejar, sanear, mantener y proteger el Canal, los cuales derechos no com-
portan cesión o pérdida de soberanía. De un modo u otro, Estados Unidos ejerce su jurisdicción en la Zona del Canal con
exclusión de Panamá.

La jurisdicción norteamericana es la presencia de un "gobierno dentro de otro gobierno", el ejercicio irrestricto de jurisdicción política y autoridad administrativa de Estados Unidos
en la Zona del Canal, y dicho gobierno extranjero es una de las
causas de conflicto entre los dos países. El Estado panameño
ejercerá su plena jurisdicción en aquella parte de su territorio,
con exclusión de Estados Unidos, no distinta a la que Panamá
ejerce en el resto de su territorio.

Con esta estipulación, se da obligatorio cumplimiento al principio de la autodeterminación y la independencia política proclamado por las Naciones Unidas en sus disposiciones y resoluciones. Además, en el punto 5,

se reconoce que la posición geográfica de su territorio constituye el
principal recurso de Panamá.

Por lo tanto, la soberanía de Panamá es indiscutible en vista
de que las Naciones Unidas han consagrado la soberanía permanente de los pueblos sobre sus recursos naturales.

El traspaso de jurisdicción se realizará "prontamente". En
este tipo de anuncios y declaraciones se omite deliberadamente,
por la necesidad de una práctica diplomática flexible, las determinaciones específicas que tiendan a condicionar todos los
aspectos por uno solo. Es de observar, por ejemplo, que la
Declaración Conjunta del 3 de abril de 1964 se refería a la "pronta eliminación de las causas de conflicto", sin pasar de allí,

como tampoco la Declaración Robles-Johnson del 25 de septiembre de 1965.

El entendimiento de Panamá es que prácticamente todas las funciones o atributos jurisdiccionales deben pasar a su directa competencia —a su control— en un plazo menor de cinco años. La manera específica como ello tendrá lugar será objeto de las negociaciones.

El punto 4 establece lo siguiente:

4. El territorio panameño en el cual se halla situado el Canal será devuelto a la jurisdicción de la República de Panamá. La República de Panamá, en su condición de soberano territorial, conferirá a los Estados Unidos de América, por la duración del nuevo tratado sobre el Canal interoceánico, y conforme se establezca en el mismo, el derecho de uso sobre las tierras, aguas y espacio aéreo que sean necesarios para el funcionamiento, mantenimiento, protección y defensa del Canal y el tránsito de las naves.

Analicemos este punto por partes. Aquí se dispone dar cumplimiento al principio de la integridad territorial, que constituye el elemento básico de la soberanía, al reconocer que la jurisdicción panameña se extenderá a aquella porción de su territorio. Este aspecto enlaza directamente con el punto 3 y es compatible con los dos puntos precedentes y los principios del preámbulo.

Una vez integrado totalmente el territorio nacional y una vez que Panamá tenga jurisdicción sobre el mismo y como soberano, Panamá conferirá a Estados Unidos, en primer lugar, "derechos de uso" sobre tierras y aguas necesarios para el funcionamiento y mantenimiento del Canal.

La tesis tradicional de Panamá expresaba que Estados Unidos no podía ejercer soberanía en la Zona del Canal, sino "derechos jurisdiccionales". La definición era fina, porque suponía la posibilidad de separar el elemento de la jurisdicción del cuerpo de la soberanía, sin que ésta fuera enajenada. Tal noción, forzada además por las circunstancias del Tratado, obedecía a la idea de que la soberanía es propia del que ejerce el derecho eminente sobre el territorio; y como Panamá no había vendido, dado o en alguna forma perdido la propiedad del territorio, el soberano era Panamá. Por lo tanto, los derechos jurisdiccionales de Estados Unidos no podían referirse a todas las actividades que se llevaran a cabo, sino a los fines específicos del Tratado: construcción, funcionamiento, mantenimiento y protección del Canal. Todo lo demás debió pasar a la jurisdicción efectiva de Panamá.

Derechos jurisdiccionales son los propios de un gobierno. Como en los puntos 1, 2 y 3 se reconoce que sólo habrá un gobierno —el de Panamá—, los únicos derechos que se le confieren a Estados Unidos son los derechos de uso. Derechos de uso no son derechos de soberanía, ni son derechos jurisdiccionales. El alquiler de una casa no es la compra de la casa; no envuelve la adquisición de un título de propiedad, sino tan sólo ciertos derechos de uso definidos y limitados al propósito de vivir en la casa, sin que el inquilino pueda hacer lo que le plazca con la casa.

Tales derechos de uso, constreñidos a los fines del funcionamiento y mantenimiento del Canal, están sujetos, subordinados o modificados por el hecho de que ellos deben responder a dos condiciones: 1) que los derechos de uso tienen vigencia "por la duración del nuevo tratado"; y 2) "conforme se establezca en el mismo".

Sin perjuicio de las condiciones que se establezcan en el tratado, los derechos de uso que Panamá le confiere a Estados Unidos para el funcionamiento y mantenimiento del Canal, se ven modificados y sujetos en su desarrollo y aplicación también por otras circunstancias; verbigracia, el punto 5, que dispone en parte lo siguiente:

También se estipulará en el tratado que la República de Panamá asumirá la total responsabilidad por el funcionamiento del Canal a la terminación del tratado.

El funcionamiento del Canal supone su mantenimiento; es decir, el mantenerlo en condiciones de funcionamiento, pues es obvio que el Canal no podría hacerse funcionar si no se le da el servicio necesario. Por lo tanto, la responsabilidad por el funcionamiento lleva implícita e intrínsecamente la idea de su mantenimiento. Si Panamá asumirá la total responsabilidad por el funcionamiento del Canal, a la terminación del tratado, es obvio que también Panamá asumirá la total responsabilidad por el mantenimiento del Canal. De no ser así, llegaríamos a una conclusión ilógica e inexplicable, además de inaceptable: de que Estados Unidos sería responsable por el mantenimiento del Canal *después* de la terminación del tratado, en tanto que Panamá controlaría el funcionamiento total del Canal. El funcionamiento del Canal va ligado inexorablemente a su mantenimiento. No debe separarse dos conceptos que representan dos realidades inseparables.

El reconocimiento de que Panamá asumirá totalmente el funcionamiento del Canal a la terminación del tratado puede suponer dos posibilidades: 1) que Panamá no tenga responsabilidades por el funcionamiento del Canal durante la vigencia del tratado; o 2) que Panamá tenga responsabilidades por el funcionamiento del Canal durante la vigencia del tratado.

Que Panamá asuma la total responsabilidad por el funcionamiento del Canal da un claro indicio de que, como ello no puede suceder de la noche a la mañana, y como dicho reconocimiento es la expresión de una intención de las partes, Panamá tendrá definidas responsabilidades por el funcionamiento (y por extensión, por el mantenimiento) del Canal durante la vigencia del tratado. Se trataría, pues, de un funcionamiento y mantenimiento conjunto, para lo cual Panamá no está desprovista del todo porque de hecho es panameña la mayor parte de los trabajadores dedicados a dichas funciones bajo la autoridad norteamericana.

El punto 6 establece, en parte, lo siguiente:

La República de Panamá participará en la administración del Canal, de conformidad con un procedimiento que habrá de ser acordado en el tratado.

¿Qué es la administración? Ni en el Tratado de 1903 ni en los siguientes aparece la administración del Canal como una categoría distinta. La administración podría significar dos cosas: 1) la jurisdicción política y autoridad administrativa, como ha existido hasta ahora en la Zona; o bien 2) la administración del Canal propiamente dicho.

La primera posibilidad queda descartada al acordarse que sólo la jurisdicción de Panamá será efectiva. La segunda posibilidad —la administración del Canal— debe referirse a la elaboración y desarrollo de políticas y decisiones relativas a todos los fines del Canal, como han sido mencionados (funcionamiento y mantenimiento), así como al tránsito de las naves; o sea, a las condiciones de toda clase que inciden en el tránsito de los barcos: fijación de peajes, servicios, reglas de navegación, etcétera.

En tanto que el funcionamiento del Canal no puede realizarse sin concebirse la política o esquema que lo orienta o determina, el carácter y el propósito del funcionamiento están indisolublemente ligados a la administración, si bien no significan una misma cosa. Hay tareas propias de la administración que no atañen directamente al funcionamiento del Canal, pero la política del funcionamiento sí está relacionada con la política de la administración.

Así como Panamá participará en los fines de funcionamiento y mantenimiento, también participará en la administración, en la cúspide de la empresa canalera. El fin último es el de que Panamá, a la terminación del tratado, asuma la plena responsabilidad por la administración del Canal. De no ser así la posibilidad contraria entrañaría el que, al terminar el tratado, Estados Unidos retenga el control administrativo del Canal y a Panamá se le subordine en actividades accesorias a la autoridad administrativa. Ello no guardaría armonía con las resoluciones de las Naciones Unidas sobre la soberanía permanente de los pueblos sobre sus recursos naturales.

En vista de que Estados Unidos reconoce en el punto 5 que

la posición geográfica de Panamá constituye su principal recurso, y en vista de que dicho recurso natural se hace realidad en este caso a través de la explotación del Canal, la soberanía supone el control total de la vía interoceánica. No verlo así, significaría negar la soberanía de Panamá sobre su principal recurso y negar el preámbulo del Anuncio Conjunto.

El punto 5 establece también lo siguiente:

La República de Panamá tendrá una participación justa y equitativa en los beneficios derivados de la operación del Canal en su territorio.

Otra de las causas de conflicto es la insuficiencia de beneficios "de todo orden", directos e indirectos, para Panamá. En ambos rubros, puede llegarse a la conclusión de que el saldo de beneficios netos que Panamá recibe está por debajo de cero. Incluso los que recibe en forma de ingresos resultan nominales frente al enorme subsidio que Panamá le da a Estados Unidos en todos los aspectos y frente a los costos reales que le ocasiona a Panamá una estructura económica que milita en su detrimento. Esta verdad podría comprobarse con montañas de cifras.

Por otro lado, el punto 4 también dispone que Panamá,

en su condición de soberano territorial, conferirá a los Estados Unidos de América, por la duración del nuevo tratado sobre el Canal interoceánico, y conforme se establezca en el mismo, el derecho de uso sobre las tierras, aguas y espacio aéreo que sean necesarios para... [la] protección y defensa del Canal y el tránsito de las naves.

¿Qué es protección y qué es defensa? La defensa incluye la protección, pero la protección no incluye la defensa. La protección es una función de la defensa. La defensa tiene otra función, cual es el ataque y el sistema ofensivo cuyo fin es el de destruir, neutralizar o disuadir una amenaza real o potencial. "Defensa" es la moderna versión de "guerra", que lo supone todo.

La protección entraña estructuras mucho más simples y básicas, centralizadas en un punto más o menos fijo y estático, circunscritas a un área local. En cambio, "defensa" supone toda la gama de posibilidades de la guerra y no se reduce ni a un solo tipo de elemento bélico ni a un lugar.

Al principio apuntamos que en el Anuncio Conjunto Estados Unidos y Panamá dejan abierta la posibilidad lógica de desarrollar las posiciones originales que no abandonan. Los conceptos que aparecen a lo largo del Anuncio Conjunto obedecen, unos a la posición panameña, y otros a la posición norteamericana. A nosotros, a Panamá, nos toca desarrollar y defender su posición en toda la variedad temática del tratado. Ninguna de las posiciones compromete a la otra sino en la medida que ellas se acepten, se reconozcan como compatibles y no se rechacen entre sí.

Las posiciones respectivas no se presentan siempre como compromisos, sino a veces sólo como temas de discusión, negociación y futuro acuerdo.

El Canal de esclusas es altamente vulnerable a cualquier tipo de ataque o sabotaje. Independientemente de esta realidad, el Canal requiere que se le proteja, como se protege cualquier país a pesar de que ello sea inútil contra una guerra total o nuclear.

En tiempo de paz, el Canal puede ser protegido por Panamá o por Estados Unidos, pero debe ser protegido por Panamá. En tiempo de guerra o de ataque nuclear, e incluso convencional, el Canal no puede ser defendido ni protegido con éxito por ninguna potencia, como lo han reconocido estrategas autorizados, si bien se puede establecer todo tipo de defensa independientemente de esta realidad.

Si se parte del principio de la vulnerabilidad del Canal, de que cualesquiera sistemas bélicos o de protección no serían adecuados, pero que, independientemente de esta realidad es necesario brindarle una protección al Canal, tenemos que establecer desde dónde, desde qué parte, se puede hacer esto.

Los expertos han llegado a la conclusión de que el Canal sólo puede ser defendido —sin garantías de éxito— contra un ataque nuclear desde puntos que no están situados dentro del territorio de Panamá; es decir, desde otros países o lugares. Esta convicción descarta la posibilidad de que se establezcan armas nucleares en Panamá con este fin y reduce la posibilidad de asegurarle una protección al Canal con los sistemas bélicos convencionales de aire, mar o tierra.

Desde esta perspectiva, los ataques o amenazas reales comprobadas, con armas convencionales al Canal, pueden ser agresiones externas o agresiones internas. La protección contra agresiones externas, es decir, que se originan fuera del territorio nacional, puede ser llevada a cabo con sistemas igualmente convencionales.

Pero surge aquí una dificultad. Panamá no puede, no está capacitada legal o políticamente, para autorizarle a Estados Unidos a realizar actos que tienen lugar fuera de su espacio aéreo, terrestre o marítimo.

Si dichos actos de protección del Canal por medios convencionales contra agresiones externas tienen lugar dentro del territorio nacional, ellos se confundirían sin remedio con la defensa nacional, la cual es una obligación fundamental que se desprende de la soberanía, no susceptible de ser delegada a otro país.

De igual modo, los actos de protección del Canal por medios convencionales, que responden a agresiones provenientes del interior del territorio panameño, se confunden con la seguridad nacional. Dicha protección sólo puede ser realizada por Panamá.

En ambos casos, la protección del Canal se confunde con las

tareas de defensa nacional y sería necesario establecer el criterio de que el deber soberano de defender el territorio nacional es superior y anterior a la protección del Canal como cosa independiente y no puede ser dicha defensa nacional supeditada o condicionada a la necesidad de proteger la vía interoceánica. En efecto, si el Canal estuviera bajo el control exclusivo de Panamá, la protección del mismo sería ineludiblemente un aspecto apenas de la defensa nacional.

Si el ataque es por tierra, desde otro país, habría que salirle al paso en primer lugar como necesidad de defender las fronteras nacionales. Si el ataque es por mar o por aire, sería igual. Si el ataque proviene del interior de Panamá, ello sería una tarea de mantenimiento de orden público nacional.

La soberanía nacional, externa e interna, priva sobre la función de proteger el Canal, al efecto de dos posibilidades: 1) para rechazar la protección por una potencia extranjera; 2) para subordinar dicha protección a los requisitos de la soberanía nacional.

Lo ideal sería, desde luego, que Panamá protegiera el Canal con exclusión de Estados Unidos, y éste es el objetivo histórico final. Pero la misma razón que impide que la administración, funcionamiento y mantenimiento del Canal pasen a manos panameñas mañana mismo, impide que la protección del Canal por Panamá exclusivamente sea cuestión de horas.

Los derechos conferidos a Estados Unidos sobre protección y defensa del Canal se verían constreñidos a las anteriores limitaciones y a las siguientes: que ellos no se refieran a otra cosa que el Canal y el tránsito de las naves; que ellos sean por la duración del tratado; y que ellos sean conformes con lo que se establezca en el Tratado.

Ciertamente, la situación existente en la Zona del Canal es bien distinta: Estados Unidos ha establecido un complejo militar extraordinario que no guarda relación con el Canal, sino con otros medios de defensa, unidad, paz y seguridad de Estados Unidos. El Comando Sur, la Escuela de las Américas, las academias y demás instituciones paramilitares, que probadamente no tienen relación con la protección del Canal, deberán ser desmanteladas. El desmantelamiento de las bases militares y los otros complejos estratégicos es el objetivo de Panamá en las negociaciones, a fin de que, al finalizar el tratado, Panamá posea el control militar exclusivo del Canal, paralelamente a todas las otras funciones y responsabilidades de la empresa.

En efecto, los derechos otorgados a Estados Unidos llevan la limitación y condición impuesta por el punto 7, que establece:

La República de Panamá participará con los Estados Unidos de América en la protección y defensa del Canal, de conformidad con lo que se acuerde en el nuevo tratado.

La participación conjunta de Panamá y Estados Unidos en la protección del Canal no se hace al libre arbitrio, sino que toda ella tendría que subordinarse a los requisitos de la soberanía nacional panameña, o, lo que es igual, no podría resultar como una violación o reducción de ella.

El desmantelamiento de las bases y complejos militares norteamericanos sería un programa de progresiva desmilitarización por Estados Unidos y de creciente militarización por Panamá, hasta que no quede una tropa extranjera a la terminación del tratado. Todo ello, sin perjuicio de que las fases de desmilitarización del Canal se completen posiblemente antes de la terminación del tratado.

La fase de tránsito, en lo atinente a la protección del Canal como a las otras responsabilidades, de ninguna manera se comprende como una contradicción con los objetivos históricos panameños de largo plazo, sino que se le mira como un camino hacia el objetivo final. No responde a un debilitamiento de principios establecidos públicamente por Panamá, sino al reconocimiento de una situación existente que, por su naturaleza propia, requiere un período —que debe ser el más breve posible— para desaparecer totalmente.

Aún estamos en el análisis de las posibilidades para Panamá que ofrece el Anuncio Conjunto, hecho desde el punto de vista de las mayores ventajas para nuestro país. Estas conclusiones se presentan del examen objetivo del Anuncio Conjunto, el cual se hace sin perjuicio de que esta línea de pensamiento prevalezca y sin perjuicio de que la misma sea aceptada o rechazada, en todo o en parte, por Estados Unidos.

En vista de que no estamos examinando las otras alternativas al esquema que ofrece el Anuncio Conjunto, no entramos a considerarlas, lo cual en modo alguno les restaría mérito para ser valoradas.

Mas no hay duda de que la posibilidad examinada de conformidad con el Anuncio Conjunto ofrece una imagen muy distinta a la realidad de hoy, puesto que no se mantendrían las bases militares y los complejos estratégicos, ni menos se expandirían, ni tampoco ocuparían las mismas áreas. Dejarlas intactas tal cual están, o permitir su expansión, equivaldría a legalizarlas: a darle un título legal a lo que no lo tiene; a reconocerlas como hecho legítimo. En el Anuncio Conjunto, como se desprende objetivamente, se trata de negarlas mediante un examen de principios y necesidades reales en lo que han sido y son para eliminarlas progresivamente y afirmar simultáneamente el control militar panameño.

Vale la pena recordar que las bases militares y sitios de defensa autorizados por los borradores de tratados de 1967 eran bien amplias y complejas en dimensión y función y no tenían fecha tope definida con claridad, sino que se perdía en el futuro. Por otra parte, sobre una concepción distinta de la protección del Canal, se preveía una gran posibilidad de intervenciones militares en Panamá mediante un criterio rico de causales para tales intervenciones.

El punto 8 del Anuncio Conjunto establece lo siguiente:

La República de Panamá y los Estados Unidos de América, reconociendo los importantes servicios que el Canal interoceánico de Panamá brinda al tráfico marítimo internacional, y teniendo en cuenta la posibilidad de que el presente Canal podrá llegar a ser insuficiente para dicho tráfico, convendrán bilateralmente en provisiones sobre obras nuevas que amplíen la capacidad del Canal. Esas provisiones se incorporarán en el nuevo tratado de acuerdo con los conceptos establecidos en el principio 2.

El punto 2 estipula que "el nuevo tratado relativo al Canal de esclusas tendrá una fecha de terminación fija".

¿Qué significa el concepto de "obras nuevas"? Significa tres posibilidades: 1) modernización del Canal de esclusas; 2) construcción de un tercer juego de esclusas; 3) construcción de un canal a nivel del mar. Veamos a cuáles posibilidades se refiere el punto 8.

Las obras nuevas se ven modificadas por un objetivo muy claro en el punto 8: deben ampliar la capacidad del Canal: ¿Cuál canal? Dice textualmente: "el presente Canal" y "el Canal interoceánico". Si se construye un canal al nivel del mar, esta posibilidad sería una contradicción básica con el propósito del punto 8. En este caso, no se estaría ampliando la capacidad del presente Canal interoceánico de esclusas, sino creando una nueva capacidad mediante la construcción de un nuevo canal. Y éste no es el propósito del punto 8 sobre obras nuevas. La posibilidad de que Panamá construya un canal al nivel propio no queda comprometida en el punto 8.

Quedan dos posibilidades: 1) modernización del Canal y 2) construcción de un tercer juego de esclusas. Ahora bien: estas dos posibilidades están todavía sujetas a otra condición, y ésta es, que el presente Canal llegue a ser insuficiente para dicho tráfico. Esta posibilidad no se ha dado aún y no tiene que darse. Expliquemos. La capacidad de este Canal puede ser insuficiente si la demanda del tráfico aumenta por encima de su nivel de absorción. Pero el aumento en la demanda del tráfico puede ser absorbido o satisfecho por otros medios que no son el Canal de esclusas: por ejemplo, por otros sistemas de trasporte de carga marítima que crucen el territorio panameño de un océano al otro y que signifiquen oleoductos, autopistas, sistemas de remolques, plataformas móviles por un canal motorizado; en fin, por lo que pudiera llamarse "un canal seco" fácil de establecer en

Panamá bajo su responsabilidad y sin compromisos gravosos con otras potencias.

Diversos estudios han sido emprendidos para determinar las alternativas a un canal al nivel del mar, y, también, para determinar si a Panamá le conviene o no este último. Es de esperar que los resultados de los estudios iluminen sobre la posibilidad de que se construyan o no se construyan obras nuevas basadas en nuestros intereses. En la hipótesis de que se construyan tales o cuales obras nuevas —no el canal a nivel—, todo ello quedará comprendido dentro del conjunto de actividades, responsabilidades y obras que deberán pasar a manos de Panamá al finalizar el tratado. Habrá una sola fecha.

Ahora bien: Estados Unidos ha pedido a Panamá en el pasado opciones libres sin compromiso alguno para poder modernizar el Canal, construir un tercer juego de esclusas o un canal a nivel. Paralelamente, sin requerir el consentimiento de Panamá, Estados Unidos ha introducido muchas mejoras al presente Canal a lo largo de su historia, cuya legalidad es debatible, las cuales hacen tabla rasa de las opciones solicitadas.

Basado en un canje de notas de 1939, Estados Unidos entiende que el mantenimiento al cual se refiere el Tratado de 1936 le permite hacer "expansiones y nuevas construcciones" sin límite al presente Canal. Es obvio que un interpretación indiscriminada y absoluta de dicho canje de notas, aprobado por el doctor Ricardo J. Alfaro y el doctor Narciso Garay, entrañaría un grave peligro y una amenaza a nuestras aspiraciones de recuperar el Canal, al poder prolongarle la vida de manera continua. El punto 8 tiene la gran virtud de atar a Estados Unidos en su pretensión de introducir toda clase de mejoras y nuevas expansiones al Canal, pues aquí formalmente se obliga al principio de que las obras nuevas, si han de edificarse, serán el objeto de negociación bilateral y no de decisión unilateral por parte de Estados Unidos.

De esta manera termino el análisis del Anuncio Conjunto, que ha intentado ser objetivo, en el cual hemos reconocido la lógica posibilidad de que del mismo se deriven conclusiones bien distintas y contradictorias, pero que, en el caso de Panamá, se ha hecho una aproximación analítica, un alcance, al mayor número de ventajas que nuestro país pudiera derivar de dicho instrumento de negociaciones, sin perjuicio de que prevalezca o no, de que sea aceptado o no por Estados Unidos. Hemos presentado una posibilidad y no el desarrollo de una realidad, y ella puede comprenderse como una hipótesis de trabajo.

Panamá, 4 de diciembre de 1974

11. PANAMÁ: EL PUEBLO ANTE LAS NEGOCIACIONES CON ESTADOS UNIDOS

JORGE TURNER y FEDERICO BRITTON

Las últimas modalidades relacionadas con las negociaciones para celebrar un nuevo tratado entre Estados Unidos y Panamá sobre el Canal y la Zona del Canal, nos confirman en la idea de que la nación panameña puede encontrarse en los prolegómenos de un acuerdo distanciado por completo en los pasos que la conducirán a su liberación.*

Declaraciones recientes del gobierno de Estados Unidos no dan lugar a dudas sobre los criterios que sus diplomáticos están manteniendo en las negociaciones. Y en la parte panameña no se presenta una respuesta. Nunca como ahora se han mantenido los negociadores de Panamá en una postura tan significativa de desdibujamiento de las metas nacionales, manifestando sólo preocupación por llegar a un arreglo en este año de 1975.

Veamos, en primer término, lo que se refiere a la parte norteamericana.

El 26 de abril de 1975, un vocero del presidente norteamericano Gerald Ford dijo que éste no apoyará ningún tratado sobre el Canal de Panamá "que no proteja los intereses vitales de defensa de Estados Unidos". Ese mismo día, William Rogers, secretario adjunto de Estado de Norteamérica, precisó a qué obedecía la declaración de Ford. Dijo que había un endurecimiento de la opinión pública y el Congreso norteamericanos, en relación con América Latina, por lo ocurrido en Vietnam. Indicó que, en consecuencia, Panamá podría convertirse en el "símbolo" de semejante estado de ánimo. El 16 de mayo, el jefe de los negociadores de Estados Unidos, Ellsworth Bunker, manifestó que buscará concertar un nuevo tratado con Panamá en que su país retenga, en la Zona del Canal, las tierras, aguas y espacio aéreo necesarias para la "operación y defensa" de la vía acuática.

Ha habido otras declaraciones recientes de la misma índole. Por ejemplo, las de unos miembros del Senado, el órgano a quien compete en Estados Unidos ratificar los acuerdos internacio-

* El Movimiento de Liberación Nacional 29 de Noviembre, a cuyo nombre se ha elaborado este documento, se formó de la fusión de dos organismos panameños de izquierda, y optó por la lucha armada durante la primera etapa del gobierno militar que tomó el poder en 1968. En la actualidad sus principales dirigentes se encuentran exiliados en México. Este documento fue cedido por sus autores; antes había circulado de manera limitada entre grupos estudiantiles e intelectuales de México y Panamá. [Nota del recopilador.]

nales. En la Cámara Alta estadounidense, un conjunto de senadores, lo suficientemente numeroso para impedir la aprobación de un proyecto de tratado con Panamá, anticipó que se opondrá a cualquier convenio que signifique la pérdida, para su país, de la jurisdicción sobre el Canal y la Zona del Canal. En Norteamérica, enredada en graves problemas de toda índole, se hace política frente a las elecciones presidenciales del año próximo, y el tema canalero no se desperdicia.

Por lo que hace a las actividades del gobierno de Panamá, tampoco hay razón para no mantenerse en guardia. El régimen está demostrando un gran apuro, a pesar de que no existe una coyuntura propicia, por concertar un proyecto de tratado respecto al Canal y su zona adyacente que pudiera sustituir a la Convención de 1903. Haciéndose eco de una declaración del Departamento de Estado, anunció, con bombos y platillos, la posibilidad de que en este año negociadores de los dos países terminen un proyecto de acuerdo. Si esto ocurriera, el proyecto tendría que ser sometido en Panamá a la ratificación de un plebiscito nacional. Luego del anuncio, el gobierno ha recurrido a la solidaridad internacional para precipitar los acontecimientos.

A fines de marzo de 1975, los presidentes de Colombia, Costa Rica y Venezuela, reunidos en Panamá, a petición de su gobierno manifestaron "honda preocupación" por la lentitud con que vienen desarrollándose las negociaciones con Estados Unidos para concertar un nuevo tratado y pidieron a los otros países de América Latina que materializaran su apoyo a fin de salir del estancamiento. En respuesta a esta solicitud, el presidente de México, Luis Echeverría, con una mayor comprensión del asunto, no quiso circunscribirse a demandar la aceleración de las negociaciones, sino que dio el apoyo irrestricto de su país a la causa panameña. En la Quinta Asamblea General de la OEA, reunida en mayo en Washington, se tomó un acuerdo, tras el que estuvo la diplomacia del gobierno panameño, en el que se insiste en la vaguedad y en la premura. La resolución dictada aboga por "una pronta y feliz conclusión" en las negociaciones entre Panamá y Estados Unidos.

La solidaridad internacional en favor de la emancipación de Panamá constituye uno de los prerrequisitos para obtener el triunfo. De ahí que todo panameño patriota tenga la obligación de estimar y reconocer, en todo su valor, la importancia de la adhesión internacional a su causa. Pero el gobierno de Panamá, que en diversos momentos ha apelado a la solidaridad internacional, ahora la pide sólo para apresurar las negociaciones, sin precisar sus metas y desenvolviendo su actividad en condiciones económicas muy especiales. Esto incrementa nuestras profundas reservas ante las gestiones canaleras que se realizan.

En virtud de la situación existente, el Movimiento de Liberación Nacional 29 de Noviembre, en un esfuerzo esclarecedor, emite su análisis sobre el particular, dirigiéndose por igual a las vanguardias sociales y políticas de Panamá, así como a los gobiernos y organizaciones populares del mundo, especialmente a quienes han prodigado su apoyo a la causa nuestra. Al margen de los pronunciamientos del gobierno militar, en los últimos tiempos se han elaborado, sobre el tema, suscrito por personalidades, diversos documentos que, en condiciones de ausencia de partidos políticos legales en Panamá y de las restricciones a las libertades públicas, deben considerarse sustanciales y, sobre todo, indicadores de una conciencia colectiva vigilante. El análisis que en esta oportunidad realiza el MLN-29-11 desarrolla otros trabajos de esta organización y toma en cuenta los aportes mencionados.

LA POLÍTICA ECONÓMICA DEL GOBIERNO DE PANAMÁ

El gobierno panameño, a base de una nutrida propaganda y de algunas decisiones, logró proyectarse internacionalmente como un gobierno progresista, celoso de la independencia del país y solidario con la lucha liberadora de los pueblos subdesarrollados. Entre las medidas que contribuyeron a esta imagen, figuran la decisión de reanudar relaciones con Cuba y haber logrado que el Consejo de Seguridad de la ONU se reuniera en Panamá, con la consecuencia de que se volcó el apoyo mundial a favor de la causa de nuestro país. Frente al último acontecimiento, el Movimiento de Liberación Nacional 29 de Noviembre, sin sectarismo de ninguna especie, valoró en su oportunidad la gran importancia del apoyo mundial, y lo juzgó, más allá de un respaldo al gobierno en turno, como un poderoso respaldo a la causa histórica panameña.

Sin embargo, no hay correspondencia entre la imagen que ha logrado el régimen y la realidad. En el terreno político, el gobierno tiene un carácter paternalista, de pretensiones trasclasistas que en la práctica afianzan la anacrónica estructura latifundaria de la tierra y mantienen el *statu quo* social que beneficia a las clases explotadoras. En el aspecto económico, los técnicos gubernamentales, discípulos de la llamada Escuela de Chicago, llevan a cabo una "estrategia de desarrollo" que niega abruptamente la línea de apariencia nacionalista proyectada hacia el exterior. Es tan reaccionaria la actividad económica del régimen que ni siquiera cabe clasificarla dentro de la de los países seudonacionalistas que sólo buscan la creación de nuevas relaciones de dependencia con el imperialismo. El modelo económico adoptado encamina a la sociedad panameña para que continúe desenvolviéndose dentro del marco de relaciones de producción capitalistas subordinadas en forma completa al imperialismo.

¿Qué otro significado puede tener el propósito de crear un centro financiero internacional? ¿O el persistente mantenimiento de una economía abierta, carente de banca central y de moneda propia, sin ningún tipo real de regulación de las inversiones extranjeras y, por lo tanto, inerme ante la explotación de los recursos del país por parte de las empresas trasnacionales, que encuentran en Panamá un paraíso fiscal? Durante la administración actual se ha hecho más vulnerable la economía panameña, y la política económica de estímulo a las inversiones extranjeras ha traído consigo la duplicación de la inversión directa y la quintuplicación de la deuda pública externa. Según dice el economista Xabier Gorostiaga, en *La Zona del Canal y el subdesarrollo panameño: diez tesis sobre el enclave canalero*, el endeudamiento del sector público panameño (gobierno central y entidades autónomas) es tan grande que sólo puede compararse con la deuda actual del sector público de Chile.

La política fiscal está basada en los impuestos indirectos, que recaen finalmente sobre los hombros del pueblo, y en la práctica mercantil, de corte liberal absoluto, que redunda en la acrecentación del déficit de la balanza de pagos y en la cada vez más agobiante depauperización del país y de las clases desposeídas.

La política económica del régimen militar (cimentada a base del vertiginoso endeudamiento externo, la expansión del gasto público en obras generalmente improductivas y de estímulos al capital bancario extranjero y a toda suerte de empresas trasnacionales) motiva el crecimiento lacerante de la inflación y la carestía de la vida, acentuando la explotación de las clases trabajadoras panameñas por la oligarquía y el imperialismo. En la práctica política, el gobierno se confirma como un régimen que estimula el neocolonialismo y una mayor penetración imperialista.

Dentro de esta visión de la política general del régimen y de su asombroso endeudamiento, es indispensable ubicar la política canalera que se está siguiendo. En su política económica y sus consecuentes apremios fiscales se encuentra la clave de la prisa del gobierno castrense por negociar cuanto antes un nuevo tratado con Estados Unidos. Esta urgencia podría conducir a Panamá a acuerdos inconvenientes a sus intereses. La añagaza para imponer a la opinión pública panameña un tratado negativo podría consistir en presentar el valor de lo escasamente obtenido y las obras a realizar como grandes conquistas que permitirán abatir los altos índices de pobreza y desocupación en que está inmerso nuestro pueblo.

El Movimiento de Liberación Nacional señala que no es posible separar la lucha por la soberanía territorial del país en la Zona del Canal de su más amplio contexto: la lucha en contra

de toda forma de dominación imperialista. La única política que
auspiciará el desarrollo económico panameño y el bienestar de
los amplios núcleos de población es la que promueve la recuperación de los recursos del país, hoy enajenados, para ponerlos
bajo la explotación nacional y al servicio de los trabajadores.
Pero también hay asuntos específicos, relacionados con las negociaciones en sí, que aumentan nuestra preocupación y nos orillan
a esforzarnos por precaver los intentos de traición nacional que
pudieran presentarse, anticipándonos a denunciarlos aunque se
expresen bajo disfraces atractivos.

Es urgente reforzar la vigilancia que permita derrotar cualquier intento de encontrar en las negociaciones una salida falsa.
No queremos ni mantenernos en nuestro inveterado encadenamiento, ni pasar de este antiguo encadenamiento, que data del
Tratado de 1903, a un moderno y más grueso encadenamiento a
través de un Tratado de 1975. En el documento del Movimiento
de Liberación, intitulado *Los revolucionarios panameños ante
la ONU*, de 1973, contundentemente se dice: "No aceptamos que
se negocie la sustitución del encadenamiento colonialista por
un prolongado encadenamiento neocolonialista en que el 'canal-
empresa' sea manejado por Estados Unidos."

LA GUÍA ELABORADA PARA LAS NEGOCIACIONES

La preocupación patriótica del Movimiento de Liberación Nacional 29 de Noviembre no se desprende nada más de consideraciones generales. Ella se afirma al estudiar concretamente los
8 puntos suscritos por Kissinger y Tack para servir de base o
de guía a los negociadores en la elaboración de un proyecto de
tratado. Hasta antes de estos 8 puntos, se había publicado que
Estados Unidos pedía que Panamá le otorgara derechos para
optar, con total libertad, entre la posibilidad de modernizar el
actual Canal de esclusas, o la de construir un tercer juego de esclusas, o la de hacer un canal a nivel. Con la firma de los 8 puntos, que constituye una base de cierto valor jurídico, no es for-
zoso referirse a otros antecedentes.

A la luz del Acuerdo Conjunto Kissinger-Tack se concluye
que el tratado que se planea no dará lugar, con su entrada en
vigencia, a que Panamá llegue a ser un Estado nacional definitivo,
con todos los atributos de su soberanía y dueño de su principal
recurso natural. En este sentido, el gobierno nacional, en las
explicaciones al respecto, así lo ha reconocido.

La manifiesta urgencia por negociar y concretar un tratado
puede justificarse argumentando que siempre es posible obtener
resultados que signifiquen pasos de avance en relación con la
situación de colonialismo clásico a que se encuentra sujeta una

parte de nuestro territorio. Pero, ¿no existe el peligro, asimismo, de que los aparentes pasos hacia adelante se conviertan en la práctica en grotescos pasos hacia atrás?

LAS METAS HISTÓRICAS DE PANAMÁ

Las metas históricas por las que ha venido luchando el pueblo para configurar a Panamá como un Estado realmente independiente, y que ha merecido el apoyo del Tercer Mundo y de los países socialistas, son claras y fáciles de resumir: Panamá aspira a su integridad territorial, lo cual supone la desaparición del gobierno extranjero, de la colonia de "zonians" y de las bases militares norteamericanas; Panamá aspira, asimismo, a aprovecharse, en beneficio propio, considerándola un recurso económico, de su condición ístmica natural y su ventajosa posición geográfica, instrumentada por el Canal interoceánico, hoy bajo control y provecho exclusivo de Estados Unidos. Dicho más directamente: se trata de rescatar para la jurisdicción panameña las tierras zoneítas, y de tener un canal panameño al servicio de la navegación mundial y del comercio pacífico entre los pueblos del mundo.

Las aspiraciones de Panamá envuelven los intereses del Tercer Mundo. Las bases militares norteamericanas que existen en territorio panameño sirven, ante todo, a los fines (la defensa del Canal es un pretexto) de la política agresiva contra los países subdesarrollados. Por tanto, la lucha porque se desmantelen estas bases afecta, interesa y debe contar con la solidaridad efectiva del Tercer Mundo. En el caso del Movimiento de Liberación Nacional, debe añadirse que es firme propósito suyo lograr el funcionamiento de un canal panameño consagrado al servicio de la navegación mundial y que funja como instrumento del desarrollo económico de Panamá, de América Latina y de todo el Tercer Mundo.

Se ha dicho muchas veces: el Tratado de 1903 se concertó a perpetuidad, pero, por la vía interoceánica, como funciona actualmente, ya no pueden pasar los barcos supertanques, que cada día salen en mayor número de los astilleros. Lo anterior lleva a hacer la consideración, no obstante la perpetuidad establecida, que si no se realiza una ampliación importante, lo cual prácticamente equivaldría a construir un nuevo canal, la ruta de agua periclitará irremediablemente, en unos 20 años más, como agente efectivo de impulso al comercio marítimo internacional. El proceso de deterioro del Canal debiera propiciar un gran acercamiento a la posibilidad de que Panamá, de no mediar ningún acto entreguista, recuperara dicha vía y todo lo que con pretexto del funcionamiento o la defensa de ella se ha establecido.

Si Estados Unidos optara, sin autorización panameña, por modificar sustancialmente el Canal de hoy, para ampliar su capacidad, pretendiendo basarse en el Tratado de 1903, procedería ilegalmente. El acuerdo de 1936, que modificó en algunos aspectos al de 1903, limitó los derechos de Estados Unidos sobre el Canal a su mantenimiento, funcionamiento, saneamiento y protección, suprimiendo el vocablo *construcción*. Es evidente, en base a lo que llevamos dicho, que toda nueva instalación civil canalera exige el acuerdo previo de Panamá. A esta meridiana conclusión no cabe oponerle sofismas de ninguna clase. Y si Estados Unidos procediera a hacer obra nueva, por la vía de hecho, sin autorización panameña, en tal coyuntura no habría más alternativa, para los panameños verdaderamente patriotas, que promover el desconocimiento unilateral, por parte de Panamá, del Tratado de 1903.

COTEJO ENTRE EL COMUNICADO KISSINGER-TACK
Y LAS METAS HISTÓRICAS DE PANAMÁ

En los 8 puntos suscritos entre Kissinger y Tack, que sirven de base a los negociadores, está claro, entre otras cosas, que el gobierno panameño se compromete a permitir la realización de "obras nuevas que amplíen la capacidad del Canal", y la existencia de las bases militares norteamericanas, a cambio de que Estados Unidos devuelva tierras de la zona canalera y conceda algunos beneficios económicos suplementarios. O sea que el planteamiento es así: Panamá recuperaría tierras del enclave, pero Estados Unidos seguiría controlando el Canal, facultado para prolongar su período de vida, a través de la construcción de obras nuevas, y seguiría en posesión de bases militares para apoyar su agresión contra el mundo subdesarrollado, especialmente contra América Latina. No se señala nada de un canal panameño que le permita al país aprovecharse directamente de un formidable recurso económico. Es de suponer que las aspiraciones nacionales podrían concretarse al término de la vigencia del nuevo tratado. Pero, ¿cuál será ese término? Los puntos suscritos por Kissinger y Tack no nos ilustran sobre el particular, y la nueva política exterior norteamericana nos hace pensar que se busca trasmutar la situación panameña, para darle una fijeza prolongada, de un estado de colonialismo clásico, anacrónico e insostenible, en un estado de neocolonialismo.

Si se concluye un tratado por el que Estados Unidos pueda controlar un canal renovado y seguir en sus bases militares por un plazo de vigencia muy superior al tiempo que le resta de vida efectiva al actual Canal, de mantenerse como está, nos encontraremos ante el espejismo que decíamos, en el que un ilusorio paso adelante no es otra cosa que la caída en un hoyo. Por cierto que, en el caso de una convención por tan grande número de años, no se estará cumpliendo con el propósito a que se refiere el preámbulo del Anuncio Conjunto Kissinger-Tack, de crear "una relación moderna entre dos estados, basada en el más profundo respeto mutuo".

Dentro de las obras a realizarse no sólo se han considerado las que habría que efectuar en la vía interoceánica, sino también la ampliación y modernización de la actual carretera transístmica, y la construcción de instalaciones portuarias ultramodernas y un sistema de "containers". En el caso de estas instalaciones, todas ellas deberían ser panameñas.

Pero aún hay otras preocupaciones originadas por el comunicado Kissinger-Tack. De acuerdo con él, Panamá deberá conferir a Estados Unidos, durante la vigencia de un nuevo tratado, los derechos de uso sobre tierras, aguas y espacio aéreo necesarios para el funcionamiento, protección y defensa del Canal. Asimismo, Panamá deberá cooperar en esta protección y defensa del Canal. Por una interpretación antijurídica y desmesurada del Tratado de 1903, que sobrepasa los derechos que le fueron otorgados, Estados Unidos no se limitó a tomar las providencias para la estricta protección de la vía interoceánica, sino que convirtió a Panamá en uno de los ejes de su sistema militar mundial ofensivo-defensivo, estableciendo allí su Comando Sur, toda suerte de bases, la Escuela de las Américas, diversas academias e infinitas instituciones paramilitares: policiales y de espionaje.

Se sabe. El Canal es indefendible de un ataque nuclear. Alguna posibilidad de defensa relativa existe, a lo sumo, desde puntos situados fuera del territorio de Panamá. Desde Panamá es absolutamente imposible intentar esta defensa. Esto quiere decir que las formaciones militares zoneítas y los diversos cuerpos paramilitares que hay en la Zona cumplen otra función. No hay que olvidar que la Zona del Canal sirvió de trampolín contra la Guatemala democrática en 1954; que contribuyó al desembarco de "marines" en Dominicana, en 1965, y que ayudó al desembarco de Playa Girón. Con una cita de la obra de Marchetti y Marks resulta fácil subrayar la verdadera función que realizan estos cuerpos en la zona canalera. *En la CIA y el culto del espionaje* (p. 147), estos dos ex agentes sostienen que "a partir de 1962, más de 600 'equipos móviles de instrucción' de las fuerzas especiales se han enviado a toda América Latina desde Fort Gulick, Panamá, tanto bajo el control directo de la CIA como bajo los auspicios del Pentágono".

Por lo demás, el papel de las bases militares actuales lo conocen bien los panameños, que tienen aún fresco en el recuerdo los hechos sangrientos del 9 de enero de 1964. En un nuevo tratado no debe seguir existiendo este tipo de bases y de cuerpos diversos al servicio de la agresión contra Panamá, América

Latina y el mundo. La defensa de la soberanía de Panamá debe estar exclusivamente a cargo de las fuerzas armadas del país, incluyendo la zona canalera, que forma parte del territorio nacional. Colateralmente, las grandes potencias podrían llegar a un acuerdo de neutralización del Canal de Panamá. Si, en las condiciones de hoy, existen bases militares extranjeras, esta situación irregular debe ser por tiempo limitado y preciso, circunscrita a fines taxativos, lo cual lleva implícito el desmantelamiento inmediato del complejo militar policíaco, tal como funciona hoy.

EL PELIGRO DE UN EJÉRCITO CIPAYO

Por otro lado, en los 8 puntos Kissinger-Tack se habla de que Panamá debe cooperar con Estados Unidos en la protección y defensa del Canal. La idea no sería deleznable si diera lugar a una independiente y creciente presencia de tropas panameñas en la Zona del Canal, conforme a un plan de 10 años de duración, a lo sumo, con sus etapas, y que estableciera de inmediato la supresión del gigantesco dispositivo norteamericano que hoy sirve de rampa de ataque contra el mundo subdesarrollado. Mientras se cumple el plazo de diez años, el Canal podrá ser efectivamente neutralizado por un arreglo entre las grandes potencias.

Pero hay que estar muy alerta, en cambio, contra la probable finalidad norteamericana de buscar convertir la "cooperación" en un acentuamiento del grado de supeditación de la Guardia Nacional, cuyos oficiales son instruidos hoy en día en la Zona y participan en frecuentes operaciones conjuntas con miembros del ejército estadounidense. Hay que estar vigilantes contra cualquier intentona de convertir a nuestro instituto armado en un organismo definitivamente cipayo (que de panameño sólo tendría el nombre), vestido, entrenado, alimentado y desnacionalizado por el ejército estadounidense; un organismo sin criterio patriótico e inclusive al servicio potencial de ambiciones para establecer, en colusión con el imperialismo, una dictadura de largo plazo en Panamá, que estorbara los esfuerzos revolucionarios para erigir un orden social más justo.

El imperialismo norteamericano ha mantenido en algunos aspectos líneas tradicionales de pensamiento para asegurarse nuevas formas de dominación. A Puerto Rico lo hizo pasar de una situación jurídica de colonia a la de Estado Libre Asociado. La propuesta cooperación militar Estados Unidos-Panamá, está cerca de las premisas con las que se burló la verdadera independencia de Puerto Rico e identificada con la interpretación del Tratado de Río de Janeiro que dio lugar a la última intervención en Santo Domingo. Esta asociación militar puede ser el punto de partida para separar a Panamá de los esfuerzos unificatorios que en la defensa de sus derechos realizan América Latina y el Tercer Mundo y, simultáneamente, el punto de convergencia para la ficticia asociación en la administración del Canal, y para la más amplia y paradójica asociación de opresor y oprimido, de explotador y explotado, al servicio de los propósitos del primero.

LA LUCHA DE PANAMÁ ESTÁ JUNTO A LA DEL TERCER MUNDO

La lucha victoriosa, como la concibe el Movimiento de Liberación Nacional 29 de Noviembre, debe ser nacionalista y, al mismo tiempo, internacionalista. El nacionalismo defensivo de país subdesarrollado no se opone al internacionalismo. Encerrar esfuerzos revolucionarios o independentistas en el marco estrecho de las luchas nacionales contra la oligarquía, el colonialismo y el neocolonialismo, es perder de vista que el imperialismo constituye un sistema mundial de explotación; es aislarse; es fracasar. Mucho más grave aún es asociarse con el adversario, en una relación de supeditación. La causa panameña estará cerca del triunfo cuando sea el reflejo de una gran concientización nacional y esté impulsada por la mayoría de las naciones del mundo. La concientización nacional debe expresarse en términos organizativos, para que sea el pueblo organizado, dirigido por sus vanguardias, quien vaya al cumplimiento de su destino. En lo que hace a la estrategia en el orden mundial, el Movimiento de Liberación Nacional 29 de Noviembre dijo en su Declaración de Panamá, en 1971, y lo repite ahora, que la relación de fuerzas hay que provocarla para que se dé no entre la pequeña Panamá y el coloso norteamericano, sino entre las naciones sojuzgadas y explotadas del orbe y el imperialismo estadounidense, dentro de un contexto mundial presidido por normas que consideran al colonialismo como un anacronismo.

Los debates internacionales de los últimos años le dieron una nueva dimensión a las reivindicaciones de Panamá. La lucha de los países subdesarrollados por un reajuste mundial más equitativo tendrá que involucrar los aspectos militares del asunto, el esfuerzo por eliminar las bases extranjeras, en donde se apoya la política desde posiciones de fuerza. El mismo Tratado de Río de Janeiro tendrá que ser eliminado, por responder a una época que ya quedó atrás. En tales condiciones, una convención entre Panamá y Estados Unidos que legalice el complejo militar-policíaco que hoy existe a viva fuerza en la Zona del Canal, con propósitos de agresión internacional, y permita la formación de un ejército panameño cipayo, dará lugar, además de a un nuevo encadenamiento nacional, como decíamos en el caso de firmarse un *acuerdo por más de 20 años*, a que, llegado el momento, se haga comparecer a los personeros del régimen castrense ante un tribunal popular.

El Movimiento de Liberación Nacional plantea que el actual gobierno no tiene por qué sentir como una obligación suya la de arribar a un proyecto de tratado con Estados Unidos. En el documento *Los revolucionarios panameños ante la ONU*, el MLN-29-11 sostuvo que no debe incurrirse en el riesgo de formular un borrador de convención inconveniente para los intereses nacionales, y luego someterlo a un pronunciamiento popular mediante un plebiscito. La tesis es que, simplemente, no debe convenirse en un proyecto de tal naturaleza. Esto fue muy bien resumido en un documento suscrito por 50 intelectuales panameños en que se decía: "No queremos un tratado nuevo, sino un tratado bueno." Si no nos satisface lo que ahora podemos obtener, la alternativa no es dejar las cosas como están, sino seguir luchando, por otros medios, en la búsqueda de nuestras finalidades, al lado del campo socialista, de América Latina y de todo el Tercer Mundo, que ya manifestó su disposición a hacer suyas las reivindicaciones de Panamá y de presentarlas a escala planetaria. El imperialismo está en bancarrota y no podrá mantener indefinidamente a Panamá bajo su sujeción.

EXIGENCIAS MÍNIMAS PARA UN ACUERDO CON ESTADOS UNIDOS

El Movimiento de Liberación 29 de Noviembre emplaza, por lo tanto, al gobierno actual, y le exige que no llegue con Estados Unidos a ningún tipo de acuerdo o de proyecto de tratado, si mínimamente no ha logrado algunas finalidades que propicien un verdadero paso adelante en el cumplimiento de las metas históricas del país y que coloquen a la República de Panamá al margen de un nuevo encadenamiento. Cualquier proyecto tendría que formularse, entre otros asuntos, conforme a las siguientes bases:

1) El tratado deberá ser exclusivamente sobre la actual vía interoceánica por esclusas y no incluir ningún otro tipo de concesiones a Estados Unidos para construir otro canal suyo.

2) El tratado deberá tener, como norma general, una fecha precisa de terminación, que no excederá de 20 años, a cuyo término Panamá adquirirá la propiedad plena sobre el Canal y todas sus instalaciones. (El gobierno pide 25 años.)

3) En el tratado se expresará, de modo especial, la reincorporación a Panamá, en plazo mucho más corto que el de la vigencia del tratado, de las tierras y aguas que componen la Zona del Canal, y la desarticulación de este enclave colonialista. Claramente se establecerá que aquellas tierras y aguas que estén al servicio del funcionamiento del Canal, durante el período de

vigencia del tratado, quedarán sujetas a la jurisdicción y a las leyes panameñas.

4) El tratado deberá estatuir específicamente el desmantelamiento inmediato del actual complejo militar-policíaco, al servicio de la agresión contra Panamá y otros países, limitándose las fuerzas norteamericanas que queden, por un plazo de 10 años, a la función simbólica de protección del Canal. Al finalizar este lapso, deben haber sido evacuados, por completo, los soldados extranjeros, y se debe haber concretado, con la intervención de la ONU, la neutralización del Canal.

5) El tratado no deberá contener ninguna cláusula que en la práctica permita, directa o indirectamente, abierta o solapadamente, la formación de una fuerza militar panameña asimilada a la estructura militar norteamericana.

El Movimiento de Liberación se opondrá enérgicamente, por todos los medios a su alcance, a que el gobierno castrense convenga en un proyecto de tratado que no incluya mínimamente los puntos expuestos. El mundo cambia a pasos agigantados. El hecho de que el actual gobierno haya logrado de Estados Unidos algo más de lo que se obtuvo en los proyectos de tratado "Johnson-Robles" ("Tres en Uno") demuestra que el tiempo está de nuestra parte y evoluciona en contra de las prácticas del imperialismo. Cualquier aprobación de un proyecto fuera de estos lineamientos, confirmará la reentrega del país a los intereses foráneos por estar el gobierno económica y políticamente atado a ellos.

NECESIDAD DE LIBERTADES PÚBLICAS Y DE UN NUEVO SISTEMA ELECTORAL

En otro orden de ideas, tampoco se debe convenir en un proyecto de tratado, y pensar en someterlo a un plebiscito, si previamente no se han creado las condiciones nacionales para que el conjunto de los ciudadanos, durante el sufragio, esté en aptitud de emitir una opinión consciente, basada en la debida información y, más tarde, contar con las garantías de un escrutinio impecable. El tratado es materia compleja, y un pronunciamiento sobre él exige, con antelación, debates esclarecedores. Los cinco puntos señalados anteriormente son apenas ejemplos de asuntos previsibles. Además de esto, cualquier proyecto debe ser examinado en concreto y en detalle. Pero para que haya amplios debates ilustrativos sobre el particular, es imprescindible que se satisfagan ciertos requisitos. Entre ellos debe concederse la posibilidad de la organización política y establecerse un régimen de amplias libertades públicas, que en la actualidad no existe. Propiciado el sufragio consciente, hay que establecer un sistema electoral que asegure el escrutinio impecable de que hablábamos, y no una manipulación del mismo.

Los gobiernos pasan y los pueblos quedan. Los resultados de un plebiscito del tipo del que se considera, afectarían inevitablemente la vida de varias generaciones de panameños. El grupo que hoy está en el poder no puede proceder por sí, ni confundir sus propias ideas con las de la nación. Por ello un plebiscito debe implicar, lejos de un sainete electorero, que se conceda la posibilidad de una definitiva y consciente participación nacional.

El establecimiento de un régimen de libertades públicas abarca, antes de un eventual plebiscito, el derecho, tanto para los que estuvieran en pro como para los que estuvieran en contra de un proyecto de tratado, a expresar abiertamente su opinión. Y, concomitantemente con este derecho, no sólo la facultad de hacer llegar las opiniones propias a los demás, a través de la organización política legal y de la movilización por el territorio, sino el acceso, por partes iguales, a los medios masivos de comunicación: de la radio, de la prensa y de la televisión. Tampoco habrá libertades públicas generalizadas sin un indulto, indiscriminado y absoluto, para todos los desterrados políticos panameños, entre los que se encuentran personalidades representativas de importantes sectores de opinión y destacados combatientes antimperialistas.

Asimismo, para enfrentar a un plebiscito se impone una restructuración a fondo del sistema electoral vigente, que se implantó con el presente régimen. Este sistema tiene en la cúspide del tribunal electoral a tres magistrados. De ellos, a uno le corresponde nombrarlo al general Torrijos, conforme a la facultad expresa que le otorga el artículo 277 transitorio de la Constitución en vigencia. Otro de dichos magistrados, en base al artículo 126 de la Constitución, corresponde nombrarlo a la Corte Suprema de Justicia, pero como los miembros de la Corte Suprema son designados por Torrijos, este magistrado del tribunal electoral también lo nombra él. Finalmente, el tercer magistrado lo designa la Asamblea Nacional de Representantes de Corregimientos, organismo que se presentó como una forma *sui géneris* de poder popular, pero sin poder. Los teóricos que idearon esta asamblea tuvieron la humorada de presentarla como la nueva institución que sustituía al poder legislativo de la democracia burguesa, pero sin ninguna facultad para hacer las leyes. Corresponde a una comisión de legislación, nombrada por Torrijos, la elaboración de las leyes del actual régimen militar.

EMPLAZAMIENTO AL GOBIERNO Y LLAMADO A LOS SECTORES REVOLUCIONARIOS

El Movimiento de Liberación Nacional 29 de Noviembre, constituido como una fuerza política de oposición al régimen, considera que la política de "pacificación" social que se ha seguido es completamente reaccionaria. Del mismo modo, rechaza los pretextos esgrimidos para no conceder libertades democráticas. A nuestro juicio, el procedimiento democrático permitirá desenmascarar a las mentalidades antipopulares y proimperialistas que se encuentran dentro y fuera de la administración pública.

Los sectores populares deben mantener en alto la bandera de sus intereses y sostener una lucha verdaderamente antimperialista. Es deber de la clase trabajadora impulsar la lucha revolucionaria por el cambio de las estructuras económicas y sociales del país, que es lo que a la postre promoverá el bienestar de las amplias masas de población.

En torno al problema de las negociaciones, el MLN-29-11 emplaza al gobierno presidido por Omar Torrijos y le exige no llegar a ningún acuerdo con el gobierno de Estados Unidos que no contemple las reivindicaciones mínimas expuestas; además, llama la atención de los gobiernos y organizaciones populares del mundo para que tomen en cuenta sus puntos de vista. En el plano interno, el Movimiento de Liberación Nacional se dirige a los trabajadores, campesinos, estudiantes y profesionales patrióticos y revolucionarios para que procedan de inmediato, en sus respectivos ámbitos, no obstante las dificultades existentes, a realizar campañas de clarificación nacional relacionadas con las verdaderas dimensiones del conflicto canalero y el contexto en que se ubica.

Las campañas de este tipo de concientización deben llevarse a cabo conforme a las siguientes bases:

a) Esclarecimiento de lo que es la verdadera lucha antimperialista, en términos de perseguir la liberación económica y política del país.

b) Los puntos mínimos que deben ser satisfechos para que el gobierno de Panamá acceda a un proyecto de acuerdo con el de Estados Unidos.

c) Necesidad urgente de un clima político diferente al que existe hoy, de amplias libertades públicas y sin panameños desterrados.

Ningún gran objetivo político se ha logrado por un obsequio fácil de los gobernantes, sino como consecuencia de la lucha tenaz de los pueblos, verdaderos protagonistas de la historia.

Mayo de 1975

(Movimiento de Liberación Nacional 29 de Noviembre)

ANEXOS

MANIFIESTO
DE LA JUNTA DE GOBIERNO PROVISIONAL DE PANAMÁ *

El acto trascendental que por movimiento espontáneo acaban de ejecutar los pueblos del istmo de Panamá es consecuencia inevitable de una situación que ha venido agravándose día por día.

Larga es la relación de los agravios que los habitantes del istmo hemos sufrido de nuestros hermanos de Colombia; pero esos agravios hubieran sido soportados con resignación en aras de la concordia y de la unión nacional, si su reparación hubiera sido posible y si hubiéramos podido abrigar fundadas esperanzas de mejoramiento y de progreso efectivos bajo el sistema a que se nos tenía sometidos por aquella República. Debemos declarar solemnemente que tenemos el convencimiento sincero y profundo de que era vana toda esperanza e inútil todo sacrificio de nuestra parte.

El istmo de Panamá fue gobernado por la República de Colombia con el criterio estrecho que en épocas ya remotas aplicaban a sus colonias las naciones europeas: el pueblo y el territorio istmeño era una fuente de recursos fiscales, y nada más. Los contratos y negociaciones sobre el Ferrocarril y el Canal de Panamá y las rentas nacionales recaudadas en el istmo han producido a Colombia cuantiosas sumas que no enumeramos para no aparecer en este escrito destinado a la posteridad como impulsados por un espíritu mercantil, que no ha sido ni es nuestro móvil; y de esas cuantiosas sumas el istmo no ha recibido el beneficio de un puente para ninguno de sus numerosos ríos; ni el de la construcción de un camino entre sus poblaciones, ni el de un edificio público, ni el de un colegio; ni ha visto tampoco interés alguno en fomentar sus industrias, ni se ha empleado la más ínfima parte de aquellos caudales en propender a su prosperidad.

Ejemplo muy reciente de lo que a grandes rasgos dejamos relatado es lo acontecido con las negociaciones del Canal de Panamá, consideradas por el Congreso y desechadas de un modo sumario. No faltaron hombres públicos que declararan su opinión adversa fundados en que sólo el istmo de Panamá sería favorecido con la apertura de la vía en virtud de un tratado con los Estados Unidos, y que el resto de Colombia no recibiría beneficios directos de ningún género con aquella obra, como si esa razón, aun teniéndola por evidente, justificara el daño irreparable y perpetuo que se le causaba al istmo con la improbación del tratado en la forma en que lo fue, que equivalía a cerrar la puerta a futuras negociaciones.

El pueblo del istmo, en vista de causas tan notorias ha decidido recobrar su soberanía, entrar a formar parte de la Sociedad de las naciones independientes y libres, para labrar su propia suerte, asegurar su porvenir de modo estable y desempeñar el papel a que está

---

* Con motivo de la separación de Panamá de la República de Colombia. [Nota del recopilador.]
Texto tomado del libro *Antología del Canal 1914-1939*, editor y recopilador Octavio Méndez Pereira, The Star & Herold Co., Panamá, 1939.

llamado por la situación de su territorio y por sus inmensas riquezas. A eso aspiramos los iniciadores del movimiento efectuado que tan unánime aprobación ha obtenido. Aspiramos a la fundación de una República verdadera en donde impere la tolerancia, en donde las leyes sean norma invariable de gobernantes y gobernados; en donde se establezca la paz efectiva que consiste en el juego libre y armónico de todos los intereses y de todas las actividades; y en donde, en suma, encuentren perpetuo asiento la civilización y el progreso.

Al principiar la vida de nación independiente, bien comprendemos las responsabilidades que ese estado implica, pero tenemos fe profunda en la cordura y en el patriotismo del pueblo istmeño que posee además las energías suficientes para labrarse por medio del trabajo un porvenir venturoso y sin azares ni peligros.

Al separarnos de nuestros hermanos de Colombia, lo hacemos sin rencor y sin alegría. Como un hijo que se separa del hogar paterno, el pueblo istmeño al adoptar la vía que ha escogido lo ha hecho con dolor, pero en cumplimiento de supremos e imperiosos deberes: el de su propia conservación y el de trabajar por su propio bienestar.

Entramos, pues, a formar entre las naciones libres del mundo, considerando a Colombia como nación hermana, con la cual estaremos siempre que las circunstancias lo demanden y por cuya prosperidad hacemos los más fervientes y sinceros votos.

J. A. Arango. Federico Boyd. Tomás Arias

CONVENCIÓN DEL CANAL ISTMICO *

Deseando los Estados Unidos de América y la República de Panamá asegurar la construcción de un canal para buques a través del istmo de Panamá para comunicar los océanos Atlántico y Pacífico; habiendo expedido el Congreso de los Estados Unidos de América una ley aprobada el 28 de junio de 1902 con tal fin, por la cual se autoriza al presidente de los Estados Unidos para adquirir de la República de Colombia dentro de un plazo razonable el control del territorio necesario, y residiendo efectivamente la soberanía de ese territorio en la República de Panamá, las Altas Partes Contratantes han resuelto celebrar una Convención con tal objeto, y por consiguiente, han nombrado como sus Plenipotenciarios:

El presidente de los Estados Unidos de América, a John Hay, secretario de Estado, y

El gobierno de la República de Panamá a Philippe Bunau-Varilla, enviado extraordinario y ministro plenipotenciario de la República de Panamá, especialmente facultado para tal objeto por ese gobierno, quienes después de haberse comunicado sus respectivos plenos poderes, y de haberlos hallado en buena y debida forma, han convenido y concertado los siguientes artículos:

Artículo I. Los Estados Unidos garantizan y mantendrán la independencia de la República de Panamá.

Artículo II. La República de Panamá concede a los Estados Unidos, a perpetuidad, el uso, ocupación y control de una zona de tierra y de tierra cubierta por agua para la construcción, mantenimiento, funcionamiento, saneamiento y protección del citado Canal, de diez millas de ancho que se extienden a una distancia de cinco millas a cada lado de la línea central de la ruta del Canal que se va a construir, comenzando dicha zona en el mar Caribe a tres millas marítimas de la línea media de la bajamar y extendiéndose a través del istmo de Panamá hacia el océano Pacífico hasta una distancia de tres millas marítimas de la línea media de la bajamar, con la condición de que las ciudades de Panamá y Colón y las bahías adyacentes a dichas ciudades, que están comprendidas dentro de los límites de la zona arriba descrita, no quedan incluidas en esta concesión. La República de Panamá, concede, además, a perpetuidad a los Estados Unidos, el uso, ocupación y control de cualesquiera otras tierras y aguas fuera de la zona arriba descrita, que puedan ser necesarias y convenientes para la construcción, mantenimiento, funcionamiento, saneamiento y protección del mencionado Canal, o de cualesquiera canales auxiliares u otras obras necesarias y convenientes para la construcción,

---

* (Para la construcción del Canal interoceánico), fechado el 18 de noviembre de 1903 y notificado por la Junta de Gobierno Provisional de la República de Panamá, por decreto núm. 24, del 2 de diciembre de 1903.

Se reproducen los textos de los tratados de 1903, 1933 y 1955 tomándolos del libro *Panamá y los Estados Unidos de América ante el problema del Canal*, introducción de Dulio Anoyo C., Facultad de Derecho y Ciencias Políticas, Universidad de Panamá, Panamá, 1966. [Nota del recopilador.]

mantenimiento, funcionamiento, saneamiento y protección de la citada empresa.

La República de Panamá concede, además, y de igual manera a los Estados Unidos, a perpetuidad, todas las islas que se hallen dentro de los límites de la zona arriba descrita, así como también, el grupo de pequeñas islas en la Bahía de Panamá, llamadas Perico, Naos, Culebra y Flamenco.

Artículo III. La República de Panamá concede a los Estados Unidos en la zona mencionada y descrita en el artículo II de este Convenio y dentro de los límites de todas las tierras y aguas auxiliares mencionadas y descritas en el citado artículo II, todos los derechos, poder y autoridad que los Estados Unidos poseerían y ejercitarían si ellos fueran soberanos del territorio dentro del cual están situadas las mencionadas tierras y aguas, con entera exclusión del ejercicio de tales derechos soberanos, poder o autoridad por la República de Panamá.

Artículo IV. Como derechos subsidiarios de las concesiones que anteceden, la República de Panamá concede a los Estados Unidos, a perpetuidad, el derecho de usar los ríos, riachuelos, lagos y otras masas de agua dentro de sus límites para la navegación, suministro de agua o de fuerza motriz o para otros fines, hasta donde el uso de esos ríos, riachuelos, lagos y masas de agua pueda ser necesario y conveniente para la construcción, mantenimiento, funcionamiento, saneamiento y protección del mencionado Canal.

Artículo V. La República de Panamá concede a los Estados Unidos, a perpetuidad, el monopolio para la construcción, mantenimiento y funcionamiento de cualquier sistema de comunicación por medio de canal o de ferrocarril a través de su territorio, entre el mar Caribe y el océano Pacífico.

Artículo VI. Las concesiones que aquí se expresan de ningún modo invalidarán los títulos o derechos de los ocupantes o dueños de tierras o propiedades particulares en la mencionada zona o en cualesquiera de las tierras y aguas concedidas a los Estados Unidos según las estipulaciones de cualquier artículo de este tratado, ni tampoco perjudicarán los derechos de tránsito por las vías públicas que atraviesen la mencionada zona o cualesquiera de dichas tierras o aguas, a menos que tales derechos de tránsito o derechos particulares estén en conflicto con los derechos aquí concedidos a los Estados Unidos, caso en el cual los derechos de los Estados Unidos prevalecerán. Todos los daños causados a los propietarios de tierras o de propiedades particulares de cualquier clase con motivo de las concesiones contenidas en este Tratado o con motivo de los trabajos que ejecuten los Estados Unidos, sus agentes o empleados, con motivo de la construcción, mantenimiento, funcionamiento y protección del mencionado Canal o de las obras de saneamiento y protección aquí estipuladas, serán avaluados y ajustados por una Comisión Mixta nombrada por los gobiernos de los Estados Unidos y de la República de Panamá, cuyas decisiones con respecto a esos daños serán definitivas y cuyos fallos por tales daños serán pagados únicamente por los Estados Unidos. No se impedirá, demorará o estorbará parte alguna del mencionado Canal o del Ferrocarril de Panamá o de cualquiera de las obras auxiliares relacionadas con uno y otro y autorizadas por los términos de este Tratado mientras estén pendientes los procedimientos en averiguación de esos daños.

Los avalúos de esas tierras y de las propiedades particulares y de los daños causados a éstas, tendrán por base el valor que tenían los bienes antes de la fecha de esta Convención.

Artículo VII. La República de Panamá concede a los Estados Unidos dentro de los límites de las ciudades de Panamá y Colón y sus bahías adyacentes y dentro del territorio adyacente a ellas, el derecho de adquirir por compra o en ejercicio del derecho de dominio eminente, las tierras, edificios, derechos de agua u otras propiedades que sean necesarias y convenientes para la construcción, mantenimiento, funcionamiento y protección del Canal y para cualesquiera obras de saneamiento, tales como la recogida y desagüe de inmundicias y la distribución de agua en las citadas ciudades de Panamá y Colón y que a juicio de los Estados Unidos pueden ser necesarias y convenientes para la construcción, mantenimiento, funcionamiento y protección del mencionado Canal y Ferrocarril. Todos los trabajos de saneamiento, de recogida y desagüe de inmundicias y de distribución de agua en las ciudades de Panamá y Colón serán ejecutados por cuenta de los Estados Unidos y el gobierno de los Estados Unidos, sus agentes y representantes tendrán facultad para establecer y cobrar las contribuciones de agua y de albañales que sean suficientes para proveer al pago de los intereses y a la amortización del capital invertido en esas obras en un período de cincuenta años, y a la expiración de ese período de cincuenta años el sistema de albañales y el acueducto vendrán a ser de propiedad de las ciudades de Panamá y Colón respectivamente, y el uso del agua será libre para los habitantes de Panamá y Colón, salvo la contribución de agua que sea necesario establecer para el funcionamiento y mantenimiento del mencionado sistema de albañales y del acueducto.

La República de Panamá conviene en que las ciudades de Panamá y Colón cumplirán a perpetuidad, los reglamentos de carácter preventivo o curativo dictados por los Estados Unidos y en caso de que el gobierno de Panamá no pudiere hacer efectivo o faltare a su obligación de hacer efectivo el cumplimiento de dichos reglamentos sanitarios de los Estados Unidos por las ciudades de Panamá y Colón, la República de Panamá concede a los Estados Unidos el derecho y autoridad de hacerlos efectivos.

El mismo derecho y autoridad se concede a los Estados Unidos para el mantenimiento del orden público en las ciudades de Panamá y Colón y en los territorios y bahías adyacentes, en caso de que la República de Panamá, a juicio de los Estados Unidos, no estuviere en capacidad de mantenerlo.

Artículo VIII. La República de Panamá concede a los Estados Unidos los derechos que hoy tiene y que más tarde pueda adquirir sobre los bienes de la Compañía Nueva del Canal de Panamá y de la Compañía del Ferrocarril de Panamá como resultado del traspaso de soberanía de la República de Colombia a la República de Panamá y autoriza a la Compañía Nueva del Canal de Panamá para vender y traspasar a los Estados Unidos sus derechos, privilegios, bienes y concesiones así como también el Ferrocarril de Panamá y todas las acciones o parte de las acciones de esa Compañía; pero las tierras públicas situadas fuera de la zona descrita en el artículo II de este Tratado y que están actualmente incluidas en las concesiones hechas a ambas empresas y que no sean necesarias para la construcción y funcionamiento del Canal volverán a poder de la República de Panamá, con excepción de cualesquiera bienes de que en la actualidad sean dueñas o poseedoras las mencionadas compañías dentro de Panamá o Colón o dentro de sus puertos o terminales.

Artículo IX. Los Estados Unidos respecto de los puertos en ambas entradas del Canal y sus aguas y la República de Panamá respecto de las ciudades de Panamá y Colón convienen en que ellos serán libres en todo tiempo, de modo que en ellos no se impondrán ni cobrarán peajes aduaneros, derecho de tonelaje, anclaje, faros, muellajes, pilotaje, o cuarentena ni ninguna otra contribución o impuesto sobre las naves que usen el Canal o que pasen por él o que pertenezcan a los Estados Unidos o sean empleadas por éstos, directa o indirectamente, en la construcción, mantenimiento, funcionamiento, saneamiento y protección del Canal principal u obras auxiliares, ni sobre la carga, oficiales, tripulación o pasajeros de dichas naves, con excepción de los peajes y cargas que puedan ser establecidos por los Estados Unidos por el uso del Canal u otras obras, y con excepción de los impuestos y contribuciones establecidos por la República de Panamá sobre las mercaderías introducidas para su uso y consumo en el resto de la República de Panamá, y sobre las naves que toquen en los puertos de Colón y Panamá sin pasar por el Canal.

El gobierno de la República de Panamá tendrá el derecho de establecer en esos puertos y en las ciudades de Panamá y Colón los edificios y resguardos que sean necesarios para la recaudación de impuestos sobre las importaciones destinadas a otras partes de Panamá y para prevenir el contrabando. Los Estados Unidos tendrán derecho a usar las ciudades y bahías de Panamá y Colón como lugares de anclaje, para hacer reparaciones, para cargar, descargar, depositar, o trasbordar cargamentos, ya sean en tránsito, ya sean destinadas al servicio del Canal o de otras obras relacionadas con éste.

Artículo X. La República de Panamá conviene en que no se impondrán contribuciones, ya sean nacionales, municipales, departamentales o de cualquiera otra clase sobre el Canal, los ferrocarriles y obras auxiliares, remolcadores y otras naves empleadas en el servicio del Canal, depósitos, talleres, oficinas, habitaciones para obreros, fábricas de todas clases, almacenes, muelles, maquinaria y otras obras, propiedades y efectos pertenecientes al Canal o al Ferrocarril y obras auxiliares, o a sus jefes y empleados, situados dentro de las ciudades de Panamá y Colón; y que no se impondrán contribuciones o impuestos de carácter personal de ninguna naturaleza a los jefes, empleados, obreros y otros individuos en el servicio del Canal, del Ferrocarril y obras auxiliares.

Artículo XI. Los Estados Unidos convienen en que los despachos oficiales del gobierno de la República de Panamá serán trasmitidos por las líneas telegráficas y telefónicas establecidas por el Canal y usadas para negocios públicos y privados, a ratas no mayores que las que se cobren a los funcionarios en el servicio de los Estados Unidos.

Artículo XII. El gobierno de la República de Panamá permitirá la inmigración y libre acceso a las tierras y talleres del Canal y a sus obras auxiliares a todos los empleados y obreros de cualquiera nacionalidad que estén contratados para trabajar en el Canal o que busquen empleo en él o que de cualquier manera estén relacionados con el mencionado Canal y sus obras auxiliares, con sus respectivas familias, y todas esas personas estarán exentas del servicio militar de la República de Panamá.

Artículo XIII. Los Estados Unidos podrán importar en todo tiempo a la mencionada Zona y tierras auxiliares, libres de derechos de aduana, impuestos, contribuciones u otros gravámenes, y sin ninguna restricción, buques, dragas, locomotoras, carros, maquinaria, herramientas, explosivos, materiales, abastos y otros artículos necesarios y convenientes para la construcción, mantenimiento, funcionamiento, saneamiento y protección del Canal y sus obras auxiliares, y todas las provisiones, medicinas, ropa, abastos y otros artículos necesarios y convenientes para los jefes, empleados, trabajadores y obreros al servicio y en el empleo de los Estados Unidos y para sus familias. Si tales artículos fueren enajenados para ser usados fuera de la zona y tierras auxiliares concedidas a los Estados Unidos y dentro del territorio de la República de Panamá, quedarán sujetos a los mismos derechos de importación y otros impuestos que graven iguales artículos importados bajo las leyes de la República de Panamá.

Artículo XIV. Como precio o compensación de los derechos, poderes y privilegios otorgados por este Convenio por la República de Panamá a los Estados Unidos, el gobierno de los Estados Unidos conviene en pagar a la República de Panamá la suma de diez millones de dólares ($ 10 000 000) en moneda de oro de los Estados Unidos al efectuarse el canje de las ratificaciones de este Convenio y también una anualidad, durante la vida de este Convenio, de doscientos cincuenta mil dólares ($ 250 000) en la misma moneda de oro, comenzando nueve años después de la fecha arriba expresada.

Las estipulaciones de este artículo serán en adición a todos los demás beneficios que obtiene la República de Panamá de acuerdo con esta Convención.

Pero ninguna demora o diferencia de opinión con motivo de este artículo o de cualquiera otra estipulación de este Tratado afectará o interrumpirá la completa ejecución y efecto de esta Convención en las demás partes.

Artículo XV. La Comisión Mixta a que se refiere el artículo VI será constituida de la manera siguiente:

El presidente de los Estados Unidos nombrará dos personas y el presidente de la República de Panamá nombrará dos personas, quienes procederán a dictar su fallo; pero en caso de discordia de la Comisión (con motivo de estar igualmente dividida en sus conclusiones) se nombrará un dirimente por los dos gobiernos, quien dictará el fallo. En caso de muerte, ausencia o incapacidad de un miembro de la Comisión o del dirimente, o en caso de omisión, excusa o cesación en el desempeño de sus funciones, su puesto será llenado mediante el nombramiento de otra persona del modo antes indicado. Los fallos dictados por la mayoría de la Comisión o por el dirimente serán definitivos.

Artículo XVI. Los dos gobiernos tomarán las medidas necesarias, mediante arreglos futuros, para la persecución, captura, prisión, detención y entrega a las autoridades de la República de Panamá, dentro de la mencionada Zona y tierras auxiliares, de las personas acusadas de haber cometido crímenes, delitos o faltas fuera de la citada Zona y para la persecución, captura, prisión, detención y entrega a las autoridades de los Estados Unidos, fuera de la mencionada Zona, de las personas acusadas de haber cometido crímenes, delitos y faltas dentro de dicha Zona y tierras auxiliares.

Artículo XVII. La República de Panamá concede a los Estados Unidos el uso de todos los puertos de la República abiertos al comercio, como lugares de refugio para cualesquiera naves empleadas en la empresa del Canal y para todas las naves que pasen o intenten pasar por el Canal, que hallándose en peligro se ven forzadas a arribar a dichos puertos. Tales naves estarán exentas de los impuestos de anclaje y tonelaje por parte de la República de Panamá.

Artículo XVIII. El Canal una vez construido, y sus entradas, serán neutrales a perpetuidad y estarán abiertos a la navegación en las condiciones establecidas en la Sección I del artículo III del Tratado celebrado entre los gobiernos de los Estados Unidos y la Gran Bretaña, el 18 de noviembre de 1901 y de conformidad con las demás estipulaciones del mismo.

Artículo XIX. El gobierno de la República de Panamá tendrá derecho a trasportar por el Canal sus naves y sus tropas y elementos de guerra en esas naves en todo tiempo y sin pagar derechos de ninguna clase. Esta exención se extenderá al Ferrocarril auxiliar para el trasporte de personas al servicio de Panamá, o de la fuerza de policía encargada de guardar el orden público fuera de la expresada Zona, así como sus equipajes, elementos de guerra y provisiones.

Artículo XX. Si en virtud de cualquier tratado vigente que se relacione con el territorio del istmo de Panamá y cuyas obligaciones recaigan sobre la República de Panamá o sean asumidas por ésta, hubiere privilegio o concesiones en favor del gobierno o de los ciudadanos o súbditos de una tercera potencia relativos a una vía de comunicación interoceánica, que en cualquiera de sus estipulaciones pueda ser incompatible con los términos de la presente Convención, la República de Panamá conviene en abrogar o modificar ese tratado en debida forma, para lo cual hará a la expresada tercera potencia la notificación necesaria dentro del término de cuatro meses a contar de la fecha de esta Convención; y en caso de que el tratado existente no contuviere cláusula alguna que permita su modificación o abrogación, la República de Panamá conviene en procurar su modificación o abrogación en forma tal que no haya conflicto alguno con las estipulaciones de la presente Convención.

Artículo XXI. Es entendido que los derechos y privilegios concedidos por la República de Panamá a los Estados Unidos en los artículos que preceden, están libres de toda deuda, gravamen, fideicomiso o responsabilidad anterior o de anteriores concesiones o privilegios a otros gobiernos, compañías anónimas, sindicatos o individuos, y en consecuencia, si surgieren reclamaciones a causa de las actuales concesiones y privilegios o por otra causa cualquiera, los reclamantes ocurrirán al gobierno de la República de Panamá y no a los Estados Unidos en demanda de cualquiera indemnización o transacción que sea necesaria.

Artículo XXII. La República de Panamá renuncia y concede a los Estados Unidos la participación a que pueda tener derecho en las futuras utilidades del Canal de acuerdo con el artículo xv del contrato de concesión celebrado con Lucien N. B. Wyse, del cual es dueño hoy la Compañía Nueva del Canal de Panamá, y todos los derechos o acciones de carácter pecuniario que emanen de dicha concesión o tengan relación con ella y los que emanen de las concesiones hechas a la Compañía del Ferrocarril de Panamá o de cualesquiera extensiones o modificaciones de las mismas o que con ellas se relacionen; y de igual manera renuncia, confirma y concede a los Estados Unidos, ahora y para siempre, todos los derechos y bienes reservados en las citadas concesiones que de otra manera pertenecerían a Panamá antes de expirar el término de noventa y nueve años de las concesiones otorgadas a la persona y compañías arriba mencionadas, y todos los derechos, títulos y acciones que en la actualidad tenga o que pueda tener en lo futuro en las tierras, canal, obras, bienes y derechos que tengan las citadas compañías en virtud de dichas concesiones o de cualquiera otra manera y adquiridas o que adquieran los Estados Unidos de la Compañía Nueva del Canal de Panamá o por su conducto, incluyendo cualesquiera bienes y derechos que pudieran volver en lo futuro al dominio de la República de Panamá, por caducidad, decomiso o cualquiera otra causa, en virtud de cualesquiera contratos o concesiones con el citado Wyse, la Compañía del Ferrocarril de Panamá y la Compañía Nueva del Canal de Panamá.

Los derechos y bienes arriba citados estarán y quedan desde ahora libres y relevados de todo interés, o reclamación actual o reversionaria a que Panamá tenga derecho, y el título de los Estados Unidos sobre ellos, cuando se efectúe la proyectada compra por los Estados Unidos a la Compañía Nueva del Canal de Panamá, será absoluto, en cuanto concierne a la República de Panamá, con excepción siempre de los derechos de la República específicamente asegurados por este Tratado.

Artículo XXIII. Si en cualquier tiempo fuere necesario emplear fuerzas armadas para la seguridad y protección del Canal o de las naves que lo usen, o de los ferrocarriles y obras auxiliares, los Estados Unidos tendrán derecho, en todo tiempo y a su juicio, para usar su policía y sus fuerzas terrestres y navales y para establecer fortificaciones con ese objeto.

Artículo XXIV. Ningún cambio en el gobierno o en las leyes y tratados de la República de Panamá afectarán, sin el consentimiento de los Estados Unidos, derecho alguno de los Estados Unidos de acuerdo con esta Convención, o de acuerdo con cualesquiera estipulaciones de tratados entre los dos países que en la actualidad existan o que en lo futuro puedan existir sobre la materia de esta Convención.

Si la República de Panamá llegare a formar parte en lo futuro de algún otro gobierno o de alguna unión o confederación de estados, de manera que amalgamare su soberanía o independencia en ese gobierno, unión o confederación, los derechos de los Estados Unidos, según esta Convención, no serán en manera alguna menoscabados o perjudicados.

Artículo XXV. Para mejor cumplimiento de las obligaciones de esta Convención y para la eficiente protección del Canal y el mantenimiento de su neutralidad, el gobierno de la República de Panamá venderá o arrendará a los Estados Unidos las tierras adecuadas y necesarias para estaciones navales y carboneras en la costa del Pacífico y en la costa occidental de la República sobre el Caribe, en ciertos lugares que serán convenidos con el presidente de los Estados Unidos.

Artículo XXVI. Una vez firmada esta Convención por los plenipotenciarios de las Partes Contratantes, será ratificada por los respectivos gobiernos y las ratificaciones serán canjeadas en Washington a la mayor brevedad posible.

En fe de lo cual los respectivos plenipotenciarios han firmado y sellado con sus respectivos sellos la presente Convención en dos ejemplares.

Hecha en la ciudad de Washington, a 18 de noviembre del año de Nuestro Señor mil novecientos tres.

P. Bunau-Varilla.—(Hay un sello).—John Hay.—(Hay un sello).

Ratificada por la Junta de Gobierno Provisional de la República de Panamá, el 2 de diciembre de 1903, por decreto núm. 24 de esa fecha, y conjuntamente con los demás actos ejecutados por dicha Junta, por el artículo 145 de la Constitución nacional.

Ratificada por el Senado americano el 23 de febrero de 1904.

El canje de ratificaciones se efectuó en Washington el 25 de febrero de 1904.

Declarado en vigencia por el presidente de los Estados Unidos el 26 de febrero de 1904.

Nota importante: La edición oficial de la Secretaría de Relaciones Exteriores de 1927, contiene la siguiente

ADVERTENCIA

Los debates nacionales e internacionales acerca de cuestiones relacionadas con el Tratado de 1903, sobre construcción del Canal interoceánico, han puesto de manifiesto en ocasiones numerosas y repetidas que el célebre pacto ha sido con frecuencia objeto de malas inteligencias causadas por una defectuosa traducción de su texto original al lenguaje castellano. De allí provienen los graves errores en que han incurrido personas que por desconocimiento del idioma inglés se han visto obligadas a consultar siempre la versión castellana.

El Tratado de 1903 fue extendido y firmado en aquel idioma y no en páginas de texto bilingüe como se acostumbra generalmente hacer cuando las Altas Partes Contratantes son dos que hablan lenguas diversas. Para poder incorporar el texto del tratado en el decreto aprobatorio que expidió la Junta de Gobierno Provisional fue pues necesario traducirlo y esa traducción fue hecha de prisa por varias personas que trabajaron separadamente cada una en un fragmento diferente. En semejantes circunstancias no es de extrañar que hubieran desligado varios errores graves en materia de equivalencias lexicológicas que un examen comparativo posterior fue revelado a medida que surgían cuestiones que demandaran un estudio profundizado de aquel pacto trascendental.

Siendo bastante numerosas las faltas de exactitud que contiene la versión oficial, sería prolijo enumerarlas todas. Para conocerlas y para advertir otros pecados de menor cuantía contra la elegancia del estilo y la pureza del lenguaje sería necesario comparar aquella traducción con la que sirve de motivo a estas líneas. Pero sí conviene apuntar para que se aprecie la necesidad de una nueva y correcta traducción, algunos de los errores de mayor bulto.

Por ejemplo, al enumerarse los fines para los cuales hace Panamá las concesiones que contiene el tratado se dice "conservación" (maintenance) en vez de "mantenimiento"; "servicio" (operation) en vez de "funcionamiento" y "sanidad" (sanitation) que es la calidad de sano, en lugar de "saneamiento" que es la acción de sanear. Una ojeada a los diccionarios autorizados de los dos idiomas bastará para echar de ver que las últimas son las equivalencias, propias de los términos originales.

En el artículo III, con referencia a los derechos, poder y autoridad que Panamá concede a los Estados Unidos en la Zona del Canal, la traducción castellana dice: "...los cuales poseerán y ejercitarán los Estados Unidos como si fuesen soberanos, etc." El texto inglés contiene en realidad una oración condicional de negación implícita, que puesta en español es así: "...los derechos, poder y autoridad que los Estados Unidos poseerían y ejercitarían si ellos fueran soberanos, etcétera".

El artículo VII en español parece dar a entender que los Estados Unidos asumieron la obligación de pagar el gasto de aseo de las calles de Panamá y Colón. Así lo creen de buena fe y lo han sostenido por la prensa muchas personas. La causa principal de este error es sin duda que la frase inglesa "collection and disposition of sewage" fue traducida "recogimiento (!) y disposición (!) de desperdicios", palabras que en la mente de la generalidad significaban que a los Estados Unidos les correspondía barrer las calles y botar basuras. El vocablo inglés "sewage" sirve para designar las aguas y materias inmundas que pasan por los albañales y su equivalente más aproximado en castellano es inmundicias. El artículo en realidad lo que estipula es la construcción de un sistema de albañales por los Estados Unidos, pero por cuenta de la República de Panamá que se comprometió a pagarlo por medio de la contribución llamada de agua, que se cobra en las ciudades de Panamá y Colón.

En el artículo IX la expresión "custom house tolls" fue traducida "derechos de aduana", en lugar de "peajes aduaneros" que es la equivalencia real. De allí el error bastante generalizado de que según el Tratado del Canal, los puertos de Panamá y Colón son libres, en el sentido de que la República no puede cobrar derechos de aduana o impuestos de introducción, cuando a lo que se comprometió en realidad fue a no cobrar en esos puertos los susodichos peajes.

En el mismo artículo IX hay un pasaje en que la traducción oficial suprime nada menos que los tres verbos "cargar", "descargar" y "depositar" en la enumeración de operaciones marítimas que se encuentran en el segundo inciso.

Podrían señalarse otras omisiones y faltas de exactitud, pero ello tomaría innecesariamente mucho espacio.

A la necesidad de hacer una nueva y autorizada traducción del pacto de 1903, que tan importante papel tiene en la vida nacional e

internacional de la República ha respondido don Eugenio J. Cheva-
lier, secretario de la Comisión Especial nombrada por el gobierno
panameño para negociar con los Estados Unidos el nuevo tratado que
subroga el Convenio Taft y que regula de modo permanente las relaciones creadas por la construcción y funcionamiento de la gran vía
marítima.

Esta traducción ha sido encontrada exacta y fiel en todos sus términos y giros, después de haber sido revisada y cotejada cuidadosamente con el texto original inglés, y con la posible salvedad de la
palabra "control", que aún no ha autorizado el léxico de la Real Academia Española, pero cuyo homónimo inglés no tiene equivalente en
nuestro idioma, está purgada de anglicismos, barbarismos y solecismos
y concilia la fidelidad de las equivalencias lingüísticas con la pureza
de la hermosa lengua de Castilla.

El gobierno de la República ha decidido, en consecuencia, hacer
publicar dicha traducción junto con el texto inglés, por tratarse de
un asunto de positivo interés para la nación.

Panamá, agosto 20 de 1926

TRATADO GENERAL DE AMISTAD Y COOPERACIÓN ENTRE LA REPÚBLICA DE PANAMÁ Y LOS ESTADOS UNIDOS DE AMÉRICA *

La República de Panamá y los Estados Unidos de América, animados por el deseo de fortalecer los lazos de amistad y de cooperación entre los dos países y de regular sobre una base firme y mutuamente satisfactoria algunas cuestiones que han surgido como resultado de la construcción del Canal interoceánico a través del istmo de Panamá, han resuelto celebrar un tratado y en tal virtud han designado como plenipotenciarios:

El presidente de la República de Panamá:

A los excelentísimos señores doctor Ricardo J. Alfaro, enviado extraordinario y ministro plenipotenciario de Panamá en los Estados Unidos, y doctor Narciso Garay, enviado extraordinario y ministro plenipotenciario de Panamá en misión especial; y

El presidente de los Estados Unidos de América:

Al señor Cordell Hull, secretario de Estado de los Estados Unidos de América y al señor Summer Welles, subsecretario de Estado de los Estados Unidos de América;

Quienes, habiéndose comunicado sus respectivos plenos poderes, los que han sido hallados en buena y debida forma, han convenido en lo siguiente:

Artículo I. El artículo I de la Convención del 18 de noviembre de 1903 queda subrogado así:

Habrá perfecta, firme e inviolable paz y sincera amistad entre la República de Panamá y los Estados Unidos de América y entre sus ciudadanos.

En vista de la apertura formal y oficial del Canal de Panamá el 12 de julio de 1920, la República de Panamá y los Estados Unidos de América declaran que las estipulaciones de la Convención del 18 de noviembre de 1903 tienen en mira el uso, ocupación y control por los Estados Unidos de América de la Zona del Canal y de las tierras y aguas adicionales bajo la jurisdicción de los Estados Unidos de América, para los fines del eficiente mantenimiento, funcionamiento, saneamiento y protección del Canal y de sus obras auxiliares.

Los Estados Unidos de América continuarán manteniendo el Canal de Panamá para fomento y uso del comercio interoceánico y los dos gobiernos declaran su voluntad de cooperar en cuanto les sea factible al propósito de asegurar el goce pleno y perpetuo de los beneficios de todo orden que el Canal debe proporcionar a las dos naciones que hicieron posible su construcción, así como también a todas las naciones interesadas en el comercio universal.

Artículo II. Los Estados Unidos de América declaran que la República de Panamá ha cumplido leal y satisfactoriamente las obligaciones que asumió por el artículo II de la Convención del 18 de noviembre

* Fechado en Washington el 2 de marzo de 1936, y ratificado por la Asamblea Nacional Legislativa de Panamá el 24 de diciembre de 1936 por medio de la ley 37. [Nota del recopilador.]

de 1903, por el cual concedió a perpetuidad a los Estados Unidos de América el uso, ocupación y control de la zona de tierra y de tierra cubierta por agua que se describe en dicho artículo, de las islas situadas dentro de los límites de la mencionada zona, del grupo de pequeñas islas en la bahía de Panamá nombradas Perico, Naos, Culebra y Flamenco, y de cualesquiera otras tierras y aguas fuera de la zona citada necesarias y convenientes para la construcción, mantenimiento, funcionamiento, saneamiento y protección del Canal de Panamá o de cualesquiera canales auxiliares u otras obras, y en reconocimiento de ello los Estados Unidos de América renuncian por el presente artículo a la concesión que le hizo a perpetuidad la República de Panamá, del uso, ocupación y control de tierras y aguas, además de las que ahora están bajo la jurisdicción de los Estados Unidos de América fuera de la zona descrita en el artículo II de la mencionada Convención, que fueran necesarias y convenientes para la construcción, mantenimiento, funcionamiento, saneamiento y protección del Canal de Panamá o de cualesquiera canales auxiliares u otras obras necesarias y convenientes para la construcción, mantenimiento, funcionamiento, saneamiento y protección de dicha empresa.

Si bien los dos gobiernos convienen en que la necesidad de nuevas tierras y aguas para el ensanche de las actuales facilidades del Canal se estima improbable, reconocen sin embargo, de acuerdo con las estipulaciones de los artículos I y X de este tratado, su obligación conjunta de asegurar el efectivo y continuo funcionamiento del Canal y el mantenimiento de su neutralidad, y en consecuencia, si en el evento de alguna contingencia ahora imprevista la utilización de tierras o aguas adicionales a las que se están ya usando fuere realmente necesaria para el mantenimiento, saneamiento o eficiente funcionamiento del Canal, o para su protección efectiva, los gobiernos de la República de Panamá y de los Estados Unidos de América acordarán las medidas que sea necesario tomar para asegurar el mantenimiento, saneamiento, eficiente funcionamiento y protección efectiva del Canal, en el cual los dos países tienen interés conjunto y vital.

Artículo III. Con el objeto de que la República de Panamá pueda beneficiarse de las ventajas comerciales inherentes a su posición geográfica, los Estados Unidos de América convienen:

1) La venta a individuos de artículos importados a la Zona del Canal o comprados, producidos o manufacturados allí por el gobierno de los Estados Unidos de América será limitada por éste a las personas incluidas en las categorías a) y b) de la sección 2ª de este artículo. Con respecto a las personas incluidas en las categorías c), d) y e) de la mencionada sección y miembros de sus familias, las ventas arriba referidas sólo podrán hacerse cuando tales personas residan realmente en la Zona del Canal.

2) No podrá residir en la Zona del Canal ninguna persona que no esté comprendida en las siguientes categorías:

a) Jefes, empleados, artesanos u obreros al servicio o en el empleo de los Estados Unidos de América, del Canal de Panamá o de la Compañía del Ferrocarril de Panamá y miembros de sus familias que realmente vivan con ellos;

b) Miembros de las fuerzas armadas de los Estados Unidos de América, y miembros de sus familias que realmente vivan con ellos;

c) Contratistas que trabajen en la Zona del Canal y sus empleados, artesanos y obreros durante el cumplimiento de sus contratos;

d) Jefes, empleados u obreros de compañías que tengan derecho a hacer negocios en la Zona del Canal según la sección 5 de este artículo;

e) Personas que se ocupen en actividades religiosas, de asistencia pública, de caridad, de educación, de recreo y científicas, exclusivamente en la Zona del Canal;

f) Sirvientes domésticos de todas las personas antes mencionadas y miembros de las familias de las personas correspondientes a las categorías *c*), *d*) y *e*) que realmente vivan con ellos.

3) No se darán en arrendamiento, a plazo o con sujeción a desahucio ni se subarrendarán, casas o habitaciones pertenecientes al gobierno de los Estados Unidos de América o a la Compañía del Ferrocarril de Panamá y situadas en la Zona del Canal, a personas no comprendidas en las categorías *a*) a *e*) inclusive de la sección 2ª arriba citada.

4) El gobierno de los Estados Unidos de América continuará cooperando por todos los medios apropiados con el gobierno de la República de Panamá, para prevenir violaciones de las leyes de la República en materia de aduanas y de inmigración, inclusive el contrabando al territorio bajo la jurisdicción de la República de artículos importados a la Zona del Canal o comprados, producidos o manufacturados allí por el gobierno de los Estados Unidos de América.

5) Con excepción de las empresas que tengan relación directa con el funcionamiento, mantenimiento, saneamiento o protección del Canal, o sean las de cable, navieras, petroleras o de combustible, los Estados Unidos de América no permitirán que se radiquen en la Zona del Canal más empresas comerciales privadas que las existentes allí al tiempo de firmarse este tratado.

6) En vista de la proximidad del puerto de Balboa a la ciudad de Panamá y del puerto de Cristóbal a la ciudad de Colón, los Estados Unidos de América continuarán permitiendo, de acuerdo con los reglamentos adecuados y mediante el pago de los derechos correspondientes, a las naves que entren a los puertos de la Zona o salgan de ellos, el uso y goce de los muelles y otras facilidades en los mencionados puertos, para el objeto de cargar y descargar mercaderías, y de recibir o desembarcar pasajeros que entren al territorio bajo la jurisdicción de la República de Panamá o que salgan de él.

La República de Panamá permitirá a las naves que entren a los puertos de Panamá o Colón o que zarpen de ellos, en caso de emergencia y también de acuerdo con reglamentos adecuados y mediante el pago de los derechos correspondientes, el uso y goce de los muelles y de otras facilidades de dichos puertos con el objeto de recibir y desembarcar pasajeros con destino a territorio de la República de Panamá bajo jurisdicción de los Estados Unidos de América o procedentes del mismo, y para cargar o descargar mercaderías en tránsito o destinadas al servicio del Canal o de obras pertenecientes al Canal.

7) El gobierno de los Estados Unidos de América dará a los comerciantes residentes en la República de Panamá plena oportunidad para hacer ventas a las naves que lleguen a los puertos terminales del Canal o que pasen por él, con sujeción siempre a los reglamentos administrativos pertinentes de la Zona del Canal.

Artículo IV. El gobierno de la República de Panamá no impondrá derechos de importación ni contribuciones de ninguna clase a las mercancías remitidas o consignadas a las agencias del gobierno de los Estados Unidos de América en la República de Panamá cuando las mercancías sean destinadas para el uso oficial de tales agencias, ni a las mercancías remitidas o consignadas a las personas comprendidas en las categorías a) y b) de la sección 2 del artículo III de este tratado, que residan o se hallen temporalmente en territorio bajo la jurisdicción de la República de Panamá, mientras presten sus servicios a los Estados Unidos de América, al Canal de Panamá o la Compañía del Ferrocarril de Panamá, siempre que las mercancías sean destinadas al uso y beneficio exclusivo de esas personas.

Los Estados Unidos de América no impondrán derechos de importación ni contribuciones de ninguna clase a los artículos, efectos y mercaderías que pasen del territorio bajo la jurisdicción de la República de Panamá a la Zona del Canal.

Las autoridades de los Estados Unidos de América no impondrán contribuciones de ninguna clase a las personas que residan en la República de Panamá y que pasen de la jurisdicción de la República de Panamá a la Zona del Canal, y las autoridades de la República de Panamá no impondrán contribuciones de ninguna clase a las personas en el servicio de los Estados Unidos de América o que residan en la Zona del Canal y que pasen de la Zona del Canal a territorio bajo la jurisdicción de la República de Panamá, quedando sujetas a los plenos efectos de las leyes de inmigración de la República de Panamá, todas las otras personas que pasen de la Zona del Canal a territorio bajo la jurisdicción de la República de Panamá.

En vista del hecho de que la Zona del Canal divide el territorio bajo jurisdicción de la República de Panamá, los Estados Unidos de América convienen en que, con sujeción a las disposiciones policivas que las circunstancias requieran, a los ciudadanos panameños que ocasionalmente sean deportados de la Zona del Canal se les garantizará el tránsito a través de dicha Zona para trasladarse de una parte a otra del territorio sujeto a la jurisdicción de la República.

Artículo V. El artículo IX de la Convención del 18 de noviembre de 1903 queda subrogado así:

La República de Panamá tiene el derecho de imponer a las mercancías destinadas a ser introducidas para uso y consumo en territorio bajo la jurisdicción de la República de Panamá y a las naves que toquen en puertos panameños y a los oficiales, tripulación o pasajeros de dichas naves, los impuestos o gravámenes establecidos por las leyes de la República de Panamá; conviniéndose que la República de Panamá continuará ejerciendo directa y exclusivamente su jurisdicción sobre los puertos de Panamá y Colón y la explotación, con personal panameño exclusivamente, de las obras marítimas ya establecidas o que se establezcan en dichos puertos por la República de Panamá o por su autoridad. Sin embargo, la República de Panamá no impondrá ni cobrará gravámenes o contribuciones sobre las naves que usen el Canal o que pasen por él sin tocar en puertos bajo la jurisdicción panameña, ni a los oficiales, tripulación o pasajeros de dichas naves, a no ser que entren a la República; siendo entendido además que las contribuciones y gravámenes que imponga la República de Panamá a las naves que usen el Canal o que pasen por él y que toquen en puertos bajo la jurisdicción panameña o a la carga, oficiales, tripulación o pasajeros de dichas naves, serán más altos que los que se impongan a las naves que toquen únicamente en los puertos bajo la jurisdicción panameña sin pasar por el Canal, y a la carga, oficiales, tripulación o pasajeros de dichas naves.

La República de Panamá tiene también el derecho de determinar qué personas o clases de personas que lleguen a los puertos de la Zona del Canal serán admitidas a la República de Panamá y asimismo el de determinar a qué personas o clases de personas que lleguen a esos puertos se les negará entrada a la República de Panamá.

Los Estados Unidos de América suministrarán a la República de Panamá libres de todo gravamen los sitios necesarios para la construcción de edificios para aduanas en los puertos de la Zona del Canal para la recaudación de impuestos sobre las importaciones destinadas a la República de Panamá y para el examen de mercancías, equipajes y pasajeros consignados o destinados a la República de Panamá, y para prevenir el comercio de contrabando, siendo entendido que la recaudación de impuestos y el examen de mercancías y pasajeros por los funcionarios del gobierno de la República de Panamá, de conformidad con esta estipulación, tendrá lugar únicamente en las aduanas que establezca el gobierno de la República de Panamá de acuerdo con lo aquí estipulado, y que la República de Panamá ejercerá jurisdicción exclusiva dentro de los sitios donde se hallen las aduanas en cuanto concierne a la efectividad de las leyes de inmigración y de aduanas de la República de Panamá, como también sobre los efectos de todas clases allí existentes y sobre el personal empleado en ellas.

Para asegurar el ejercicio efectivo de los derechos reconocidos anteriormente, el gobierno de los Estados Unidos de América conviene en que, con el objeto de obtener información útil para determinar si a las personas que lleguen a los puertos de la Zona del Canal con destino a puntos dentro de la jurisdicción de la República de Panamá debe permitirse o negarse la entrada a la República, los funcionarios de inmigración de la República de Panamá tendrán el derecho de libre acceso a los buques a su llegada a los muelles de Balboa o de Cristóbal llevando pasajeros con destino a la República; y que las autoridades competentes del Canal de Panamá adoptarán con respecto a las personas que entren por los puertos de la Zona del Canal con destino a puntos dentro de la jurisdicción de la República de Panamá, los reglamentos administrativos que faciliten a las autoridades de Panamá el ejercicio de su jurisdicción en la forma estipulada en el parágrafo 4º de este artículo, para los fines expuestos en el parágrafo 3º del mismo.

Artículo VI. El primer período del artículo VII de la Convención del 18 de noviembre de 1903, queda modificado omitiéndose la siguiente frase: "o por el ejercicio del derecho de dominio eminente".

El parágrafo tercero del artículo VII de la Convención del 18 de noviembre de 1903, queda abrogado.

Artículo VII. Comenzando con la anualidad pagadera en 1934 los pagos de acuerdo con el artículo XIV de la Convención del 18 de noviembre de 1903, celebrada entre la República de Panamá y los Estados Unidos de América, serán de cuatrocientos treinta mil balboas

(B/.430 000) según el convenio incorporado en canje de notas de esta fecha. Los Estados Unidos de América pueden cumplir su obligación con respecto a cualquiera de dichos pagos mediante el pago en cualquier moneda, siempre que la cantidad que se pague sea el equivalente de cuatrocientos treinta mil balboas (B/.430 000) definidos como queda expresado.

Artículo VIII. Con el fin de que la ciudad de Colón pueda disfrutar de un medio directo de comunicación por tierra, bajo jurisdicción panameña, con el resto del territorio bajo jurisdicción de la República de Panamá, los Estados Unidos de América trasfieren a la República de Panamá jurisdicción sobre un corredor cuyos límites exactos serán convenidos y demarcados por los dos gobiernos, de acuerdo con la descripción siguiente:

a) El término del corredor en Colón empalma con el extremo sur de la mitad este del Paseo del Centenario en la Calle 16 de Colón; de allí el corredor sigue en dirección general sur, paralela a la carretera Bolívar y al este de ella hasta la vecindad de la orilla norte de Silver City; de allí hacia el este cerca de la ribera de Folks River, doblando la esquina nordeste de Silver City; de allí en dirección sudeste y paralela en general al camino que va a France Field y Fort Randolph hasta cruzar el mencionado camino como a mil doscientos pies al este de la derivación este; de allí en una dirección general nordeste hasta la línea este del límite de la Zona del Canal cerca de la esquina sudeste de la Reserva de Fort Randolph al sudoeste de Cativá. El trazado aproximado del corredor es el que muestra el mapa anexo a este Tratado, firmado por los plenipotenciarios de los dos países y denominado "Anexo A".

b) La anchura del corredor será como sigue: 25 pies de ancho desde su extremo en Colón hasta un punto este de la línea sur de Silver City; de allí 100 pies de ancho hasta el camino de Fort Randolph, con la salvedad de que en cualquier cruce elevado del camino de Fort Randolph sobre el ferrocarril que pueda construirse, la anchura del corredor no será mayor que la necesaria para incluir el viaducto y no incluirá parte alguna del camino de Fort Randolph propiamente dicho ni de la servidumbre de tránsito del ferrocarril, y con la salvedad de que en caso de hacerse cruce a nivel con el camino de Fort Randolph y con el ferrocarril, el corredor quedará interrumpido por esa carretera y por el ferrocaril; a partir de ese punto el corredor tendrá 200 pies de ancho hasta la línea fronteriza de la Zona del Canal.

El gobierno de los Estados Unidos de América extinguirá cualesquiera títulos de propiedad privada existentes o que puedan existir respecto de las tierras comprendidas dentro del corredor arriba mencionado.

Los cruces de corrientes y desagües en los caminos que se construyan sobre el corredor no restringirán el paso de las aguas a menos de la capacidad de las corrientes y desagües existentes.

No se hará ninguna otra construcción en el corredor, fuera de la relativa a la construcción de una carretera y a la instalación de líneas de trasmisión de energía eléctrica, de teléfonos y de telégrafos; y las únicas actividades que serán ejercidas dentro de dicho corredor serán las correspondientes a la construcción, mantenimiento y usos comunes de una carretera y de líneas de comunicación y de trasmisión de fuerza.

Los Estados Unidos de América disfrutarán en todo tiempo el derecho al tránsito irrestricto a través del expresado corredor por cualquier punto y el de transitar a lo largo de dicho corredor, con sujeción a los reglamentos de tráfico que sean establecidos por el gobierno de la República de Panamá, y el gobierno de los Estados Unidos de América tendrá derecho al uso del corredor en cuanto pueda ser necesario para la construcción de empalmes o cruces de carreteras o ferrocarriles, de líneas de trasmisión de fuerza, aéreas o subterráneas, líneas de teléfonos, de telégrafos, o de tuberías y de canales de drenaje adicionales, a condición de que estas estructuras y el uso de ellas no estorben los fines del corredor, según lo arriba estipulado.[1]

Artículo IX. Con el fin de proveer un medio directo de comunicación por tierra con espacio para la instalación de líneas de trasmisión de energía de alta tensión, bajo jurisdicción de los Estados Unidos de América, de la represa Madden a la Zona del Canal, la República de Panamá trasfiere a los Estados Unidos de América jurisdicción sobre un corredor, cuyos límites serán demarcados por los dos gobiernos, de acuerdo con la descripción siguiente:

Una faja de tierra de 200 pies de ancho, que se extiende 62.5 pies de la línea central de la carretera Madden sobre su límite este y 137.5 pies de la línea central de la carretera Madden sobre su límite oeste, y que contiene un área de 105.8 acres o 42.81 hectáreas, como se indica en el plano que se acompaña a este Tratado, firmado por los plenipotenciarios de los dos países y marcado "Anexo B".

Comenzando en la intersección de la línea central localizada sobre la carretera Madden con la línea limítrofe de cinco millas entre la Zona del Canal y la República de Panamá, estando situado este punto al norte 29° 20′ oeste se sigue en una distancia de 168.04 pies a lo largo de la línea del mencionado límite desde el monumento limítrofe número 65, siendo la posición geodésica de dicho monumento número 65 la de 9° 07′ de latitud norte más 3 948.8 pies y 79° 37′ de longitud más 1 174.6 pies;

de allí al norte 43° 10′ este en una distancia de 541.1 pies al monumento 324, más 06.65 pies;

de allí siguiendo una curva de 3° hacia la izquierda en una distancia de 347.2 pies al monumento 327, más 53.0 pies;

de allí al norte 32° 45′ este en una distancia de 656.8 pies al monumento 334, más 10.7 pies;

de allí siguiendo una curva de 3° hacia la izquierda una distancia de 455.55 pies al monumento 338, más 66.25 pies;

de allí al norte 19° 05′ este en una distancia de 1 135.70 pies al monumento 350, más 1.95 pies;

de allí siguiendo una curva de 8° hacia la izquierda en una distancia de 650.7 pies al monumento 356, más 52.7 pies;

de allí al norte 32° 58′ oeste en una distancia de 636.0 pies al monumento 362, más 88.7 pies;

[1] Hay un canje de notas incluso en este folleto, fechadas mayo 26, 1947, y una convención firmada en Panamá el 24 de mayo de 1950.

de allí siguiendo una curva de 10° hacia la derecha en una distancia de 227.3 pies al monumento 365, más 16.0 pies;

de allí al norte 10° 14' oeste en una distancia de 314.5 pies al monumento 368, más 30.5 pies;

de allí siguiendo una curva de 5° hacia la izquierda en una distancia de 178.7 pies al monumento 370, más 09.2 pies;

de allí al norte 19° 10' oeste en una distancia de 4 250.1 pies al monumento 412, más 59.3 pies;

de allí siguiendo una curva de 5° hacia la derecha en una distancia de 720.7 pies al monumento 419, más 80.0 pies;

de allí al norte 16° 52' este en una distancia de 1 664.3 pies al monumento 436, más 44.3 pies;

de allí siguiendo una curva de 5° hacia la izquierda en una distancia de 597.7 pies al monumento 442, más 42.0 pies;

de allí al norte 13° 01' oeste en una distancia de 543.8 pies al monumento 447, más 85.8 pies;

de allí siguiendo una curva de 5° hacia la derecha en una distancia de 770.7 pies al monumento 455, más 56.5 pies;

de allí al norte 25° 31' este en una distancia de 1 492.2 pies al monumento 470, más 48.7 pies;

de allí siguiendo una curva de 5° hacia la derecha en una distancia de 808.0 pies al monumento 478, más 56.7 pies;

de allí al norte 65° 55' este en una distancia de 281.8 pies al monumento 481, más 38.5 pies;

de allí siguiendo una curva de 8° hacia la izquierda en una distancia de 446.4 pies al monumento 485, más 84.9 pies;

de allí al norte 30° 12' este en una distancia de 479.6 pies al monumento 490, más 64.5 pies;

de allí siguiendo una curva de 5° hacia la izquierda en una distancia de 329.4 pies al monumento 493, más 93.9 pies;

de allí al norte 13° 44' este en una distancia de 1 639.9 pies al monumento 510, más 33.8 pies;

de allí siguiendo una curva de 5° hacia la izquierda en una distancia de 832.3 pies al monumento 518, más 66.1 pies;

de allí al norte 27° 53' oeste en una distancia de 483.9 pies al monumento 523, más 50.0 pies;

de allí siguiendo una curva de 8° hacia la derecha en una distancia de 469.6 pies al monumento 528, más 19.6 pies;

de allí al norte 9° 41' este en una distancia de 1 697.6 pies al monumento 545, más 17.2 pies;

de allí siguiendo una curva de 10° hacia la izquierda en una distancia de 451.7 pies hasta el monumento 549, más 68.9 pies; que es el punto marcado Punto Z en el mapa arriba mencionado, denominado "Anexo B".

(Todos los rumbos se refieren al verdadero meridiano.)

El gobierno de la República de Panamá extinguirá cualesquiera títulos de propiedad privada existentes o que puedan existir respecto de las tierras comprendidas dentro del corredor arriba mencionado.

Los cruces de corrientes y desagües en todos los caminos que se construyan sobre el corredor no restringirán el paso de las aguas a menos de la capacidad de las corrientes y desagües existentes.

No se hará ninguna otra construcción en el corredor, fuera de la relativa a la construcción de una carretera y a la instalación de líneas de trasmisión de energía eléctrica, de teléfonos y de telégrafos; y las únicas actividades que serán ejercidas dentro de dicho corredor serán las correspondientes a la construcción, mantenimiento y usos comunes de una carretera, de líneas de comunicación y de trasmisión de fuerza y de las obras auxiliares de las mismas.

La República de Panamá disfrutará en todo tiempo el derecho al tránsito irrestricto a través del expresado corredor por cualquier punto y el de transitar a lo largo de dicho corredor, con sujeción a los reglamentos de tráfico que sean establecidos por las autoridades del Canal de Panamá, y el gobierno de la República de Panamá tendrá el derecho al uso del corredor en cuanto pueda ser necesario para la construcción de empalmes o cruces de carreteras o ferrocarriles, de líneas de trasmisión de fuerza, aéreas o subterráneas, líneas de teléfonos, de telégrafos o de tuberías y de canales de drenaje adicionales, a condición de que estas estructuras y el uso de ellas no estorben los fines del corredor, según lo arriba estipulado.

Artículo X. En caso de conflagración internacional o de existencia de cualquier amenaza de agresión en que peligren la seguridad de la República de Panamá o la neutralidad o seguridad del Canal de Panamá, los gobiernos de los Estados Unidos de América y de la República de Panamá tomarán las medidas de prevención y defensa que consideren necesarias para la protección de sus intereses comunes. Las medidas que parezca esencial tomar a uno de los dos gobiernos en guarda de dichos intereses y que afecten el territorio bajo la jurisdicción del otro gobierno serán objeto de consulta entre los dos gobiernos.

Artículo XI. Las estipulaciones de este Tratado no afectarán los derechos y obligaciones de ninguna de las dos Altas Partes Contratantes de conformidad con los tratados vigentes hoy entre los dos países, ni serán consideradas como limitación, definición, restricción o interpretación restrictiva de tales derechos y obligaciones, pero sin perjuicio del pleno vigor y efecto de las estipulaciones de este Tratado que constituye adición, modificación, abrogación o subrogación de las estipulaciones de los tratados anteriores.

Artículo XII. El presente Tratado será ratificado de acuerdo con las formas constitucionales de las Altas Partes Contratantes y entrará en vigor inmediatamente al canjearse las ratificaciones, lo cual tendrá lugar en Washington.

EN FE DE LO CUAL los plenipotenciarios han firmado este Tratado en duplicado en español y en inglés, siendo ambos textos auténticos, y han estampado en él sus sellos.

HECHO en la ciudad de Washington, a los dos días del mes de marzo de 1936.

R. J. Alfaro. Narciso Garay. Cordell Hull. Summer Welles.

TRATADO DE MUTUO ENTENDIMIENTO Y COOPERACIÓN
ENTRE LA REPÚBLICA DE PANAMÁ Y LOS
ESTADOS UNIDOS DE AMÉRICA *

El presidente de la República de Panamá y el presidente de los Estados Unidos de América, deseosos de celebrar un tratado que demuestre una vez más el mutuo entendimiento y la cooperación entre los dos países y fortalezca los lazos de entendimiento y amistad entre sus respectivos pueblos, han nombrado con tal propósito como sus respectivos plenipotenciarios:

El presidente de la República de Panamá: Octavio Fábrega, ministro de Relaciones Exteriores de la República de Panamá;

El presidente de los Estados Unidos de América: Selden Chapin, embajador extraordinario y ministro plenipotenciario de los Estados Unidos de América en la República de Panamá,

quienes, habiéndose comunicado sus respectivos plenos poderes, los que han sido hallados en buena y debida forma, reconociendo que ni las estipulaciones de la Convención firmada el 18 de noviembre de 1903, ni el Tratado General firmado el 2 de marzo de 1936, ni el presente Tratado, pueden ser modificados excepto por mutuo consentimiento, convienen en los siguientes artículos:

Artículo I. Comenzando con la primera anualidad pagadera después del canje de ratificaciones del presente Tratado, los pagos de acuerdo con el artículo XIV de la Convención para la construcción de un canal marítimo, celebrada entre la República de Panamá y los Estados Unidos de América el 18 de noviembre de 1903, tal como quedó modificado por el artículo VII del Tratado General de Amistad y Cooperación firmado el 2 de marzo de 1936, serán de un millón novecientos treinta mil balboas (B/.1 930 000) como los define el convenio incorporado en el canje de notas del 2 de marzo de 1936, entre los miembros de la Comisión Panameña del Tratado y el secretario de Estado de los Estados Unidos de América. Los Estados Unidos de América pueden cumplir su obligación con respecto a cualquiera de dichos pagos mediante el pago en cualquier moneda, siempre que la cantidad que se pague sea el equivalente de un millón novecientos treinta mil balboas (B/.1 930 000) definidos como queda expresado.

En la fecha del primer pago de acuerdo con el presente Tratado, las estipulaciones de este artículo subrogarán las estipulaciones del artículo VII del Tratado General firmado el 2 de marzo de 1936.

No obstante lo estipulado en este artículo, las Altas Partes Contratantes reconocen la inexistencia de obligación alguna de parte de cualquiera de las partes de alterar el monto de la anualidad.

Artículo II. 1) No obstante lo estipulado en el artículo X de la Convención firmada el 18 de noviembre de 1903 entre la República de Panamá y los Estados Unidos de América, los Estados Unidos de América convienen en que, con sujeción a las estipulaciones de los pará-

* Conocido como el Tratado Remón-Eisenhower, fechado el 25 de enero de 1955. [Nota del recopilador.]

grafos 2) y 3) del presente artículo, la República de Panamá puede establecer impuestos sobre las rentas (inclusive las obtenidas de fuentes dentro de la Zona del Canal) de todas las personas que estén empleadas en el servicio del Canal, del Ferrocarril u obras auxiliares, ya sea que residan dentro de la Zona del Canal o fuera de ella, excepto:

a) Los miembros de las fuerzas armadas de los Estados Unidos de América;

b) Los ciudadanos de los Estados Unidos de América, incluyendo aquellos que tengan doble nacionalidad, y

c) Otras personas que no sean ciudadanos de la República de Panamá y que residan dentro de la Zona del Canal.

2) Queda entendido que todo impuesto a que se refiere el parágrafo 1) de este artículo será establecido sobre una base no discriminatoria y que en ningún caso será establecido a razón mayor o más gravosa que la aplicable en general a las rentas de los ciudadanos de la República de Panamá.

3) La República de Panamá conviene en no establecer impuestos sobre las pensiones, anualidades, pagos de auxilio u otros pagos similares, o pagos en concepto de compensación por lesiones o muerte que ocurran en relación con el servicio del Canal, el Ferrocarril u obras auxiliares o que fueren incidentales a dichos servicios, cuando dichos pagos fueren hechos directamente o para beneficio de miembros de las fuerzas armadas o de ciudadanos de los Estados Unidos de América o de los beneficiarios legales de dichos miembros o ciudadanos que residan en territorio bajo la jurisdicción de la República de Panamá.

Las estipulaciones de este artículo empezarán a surtir sus efectos respecto a los años gravables que comiencen el primero de enero o después del primero de enero del año siguiente a aquel en que entre en vigor este Tratado.

Artículo III. Los Estados Unidos de América convienen, con sujeción a lo dispuesto en los parágrafos subsiguientes, en que el monopolio otorgado a perpetuidad por la República de Panamá a los Estados Unidos de América de conformidad con el artículo v de la Convención firmada el 18 de noviembre de 1903 para la construcción, mantenimiento y funcionamiento de cualquier sistema de comunicación por medio del canal o ferrocarril a través de su territorio entre el mar Caribe y el océano Pacífico, quedará abrogado en la fecha en que entre en vigor este Tratado, en cuanto se relacione con la construcción, mantenimiento y funcionamiento de cualquier sistema de comunicación transístmica por medio de ferrocarril dentro del territorio sujeto a la jurisdicción de la República de Panamá.

Los Estados Unidos de América convienen además en que, con sujeción a los parágrafos subsiguientes, el derecho exclusivo de establecer carreteras a través del istmo de Panamá adquirido por los Estados Unidos de América como resultado de la concesión otorgada por medio de contrato a la Compañía del Ferrocarril de Panamá quedará abrogado, a partir de la fecha en que este Tratado entre en vigor, en cuanto ese derecho se refiere al establecimiento de carreteras dentro del territorio sujeto a la jurisdicción de la República de Panamá.

En vista del interés vital de los dos países en la protección efectiva del Canal, las Altas Partes Contratantes convienen además en que dicha abrogación queda sujeta al entendimiento de que ningún sistema de comunicación interoceánica dentro del territorio sujeto a la jurisdicción de la República de Panamá por medio de ferrocarril o carretera podrá ser costeado, construido, mantenido o explotado por un tercer país o ciudadanos del mismo ya sea directa o indirectamente, a menos que en opinión de las dos Altas Partes Contratantes dicho costo, construcción, mantenimiento o funcionamiento no afecte la seguridad del Canal.

Las Altas Partes Contratantes convienen también en que la obligación de que trata este artículo no afectará en modo alguno el mantenimiento y funcionamiento del actual Ferrocarril de Panamá en la Zona del Canal ni en territorio sujeto a la jurisdicción de la República de Panamá.

Artículo IV. El segundo parágrafo del artículo VII de la Convención firmada el 18 de noviembre de 1903, que trata de la expedición, cumplimiento y aplicación de reglamentos sanitarios en las ciudades de Panamá y Colón, quedará abrogado en la fecha en que entre en vigor el presente Tratado.

Artículo V. Con sujeción a la expedición de la correspondiente ley o leyes por el Congreso, los Estados Unidos de América convienen en traspasar libre de costo a la República de Panamá todo derecho, título e interés que los Estados Unidos de América o sus agencias tengan sobre ciertas tierras y mejoras ubicadas en territorio sujeto a la jurisdicción de la República de Panamá, en la oportunidad y forma en que los Estados Unidos de América determinen que ya no sean necesarias para el funcionamiento, mantenimiento, saneamiento y protección del Canal de Panamá o sus obras auxiliares, o para otros fines que los Estados Unidos de América estén autorizados para llevar a cabo en la República de Panamá. Las tierras y mejoras a que se hace referencia en el período anterior y las determinaciones de los Estados Unidos de América respecto a las mismas quedan designadas y expresadas en el punto 2 del Memorándum de Entendimientos Acordados que lleva la misma fecha de este Tratado, con sujeción a la expedición de la correspondiente ley o leyes por el Congreso. También convienen los Estados Unidos de América, con sujeción a la expedición de la correspondiente ley o leyes por el Congreso, en traspasar libres de costo a la República de Panamá todos sus derechos, títulos e intereses sobre las tierras y mejoras en el área conocida como Punta Paitilla y que al efectuarse ese traspaso los Estados Unidos de América renunciarán todo derecho, poder y autoridad concedidos sobre dicha área de conformidad con la Convención firmada el 18 de noviembre de 1903. La República de Panamá conviene en mantener a salvo al gobierno de los Estados Unidos de América de toda reclamación que pueda surgir por razón del traspaso a la República de Panamá del área conocida como Punta Paitilla.

Artículo VI. El artículo V de la Convención de Límites firmada el 2 de septiembre de 1914 entre la República de Panamá y los Estados Unidos de América, quedará subrogado por las siguientes estipulaciones:

Se conviene en que los límites permanentes entre la ciudad de

Colón (inclusive la bahía de Colón, según se define en el artículo VI de la Convención de Límites firmada el 2 de septiembre de 1914, y otras aguas adyacentes a las playas de Colón) y la Zona del Canal serán los siguientes:

Partiendo de un punto no marcado que se denomina "E", el cual está situado en el lindero nordeste del corredor de Colón (en su extremidad que queda hacia Colón) y cuya posición geodésica, con referencia a la base Panamá-Colón del sistema de triangulación de la Zona del Canal es de 9° 21' más 0.000 metros (0.00 pies de latitud norte y 79° 54' más 108 536 metros (356.09 pies) de longitud occidental, se sigue desde dicho punto inicial "E" con los siguientes linderos y medidas:

En dirección este se mide una distancia de 811 632 metros (2 662.83 pies) a lo largo de latitud norte 9° 21' más 0 000 metros (0.00 pies), hasta llegar a un punto no marcado en el río Folks, denominado "F", situado a 79° 53' más 1 127 762 metros (3 700.00 pies) de longitud occidental.

Luego con rumbo norte 36° 30" este y una distancia de 797 358 metros (2 616.00 pies) se llega a un punto no marcado en la bahía de Manzanillo denominado "G".

Luego con rumbo norte 22° 41' 30" oeste y una distancia de 363 322 metros (1 192.00 pies) se llega a un punto no marcado en la bahía de Manzanillo denominado "H";

Luego con rumbo norte 56° 49' 00" oeste y una distancia de 236 830 metros (777.00 pies) se llega a un punto no marcado en la bahía de Manzanillo denominado "I";

Luego con rumbo norte 29° 51' 00" oeste y una distancia de 851 308 metros (2 793.00 pies) se llega a un punto no marcado en la bahía de Manzanillo denominado "J";

Luego con rumbo norte 50° 56' 00" oeste y una distancia de 1 003 304 metros (3 292.00 pies) se llega a un punto no marcado en la bahía de Limón denominado "K";

Luego con rumbo sur 56° 06' 11" oeste y una distancia de 1 298 100 metros (4 258.85 pies) se llega a un punto no marcado en la bahía de Limón denominado "L", situado en el lindero norte del puerto de Colón.

De allí a lo largo del lindero del puerto de Colón, según lo estipulado en el artículo VI de la Convención de Límites firmada entre la República de Panamá y los Estados Unidos de América, el 2 de septiembre de 1914, hasta llegar al monumento "D", como sigue:

En dirección norte 78° 30' 30" oeste y una distancia de 641 523 metros (2 104.73 pies), en línea con el Faro de Punta Toro hasta llegar a un punto no marcado en la bahía de Limón denominado "M", que está situado a 330 metros (1 082.67 pies) en dirección este y en ángulo recto con el eje del Canal de Panamá;

En dirección sur 00° 14' 50" oeste en línea paralela al eje del Canal de Panamá a 330 metros (1 082.67 pies) al este de dicho eje, se mide una distancia de 937 097 metros (3 074.46 pies) hasta llegar a un punto no marcado en la bahía de Limón denominado "N";

En dirección sur 78° 30' 30" este, una distancia de 1 204 868 metros (3 952.97 pies) hasta llegar al monumento "D", que es un monumento de concreto situado en la playa oriental de la bahía de Limón.

De allí a lo largo del lindero entre la ciudad de Colón y la Zona del Canal, de acuerdo con lo estipulado en el artículo v de la Convención de Límites firmada el 2 de septiembre de 1914, hasta llegar al monumento "B", como sigue:

Desde el punto "D" con rumbo sur 78° 30′ 30″ este y una distancia de 78 837 metros (258.65 pies) se pasa por los monumentos 28 y 27, que consisten en pernos de latón en el pavimento, con distancias sucesivas de 48 756 metros (159.96 pies), 8 614 metros (28.26 pies) y 21 467 metros (70.43 pies), hasta llegar al punto "D", que es un monumento de concreto.

De este punto se sigue con rumbo norte 74° 17′ 35″ este y una distancia de 162 642 metros (533.60 pies) a lo largo del eje de la Calle Once, pasando por los monumentos núms. 26, 25, 24 y 23, que consisten en pernos de latón en el pavimento, con distancias sucesivas de 29 005 metros (95.16 pies), 27 743 metros (91.02 pies), 50 813 metros (166.71 pies), 48 360 metros (158.66 pies) y 6 721 metros (22.05 pies), hasta llegar a "C", que es un punto no marcado debajo del pedestal del reloj sobre el eje de la Avenida Bolívar;

Desde este punto se sigue con rumbo sur 15° 58′ 00″ este y una distancia de 294 312 metros (965.59 pies) a lo largo del eje de la Avenida Bolívar, pasando por los monumentos núms. 22, 21, 20 y 19, que consisten en pernos de latón en el pavimento, con distancias sucesivas de 4 374 metros (14.35 pies), 43 626 metros (143.13 pies), 72 777 metros (238.77 pies), 99 600 metros (326.77 pies) y 73 935 metros (242.57 pies), hasta llegar al monumento "B", que consiste en un perno de latón. (El monumento "B" es el punto de partida a que se refiere el artículo I de la Convención entre la República de Panamá y los Estados Unidos de América, relativa al corredor de Colón y ciertos otros corredores por la Zona del Canal de Panamá, firmada en Panamá el 24 de mayo de 1950.)

De aquí a lo largo del lindero entre la ciudad de Colón y la Zona del Canal, hasta llegar al monumento "A", según lo estipulado en el artículo I de la Convención sobre el corredor a que hace referencia el párrafo anterior:

En dirección sur 15° 57′ 40″ este, se miden 35 692 metros (117.10 pies) a lo largo del eje de la Avenida Bolívar, hasta llegar al monumento núm. "A-8", que consiste en un perno de latón situado en la intersección con el eje de la Calle 14 proyectado en dirección oeste, el cual está a 9° 21′ más 413 364 metros (1 356.18 pies) de latitud norte y 70° 54′ más 567.12 metros (1 862.57 pies) de longitud occidental.

De allí con rumbo norte 73° 59′ 35″ este se mide una distancia de 52 462 metros (172.12 pies) a lo largo del eje de la Calle 14, hasta llegar al monumento núm. "A-7", que consiste en un perno de latón situado en la intersección con la línea del cordón occidental de la Calle del Límite, proyectado hacia el norte y que está a 9° 21′ más 427 830 metros (1 403.64 pies) de latitud norte y 79° 54′ más 517 283 metros (1 697.12 pies) de longitud occidental.

De allí, en dirección sur, a lo largo del cordón occidental de la Calle del Límite y su prolongación hasta el monumento núm. "A-4", que consiste en un perno de latón situado en la intersección de dos curvas a 9° 21′ más 254 042 metros (833.47 pies) de latitud norte y 79° 54′ más 298 991 metros (980.94 pies) de longitud occidental, pasando esta última línea por una curva a la izquierda con un radio de

12 436 metros (40.8 pies) y la intersección de sus tangentes en el punto "A-6", que está a 9° 21' más 398 140 metros (1 306.23 pies) de latitud norte y 79° 54' más 508 825 metros (1 669.37 pies) de longitud occidental y una curva a la derecha con un radio de 463 907 metros (1 522.00 pies) que tiene la intersección de sus tangentes en el punto "A-5", cuya latitud es de 9° 21' más 292 642 metros (958.14 pies) de latitud norte y 79° 54' más 337 076 metros (1 105.89 pies) de longitud occidental.

Desde el punto A-4 se sigue por una curva a la izquierda, la cual tiene un radio de 79 919 metros (262.2 pies), y la intersección de sus tangentes en el punto "A-3" que está a 9° 21' más 234 413 metros (769.07 pies) de latitud norte y 79° 54' más 291 216 metros (955.43 pies) de longitud occidental, y luego por una curva a la derecha de la cual tiene un radio de 97 536 metros (320.00 pies) y la intersección de sus tangentes en el punto "A-2" que está a 9° 21' más 205 247 metros (673.38 pies) de latitud norte y 79° 54' más 254 935 metros (836.40 pies) de longitud occidental y luego por una curva a la izquierda de la cual tiene un radio de 783 795 metros (2 571.5 pies) y la intersección de sus tangentes en el punto "A-1", que está a 9° 21' más 92 096 metros (302.15 pies) de latitud norte y 79° 54' más 207 557 metros (680.96 pies) de longitud occidental, llegando entonces al monumento denominado "A", que consiste en un perno redondo de latón de pulgada y media ubicado en el viejo muro frente al mar, que está a 9° 21' más 13 889 metros (45.60 pies) de latitud norte y 79° 54' más 148 636 metros (487.65 pies) de longitud occidental.

Desde allí con rumbo sur 21° 34' 50" oeste y una distancia de 8 897 metros (29.19 pies) se llega a un punto no marcado denominado núm. 1.

Luego en dirección sudeste, se mide un distancia de 7 090 metros (236.26 pies) a lo largo de una curva a la izquierda, la cual tiene un radio de 791 409 metros (2 596.48 pies) y cuya cuerda lleva la dirección sur 37° 28' 20" este, y mide 7 090 metros (23.26 pies), hasta llegar a un punto no marcado denominado núm. 2, situado en el lindero sudoeste del corredor de Colón, punto que está a 9° 21' más 0 000 metros (0.00 pies) de latitud norte.

La dirección de las líneas se refiere al meridiano verdadero.

Los linderos descritos arriba son los que aparecen en el plano de la Compañía del Canal de Panamá núm. 6117-22, titulado "Línea Limítrofe entre la ciudad de Colón y la Zona del Canal", escala 1 pulgada igual a 600 pies, fechado 23 de diciembre de 1954, preparado para el gobierno de la Zona del Canal, el cual se agrega como anexo a este Tratado y forma parte del mismo.

El artículo VIII del Tratado firmado el 2 de marzo de 1936, tal como fue reformado por el artículo III de la Convención firmada el 24 de mayo de 1950 entre la República de Panamá y los Estados Unidos de América, artículo que se refiere al corredor de Colón y a ciertos otros corredores a través de la Zona del Canal, queda modificado excluyéndose del extremo occidental o de Colón, del corredor de Colón, la parte de dicho corredor que se encuentra al norte de la latitud 9° 21' norte, de manera que dicha parte quede dentro de los límites de la ciudad de Colón arriba descritos.

Este artículo entrará en vigor al terminar la salida de los Estados

Unidos de América de los sectores de la ciudad de Colón conocidos como Nuevo Cristóbal, Playa de Colón y el área de De Lesseps, a excepción de los lotes que retenga para usos consulares, pero queda entendido que en ningún caso entrará a regir antes del canje de ratificaciones de este Tratado y del canje de los instrumentos de ratificación de la Convención firmada el 24 de mayo de 1950, a la cual se refiere el anterior parágrafo.

Artículo VII. El segundo parágrafo del artículo VII de la Convención de Límites suscrito el 2 de septiembre de 1914, entre la República de Panamá y los Estados Unidos de América, quedará totalmente abrogado en la fecha en que entre en vigor el presente Tratado.

El muelle ubicado en la pequeña ensenada situada al sur de la isla de Manzanillo, constituido de conformidad con lo estipulado en el parágrafo segundo del artículo VII de la Convención de Límites de 1914, celebrada entre los dos países, pasará a ser propiedad de la República de Panamá en la fecha en que entre en vigor el presente Tratado.

Artículo VIII. a) La República de Panamá reservará exclusivamente para fines de maniobras y adiestramiento militares el área descrita en los mapas (núms. SGN-754 y SGN-8-54, fechados ambos el 17 de noviembre de 1954) y las descripciones que los acompañan, preparados por la Comisión Catastral de la República de Panamá, anexos de este Tratado y permitirá a los Estados Unidos de América, sin costo y sin ningún gravamen, utilizar exclusivamente dicha área, para los fines indicados por un término de quince (15) años, prorrogable mediante acuerdo entre los dos gobiernos. Esta autorización incluye el libre acceso a dicha área, la salida de ella y los movimientos dentro de la misma. Esta utilización no afectará la soberanía de la República de Panamá ni la vigencia de la Constitución y leyes de la República sobre el área mencionada.

b) Las fuerzas armadas de los Estados Unidos de América, los miembros de las mismas y sus familias que realmente vivan con ellos, y los nacionales de los Estados Unidos de América al servicio de las fuerzas armadas de los Estados Unidos de América o que acompañen a las mismas, con carácter oficial, y los miembros de sus familias que realmente vivan con ellos, estarán exentos dentro de dicha área de todo impuesto de la República de Panamá o de cualquiera subdivisión política de ésta.

c) Los Estados Unidos de América tendrán derecho, antes del vencimiento del término estipulado en este artículo y dentro de un período razonable posterior al mismo y sin limitación ni responsabilidad, a retirar de esta área de adiestramiento de maniobras toda estructura, instalación, obra, equipo y suministros llevados a dicha área de adiestramiento y maniobras o construidas o erigidas dentro de ella por los Estados Unidos o por cuenta de éstos, o a disponer de tales bienes en cualquier otra forma. La República de Panamá no estará obligada a rembolsar a los Estados Unidos de América por ninguna estructura, instalación, obra, equipo y suministros no retirados o de que no se haya dispuesto en otra forma según se estipula en este artículo.

d) Los Estados Unidos de América no estarán obligados a restaurar a su estado original esta área de adiestramiento y maniobras ni las obras o instalaciones en la misma al terminar la vigencia de este artículo, excepto la pista para aeronaves, la cual será devuelta por lo menos en las mismas condiciones en que se encuentra a la fecha de entrada en vigor de este artículo.

e) Las estipulaciones de este artículo no invalidan ni modifican las estipulaciones referentes a la práctica de maniobras militares en la República de Panamá consignadas en el canje de notas accesorias al Tratado General firmado el 2 de marzo de 1936, salvo en cuanto a lo aquí estipulado respecto al área de adiestramiento y maniobras de que trata este artículo.

Artículo IX. La República de Panamá renuncia el derecho que tiene según el artículo XIX de la Convención suscrita el 18 de noviembre de 1903, al trasporte por ferrocarril dentro de la Zona del Canal y sin costo alguno, de las personas al servicio de la República de Panamá o de la fuerza de policía encargada de mantener el orden público fuera de la Zona del Canal, y de sus bagajes, municiones de guerra y provisiones.

Artículo X. Las Altas Partes Contratantes convienen en que, en el evento de que cesen las actividades del Ferrocarril de Panamá y de que los Estados Unidos de América construyan o terminen la construcción de una carretera estratégica a través del istmo, totalmente dentro de la Zona del Canal, destinada a servir primordialmente para el funcionamiento, mantenimiento, gobierno civil, saneamiento y protección del Canal de Panamá y la Zona del Canal, los Estados Unidos de América podrán a su discreción y no obstante cualquier estipulación contraria del artículo VI de la Convención firmada el 18 de noviembre de 1903, prohibir o restringir el uso del tramo de la referida carretera comprendido entre Mount Hope, Zona del Canal y el cruce de dicha carretera con la sección de la carretera transístmica que queda en la Zona del Canal y a la cual se refiere la Convención sobre carretera transístmica entre la República de Panamá y los Estados Unidos de América, firmada el 2 de marzo de 1936, por autobuses o camiones que al tiempo de usar dicho tramo no estén dedicados exclusivamente a servir las instalaciones, obras o residentes de la Zona del Canal o al trasporte de suministros para las mismas.

Artículo XI. No obstante las estipulaciones del artículo III del Tratado General firmado el 2 de marzo de 1936, la República de Panamá conviene en que los Estados Unidos de América podrán hacer extensivo al personal militar de otras naciones amigas que se encuentren en la Zona del Canal bajo el auspicio de los Estados Unidos de América el privilegio de comprar en los puestos de ventas militares artículos menudos de su conveniencia personal y artículos necesarios para uso profesional.

Artículo XII. Los Estados Unidos de América convienen en que, a partir del 31 de diciembre de 1956, quedarán excluidos del privilegio de hacer compras en los comisariatos y en otros establecimientos de venta en la Zona del Canal, así como del de hacer importaciones a la Zona del Canal, todas las personas que no sean ciudadanos de los Estados Unidos de América y que no residan realmente en la Zona del Canal, excepto los miembros de las fuerzas armadas de los Estados Unidos de América, aunque tales personas estén incluidas en las categorías de personas autorizadas para residir en dicha Zona, quedando entendido, sin embargo, que al personal de las agencias de los Estados Unidos de América se le permitirá, bajo restricciones adecuadas, la compra de artículos de escaso valor, tales como comida servida, pastillas, goma de mascar, tabaco y artículos similares, cerca del lugar de su trabajo.

Los Estados Unidos de América convienen además en que, a partir del 31 de diciembre de 1956 y no obstante las estipulaciones del primer parágrafo del artículo IV del Tratado General firmado el 2 de marzo de 1936, el gobierno de la República de Panamá podrá imponer derechos de importación y otros gravámenes a mercancías remitidas o consignadas a personas que no sean ciudadanos de los Estados Unidos de América, incluidas en la clase a) de la sección 2 del artículo III de dicho Tratado, que residan o se hallen temporalmente en territorio sujeto a la jurisdicción de la República de Panamá mientras presten sus servicios a los Estados Unidos de América o sus agencias, aunque tales mercancías sean destinadas al uso y beneficio exclusivo de esas personas.

Artículo XIII. El presente Tratado está sujeto a ratificación y los instrumentos de ratificación serán canjeados en Washington. El Tratado entrará en vigor en la fecha del canje de los instrumentos de ratificación.

En fe de lo cual los plenipotenciarios han firmado este Tratado en duplicado, en español y en inglés, siendo ambos textos auténticos, y han estampado en él sus sellos.

Hecho en la ciudad de Panamá, a los 25 días del mes de enero de 1955.

Por la República de Panamá:

(Fdo.) Octavio Fábrega

Por los Estados Unidos de América:

(Fdo.) Selden Chapin

HISTÓRICA NOTA POR MEDIO DE LA CUAL PANAMÁ ROMPIÓ CON ESTADOS UNIDOS *

A Su Excelencia Dean Rusk, secretario de Estado de los Estados Unidos de América, Washington, D. C.

Panamá, 10 de enero de 1964

Señor secretario de Estado: En nombre del gobierno y pueblo de Panamá presento a Vuestra Excelencia formal protesta por los actos de despiadada agresión llevados a cabo por las fuerzas armadas de los Estados Unidos de América acantonadas en la Zona del Canal, contra la integridad territorial de la República y su población civil indefensa durante la noche del día de ayer y la mañana de hoy.

La injustificada agresión a que antes me he referido, sin paralelo en la historia de las relaciones entre nuestros dos países, ha tenido hasta ahora para nosotros los panameños un trágico saldo de diez y siete muertos y más de doscientos heridos. Además, los edificios y bienes situados en ciertos sectores de la ciudad de Panamá colindantes con la Zona del Canal, han sufrido daños de consideración como consecuencia de los incontrolables actos agresivos de las fuerzas armadas norteamericanas.

La forma inhumana como la policía de la Zona del Canal y luego como las fuerzas armadas norteamericanas agredieron a una romería de no más de cincuenta jóvenes estudiantes de ambos sexos de escuela secundaria, que pretendían desplegar en forma pacífica la enseña nacional en esa faja de territorio panameño, carece de toda justificación. El incalificable incidente ha revivido episodios del pasado que creíamos que no volverían a ocurrir en tierras de América.

Los condenables actos de violencia que motivan esta nota no pueden ser disimulados y menos tolerados por Panamá. Mi gobierno, consciente de su responsabilidad, hará uso de todos los medios que ponen a su alcance el derecho, el sistema regional americano y los organismos internacionales, con el fin de lograr justa indemnización por las vidas truncadas, por los heridos y por los bienes destruidos, la aplicación de sanciones ejemplares a los responsables de tales desmanes y las seguridades de que en el futuro ni las fuerzas armadas acantonadas en la Zona del Canal ni la población civil norteamericana residente en esa faja de territorio nacional, volverán a desatar semejantes actos de agresión contra un pueblo débil y desarmado, pero decidido en la defensa de sus derechos inalienables.

Finalmente, cumplo con informar a Vuestra Excelencia, que de-

* Dicha nota fue enviada en horas de la tarde del día 10 de enero de 1964, directamente al Departamento de Estado por teletipo, y al día siguiente el licenciado Eloy Benedetti, asesor jurídico de la Cancillería, le entregó personalmente, a las 3 de la tarde, el original de la nota al entonces encargado de negocios de los Estados Unidos, señor Wallace Stuart. Este texto se ha tomado de la revista *Lotería*, Panamá, enero-febrero de 1964. [Nota del recopilador.]

bido a los sucesos a que antes me he referido, el gobierno de Panamá considera rotas las relaciones diplomáticas con su ilustrado gobierno, y en consecuencia, ha impartido instrucciones a Su Excelencia el embajador Augusto G. Arango, para que regrese cuanto antes a la patria.

Aprovecho la oportunidad para manifestar a Vuestra Excelencia las seguridades de mi más alta consideración.

Galileo Solís,
ministro de Relaciones Exteriores

DECLARACIÓN CONJUNTA DEL 3 DE ABRIL DE 1964 *

El presidente de la Comisión General del Consejo de la Organización de los Estados Americanos, actuando provisionalmente como órgano de consulta, se complace en anunciar que los representantes debidamente autorizados de los gobiernos de la República de Panamá y de los Estados Unidos de América, han convenido en nombre de sus gobiernos en una Declaración Conjunta que en los idiomas español e inglés se transcribe a continuación:

DECLARACIÓN CONJUNTA

De conformidad con las amistosas declaraciones de los presidentes de los Estados Unidos de América y de la República de Panamá del 21 y 24 de marzo de 1964, respectivamente, adjuntas a la presente, que coinciden en un sincero deseo de resolver favorablemente todas las diferencias de los dos países;

Reunidos bajo la presidencia del señor presidente del Consejo y luego de reconocer la valiosa cooperación prestada por la Organización de los Estados Americanos a través de la Comisión Interamericana de Paz y de la Delegación de la Comisión General del Órgano de Consulta, los representantes de ambos gobiernos han acordado:

1. Restablecer relaciones diplomáticas.

2. Designar sin demora embajadores especiales con poderes suficientes para procurar la pronta eliminación de las causas de conflicto entre los dos países, sin limitaciones ni precondiciones de ninguna clase.

3. En consecuencia, los embajadores designados iniciarán de inmediato los procedimientos necesarios con el objeto de llegar a un convenio justo y equitativo que estaría sujeto a los procedimientos constitucionales de cada país.

Washington, D. C., 3 de abril de 1964.

Por los Estados Unidos de América: (Fdo.) Ellsworth Bunker.
Por Panamá: (Fdo.) M. J. Moreno, Jr.

* Texto tomado de la revista *Lotería*, Panamá, enero-febrero de 1964.

FUNDAMENTOS DE LA POSICIÓN DE LA CANCILLERÍA PANAMEÑA EN RELACIÓN CON EL RECHAZO POR PARTE DE PANAMÁ DE LOS TRES PROYECTOS DE TRATADOS DE 1967 *

I

La lucha tenaz y penosa que Panamá sostuvo por más de sesenta años contra las injusticias e iniquidades de la Convención del Canal Ístmico, suscrita el 18 de noviembre de 1903, tuvo su culminación en los trágicos, dolorosos y sangrientos sucesos del 9 de enero de 1964, que causaron la ruptura, por parte de Panamá, de sus relaciones diplomáticas con el gobierno de Washington, ruptura que brindó a Panamá, en medio de la conmoción que creó, la imprevista y oportuna coyuntura para lograr la apertura de negociaciones para un nuevo tratado que sustituyera el de 1903, como condición para reanudar las relaciones diplomáticas.

Durante casi tres meses de contactos, con la mediación de la Organización de Estados Americanos, la tenaz resistencia del gobierno de los Estados Unidos de América para admitir negociar nuevos convenios, se vio enfrentada por la igualmente tenaz insistencia de Panamá en su inflexible posición.

Cuando todo parecía augurar el más rotundo fracaso de la mediación por estarse disipando las posibilidades de un acuerdo entre los representantes de ambos gobiernos, hizo el presidente Lyndon B. Johnson, en conferencia de prensa el día *21 de marzo de 1964,* declaraciones de las cuales copiamos las siguientes frases cuyo efecto sedante no se hizo esperar:

"Estamos plenamente conscientes de que las demandas que hace el gobierno de Panamá y la mayoría del pueblo panameño no surgen de malicia o del odio hacia los Estados Unidos de América."

"Tan pronto como sea invitado por Panamá, nuestro embajador se pondrá en camino. Designaremos también un representante especial, quien llegará con plenos poderes para tratar cualquier dificultad. *Se le encomendará la responsabilidad de buscar una solución que reconozca las demandas razonables de Panamá."*

Tres días después, el presidente Roberto F. Chiari hizo una declaración a la prensa, de la cual copiamos las siguientes frases:

"...ambas naciones han tenido serias dificultades debido a cláusulas contractuales existentes desde 1903 *que lesionan la dignidad de Panamá. Es allí donde está la causa de los graves conflictos que en la actualidad nos mantienen distanciados."*

"...no comprendo por qué se elude la necesidad de ir al fondo de la cuestión para *erradicar las causas de conflicto...*"

---

* Texto oficial publicado por la Cancillería el 5 de septiembre de 1970. Tomado del *Anuario de Derecho,* núm. 10, año x, Facultad de Derecho y Ciencias Políticas, Universidad de Panamá, Panamá, 1972. [Nota del recopilador.]

"Si esto nos ha de llevar a un *convenio justo y equitativo,* yo estoy dispuesto a actuar en ese sentido."

Fue así como, después de nuevos esfuerzos mediadores del Consejo de la Organización de Estados Americanos, los representantes de Panamá y Estados Unidos suscribieron el *3 de abril de 1964* una Declaración Conjunta en la cual acordaron los tres puntos siguientes:

"1. Restablecer relaciones diplomáticas.

"2. Designar sin demora embajadores especiales con poderes suficientes para *procurar la pronta eliminación de las causas de conflicto entre los dos países,* sin limitaciones ni precondiciones de ninguna clase.

"3. En consecuencia, los embajadores designados iniciarán de inmediato los procedimientos necesarios *con el objeto de llegar a un convenio justo y equitativo* que estaría sujeto a los procedimientos constitucionales de cada país."

Quedó, pues, claramente entendido que las negociaciones que se iniciaron entre Panamá y los Estados Unidos de América en cumplimiento de la Declaración Conjunta de 3 de abril de 1964, tenían por objeto *"procurar la pronta eliminación de las causas de conflicto entre los dos países"* mediante "los procedimientos necesarios *con objeto de llegar a un convenio justo y equitativo".*

Después de tres años de negociaciones, el ministro de Relaciones Exteriores de Panamá, ingeniero Fernando Eleta y los negociadores panameños señores Roberto Alemán, Diógenes de la Rosa y Ricardo M. Arias Espinosa, presentaron al presidente de la República, don Marco A. Robles, como resultado final de las negociaciones conducidas por ellos, tres proyectos de tratados que deberían ser afirmados simultáneamente, y cuyos títulos son los siguientes:

1. Tratado del Canal de Panamá;

2. Tratado para la Construcción de un Canal a Nivel del Mar por Panamá; y

3. Tratado de Defensa del Canal de Panamá y de su Neutralidad.

El camino más expedito y obvio a seguir para formarse un juicio crítico sobre lo aceptable, Panamá —de los tres proyectos mencionados, es el de determinar si ellos responden o no a los objetivos o finalidades que tanto Panamá como Estados Unidos de América pactaron en la *Declaración Conjunta del 3 de abril de 1964;* es decir, si esos proyectos son *"justos y equitativos"* para Panamá y si ellos *"procuran la pronta eliminación de las causas de conflicto entre los dos países".*

II

Siguiendo la sencilla lógica del silogismo, comenzaremos por buscar como premisa mayor, *cuáles son, para Panamá, las causas de conflicto que tienen su origen en los tratados hoy vigentes con Estados Unidos de América.*

Conviene aclarar que estas causas de conflicto aluden únicamente a las relaciones contractuales vigentes que emanan del actual Canal de esclusas, ya que como el proyecto de Tratado para el Canal a Nivel y el proyecto de Tratado de Defensa aún no han sido firmados, no pueden ellos ser todavía causa de conflictos.

*Las causas de conflicto que arrancan de la Convención de 1903
pueden resumirse,* por su importancia y trascendencia, así:

1ª *La perpetuidad.* Toda estipulación a perpetuidad lleva, en derecho
internacional, la semilla de su propia ineficacia por el principio univer-
salmente admitido de *rebus sic stantibus* que deja sin eficacia una estipulación cuando han variado las circunstancias que prevalecieron
al adoptarse.

2ª *El ejercicio irrestricto de jurisdicción política y autoridad administrativa de Estados Unidos en la Zona del Canal, con exclusión y
menosprecio de los derechos que se reservó el soberano territorial.* Es
lo que un estadista norteamericano llamó *"the overwhelming presence
of the United States in Panama".* En el Tratado General de 1936, Estados Unidos y Panamá declararon que *"las estipulaciones de la Convención de 18 de noviembre de 1903 tienen en mira el uso, ocupación
y control por los Estados Unidos de América de la Zona del Canal
y de las tierras y aguas adicionales bajo la jurisdicción de los Estados
Unidos de América, pues los fines del eficiente mantenimiento, funcionamiento, saneamiento y protección del Canal y de sus obras auxiliares.*

Según esta clara estipulación del Tratado General de 1936, lo que
no fuera necesario para *mantener, funcionar, sanear y proteger el
Canal,* quedaba excluido de las estipulaciones de la citada Convención
de 1903 y sometido a la jurisdicción y leyes de la República, cosa esta
que Estados Unidos de América se ha negado a reconocer, con lo cual
ha creado y mantenido, arbitrariamente, una fuente permanente y
abundante de conflictos entre las dos naciones, especialmente *en la
administración de justicia; en la autoridad de policía;* en actividades
comerciales e industriales en competencia con Panamá; en la restricción de entrada de productos panameños a los mercados de la Zona
del Canal; en la evasión de ingresos fiscales de la República; en la
inaccesibilidad a la Zona del Canal para los funcionarios panameños
que podrían exigir allá el cumplimiendo de la ley panameña a personas que están obligadas a acatarla; en la falta de coordinación de
actividades administrativas en las áreas colindantes de la jurisdicción
panameña con la Zona del Canal; en actividades de toda clase (sociales, culturales, científicas, caritativas, religiosas); en la prestación
de servicios públicos; y en muchos otros casos análogos que sería
muy largo enumerar aquí.

3ª En el Tratado General de 1936, "en vista de la apertura formal
y oficial del Canal de Panamá", Panamá y Estados Unidos de América
acordaron suprimir de los fines del Tratado de 1903, *la palabra "construcción",* quedando así reducidos esos fines al "mantenimiento, funcionamiento, saneamiento y protección del Canal". No obstante esta
estipulación acordada en 1936, *Estados Unidos ha continuado, sin
consultar y ni siquiera informar a Panamá, efectuando obras de gran
magnitud, dentro de la Zona del Canal,* que no tienen relación alguna
con el mantenimiento y protección del Canal, creando y manteniendo
así otra fuente inagotable de conflictos entre las dos naciones.

4ª El Tratado de 1903 concedió a Estados Unidos el derecho de
proteger el Canal y ese derecho fue regulado por el artículo XXIII
de dicho Tratado, limitándolo a *"usar su policía y sus fuerzas terrestres y navales y para establecer fortificaciones" "para la protección y*

seguridad del Canal o de las naves que lo usen, o de los ferrocarriles y obras auxiliares".

No obstante las limitaciones impuestas a Estados Unidos por el citado artículo XXIII, el gobierno norteamericano, sin consultar y ni siquiera informar a Panamá, *ha hecho grandiosas instalaciones militares, navales y aéreas, dentro de la Zona del Canal,* que no guardan ninguna relación con la "seguridad y protección del Canal", con lo cual agrava los peligros de Panamá como objetivo militar de represalia y, además, da a Panamá la apariencia desdorosa de que toda la República está supeditada a los intereses militares exclusivos de Estados Unidos, ya sean regionales, continentales o extracontinentales, en los cuales ninguna participación tiene Panamá.

El poderío militar que Estados Unidos despliega dentro del territorio de la República, sin aprobación ni conocimiento de Panamá, es una de las causas más fecundas de conflictos entre el gobierno y el pueblo de Panamá y Estados Unidos de América.

5ª *Insuficiencia de beneficios directos para Panamá.* Antes de 1903 la Compañía del Ferrocarril de Panamá pagaba al gobierno de Colombia una anualidad de 250 000 dólares. Con la Convención de 1903 Panamá perdió esa anualidad por la concesión ferrocarrilera; y Estados Unidos de América se obligó a pagar a Panamá una anualidad de 250 000 dólares oro, comenzando nueve años después del canje de ratificaciones. Es decir, Panamá nada recibió en concepto de anualidad o de concesión del ferrocarril, durante nueve años. Después de 1939 Panamá comenzó a recibir una anualidad, en dólares devaluados, de $ 430 000, que eran equivalentes a los $ 250 000 oro estipulados en 1903. Desde 1957 Panamá comenzó a recibir, como anualidad, la suma de 1 930 000 dólares, de un poder adquisitivo muy inferior a los dólares devaluados de 1939. Pero en el Tratado de 1955, se le exigió a Panamá que rebajara en un 75 % el impuesto de licores que eran vendidos (importados) para la Zona del Canal, con el resultado de que Panamá perdió, en ese concepto, una suma mayor que 1 500 000 dólares en que fue aumentada la anualidad del Canal.

La desproporción enorme entre los inconmensurables beneficios de todo orden que Estados Unidos ha recibido siempre por razón del Canal, y las mezquinas cantidades pagadas anualmente a Panamá por la concesión que hizo posible la construcción del Canal, ha sido y continuará siendo causa permanente de insatisfacciones de Panamá y de conflicto entre Panamá y Estados Unidos.

6ª *Insuficiencia de beneficios indirectos para Panamá.* En cuanto a beneficios indirectos provenientes de la operación d'el Canal, debe recordarse que en el artículo I del Tratado General de 1936, los dos gobiernos "declaran su voluntad de cooperar en cuanto les sea factible al propósito de *asegurar el goce pleno y perpetuo de los beneficios de todo orden que el Canal debe proporcionar a las dos naciones que hicieron posible su construcción".* Con respecto a los beneficios recibidos por Estados Unidos, ellos están a la vista en el crecimiento de su marina mercante que ha convertido a ese país en el mayor usuario del Canal, en el crecimiento de su comercio de importación y exportación y, para citar sólo los beneficios de mayor bulto, en la verdad histórica de que el Canal de Panamá fue la llave que abrió a ese país el camino para convertirse en la primera potencia del mundo.

En cambio, son pocos y dudosos los beneficios *permanentes* que la República pueda haber recibido indirectamente por la presencia del Canal de Panamá en su territorio. *Por el Canal, Panamá perdió sus puertos de Panamá y Colón*; por el Canal y su método de operación, Panamá no ha podido desarrollar sus potenciales actividades productivas en el intercambio internacional; por el Canal de Panamá y sus métodos de administración, el Canal es un competidor desleal para el comercio y la industria de Panamá; el Canal, en vez de abrir a Panamá sus puertas hacia el comercio mundial, le ha obstaculizado o cerrado las avenidas que directamente pueden comunicarla con los mercados exteriores de exportación o importación; el Canal de Panamá creó una numerosa clase privilegiada con derecho a abastecerse de todo sin pagar impuestos a Panamá, con lo cual no sólo se privó al comercio panameño de esa clientela de alto poder adquisitivo, sino que se abrieron incontenibles corrientes de contrabandos procedentes de la Zona del Canal; todo lo cual ha sido y sigue siendo una fecunda fuente de conflictos y desavenencias entre los dos países.

Mucho se ha hablado de las entradas que la economía panameña recibe por razón de los salarios pagados en la Zona del Canal; pero no debe olvidarse que esos salarios no son una regalía que paga Estados Unidos, ya que si éste necesita usar la mano de obra panameña, tiene que pagarla porque recibe servicios equivalentes y a veces mayores a los salarios que paga. No podría pretenderse que los panameños estaban obligados a servir de balde al Canal de Panamá como parte de las obligaciones contraídas por Panamá en adición a la concesión canalera.

7ª Por último, para no hacer interminable la lista de causas de conflicto, *citamos la mayor causa, la causa constante*, la que diariamente ha contribuido a mantener vivo el resentimiento de los panameños y a alimentar en ellos un sentimiento de rebeldía contra la presencia hiriente en parte del territorio nacional de un gobierno extraño que actúa en forma arbitraria, omnímoda y absoluta con menosprecio de la presencia del soberano territorial. Nos *referimos a la conducta invariable del gobierno de Estados Unidos de América, de interpretar las cláusulas de los tratados vigentes en la forma más conveniente para sus intereses y contraria a los derechos de Panamá e imponer sus interpretaciones arbitrarias e injustas* con el poder que tiene, y que Panamá no ha podido contrarrestar hasta ahora, de excluir y arrojar fuera de la Zona del Canal la presencia oficial de Panamá y la vigencia de nuestras leyes.

III

Habiendo esbozado así, en términos generales, siete causas de conflictos entre Panamá y Estados Unidos, dejamos presentada la premisa mayor del silogismo.

Pasemos a la presentación *de la premisa menor* y determinar si los tres proyectos de tratados nuevos, mencionados más arriba han logrado *eliminar las causas de conflicto entre los dos países*, surgidas del Convenio de 1903.

Para llegar a la enunciación de esta premisa menor, compararemos, someramente, y con relación a cada uno de esos tres proyectos de tratado, las siete causas de conflicto que hemos listado arriba,

1ª La perpetuidad

Cierto es que el abrogarse, según el proyecto de nuevo Tratado para el Canal de Panamá, la Convención de 1903, se abrogarían, con ella, las cláusulas de perpetuidad que en esa Convención se estipularon. En el nuevo proyecto para ese mismo canal se estipula *su posible vigencia hasta el año 2007*. En el proyecto de tratado para un canal a nivel del mar, se fija su vigencia en 60 años a partir de la fecha en que comience a operar ese canal a nivel; pero como, según sus estipulaciones, esa fecha podría coincidir con la terminación de la vigencia del nuevo proyecto de tratado para el Canal ahora existente, quiere ello decir que la vigencia del tratado que se celebrara para el canal a nivel del mar, *podría prolongarse hasta el año 2067*, o sea, por el largo término de *97 años* contados a partir del presente año.

La Convención de 1903 fue pactada a perpetuidad. Sin embargo, en 1936, es decir, 33 años después, fue ella reformada con un nuevo tratado (el Tratado General de 1936); en 1957, es decir, 21 años después del Tratado de 1936 y 54 años después de firmada la Convención de 1903, fue ésta modificada por segunda vez; y ahora, 13 años después de esa segunda reforma, nos encontramos en presencia de nuevas negociaciones, temporalmente suspendidas, con miras a abrogar totalmente esa Convención para sustituirla por tres tratados concurrentes que se celebrarían simultáneamente.

Según el proyecto presentado por los negociadores norteamericanos para la celebración de uno de *esos tres tratados (el de Defensa), la duración de éste coincidiría con la terminación del Tratado para la Construcción del Canal a Nivel del Mar,* lo que equivale a decir que el primero estaría vigente hasta el año 2067, o sea, por 97 años contados a partir del presente año. Sin embargo, en el proyecto presentado por los negociadores de Estados Unidos para el Tratado de Defensa, incluyeron una cláusula según *la cual ese Tratado de Defensa continuaría en vigor, indefinidamente, mientras no se celebrara un tratado nuevo que lo sustituyera, lo que equivaldría a una estipulación de perpetuidad para el Tratado de Defensa que es, precisamente, el que mayor preeminencia le daría al poder de Estados Unidos en el istmo de Panamá y el que,* por tanto, resultaría más hiriente para la dignidad y la soberanía de la República. Panamá no ha aceptado esa propuesta de perpetuidad; pero ésta es clara indicación de las pretensiones de los negociadores norteamericanos.

Si existe ya un consenso entre los dos gobiernos en el sentido de que la Convención de 1903 debe ser abrogada, cuando sólo habían trascurrido 60 años desde su firma, no obstante haber sido celebrada a perpetuidad, pretender ahora celebrar tratados que tengan una duración fija de 97 años, es tanto como insistir en pactos de una duración mayor de la que históricamente pueden durar.

Si algo debe haber aprendido la República, a través de las muy duras experiencias sufridas, es que los tratados que se refieren a la presencia, dentro de su territorio, de gobiernos extranjeros, deben contener cláusulas que permitan la revisión de esos tratados por períodos no mayores de 20 o 25 años, para ajustarlos a los progresos del derecho internacional y a los cambios en la convivencia pacífica entre las naciones.

Conclusión: Esta causa de conflictos subsiste en los tratados estudiados.

2ª *Jurisdicción política y autoridad administrativa*

No obstante haberse reducido en el Tratado de 1936 las finalidades de la concesión de 1903 al *mantenimiento, funcionamiento, saneamiento y protección* del Canal ya construido en 1936, *el gobierno de Estados Unidos ha continuado ejerciendo la plena jurisdicción política y la autoridad administrativa en la Zona del Canal, con total exclusión de la República de Panamá,* aun en los casos y materias no relacionados con las finalidades de la concesión pactadas en 1936. Ésta ha sido la causa de los conflictos someramente explicados en el punto 2º de la sección II de este memorándum.

Todas esas causas de conflictos continuarían vigentes si se adoptara el proyecto de Tratado nuevo para el Canal de Panamá, porque con este proyecto las autoridades panameñas continuarían sin jurisdicción ni competencia para actuar dentro de las áreas del Canal; y los Estados Unidos quedarían liberados de las obligaciones y responsabilidades que ahora tienen contraídas por los tratados vigentes.

En efecto, en la actualidad el gobierno de Estados Unidos tiene la obligación y la responsabilidad de mantener y hacer funcionar el Canal de Panamá; pero de acuerdo con el proyecto de nuevo Tratado para este Canal, esa obligación y responsabilidad pasarían a una *entidad internacional con personería propia* que se llamaría *Administración Conjunta,* de cuya actuación Estados Unidos no sería responsable, quedando libre de sus compromisos actuales a ese respecto sin que Panamá tuviera ninguna garantía, con el agravante de que el gobierno de Estados Unidos tendría el control definitivo de esa *Administración Conjunta* por el voto mayoritario en las decisiones de la misma, sin asumir ninguna responsabilidad directa por el mantenimiento y funcionamiento del Canal. La única garantía que ahora tiene Panamá para los beneficios que del Canal puede derivar, es la obligación del gobierno norteamericano de mantenerlo y operarlo, y esta garantía desaparecería con la creación de la citada *Administración Conjunta* en la forma indicada en el proyecto.

En la actualidad existe, por razón de los tratados vigentes, una relación y comunicación directas de Estado a Estado, entre Panamá y Estados Unidos, y Panamá puede enderezar todas sus quejas y reclamaciones contra el gobierno de Estados Unidos, como lo ha venido haciendo, incesantemente, desde que se firmó la Convención de 1903. Pero, con la *Administración Conjunta* prevista en el proyecto de tratado, Panamá, como Estado soberano territorial tendría en adelante que entendérselas, de igual a igual, con esa entidad jurídica de inferior categoría y hasta someterse a las decisiones de la misma en la cual el voto mayoritario lo tendrían ciudadanos de Estados

Unidos. La posición no podría ser más deprimente y lesiva para la dignidad nacional.

Y, como si todo esto no fuere suficiente, la aludida *Administración Conjunta* tendría, según el proyecto, atribuciones, funciones y poderes que hoy día no tienen ni aun el gobierno de Washington, dentro de los tratados vigentes; y muchas actuaciones que ese gobierno mantiene en la Zona del Canal con violación de esos tratados y que ya han causado conflictos y ocasionado protestas de parte de Panamá, vendrían a quedar cohonestadas y rivales con claro retroceso de posiciones que el gobierno de Panamá ha venido manteniendo con patriótico tesón.

Por ejemplo, para citar una muestra, no obstante la obligación que aparentemente se estipula en el proyecto en el sentido de que la *Administración Conjunta* traspasaría a empresas privadas panameñas las actividades comerciales que ahora se explotan en la Zona del Canal, el mismo proyecto estipula que esa Administración podrá continuar con tales actividades con la sola obligación de pagar a Panamá sumas equivalentes a los impuestos que Panamá habría percibido si se tratara de empresas privadas, lo cual significaría que esas actividades no estarían sujetas al sistema tributario panameño ni quedarían sometidas a la jurisdicción de las leyes y de las autoridades de Panamá, lo cual es una justa aspiración permanente de Panamá.

Conclusión: Las causas de conflictos por razón de la jurisdicción política y administrativa que irrestrictamente ejerce el gobierno de Estados Unidos no se resuelven ni se eliminan en el proyecto de Tratado para el Canal de Panamá, sino que por el contrario se agravan.

3ª *Ejecución de obras civiles no autorizadas en los tratados*

De acuerdo con el preámbulo, y con el artículo II de la Convención del Canal Istmico de 1903 Panamá concedió a Estados Unidos el uso, ocupación y control de una zona de tierra y de tierra cubierta por agua "para la construcción, mantenimiento, funcionamiento, saneamiento y protección" de "un canal para buques a través del istmo de Panamá para comunicar los océanos Atlántico y Pacífico". En virtud de esa concesión los Estados Unidos construyeron el Canal de Panamá que comenzó a operar el 15 de agosto de 1914 y que fue inaugurado oficialmente el 12 de julio de 1920. "En vista de la apertura formal y oficial del Canal de Panamá el 12 de julio de 1920", Panamá y Estados Unidos declararon en el artículo I del Tratado General de 1936 que las estipulaciones de la Convención de 1903 "tienen en mira el uso, ocupación y control de la Zona del Canal y de las tierras y aguas adicionales bajo jurisdicción de los Estados Unidos, para los fines del eficiente mantenimiento, funcionamiento, saneamiento y protección del Canal".

Como se ve, la palabra "construcción" fue eliminada de los fines para los cuales Panamá otorgó a los Estados Unidos la concesión de 1903. Obsérvese que la concesión de 1903 era para la construcción "de un canal para buques a través del istmo de Panamá"; y en el Tratado de 1936 los fines de la concesión, ya excluida la palabra "construcción" fueron para el "mantenimiento, funcionamiento, saneamiento y protección del Canal". Es decir, el Tratado de 1903 se refería única y exclusivamente al Canal que ambos gobiernos declararon después ya construido en el Tratado de 1936. En consecuencia, las obras que el gobierno de Estados Unidos quedó autorizado a realizar en la Zona del Canal, a partir del Tratado de 1936 fueron, únicamente, las obras relacionadas con el "mantenimiento, funcionamiento, saneamiento y protección del Canal".

No obstante esta clara interpretación de los tratados vigentes, Estados Unidos ha continuado, como ya hemos dicho más arriba, efectuando obras de gran magnitud dentro de la Zona del Canal que no tienen relación alguna con los fines para los cuales fue limitada la concesión de 1903, en el Tratado de 1936. Todas esas obras adicionales, no autorizadas por los tratados, han sido realizadas por el gobierno de Estados Unidos sin consultar ni informar a Panamá, lo cual ha creado y mantenido otra fuente inagotable de conflictos entre las dos naciones. Esta situación se agrava enormemente con la nota núm. 72 de fecha 12 de febrero de 1970 que el embajador de los Estados Unidos en Panamá envió al ministro de Relaciones Exteriores, en la cual pretende que el cruce de notas efectuado en 1939 entre el enviado extraordinario y ministro plenipotenciario de Panamá en Washington y el secretario de Estado, cruce de notas en el cual se aclara el sentido de la palabra "mantenimiento" incluida en ese Tratado, comprende no sólo obras de mantenimiento del Canal existente, sino cualquier otra obra o expansión que el gobierno americano quiera hacer dentro de dicha Zona. La interpretación que el señor embajador de los Estados Unidos pretende dar a la palabra "mantenimiento" no se ajusta al verdadero sentido del lenguaje usado en el mismo cruce de notas a que él se refiere, lenguaje que lo único que hace es admitir que la palabra "mantenimiento" incluye construcción y expansión dentro del sentido de mantener el Canal que se declaró ya construido en el Tratado de 1936.

Esta nueva interpretación que el representante del gobierno de Estados Unidos en Panamá ha querido hacer al cruce de notas arriba mencionado ha venido a agravar, como causa de conflictos entre los dos países, la pretensión que ya, en la práctica, ha llevado a efecto el gobierno de Washington, de que ese cruce de notas autoriza construcciones y expansiones distintas de las que pueden caber dentro del concepto de la palabra "mantenimiento" del Canal.

Esta situación no solamente subsistiría si el proyecto de tratado para el Canal de Panamá fuera aceptado, sino que se haría más desfavorable para Panamá por cuanto que le daría a la entidad que en él se denomina "la administración conjunta del Canal" un mayor radio de acción que le permitiría legalizar actividades que ahora se hacen al margen de los tratados vigentes, y le permitiría también nuevas actividades de construcción a las cuales el gobierno de Estados Unidos no tiene hoy derecho de acuerdo con esos tratados que hoy rigen.

Conclusión: Esta causa de conflictos no sólo subsistiría íntegramente en el nuevo proyecto de Tratado del Canal de Panamá, sino que se agravaría creando conflictos adicionales a los que ya se han producido en relación con los tratados hoy día vigentes.

4ª *Protección del Canal de Panamá*

Ya se ha explicado que una de las finalidades para las cuales Panamá otorgó a los Estados Unidos la concesión contenida en la Convención del Canal Ístmico, firmada el 18 de noviembre de 1903, fue la protección del citado Canal. Dicha Convención estipuló, con toda claridad, los derechos que fueron concedidos por Panamá a Estados Unidos para esa protección, así:

"Artículo XXIII. Si en cualquier tiempo fuere necesario emplear fuerzas armadas para la seguridad y protección del Canal o de las naves que lo usen, o de los ferrocarriles y obras auxiliares, los Estados Unidos tendrán derecho, en todo tiempo y a su juicio, para usar su policía y sus fuerzas terrestres y navales y para establecer fortificaciones con ese objeto."

Ya hemos explicado en la sección II de este informe preliminar, que la forma como Estados Unidos ha interpretado y aplicado este artículo XXIII de la Convención de 1903, ha sido una de las causas permanentes de conflictos entre las dos naciones por razón de la preeminencia que el poderío de los Estados Unidos presenta en territorio de la República, sin que tal preeminencia, que ha resultado desdorosa para Panamá, pudiera justificarse para las necesidades específicas de proteger el Canal, "si en cualquier tiempo fuere necesario".

En los tres proyectos de tratados que han sido presentados conjuntamente por los negociadores panameños y los negociadores norteamericanos, la materia relativa a la *protección del Canal*, que en la Convención de 1903 quedó circunscrita en el artículo XXIII arriba copiado, ha sido dividida en dos partes:

a) Lo relativo a las fuerzas de policía ha sido incluido en el Proyecto de Tratado para el Canal de Panamá; y

b) Lo relativo a las fuerzas militares ha sido incluido en el Proyecto de Tratado de Defensa del Canal y de su Neutralidad.

Ya hemos explicado que el primero de estos proyectos mantiene y amplía las causas de conflictos que han surgido por razón del ejercicio irrestricto de autoridad política por Estados Unidos en la Zona del Canal, en materias que no guardan relación con las finalidades de la concesión otorgada por Panamá, entre ellas el ejercicio irrestricto de las funciones y servicios de policía. Veamos ahora cómo pueden compararse las estipulaciones sobre fuerzas militares en los tratados hoy vigentes, con las estipulaciones incluidas en el Proyecto de Tratado de Defensa.

Basta una simple lectura de este último Proyecto de Tratado y de los informes de los negociadores panameños sobre las numerosas reuniones celebradas con los negociadores de Estados Unidos y que culminaron con la presentación de los citados tres proyectos de tratados, para llegar a la conclusión de que el propuesto Tratado de Defensa no sólo no eliminaría ninguna de las causas de conflictos que la presencia innecesariamente impresionante de actividades militares de todo orden —incluyendo las didácticas y de entrenamiento, que en suelo panameño, ha mantenido el gobierno de Estados Unidos— sino que, por el contrario, agravaría esas causas ya existentes y agregaría otras nuevas.

En efecto, ese Proyecto de Tratado de Defensa amplía los derechos de Estados Unidos para toda clase de instalaciones defensivas y ofensivas no previstas en los tratados hoy vigentes aumentando los peligros de represalia y riesgos a la población civil; y, lo que es peor, otorgaría al gobierno norteamericano el derecho para utilizar nuevas áreas fuera de la Zona del Canal, sin que para ello se requiera la celebración de un nuevo convenio o tratado entre los dos países, con lo cual Panamá renunciaría, sin justificación alguna a una de las más valiosas conquistas de la diplomacia panameña logradas con el Tratado General de 1936. Además, el nuevo proyecto de tratado de defensa otorgaría a las fuerzas militares de los Estados Unidos el derecho de tránsito libre e irrestricto en el territorio nacional, sin el previo permiso del gobierno panameño, que fue otra conquista del Tratado General de 1936.

Conclusión: El proyecto de nuevo Tratado de Defensa no ha eliminado ninguna de las causas que, desde 1903, vienen dando lugar a conflictos por razón de los privilegios que las fuerzas armadas de Estados Unidos han pretendido arrogarse en el territorio de la República.

5ª *Insuficiencia de beneficios directos para Panamá*

Ya hemos explicado en la sección II de este informe preliminar, que Panamá no recibió ninguna anualidad por la concesión del Canal durante los primeros nueve años de vigencia de la Convención de 1903. Desde 1912, Estados Unidos comenzó a pagar una anualidad de 250 000 dólares oro, igual a la anualidad que la Compañía del Ferrocarril de Panamá pagaba a Colombia por la concesión ferrocarrilera, concesión ésta que en 1903 pasó a Estados Unidos sin ninguna compensación en favor de Panamá, lo que quiere decir que Estados Unidos comenzó en 1912 a pagar a Panamá por la concesión del Canal lo que la Compañía del Ferrocarril de Panamá pagaba al gobierno colombiano. Desde 1939 hasta 1957 la anualidad fue fijada en el Tratado General de 1936 en la suma de 430 000 dólares devaluados, equivalentes a los 250 000 dólares oro estipulados en la Convención de 1903; es decir, hubo aumento en la cantidad de dólares pero no en el valor real de esos dólares, causando a Panamá una pérdida igual a la devaluación progresiva del dólar a partir de esa fecha. A esto se puede agregar que, desde 1904 hasta 1957 el gobierno de Estados Unidos percibía por alquileres de lotes urbanos en las ciudades de Panamá y Colón, que antes pertenecieron a la Compañía del Ferrocarril de Panamá sin compensación de ninguna clase para Panamá, todos los años sumas iguales o mayores a la anualidad que, por la concesión del Canal, pagaban a Panamá.

Quiere ello decir que el gobierno de Panamá nunca recibió, como beneficios directos por la concesión del Canal, sumas que alcanzaran siquiera a compensar lo que Panamá dejaba de percibir como consecuencia de esa concesión.

Después de 1957 Estados Unidos comenzó a pagar a Panamá un aumento de 1 500 000 dólares en la anualidad, de acuerdo con el Tratado de 1955; pero como ya hemos explicado, por ese mismo Tratado

Panamá dejó de percibir, en conceptos de impuesto de importación de licores una suma mayor que dicho aumento.

De acuerdo con el nuevo proyecto de Tratado para el Canal de Panamá, la República recibiría anualmente un pago mayor computado a base de una suma fija por tonelada de carga en tránsito por el Canal; pero la efectividad de esos pagos resulta dudosa porque no se prevé la constante depreciación del poder adquisitivo del dólar norte-americano, con el agravante de que Panamá no tiene participación en la fijación de peajes. Además, la duración máxima del nuevo Tratado para el Canal de Panamá que se firmaría, siguiendo el proyecto presentado, sería hasta el año 2009, pero terminaría antes si el canal al nivel del mar es construido antes de ese año, sin que en ninguno de los tres proyectos presentados para los nuevos tratados se estipulen las ventajas o beneficios que quedarán a Panamá al expirar el nuevo tratado que se firmara para el Canal de Panamá, constrúyase o no se construya por el istmo de Panamá el anunciado canal a nivel del mar, ni los remedios que quedarían en favor de Panamá para hacer frente a los graves perjuicios que sufriría con la cesación del canal de esclusas y la apertura del canal a nivel.

Conviene hacer notar que el proyecto presentado para la construcción de un canal a nivel del mar, no trae ninguna certeza de que ese canal será construido ni de que, si es construido, ello sea en territorio panameño, y ni siquiera la obligación de Estados Unidos de construirlo. Ese proyecto de tratado está concebido en forma de una opción que Estados Unidos podría ejercer o no, y que para Panamá representa, por no estipularse en él beneficios económicos para Panamá, una enorme y oscura interrogación del futuro de sus derechos e intereses tan arraigados en el destino de la nación panameña.

En el proyecto de tratados para la defensa del Canal no se estipula ningún beneficio directo para la República de Panamá.

Conclusión: Los tres proyectos de nuevos tratados no resuelven ni eliminan las causas de conflictos que han surgido por razón de la insuficiencia de beneficios directos para la República; por el contrario, esos beneficios directos aparecen en esos proyectos envueltos en densas incertidumbres que son de mal augurio para la República de Panamá que crearían nuevas causas de conflictos sin que se hubieran eliminado las que ya surgen de los tratados hoy vigentes.

6ª *Insuficiencia de beneficios indirectos para Panamá*

Ya hemos explicado en la sección II de este informe preliminar que la presencia, dentro del territorio panameño, de un canal interoceánico operado y administrado por Estados Unidos de América, con total y absoluta exclusión del soberano territorial, no sólo no sirve a los fines del desarrollo de la economía nacional, de los servicios que ésta puede prestar al comercio internacional y de los beneficios que aquélla puede recibir con el incremento de éste en el tránsito transístmico, sino que, por el contrario, el Canal de Panamá, por la manera como es manejado y administrado, constituye un obstáculo a veces insuperable en el desarrollo de la nacionalidad panameña, en el desenvolvimiento de su comercio internacional y en la adecuada explotación de sus recursos naturales.

Los únicos beneficios indirectos que la economía panameña recibe del funcionamiento del Canal de Panamá consiste en la venta de servicios de la mano de obra nacional y de muy contados productos agropecuarios. Pero, como ya hemos explicado anteriormente, los pagos que la economía panameña recibe con dineros de Estados Unidos, no son una regalía que ese país paga por la concesión que Panamá le hizo en 1903, sino el pago de servicios y productos que compra porque los necesita y tiene que pagar por ellos un precio que no siempre alcanza el justo valor de los mismos.

Pero, aun estos beneficios indirectos consistentes en el flujo de dólares hacia Panamá, en varias ocasiones han servido de instrumento para reducir el volumen del medio circulante y causar situaciones de crisis o agravar las crisis ya presentadas. Una disminución drástica en esa afluencia de dólares es suficiente para provocar trastornos económicos y sociales en la República. Por ello se explica que la política económica o financiera de la administración del Canal de Panamá, ha sido, en muchas ocasiones, causa de conflictos y trastornos de lenta y demorada recuperación.

En este punto donde el horizonte se presenta más turbio para Panamá por el proyecto de construir un canal a nivel del mar dentro o fuera del istmo, con el consiguiente vertical descenso del ingreso nacional al suspender la operación del presente Canal de esclusas.

Ninguno de los tres proyectos de tratados presentados, contiene las medidas de previsión que el cierre del Canal de esclusas y la apertura del canal a nivel requieren para evitar un colapso de la economía nacional.

Todos los conflictos que con tanta frecuencia han surgido en los últimos sesenta años por causa de la insuficiencia de los beneficios indirectos que Panamá tiene el derecho de recibir, pero que no recibe, por la operación del Canal de Panamá, serán pálidos comparados con los que ocurrirán cuando, como consecuencia de una inconsulta aceptación de los tres proyectos de tratados, cese de funcionar el presente Canal de esclusas y comience a funcionar un canal a nivel del mar aunque se construya en territorio panameño, ya que si se construyera fuera de Panamá sin que se tomaran las medidas conducentes a soportar el impacto, Panamá podría verse abocada a una depresión más grave y profunda que cualquiera de las que ya abatieron a la población del istmo en sus cuatrocientos años largos desde la Conquista.

7ª Diferencia de interpretación de los tratados vigentes

La experiencia de Panamá durante los 67 años trascurridos desde la firma de la Convención ístmica de 1903, ha sido, invariablemente, la de que Estados Unidos ha actuado como juez y parte de la interpretación y aplicación de esa Convención y de los tratados posteriores que la adicionan o modifican. Estados Unidos ha interpretado y aplicado esa Convención y esos tratados como mejor le ha convenido y a su acomodo, y lo ha hecho con autoridad y poder omnímodos e incontrastables, sin que Panamá haya tenido a su alcance ningún recurso jurídico o político para oponerse a esas interpretaciones desorbitadas y a ejecuciones arbitrarias, que no han tenido ni tienen respaldo dentro del texto y el espíritu de los tratados, rectamente entendidos y rectamente interpretados.

En su impotencia para exigir un trato más justo, Panamá lo que ha hecho es acumular injusticias, agravios y menosprecios que, esporádicamente, han ocasionado explosiones del sentimiento patriótico, con muy pocos beneficios prácticos, pero con una aquilatación cada vez más acerada de sus empeños para la reivindicación de sus justos derechos e intereses nacionales.

Mientras los Estados Unidos se arroguen *la unilateralidad en la interpretación de los convenios y tratados*, subsistirán todas las causas de conflictos que permanentemente han enturbiado las relaciones entre los dos países y herido la dignidad nacional.

Esa unilateralidad de decisión para Estados Unidos, subsistiría si se firmaran los tres proyectos de tratados a que este informe preliminar se refiere, ya que en las pocas instancias en que se prevén posibles arbitrajes, en ellas se trata de cuestiones de orden secundario, pero no de las relativas a la defensa de la soberanía y dignidad de la República.

Y como si esto fuera poco, esos proyectos de tratados dejarían a la decisión de funcionarios de inferior categoría de ambos gobiernos, reformas o adiciones a esos mismos tratados, si se llegasen a firmar, con la evidente intención de excluir la intervención de nuestros órganos Ejecutivo y Legislativo que es a quienes corresponde, conjuntamente, todo lo relativo a la aprobación, modificación o adición de tratados públicos que ya han sido aprobados por ellos.

Conclusión: Las causas de conflictos que desde 1903 han surgido por razón de la interpretación y aplicación unilaterales de los tratados vigentes, por parte del gobierno de Estados Unidos, subsistirían y se agravarían en muchos aspectos, si esos proyectos de tratados recibieran la aprobación de Panamá.

IV

En la sección I (de este informe preliminar) explicamos que "las negociaciones que se iniciaron entre Panamá y los Estados Unidos de América en cumplimiento de la Declaración Conjunta del 3 de abril de 1964 tenían por objetivo *'procurar la pronta eliminación de las causas de conflicto entre los dos países'* mediante los procedimientos necesarios *con el objeto de llegar a un convenio justo y equitativo*".

Terminamos esa sección I con la afirmación de que "el camino más expedito y obvio a seguir para formarse un juicio crítico sobre lo aceptable para (la aceptabilidad por parte de) Panamá de los tres proyectos mencionados, es el de determinar si ellos responden o no a los objetivos o finalidades que tanto Panamá como Estados Unidos pactaron en la Declaración Conjunta del 3 de abril de 1964", es decir, si ellos han logrado *"procurar la pronta eliminación de las causas de conflicto entre los dos países"*.

En la sección II (de este informe preliminar) explicamos las siete principales causas de conflictos surgidos entre Panamá y Estados Unidos y derivados de los tratados hoy vigentes.

En la sección III (de este informe preliminar) analizamos las citadas siete causas de conflictos en relación con los tres proyectos de tratados presentados por los negociadores panameños y norteamericanos, y llegamos a la conclusión de que dichos proyectos, si llegaran a celebrarse, no resolverían ni eliminarían ninguna de las siete principales causas de conflictos analizadas.

El silogismo que anunciamos al iniciar la sección II (de este informe preliminar), puede, pues, formularse así:

Premisa mayor: Las negociaciones iniciadas con la Declaración Conjunta del 3 de abril de 1964 tenía por finalidad expresa: "procurar la pronta eliminación de las causas de conflicto entre los dos países".

Premisa menor: Los tres proyectos de nuevos tratados sometidos en 1967 a la consideración del órgano Ejecutivo, no eliminan ninguna de las siete principales causas de conflictos.

Conclusión: Los tres proyectos de tratados no cumplen con la finalidad de "procurar la pronta eliminación de las causas de conflictos entre los dos países".

Por todas estas razones, Panamá estima que los proyectos de tratados en cuestión no son utilizables ni siquiera como base de futuras negociaciones.*

---

* Véase el señalamiento que se hace en el documento de 5 abogados panameños ("Las negociaciones sobre el Canal de Panamá y la Declaración de los Ocho Puntos", en este libro), en el sentido de que la *Declaración Tack-Kissinger* o de los Ocho Puntos representa, en realidad, un retroceso en la posición panameña declarada en diciembre de 1972 por el negociador Jorge E. Illueca, pero sostenida por primera vez en el texto arriba presentado, como política del actual gobierno de Panamá. [Nota del recopilador.]

DECLARACIÓN DE LOS OCHO PUNTOS *

*Anuncio conjunto por Su Excelencia Juan Antonio Tack, ministro
de Relaciones Exteriores de la República de Panamá
y el honorable Henry A. Kissinger, secretario de Estado de los Estados
Unidos de América, del 7 de febrero de 1974, en Panamá*

La República de Panamá y los Estados Unidos de América han estado
abocados a negociaciones para concertar un tratado enteramente
nuevo respecto al Canal de Panamá, negociaciones que fueron hechas
posibles por la Declaración Conjunta entre los dos países del 3 de abril
de 1964, suscrita bajo los auspicios del Consejo Permanente de la
Organización de Estados Americanos, actuando provisionalmente como
órgano de consulta. El nuevo tratado abrogaría el tratado existente
desde 1903 y sus enmiendas posteriores, estableciendo los requisitos
para una relación moderna entre los dos estados basado en el más
profundo respeto mutuo.

Desde el fin del pasado mes de noviembre, los representantes autorizados de los dos gobiernos han estado sosteniendo importantes conversaciones que han permitido llegar a un acuerdo sobre un conjunto
de principios fundamentales, los cuales servirán de guía a los negociadores en el esfuerzo por concertar un tratado justo y equitativo, que
elimine, de una vez por todas, las causas de conflicto entre los dos
países.

Los principios que hemos acordado, a nombre de nuestros respectivos gobiernos, son los siguientes:

1. El Tratado de 1903 y sus enmiendas serán abrogados al concertarse un tratado enteramente nuevo sobre el Canal interoceánico.

2. Se eliminará el concepto de perpetuidad. El nuevo tratado relativo al Canal de esclusas tendrá una fecha de terminación fija.

3. La terminación de la jurisdicción de los Estados Unidos en territorio panameño se realizará prontamente, de acuerdo con los términos
especificados en el nuevo tratado.

4. El territorio panameño en el cual se halla situado el Canal será
devuelto a la jurisdicción de la República de Panamá. La República
de Panamá, en su condición de soberano territorial, conferirá a los
Estados Unidos de América, por la duración del nuevo tratado sobre el
Canal interoceánico, y conforme se establezca en el mismo, el derecho
de uso sobre las tierras, aguas y espacio aéreo que sean necesarios
para el funcionamiento, mantenimiento, protección y defensa del Canal y el tránsito de las naves.

5. La República de Panamá tendrá una participación justa y equitativa en los beneficios derivados de la operación del Canal en su
territorio. Se reconoce que la posición geográfica de su territorio constituye el principal recurso de la República de Panamá.

6. La República de Panamá participará en la administración del
Canal, de conformidad con un procedimiento que habrá de ser acor-

* Texto tomado de la prensa panameña en febrero de 1974.

[375]

dado en el tratado. También se estipulará en el tratado que la República de Panamá asumirá la total responsabilidad por el funcionamiento del Canal a la terminación del tratado. La República de Panamá conferirá a los Estados Unidos de América los derechos necesarios para regular el tránsito de las naves a través del Canal y operar, mantener y proteger y defender el Canal, y para realizar cualquier otra actividad específica en relación con esos fines, conforme se establezca en el tratado.

7. La República de Panamá participará con los Estados Unidos de América en la protección y defensa del Canal, de conformidad con lo que se acuerde en el nuevo tratado.

8. Los Estados Unidos de América y la República de Panamá, reconociendo los importantes servicios que el Canal interoceánico de Panamá brinda al tráfico marítimo internacional, y teniendo en cuenta la posibilidad de que el presente Canal podrá llegar a ser insuficiente para dicho tráfico, convendrán bilateralmente en provisiones sobre obras nuevas que amplíen la capacidad del Canal. Esas provisiones se incorporarán en el nuevo tratado de acuerdo con los conceptos establecidos en el Principio 2.

(Fdo.) Juan Antonio Tack, ministro de Relaciones Exteriores de Panamá. (Fdo.) Henry A. Kissinger, secretario de Estado de los Estados Unidos de América.

BIBLIOGRAFÍA

Aguilera, Rodolfo, *Documentos históricos relativos a la fundación de la República de Panamá*, Panamá, 1904.

Arias M., Harmodio, *El Canal de Panamá: un estudio en derecho internacional y diplomacia*, 2ª ed., trad. por Diógenes A. Arosemena G., Panamá, CONEP, 1975.

Arosemena G., Diógenes A., *Historia documental del Canal de Panamá*, Panamá, Universidad de Panamá, 1962.

—, Carlos Alfredo López Guevara, *et. al.*, *La denuncia como medio de liberación nacional*, Panamá, CONEP, 1975. (Serie: La cuestión canalera.)

—, Carlos Alfredo López Guevara, *et. al.*, *La cuestión canalera, 1903 a 1936*, Panamá, CONEP, 1975.

Arrocha Graell, Catalino, *Historia de la independencia de Panamá, sus antecedentes y sus causas, 1821-1903*, 3ª ed., Panamá, Editora Litho-Impresora Panamá, 1973.

Bacon, Alexander S., *La feria del crimen; el mayor chantaje de todos los siglos*, Bogotá, Arboleda y Valencia, 1912.

Benedetti, Eloy, *Tres ensayos sobre el Canal de Panamá*, Panamá, Ministerio de Educación, 1965.

Bishop, Joseph Bucklin, *The Panama gateway*, Nueva York, Charles Scribner's Sons, 1913.

Bunau-Varilla, Philippe, *Panama, the creation, destruction and resurrection*, Nueva York, 1910.

—, *De Panamá a Verdún*, París, 1937.

—, *Les 19 documents clés du drama de Panamá*, París, 1938.

—, *The great adventure of Panama*, Nueva York, 1920.

Carles, Rubén D., *Horror y paz en el istmo*, Panamá, 1950.

Carta informativa dirigida por el ministro de Relaciones Exteriores de Panamá, Juan Antonio Tack, al secretario general de las Naciones Unidas, U Thant, con fecha 4 de octubre de 1971, sobre las negociaciones del nuevo tratado del Canal entre Panamá y los Estados Unidos de América, Ministerio de Relaciones Exteriores, Panamá, 1971.

Castillero Pimentel, Ernesto, *Panamá y los Estados Unidos*, 4ª ed., Panamá, Litho-Impresora Panamá, 1974.

Castillero Reyes, Ernesto J., *El Canal de Panamá*, Panamá, Editora Humanidad.

—, *Documentos históricos sobre la independencia del istmo de Panamá*, Panamá, 1930.

—, *La causa inmediata de la emancipación de Panamá. Historia de los orígenes, la formación y el rechazo por el Senado colombiano del Tratado Herrán-Hay*, Panamá, 1935.

—, *Historia de la comunicación interoceánica y de su influencia en la formación y en el desarrollo de la entidad nacional panameña*, Panamá, 1939.

—, *El profeta de Panamá y su gran traición*, Panamá, 1936.

— y Enrique J. Arce, *Historia de Panamá*, 4ª ed., Rosario, Argentina, 1949.

Clare, Emilio F., *El Canal de Panamá; aspectos económicos*, Panamá, Universidad de Panamá, 1968.

Compilación de varios tratados y convenciones relacionados con la Zona del Canal (1903-1950), Panamá, Ministerio de Relaciones Exteriores, 1952.

Crespo, José D., *La moneda panameña y el nuevo tratado del Canal*, Panamá, 1936.

De la Rosa, Diógenes, *El mito de la intervención*, Panamá, 1927.

—, *Ensayos varios*, Panamá, Editora Istmeña, 1968.

Declaración de Panamá, México, Editorial Diógenes, 1971.

De León, César, *Significado histórico de la actual crisis entre Panamá y los Estados Unidos*, Panamá, Asociación Científica-Cultural de Panamá, 1964.

Duval Jr. Miles P., *And the mountains will move*, Stanford, 1947.

—, *Cadiz a Catay*, Panamá, Editorial Universitaria, 1973.

Dziuk, Augusto, *La internacionalización del Canal de Panamá*, Panamá, 1934.

Ealy, Lawrence O., *The Republic of Panama in world affairs, 1903-1950*, Philadelphia, University of Pennsylvania, 1951.

El Canal de Panamá; 50 Aniversario - La historia de una gran conquista, Zona del Canal de Panamá (Oficina de Información), 1964.

Escobar, Felipe Juan, *El legado de los próceres; ensayo histórico-político sobre la nacionalidad panameña*, Panamá, 1930.

Garay, Narciso, *Panamá y las guerras de los Estados Unidos*, Panamá, 1930.

—, *La novísima Compañía del Canal de Panamá*, Panamá, Universidad de Panamá, 1953.

Goytia, Víctor F., *La función geográfica del istmo*, Panamá, 1947.

Harding, Earl, *The Untold Story of Panama*, Nueva York, Athenea Press, 1959.

Haskin, Frederic J., *The Panama Canal*, Doubleday, Nueva York, Page & Co., 1914.

Hyberich, C. H., *The Trans-Isthmian Canal*, Austin, Texas, 1904.

Informe sobre los sucesos ocurridos en Panamá del 9 al 12 de enero de 1964, Ginebra, Suiza, Comisión Internacional de Juristas.

King H., Thelma, *El problema de la soberanía en las relaciones entre Panamá y los Estados Unidos de América*, Panamá, Ministerio de Educación, 1961.

Libro azul; documentos diplomáticos sobre el Canal y la rebelión del istmo de Panamá, Bogotá, Imprenta Nacional, 1904.

Linares, Julio E., *Del recurso de nulidad de la Convención del Canal Ístmico ante la Corte Internacional de Justicia*, Panamá, 1975.

López Guevara, Carlos Alfredo, *Panamá tiene derecho a denunciar "La Convención del Canal Ístmico de 1903" por violaciones a la misma por parte de Estados Unidos*, Panamá, Centro de Educación, 1971.

—, *Un Canal sin Zona del Canal*, Panamá, Talleres de la *Estrella de Panamá*, 1974.

Los canales internacionales, Panamá, Universidad de Panamá (Escuela de temporada), 1957.

Mack, Gerstle, *La tierra dividida*, Panamá, Editorial Universitaria, 1972.

McCain, William D., *The United States and the Republic of Panama*, Durhan (North Carolina), 1937.

McGrath, Marcos G., *El Canal: una visión cristiana*, Panamá, Talleres Senda (edición bilingüe).

Medina Castro, Manuel, *Historia de un latrocinio: El Canal de Panamá*, México, Editorial Diógenes, 1973.

Méndez Pereira, Octavio, *Antología del Canal 1914-1939*, Panamá, The Star & Herald, 1939.

Miner, Dwight, *The fight for the Panama route*, Nueva York, 1940.

Miró, Rodrigo, *Sentido y misión de la historia en Panamá*, Panamá, Imprenta Nacional, 1969.

Morales, Eusebio A., *El Tratado del Canal*, en *Ensayos, Documentos y Discursos*, Panamá, 1928.

Nuestra Revolución (discursos fundamentales del general Omar Torrijos Herrera), presentación por Juan Antonio Tack, Panamá, Ministerio de Relaciones Exteriores, 1974.

Padelford, Norman J., *The Panama Canal in peace and war*, Nueva York, 1943.

Panamá, dependencia y liberación, selección de textos, prólogo y notas de Ricaurte Soler, EDUCA, San José (Costa Rica), 1974 (Colección Seis).

Panamá y los Estados Unidos de América ante el problema del Canal, introd. de Dulio Arroyo C., Panamá, Facultad de Derecho y Ciencias Políticas, Universidad de Panamá, 1966.

Pedreschi, Carlos Bolívar, *Comentarios al proyecto de tratado sobre defensa y neutralidad del Canal*, Panamá, Imprenta Nacional, 1968.

—, *Canal propio vs. canal ajeno (elementos para una nueva política canalera)*, Panamá, ediciones revista *Tareas*, 1973.

—, *El nacionalismo panameño y la cuestión canalera*, Panamá, ediciones de la revista *Tareas*, 1975.

—, Mario J. Galindo H., y otros, *Las negociaciones sobre el Canal de Panamá y la Declaración de los Ocho Puntos*, Panamá, Imprenta Bárcenas, 1974.

Pérez, Camilo O. (Bona Fide), *Anatomía de un rechazo*, Panamá, Talleres de Panagrafic, 1974. (Ediciones autodeterminación.)

Rada, José Jacinto, *El drama del Pacífico y el Canal de Panamá*, México, Leguz Publishing, 1936.

Rodríguez Lendian, Evelio, *Los Estados Unidos, Cuba y el Canal de Panamá*, La Habana, Imprenta Avisador Comercial, 1909.

Relaciones entre Panamá y los Estados Unidos, 2ª ed., Panamá, Ministerio de Educación, 1974 (Biblioteca Nuevo Panamá).

Ricord, Humberto E., *La cuestión del Canal de Panamá*, Panamá, Imprenta Cervantes, 1964.

Rivera Reyes, Juan y Manuel A. Díaz E., *Historia auténtica de la escandalosa negociación del Tratado del Canal de Panamá escrita por el propio autor de esa Convención, señor Philippe Bunau-Varilla*, 2ª ed., Panamá. Impresora, S. A., 1964.

Saenz, Vicente, *Nuestras vías interoceánicas*, México, Editorial América Nueva, 1957.

Selser, Gregorio, *El rapto de Panamá*.

Siegried, André, *Suez et Panamá et les routes maritimes mondiales*, Nueva York, 1940.

Sosa, Juan B. y Enrique J. Arce, *Compendio de historia de Panamá*, Panamá, Edición de la Lotería Nacional de Beneficencia, 1971.

Souza, Rubén Darío, César A. de León, y otros, *Panamá 1903-1970*, Santiago (Chile), 1970.

Sullivan, G. H. y William Nelson Cromwell, *Compilation of executive and diplomatic correspondence relative to a Canal in Central America*, Nueva York, 1903.

Terán, Oscar, *Del Tratado Herrán-Hay al Tratado Hay-Bunau-Varilla*, Panamá, 1934-1935.

Tuñón, Federico, *El Canal barato*, Panamá, Imprenta Nacional, 1964.

Túrner, Domingo H., *Tratado fatal*, México, Editora Proa, 1964.

Vásquez, Juan Materno, *El país por conquistar. (La tesis del país integral)*, Bogotá, Internacional de Publicaciones, 1974.

Vásquez, Publio A., *La personalidad internacional de Panamá, Boletín de la Academia Panameña de la Historia* (Año I), Panamá, 1933.

Westerman, G. W., *Puntos sensibles en las relaciones entre los Estados Unidos y Panamá*, Panamá, 1952.

—, *Hacia una mejor comprensión*, Panamá, 1946.

Woolsey, T. S., *Suez and Panama - A Parallel*, Annual Report of the American Historical Association, 1902.

Yau, Julio, *El Canal de Panamá: calvario de un pueblo*, Madrid, Editorial Mediterráneo, 1972.

Zúñiga, G., Carlos Iván, *Dos tratados (consideraciones histórico-políticas sobre el Tratado Urrutia-Thompson. El Tratado General de 1936, la neutralidad y sus proyecciones)*, Panamá, 1975.

Nº 01719

impreso en gráfica panamericana, s. de r. l.
parroquia 911 - méxico 12, d. f.
tres mil ejemplares
28 de mayo de 1976

SOCIOLOGIA Y POLITICA

**EL CAPITALISMO DEPENDIENTE LATINOAMERICANO /
Vania Bambirra**

Resultado de los estudios realizados por el equipo de
investigación del CESO en Chile sobre las relaciones
de dependencia de América Latina, esta obra analiza
el capitalismo latinoamericano tomando como núcleo
central de su estudio la acumulación y reproducción
dependientes.

192 pp. 10.5 x 18 cm / 2a. ed.

**VIOLENCIA Y POLÍTICA EN AMÉRICA LATINA / Julio
Barreiro**

América Latina vive actualmente un despertar de los
viejos sueños dogmáticos que crearon su universo político. Despertar violento al reconocer que, durante
el sueño, su pueblo quedó despojado y hambriento
y obligado a enfrentarse a las estructuras que siguen
creando tales condiciones. El tomar conciencia de esta
situación de violencia hará que surja el nuevo hombre y se cree una "nueva política", en la que las
nuevas generaciones ya están trabajando.

[CM 42] 216 pp. 9.5 x 15 cm / 4a. ed. corregida y
aumentada

**LAS CRISIS POLÍTICAS LATINOAMERICANAS Y EL MI-
LITARISMO / Isaac Sandoval**

Aquí se analizan las estructuras de poder siempre li-
gadas a las fuerzas militares, en las diferentes etapas
históricas que ha vivido el continente latinoamericano.

176 pp. 10.5 x 18 cm

EL PENTAGONISMO, SUSTITUTO DEL IMPERIALISMO / Juan Bosch

El imperialismo es ya una sombra del pasado y, sin embargo, por inercia seguimos diciendo que todavía existe con sus características iniciales. Se trata de una ilusión. El imperialismo no existe ya, aunque el capitalismo le ha sobrevivido. ¿Por qué? Porque ha sido sustituido por una fuerza superior: el pentagonismo.

[CM 12] 160 pp. 9.5 x 15 cm / 3a. ed.

CAPITALISMO Y SUBDESARROLLO EN AMÉRICA LATINA / André Gunder Frank

Este trabajo es, en definitiva, un aporte fundamental a la polémica sobre "feudalismo" y "capitalismo" y a la importancia que la dilucidación de este problema tiene en la realidad política latinoamericana, donde todavía algunos esperan la llegada salvadora de la inversión capitalista que generaría el necesario desarrollo de las fuerzas productivas indispensables para una construcción del socialismo.

Traducción de Elpidio Palacios, revisión de Inés Izaguirre y el autor / 345 pp. 15.5 x 23 cm / 3a. ed. / [Siglo XXI Argentina]

COLONIALISMO Y REVOLUCIÓN / Carlos Guzmán Böckler

La situación colonial de Guatemala presenta una red de interrelaciones existentes entre la metrópoli, el ladino y el indígena. El proceso de descolonización implica, pues, el rompimiento de ese orden basado en las ideologías colonialistas, especialmente el racismo. Significa también la ruptura de Guatemala con el capitalismo internacional y, por ende, un acercamiento a los países del Tercer Mundo.

288 pp. 10.5 x 18 cm